Hermann Hesse, am 2. Juli 1877 in Calw/Württemberg als Sohn eines baltendeutschen Missionars geboren, starb am 9. August 1962 in Montagnola bei Lugano.

Hermann Hesse, dessen Bücher in den USA in einer Gesamtauflage von über 8, in Japan von über 6 Millionen Exemplaren verbreitet sind, ist dort der meistgelesene europäische Autor. Mit Übersetzungen in 35 verschiedene Sprachen und 12 indische Dialekte finden seine Schriften nun bereits in der dritten Generation junger Leser eine beispiellose Resonanz.

*Kurt Pinthus:* »Ich lese den Steppenwolf, dies unbarmherzigste und seelenzerwühlendste aller Bekenntnisbücher, düsterer und wilder als Rousseaus »Confessions«, die grausamste Geburtstagsfeier, die je ein Dichter sich selbst zelebrierte. Ein echt deutsches Buch, großartig und tiefsinnig, seelenkundig und aufrichtig.«

Die »Materialien zu Hermann Hesses ›Der Steppenwolf‹« dokumentieren die Entstehungs- und Wirkungsgeschichte des Buches, das die internationale Renaissance seines Autors ausgelöst hat. Mit meist noch unpublizierten Selbstzeugnissen, Briefen und satirisch-zeitkritischer Prosa aus den Entstehungsjahren des Steppenwolfs zeigt diese Sammlung Genese und Wirkungsmöglichkeit von Literatur. Sie korrigiert Mißverständnisse, indem sie die autobiographischen Fakten und Motivationen mit Interpretation und Wirkung konfrontiert und erlaubt zudem einen unmittelbaren Einblick in die Zusammenhänge zwischen biographischer Realität und deren Bewältigung durch sublimierende Artikulation.

Volker Michels, Jahrgang 1943, studierte, nach Gymnasialjahren an der Schule Schloß Salem, in Freiburg/Breisgau und Mainz Medizin und Psychologie. Er ist Herausgeber u. a. der »Schriften zur Literatur« und der dreibändigen Briefausgabe von Hermann Hesse (in Vorbereitung) und ist seit 1970 Lektor für deutsche Literatur in Frankfurt am Main.

# Materialien zu Hermann Hesses ›Der Steppenwolf‹

Herausgegeben von
Volker Michels

Suhrkamp

Der Herausgeber dankt Herrn Heiner Hesse für seine unermüdliche Mitarbeit bei der Beschaffung und Datierung des Quellenmaterials für diese Edition.

suhrkamp taschenbuch 53
21.–30. Tausend 1973
Copyright dieser Zusammenstellung,
sowie sämtlicher Texte von Hermann Hesse
© Suhrkamp Verlag Frankfurt am Main 1972
Suhrkamp Taschenbuch Verlag
Alle Rechte vorbehalten, insbesondere das des
öffentlichen Vortrags, der Übertragung durch
Rundfunk oder Fernsehen und der Übersetzung,
auch einzelner Teile
Druck: Ebner, Ulm · Printed in Germany
Umschlag nach Entwürfen
von Willy Fleckhaus und Rolf Staudt

# Inhalt

TEXTE VON HERMANN HESSE
UND BIOGRAPHISCHES

Kurzgefaßter Lebenslauf   9

Die Entstehungsjahre des ›Steppenwolf‹. Eine biographische Chronik   29

»Der Steppenwolf« in Briefen, Selbstzeugnissen und Dokumenten   39

Texte zum ›Steppenwolf‹
    Nachwort zum Steppenwolf   159
    Krisis. Ein Stück Tagebuch   161
    Aus dem ›Tagebuch eines Entgleisten‹   199
    Jenseits der Mauer   203
    Vom Steppenwolf   209

Texte aus dem Umkreis des ›Steppenwolf‹
    Gedanken zu Dostojewskis »Idiot«   217
    Haßbriefe   224
    Gespräch   229
    Die Idee   233
    Die Fremdenstadt im Süden   237
    Bei den Massageten   242

TEXTE ÜBER DEN ›STEPPENWOLF‹

    Peter de Mendelssohn, Die unheimliche Kreuz-
        und Querspinne   251
    Oskar Loerke an Hermann Hesse   263
    Stefan Zweig an Hermann Hesse   265
    Hugo Ball. Ein mythologisches Untier   266
    Alfred Wolfenstein, Wölfischer Traktat   272
    Oskar Loerke, Der fünfzigjährige Hermann Hesse   276
    Heinrich Wiegand, Gruß an Hermann Hesse   280
    Kurt Tucholsky, Der deutsche Mensch   286
    Felix Braun, Hermann Hesses neues Buch   294
    Felix Braun, Nachwort zu einer Buchanzeige   298
    Werner Deubel, Hermann Hesses ›Steppenwolf‹   300

Heinrich Wiegand, »Krisis« 306
Colin Wilson, Outsider und Bürger 309
Beda Allemann, Traktat vom Steppenwolf 317
Peter Weiss, Aus »Abschied von den Eltern« 324
Rudolf Pannwitz, »Der Steppenwolf«. Der Sinn von
  Hermann Hesses Roman 326
Hans Mayer, Hermann Hesses ›Steppenwolf‹ 330
Timothy Leary, Meisterführer zum psychedelischen
  Erlebnis 344
Theodore Ziolkowski, Hermann Hesses ›Steppenwolf‹.
  Eine Sonate in Prosa 353
Anni Carlsson, Zur Geschichte des Steppenwolf-
  symbols 377
Horst Dieter Kreidler, Pablo und die Unsterblichen 381
Fred Haines, Hermann Hesse und die amerikanische
  Subkultur 388

Nachweise 401
Bibliographie der Primär- und Sekundärliteratur 405

# Texte von Hermann Hesse und Biographisches

Ich habe schon seit Jahren den ästhetischen Ehrgeiz aufgegeben und schreibe keine Dichtung, sondern eben Bekenntnis, so wie ein Ertrinkender oder Vergifteter sich nicht mit seiner Frisur beschäftigt oder mit der Modulation seiner Stimme, sondern eben hinausschreit.
*Hermann Hesse*

**Hermann Hesse**
*portraitiert von*
*Cuno Amiet*

# Kurzgefaßter Lebenslauf

Ich wurde geboren gegen das Ende der Neuzeit, kurz vor der beginnenden Wiederkehr des Mittelalters, im Zeichen des Schützen und von Jupiter freundlich bestrahlt. Meine Geburt geschah in früher Abendstunde an einem warmen Tag im Juli, und die Temperatur jener Stunde ist es, welche ich unbewußt mein Leben lang geliebt und gesucht und, wenn sie fehlte, schmerzlich entbehrt habe. Nie konnte ich in kalten Ländern leben, und alle freiwilligen Reisen meines Lebens waren nach Süden gerichtet. Ich war das Kind frommer Eltern, welche ich zärtlich liebte und noch zärtlicher geliebt hätte, wenn man mich nicht schon frühzeitig mit dem vierten Gebote bekannt gemacht hätte. Gebote aber haben leider stets eine fatale Wirkung auf mich gehabt, mochten sie noch so richtig und noch so gut gemeint sein – ich, der ich von Natur ein Lamm und lenksam bin wie eine Seifenblase, habe mich gegen Gebote jeder Art, zumal während meiner Jugendzeit, stets widerspenstig verhalten. Ich brauchte nur das »Du sollst« zu hören, so wendete sich alles in mir um, und ich wurde verstockt. Man kann sich denken, daß diese Eigenheit von großem und nachteiligem Einfluß auf meine Schuljahre geworden ist. Unsre Lehrer lehrten uns zwar in jenem amüsanten Lehrfach, das sie Weltgeschichte nannten, daß stets die Welt von solchen Menschen regiert und gelenkt und verändert worden war, welche sich ihr eigenes Gesetz gaben und mit den überkommenen Gesetzen brachen, und es wurde uns gesagt, daß diese Menschen verehrungswürdig seien. Allein dies war ebenso gelogen wie der ganze übrige Unterricht, denn wenn einer von uns, sei es nun in guter oder böser Meinung, einmal Mut zeigte und gegen irgendein Gebot, oder auch bloß gegen eine dumme Gewohnheit oder Mode protestierte, dann wurde er weder verehrt noch uns zum Vorbild empfohlen, sondern bestraft, verhöhnt und von der feigen Übermacht der Lehrer erdrückt.

9

Zum Glück hatte ich das fürs Leben Wichtige und Wertvollste schon vor dem Beginn der Schuljahre gelernt: ich hatte wache, zarte und feine Sinne, auf die ich mich verlassen und aus denen ich viel Genuß ziehen konnte, und wenn ich auch später den Verlockungen der Metaphysik unheilbar erlag und sogar meine Sinne zuzeiten kasteit und vernachlässigt habe, ist doch die Atmosphäre einer zart ausgebildeten Sinnlichkeit, namentlich was Gesicht und Gehör betrifft, mir stets treu geblieben und spielt in meine Gedankenwelt, auch wo sie abstrakt scheint, lebendig mit hinein. Ich hatte also ein gewisses Rüstzeug fürs Leben, wie gesagt, mir längst schon vor dem Beginn der Schuljahre erworben. Ich wußte Bescheid in unsrer Vaterstadt, in den Hühnerhöfen und in den Wäldern, in den Obstgärten und in den Werkstätten der Handwerker, ich kannte die Bäume, Vögel und Schmetterlinge, konnte Lieder singen und durch die Zähne pfeifen, und sonst noch manches, was fürs Leben von Wert ist. Dazu kamen nun also die Schulwissenschaften hinzu, die mir leichtfielen und Spaß machten, namentlich fand ich ein wahres Vergnügen an der lateinischen Sprache und habe beinahe ebenso früh lateinische wie deutsche Verse gemacht. Die Kunst des Lügens und der Diplomatie verdanke ich dem zweiten Schuljahre, wo ein Präzeptor und ein Kollaborator mich in den Besitz dieser Fähigkeiten brachten, nachdem ich vorher in meiner kindlichen Offenheit und Vertrauensseligkeit ein Unglück ums andere über mich gebracht hatte. Diese beiden Erzieher klärten mich erfolgreich darüber auf, daß Ehrlichkeit und Wahrheitsliebe Eigenschaften waren, welche sie bei Schülern nicht suchten. Sie schrieben mir eine Untat zu, eine recht unbedeutende, die in der Klasse passiert war und an der ich völlig unschuldig war, und da sie mich nicht dazu bringen konnten, mich als Täter zu bekennen, wurde aus der Kleinigkeit ein Staatsprozeß, und die beiden folterten und prügelten mir zwar nicht das erhoffte Geständnis, wohl aber jeden Glauben an die Anständigkeit der Lehrerkaste aus. Zwar lernte ich, Gott sei Dank, mit der Zeit auch rechte und der Hochachtung würdige Lehrer kennen, aber der Schaden war geschehen und nicht nur mein Verhältnis zu den Schulmeistern, sondern

10

auch das zu aller Autorität war verfälscht und verbittert. Im ganzen war ich in den sieben oder acht ersten Schuljahren ein guter Schüler, wenigstens saß ich stets unter den Ersten meiner Klasse. Erst mit dem Beginn jener Kämpfe, welche keinem erspart bleiben, der eine Persönlichkeit werden soll, kam ich mehr und mehr auch mit der Schule in Konflikt. Verstanden habe ich jene Kämpfe erst zwei Jahrzehnte später, damals waren sie einfach da und umgaben mich, wider meinen Willen, als ein furchtbares Unglück.

Die Sache war so: von meinem dreizehnten Jahr an war mir das eine klar, daß ich entweder ein Dichter oder gar nichts werden wolle. Zu dieser Klarheit kam aber allmählich eine andre, peinliche Einsicht. Man konnte Lehrer, Pfarrer, Arzt, Handwerker, Kaufmann, Postbeamter werden, auch Musiker, auch Maler oder Architekt, zu allen Berufen der Welt gab es einen Weg, gab es Vorbedingungen, gab es eine Schule, einen Unterricht für den Anfänger. Bloß für den Dichter gab es das nicht! Es war erlaubt und galt sogar für eine Ehre, ein Dichter zu sein: das heißt als Dichter erfolgreich und bekannt zu sein, meistens war man leider dann schon tot. Ein Dichter zu werden aber, das war unmöglich, es werden zu wollen, war eine Lächerlichkeit und Schande, wie ich sehr bald erfuhr. Rasch hatte ich gelernt, was aus der Situation zu lernen war: Dichter war etwas, was man bloß sein, nicht aber werden durfte. Ferner: Interesse für Dichtung und eigenes dichterisches Talent machte bei den Lehrern verdächtig, man wurde dafür entweder beargwöhnt oder verspottet, oft sogar tödlich beleidigt. Es war mit dem Dichter genau so wie es mit dem Helden war, und mit allen starken oder schönen, hochgemuten und nicht alltäglichen Gestalten und Bestrebungen: in der Vergangenheit waren sie herrlich, alle Schulbücher standen voll ihres Lobes, in der Gegenwart und Wirklichkeit aber haßte man sie, und vermutlich waren die Lehrer geradezu dazu angestellt und ausgebildet, um das Heranwachsen von famosen, freien Menschen und das Geschehen von großen, prächtigen Taten nach Möglichkeit zu verhindern.

So sah ich zwischen mir und meinem fernen Ziel nichts

als Abgründe liegen, alles wurde mir ungewiß, alles entwertet, nur das eine blieb stehen: daß ich Dichter werden wollte, ob es nun leicht oder schwer, lächerlich oder ehrenvoll sein mochte. Die äußeren Erfolge dieses Entschlusses – vielmehr dieses Verhängnisses – waren folgende: Als ich dreizehn Jahre alt war, und jener Konflikt eben begonnen hatte, ließ mein Verhalten sowohl im Elternhause wie in der Schule so viel zu wünschen übrig, daß man mich in die Lateinschule einer andern Stadt in die Verbannung schickte. Ein Jahr später wurde ich Zögling eines theologischen Seminars, lernte das hebräische Alphabet schreiben und war schon nahe daran zu begreifen, was ein Dagesch forte implicitum ist, als plötzlich von innen her Stürme über mich hereinbrachen, welche zu meiner Flucht aus der Klosterschule, zu einer Bestrafung mit schwerem Karzer und zu meinem Abschied aus dem Seminar führten.

Eine Weile bemühte ich mich dann an einem Gymnasium, meine Studien vorwärtszubringen, allein Karzer und Verabschiedung war auch dort das Ende. Dann war ich drei Tage Kaufmannslehrling, lief wieder fort und war einige Tage und Nächte zur großen Sorge meiner Eltern verschwunden. Ich war ein halbes Jahr lang Gehilfe meines Vaters, ich war anderthalb Jahre lang Praktikant in einer mechanischen Werkstätte und Turmuhrenfabrik.

Kurz, mehr als vier Jahre lang ging alles unweigerlich schief, was man mit mir unternehmen wollte, keine Schule wollte mich behalten, in keiner Lehre hielt ich lange aus. Jeder Versuch, einen brauchbaren Menschen aus mir zu machen, endete mit Mißerfolg, mehrmals mit Schande und Skandal, mit Flucht oder mit Ausweisung, und doch gestand man mir überall eine gute Begabung und sogar ein gewisses Maß von redlichem Willen zu! Auch war ich stets leidlich fleißig – die hohe Tugend des Müßiggangs habe ich immer mit Ehrfurcht bewundert, aber ich bin nie ein Meister in ihr geworden. Ich begann mit fünfzehn Jahren, als es mir in der Schule mißglückt war, bewußt und energisch meine eigene Ausbildung, und es war mein Glück und meine Wonne, daß im Hause meines Vaters die gewaltige großväterliche Bibliothek stand, ein ganzer

Saal voll alter Bücher, der unter andrem die ganze deutsche Dichtung und Philosophie des achtzehnten Jahrhunderts enthielt. Zwischen meinem sechzehnten und zwanzigsten Jahre habe ich nicht bloß eine Menge Papier mit meinen ersten Dichterversuchen vollgeschrieben, sondern habe in jenen Jahren auch die halbe Weltliteratur gelesen und mich mit Kunstgeschichte, Sprachen, Philosophie mit einer Zähigkeit bemüht, welche reichlich für ein normales Studium genügt hätte.

Dann wurde ich Buchhändler, um endlich einmal mein Brot selber verdienen zu können. Zu den Büchern hatte ich immerhin mehr und bessere Beziehungen als zum Schraubstock und den Zahnrädern aus Eisenguß, mit denen ich mich als Mechaniker geplagt hatte. Für die erste Zeit war mir das Schwimmen im Neuen und Neuesten der Literatur, ja das Überschwemmtwerden damit, ein beinah rauschähnliches Vergnügen. Doch merkte ich freilich nach einer Weile, daß im Geistigen ein Leben in der bloßen Gegenwart, im Neuen und Neuesten unerträglich und unsinnig, daß die beständige Beziehung zum Gewesenen, zur Geschichte, zum Alten und Uralten ein geistiges Leben überhaupt erst ermögliche. So war es mir denn, nachdem jenes erste Vergnügen erschöpft war, ein Bedürfnis, aus der Überschwemmung mit Novitäten zum Alten zurückzukehren, ich vollzog das, indem ich aus dem Buchhandel ins Antiquariat überging. Ich blieb dem Beruf jedoch nur so lang treu, als ich ihn brauchte, um das Leben zu fristen. Im Alter von sechsundzwanzig Jahren, auf Grund eines ersten literarischen Erfolges, gab ich auch diesen Beruf wieder auf.

Jetzt also war, unter so vielen Stürmen und Opfern, mein Ziel erreicht: ich war, so unmöglich es geschienen hatte, doch ein Dichter geworden und hatte, wie es schien, den langen zähen Kampf mit der Welt gewonnen. Die Bitternis der Schul- und Werdejahre, in der ich oft sehr nah am Untergang gewesen war, wurde nun vergessen und belächelt – auch die Angehörigen und Freunde, die bisher an mir verzweifelt waren, lächelten mir jetzt freundlich zu. Ich hatte gesiegt, und wenn ich nun das Dümmste und Wertloseste tat, fand man es entzückend, wie auch ich selbst sehr von mir entzückt war. Erst jetzt bemerkte ich, in wie schauerlicher Vereinsamung, Askese und Gefahr ich Jahr um Jahr gelebt hatte, die laue Luft der Anerkennung tat mir wohl, und ich begann ein zufriedener Mann zu werden.

Mein äußeres Leben verlief nun eine gute Weile ruhig und angenehm. Ich hatte Frau, Kinder, Haus und Garten. Ich schrieb meine Bücher, ich galt für einen liebenswürdigen Dichter und lebte mit der Welt in Frieden. Im Jahre 1905 half ich eine Zeitschrift begründen, welche vor allem gegen das persönliche Regiment Wilhelms des Zweiten gerichtet war, ohne daß ich doch im Grunde diese politischen Ziele ernst genommen hätte. Ich machte schöne Reisen in der Schweiz, in Deutschland, in Österreich, in Italien, in Indien. Alles schien in Ordnung zu sein.

Da kam jener Sommer 1914, und plötzlich sah es innen und außen ganz verwandelt aus. Es zeigte sich, daß unser bisheriges Wohlergehen auf unsicherem Boden gestanden war, und nun begann also das Schlechtgehen, die große Erziehung. Die sogenannte große Zeit war angebrochen, und ich kann nicht sagen, daß sie mich gerüsteter, würdiger und besser angetroffen hätte als alle andern auch. Was mich von den andern damals unterschied, war nur, daß ich jenes einen großen Trostes entbehrte, den so viele andere hatten: der Begeisterung. Dadurch kam ich wieder zu mir selbst und in Konflikt mit der Umwelt, ich wurde nochmals in die Schule genommen, mußte nochmals die Zufriedenheit mit mir selbst und mit der Welt verlernen, und trat erst mit diesem Erlebnis über die Schwelle der Einweihung ins Leben.

Ich habe ein kleines Erlebnis des ersten Kriegsjahres nie vergessen. Ich war zu Besuch in einem großen Lazarett, auf der Suche nach einer Möglichkeit, mich irgendwie als Freiwilliger sinnvoll in die veränderte Welt einzupassen, was mir damals noch möglich schien. In jenem Verwundetenspital lernte ich ein altes Fräulein kennen, das früher in guten Verhältnissen privatisiert hatte und jetzt in diesem Lazarett Pflegerinnendienste tat. Sie erzählte mir in rührender Begeisterung, wie froh und stolz sie sei, daß sie diese große Zeit noch habe erleben dürfen. Ich fand

14

es begreiflich, denn für diese Dame hatte es des Krieges bedurft, um aus ihrem trägen und rein egoistischen Altjungfernleben ein tätiges und wertvolleres Leben zu machen. Aber als sie mir ihr Glück mitteilte, in einem Korridor voll verbundener und krummgeschossener Soldaten, zwischen Sälen, die voll von Amputierten und Sterbenden lagen, da drehte sich mir das Herz um. So sehr ich die Begeisterung dieser Tante begriff, ich konnte sie nicht teilen, ich konnte sie nicht gutheißen. Wenn auf je zehn Verwundete eine solche begeisterte Pflegerin kam, dann war das Glück dieser Damen etwas teuer bezahlt.

Nein, ich konnte die Freude über die große Zeit nicht teilen, und so kam es, daß ich unter dem Kriege von Anfang an jämmerlich litt, und jahrelang mich gegen ein scheinbar von außen und aus heiterm Himmel hereingebrochenes Unglück verzweifelt wehrte, während um mich her alle Welt so tat, als sei sie voll froher Begeisterung über eben dies Unglück. Und wenn ich nun die Zeitungsartikel der Dichter las, worin sie den Segen des Krieges entdeckten, und die Aufrufe der Professoren, und alle die Kriegsgedichte aus den Studierzimmern der berühmten Dichter, dann wurde mir noch elender.

Im Jahr 1915 entschlüpfte mir eines Tages öffentlich das Bekenntnis dieses Elendes, und ein Wort des Bedauerns darüber, daß auch die sogenannten geistigen Menschen nichts anderes zu tun wüßten, als Haß zu predigen, Lügen zu verbreiten und das große Unglück hochzupreisen. Die Folge dieser ziemlich schüchtern geäußerten Klage war, daß ich in der Presse meines Vaterlandes für einen Verräter erklärt wurde – für mich ein neues Erlebnis, denn trotz vielen Berührungen mit der Presse hatte ich die Situation des von der Mehrheit Angespienen noch nie kennengelernt. Der Artikel mit jener Anklage wurde von zwanzig Zeitungen meiner Heimat abgedruckt, und von allen meinen Freunden, deren ich bei der Presse viele zu haben glaubte, wagten es nur zwei, für mich einzutreten. Alte Freunde teilten mir mit, daß sie eine Schlange an ihrem Busen genährt hätten, und daß dieser Busen künftig nur noch für Kaiser und Reich, nicht aber mehr für mich Entarteten schlage. Schmähbriefe von Unbekann-

15

ten kamen in Menge, und Buchhändler ließen mich wissen, daß ein Autor von so verwerflichen Gesinnungen für sie nicht mehr existiere. Auf mehreren dieser Briefe lernte ich ein Schmuckstück kennen, das ich damals zum ersten Male sah: einen kleinen runden Stempelaufdruck mit der Inschrift: Gott strafe England.

Man sollte denken, ich hätte über dies Mißverständnis recht sehr gelacht. Aber das gelang mir nicht. Dies an sich so unwichtige Erlebnis brachte mir als Frucht die zweite große Wandlung meines Lebens.

Man erinnere sich: die erste Wandlung war eingetreten in dem Augenblick, wo mir der Entschluß bewußt wurde, ein Dichter zu werden. Der vorherige Musterschüler Hesse wurde von da an ein schlechter Schüler, er wurde bestraft, er wurde hinausgeworfen, er tat nirgends gut, machte sich und seinen Eltern Sorge um Sorge – alles nur, weil er zwischen der Welt, wie sie nun einmal ist oder zu sein scheint, und der Stimme seines eigenen Herzens keine Möglichkeit einer Versöhnung sah. Dies wiederholte sich jetzt, in den Kriegsjahren, aufs neue. Wieder sah ich mich im Konflikt mit einer Welt, mit der ich bisher in gutem Frieden gelebt hatte. Wieder mißglückte mir alles, wieder war ich allein und elend, wieder wurde alles, was ich sagte und dachte, von den andern feindlich mißverstanden. Wieder sah ich zwischen der Wirklichkeit und dem, was mir wünschenswert, vernünftig und gut schien, einen hoffnungslosen Abgrund liegen.

Diesmal aber blieb mir die Einkehr nicht erspart. Es dauerte nicht lange, so sah ich mich genötigt, die Schuld an meinen Leiden nicht außer mir, sondern in mir selbst zu suchen. Denn das sah ich wohl ein: der ganzen Welt Wahnsinn und Roheit vorzuwerfen, dazu hatte kein Mensch und kein Gott ein Recht, ich am wenigsten. Es mußte also in mir selbst allerlei Unordnung sein, wenn ich so mit dem ganzen Weltlauf in Konflikt kam. Und siehe, es war in der Tat eine große Unordnung da. Es war kein Vergnügen, diese Unordnung in mir selber anzupacken und ihre Ordnung zu versuchen. Da zeigte sich vor allem eines: der gute Friede, in dem ich mit der Welt gelebt hatte, war nicht nur von mir zu teuer bezahlt worden, er war auch ebenso faul gewesen wie der äußere Friede in der Welt. Ich hatte geglaubt, mir durch die langen schweren Kämpfe der Jugend meinen Platz in der Welt verdient zu haben und nun ein Dichter zu sein. Mittlerweile aber hatte Erfolg und Wohlergehen auf mich den üblichen Einfluß gehabt, ich war zufrieden und bequem geworden, und wenn ich genau zusah, so war der Dichter von einem Unterhaltungsschriftsteller kaum zu unterscheiden. Es war mir zu gut gegangen. Nun, für das Schlechtgehen, das stets eine gute und energische Schule ist, war jetzt reichlich gesorgt, und so lernte ich mehr und mehr die Händel der Welt ihren Gang gehen zu lassen, und konnte mich mit meinem eigenen Anteil an der Verwirrung und Schuld des Ganzen beschäftigen. Diese Beschäftigung aus meinen Schriften herauszulesen, muß ich dem Leser überlassen. Und noch immer habe ich die heimliche Hoffnung, es werde mit der Zeit auch mein Volk, nicht als Ganzes, aber in sehr vielen wachen und verantwortlichen Einzelnen, eine ähnliche Prüfung vollziehen und an die Stelle des Klagens und Schimpfens über den bösen Krieg und die bösen Feinde und die böse Revolution in tausend Herzen die Frage setzen: wie bin ich selber mitschuldig geworden? und wie kann ich wieder unschuldig werden? Denn man kann jederzeit wieder unschuldig werden, wenn man sein Leid und seine Schuld erkennt und zu Ende leidet, statt die Schuld daran bei andern zu suchen.

Als die neue Wandlung sich in meinen Schriften und in meinem Leben zu äußern anfing, schüttelten viele meiner Freunde den Kopf. Viele verließen mich auch. Das gehörte zu dem veränderten Bilde meines Lebens, ebenso wie der Verlust meines Hauses, meiner Familie und andrer Güter und Behaglichkeiten. Es war eine Zeit, da ich täglich Abschied nahm, und täglich darüber erstaunt war, daß ich nun auch dies hatte ertragen können, und noch immer lebte, und noch immer irgend etwas an diesem seltsamen Leben liebte, das mir doch nur Schmerzen, Enttäuschungen und Verluste zu bringen schien.

Übrigens, um dies nachzuholen: auch während der Kriegsjahre hatte ich etwas wie einen guten Stern oder einen

17

Schutzengel. Während ich mich mit meinen Leiden sehr allein fühlte und bis zum Beginn der Wandlung, mein Schicksal stündlich als ein unseliges empfand und verwünschte, diente eben mein Leiden, mein Besessensein durch Leiden mir als Schutz und Panzer gegen die Außenwelt. Ich brachte nämlich die Kriegsjahre in einer so scheußlichen Umgebung von Politik, Spionagewesen, Bestechungstechnik und Konjunkturkünsten zu, wie sie selbst damals nur an wenigen Orten der Erde so konzentriert beieinander zu finden waren, nämlich in Bern inmitten deutscher, neutraler und feindlicher Diplomatie, in einer Stadt, die über Nacht übervölkert worden war, und zwar durch lauter Diplomaten, politische Agenten, Spione, Journalisten, Aufkäufer und Schieber. Ich lebte zwischen Diplomaten und Militärs, verkehrte außerdem mit Menschen aus vielen, auch feindlichen, Nationen, die Luft um mich her war ein einziges Netz von Spionage und Gegenspionage, von Spitzelei, Intrigen, politischen und persönlichen Geschäftigkeiten – und von alledem habe ich in all den Jahren gar nichts bemerkt! Ich wurde ausgehorcht, bespitzelt und bespioniert, war bald den Feinden, bald den Neutralen, bald den eigenen Landsleuten verdächtig, und merkte das alles nicht, erst lange nachher erfuhr ich dies und jenes davon, und begriff nicht, wie ich unberührt und ungeschädigt inmitten dieser Atmosphäre hatte leben können. Aber es war gegangen.

Mit dem Ende des Krieges fiel auch die Vollendung meiner Wandlung und die Höhe der Prüfungsleiden zusammen. Diese Leiden hatten mit dem Kriege und dem Weltschicksal nichts mehr zu tun, auch die Niederlage Deutschlands, von uns im Auslande seit zwei Jahren mit Sicherheit erwartet, hatte im Augenblick nichts Erschreckendes mehr. Ich war ganz in mich selbst und ins eigene Schicksal versunken, allerdings zuweilen mit dem Gefühl, es handle sich dabei um alles Menschenlos überhaupt. Ich fand allen Krieg und alle Mordlust der Welt, all ihren Leichtsinn, all ihre rohe Genußsucht, all ihre Feigheit in mir selber wieder, hatte erst die Achtung vor mir selbst, dann die Verachtung meiner selbst zu verlieren, hatte nichts andres zu tun, als den Blick ins Chaos zu Ende zu tun,

18

mit der oft aufglühenden, oft erlöschenden Hoffnung, jenseits des Chaos wieder Natur, wieder Unschuld zu finden. Jeder wach gewordene und wirklich zum Bewußtsein gekommene Mensch geht ja einmal, oder mehrmals diesen schmalen Weg durch die Wüste – den andern davon reden zu wollen, wäre vergebliche Mühe.

Wenn Freunde mir untreu wurden, empfand ich manchmal Wehmut, doch kein Unbehagen, ich empfand es mehr als Bestätigung auf meinem Wege. Diese früheren Freunde hatten ja ganz recht, wenn sie sagten, ich sei früher ein so sympathischer Mensch und Dichter gewesen, während meine jetzige Problematik einfach ungenießbar sei. Über Fragen des Geschmacks, oder des Charakters, war ich damals hinaus, es war niemand da, dem meine Sprache verständlich gewesen wäre. Diese Freunde hatten vielleicht recht, wenn sie mir vorwarfen, meine Schriften hätten Schönheit und Harmonie verloren. Solche Worte machten mich nur lachen – was ist Schönheit oder Harmonie für den, der zum Tode verurteilt ist, der zwischen einstürzenden Mauern um sein Leben rennt? Vielleicht war ich auch, meinem lebenslangen Glauben entgegen, gar kein Dichter, und der ganze ästhetische Betrieb war bloß ein Irrtum gewesen? Warum nicht, auch das war nicht mehr von Wichtigkeit. Das meiste von dem, was ich auf der Höllenreise durch mich selbst zu Gesicht bekommen hatte, war Schwindel und wertlos gewesen, also vielleicht auch der Wahn von meiner Berufung oder Begabung. Wie wenig wichtig war das doch! Und das, was ich voll Eitelkeit und Kinderfreiheit einst als meine Aufgabe betrachtet hatte, war auch nicht mehr da. Ich sah meine Aufgabe, vielmehr meinen Weg zur Rettung, längst nicht mehr auf dem Gebiet der Lyrik, oder der Philosophie, oder irgendeiner solchen Spezialistengeschichte, sondern nur noch darin, das wenige wahrhaft Lebendige und Starke in mir sein Leben leben zu lassen, nur noch in der unbedingten Treue gegen das, was ich in mir noch leben spürte. Das war das Leben, das war Gott. – Nachher, wenn solche Zeiten hoher und lebensgefährlicher Spannung vorüber sind, sieht das alles seltsam anders aus, weil die damaligen Inhalte und ihre Namen jetzt ohne Bedeutung sind,

19

und das Heilige von vorgestern kann beinah komisch klingen.

Als auch für mich der Krieg endlich zu Ende war, im Frühling 1919, zog ich mich in eine entlegene Ecke der Schweiz zurück und wurde Einsiedler. Weil ich mein Leben lang (dies war eine Erbschaft von Eltern und Großeltern her) sehr viel mit indischer und chinesischer Weisheit beschäftigt war, und auch meine neuen Erlebnisse zum Teil in der östlichen Bildersprache zum Ausdruck brachte, nannte man mich häufig einen »Buddhisten«, worüber ich nur lachen konnte, denn im Grunde wußte ich mich von keinem Bekenntnis weiter entfernt als von diesem. Und dennoch war etwas Richtiges, ein Korn Wahrheit darin verborgen, das ich erst etwas später erkannte. Wenn es irgend denkbar wäre, daß ein Mensch sich persönlich eine Religion erwählte, so hätte ich aus innerster Sehnsucht gewiß mich einer konservativen Religion angeschlossen: dem Konfuzius, dem Brahmanismus oder der römischen Kirche. Ich hätte dies aber aus Sehnsucht nach dem Gegenpol getan, nicht aus angeborner Verwandtschaft, denn geboren bin ich nicht nur zufällig als Sohn frommer Protestanten, sondern bin auch dem Gemüt und Wesen nach Protestant (wozu meine tiefe Antipathie gegen die zur Zeit vorhandenen protestantischen Bekenntnisse durchaus keinen Widerspruch bildet). Denn der echte Protestant wehrt sich gegen die eigene Kirche wie gegen jede andere, weil sein Wesen ihn das Werden mehr bejahen heißt als das Sein. Und in diesem Sinne ist wohl auch Buddha ein Protestant gewesen.

Der Glaube an mein Dichtertum und an den Wert meiner literarischen Arbeit war also seit der Wandlung in mir entwurzelt. Das Schreiben machte mir keine rechte Freude mehr. Eine Freude aber muß der Mensch haben, auch ich in all meiner Not machte diesen Anspruch. Ich konnte auf Gerechtigkeit, Vernunft, auf Sinn im Leben und in der Welt verzichten, ich hatte gesehen, daß die Welt vortrefflich ohne all diese Abstraktionen auskommt – aber auf ein wenig Freude konnte ich nicht verzichten, und das Verlangen nach diesem bißchen Freude, das war nun eine von jenen kleinen Flammen in mir, an die ich noch

20

glaubte und aus denen ich mir die Welt wieder neu zu schaffen dachte. Häufig suchte ich meine Freude, meinen Traum, mein Vergessen in einer Flasche Wein, und sehr oft hat sie mir geholfen, sie sei dafür gepriesen. Aber sie genügte nicht. Und siehe da, eines Tages entdeckte ich eine ganz neue Freude. Ich fing, schon vierzig Jahre alt, plötzlich an zu malen. Nicht daß ich mich für einen Maler hielte oder einer werden wollte. Aber das Malen ist wunderschön, es macht einen froher und duldsamer. Man hat nachher nicht wie beim Schreiben schwarze Finger, sondern rote und blaue. Auch über diese Malerei ärgern sich viele meiner Freunde. Darin habe ich wenig Glück – immer, wenn ich etwas recht Notwendiges, Glückliches und Hübsches unternehme, werden die Leute unangenehm. Sie möchten gerne, daß man bleibt, was man war, daß man sein Gesicht nicht ändert. Aber mein Gesicht weigert sich, es will sich häufig ändern, es ist ihm Bedürfnis.

Ein anderer Vorwurf, den man mir macht, scheint mir selber sehr richtig. Man spricht mir den Sinn für die Wirklichkeit ab. Sowohl die Dichtungen, die ich dichte, wie die Bildchen, die ich male, entsprechen nicht der Wirklichkeit. Wenn ich dichte, so vergesse ich häufig alle Anforderungen, welche gebildete Leser an ein richtiges Buch stellen, und vor allem fehlt mir in der Tat die Achtung vor der Wirklichkeit. Ich finde, die Wirklichkeit ist das, worum man sich am allerwenigsten zu kümmern braucht, denn sie ist, lästig genug, ja immerzu vorhanden, während schönere und nötigere Dinge unsre Aufmerksamkeit und Sorge fordern. Die Wirklichkeit ist das, womit man unter gar keinen Umständen zufrieden sein, was man unter gar keinen Umständen anbeten und verehren darf, denn sie ist der Zufall, der Abfall des Lebens. Und sie ist, diese schäbige, stets enttäuschende und öde Wirklichkeit, auf keine andre Weise zu ändern, als indem wir sie leugnen, indem wir zeigen, daß wir stärker sind als sie.

In meinen Dichtungen vermißt man häufig die übliche Achtung vor der Wirklichkeit, und wenn ich male, dann haben die Bäume Gesichter, und die Häuser lachen oder tanzen, oder weinen, aber ob der Baum ein Birnbaum oder eine Kastanie ist, das kann man meistens nicht erkennen. Diesen Vorwurf muß ich hinnehmen. Ich gestehe, daß auch mein eigenes Leben mir sehr häufig genau wie ein Märchen vorkommt, oft sehe und fühle ich die Außenwelt mit meinem Innern in einem Zusammenhang und Einklang, den ich magisch nennen muß.

Einigemal sind mir noch Dummheiten passiert, zum Beispiel tat ich einmal eine harmlose Äußerung über den bekannten Dichter Schiller, worauf alsbald sämtliche süddeutschen Kegelklubs mich für einen Schänder der vaterländischen Heiligtümer erklärten. Jetzt aber ist es mir schon seit Jahren gelungen, nichts mehr zu äußern, wodurch Heiligtümer geschändet und Menschen vor Wut rot werden. Ich sehe darin einen Fortschritt.

Weil nun die sogenannte Wirklichkeit für mich keine sehr große Rolle spielt, weil Vergangenes mich oft wie Gegenwart erfüllt und Gegenwärtiges mir unendlich fern erscheint, darum kann ich auch die Zukunft nicht so scharf von der Vergangenheit trennen, wie man es meistens tut. Ich lebe sehr viel in der Zukunft, und so brauche ich denn auch meine Biographie nicht mit dem heutigen Tage zu enden, sondern kann sie ruhig weitergehen lassen.

In Kürze will ich erzählen, wie mein Leben vollends seinen Bogen beschreibt. In den Jahren bis 1930 schrieb ich noch einige Bücher, um dann aber diesem Gewerbe für immer den Rücken zu kehren. Die Frage, ob ich eigentlich zu den Dichtern zu rechnen sei oder nicht, wurde in zwei Dissertationen von fleißigen jungen Leuten untersucht; aber nicht beantwortet. Es ergab sich nämlich als Resultat einer sorgfältigen Betrachtung der neueren Literatur, daß das Fluidum, welches den Dichter ausmacht, in der neueren Zeit nur noch in so außerordentlicher Verdünnung vorkommt, daß der Unterschied zwischen Dichter und Literat nicht mehr feststellbar ist. Aus diesem objektiven Befund zogen die beiden Doktoranden jedoch entgegengesetzte Schlüsse. Der eine, sympathischere, war der Meinung, eine so lächerlich verdünnte Poesie sei überhaupt keine mehr, und da bloße Literatur nicht lebenswert sei, möge man das, was sich heute noch Dichtung nenne, ruhig seinen stillen Tod sterben lassen. Der andere jedoch war

22

ein unbedingter Verehrer der Poesie, auch in der dünnsten Form, und meinte daher, es sei besser, hundert Undichter aus Vorsicht mitgelten zu lassen, als einem Dichter unrecht zu tun, der vielleicht doch einen Tropfen echten parnassischen Blutes in sich habe.

Ich war hauptsächlich mit Malen und mit chinesischen Zaubermethoden beschäftigt, ließ mich in den folgenden Jahren aber mehr und mehr auch auf die Musik ein. Es wurde der Ehrgeiz meines späteren Lebens, eine Art von Oper zu schreiben, worin das menschliche Leben in seiner sogenannten Wirklichkeit wenig ernst genommen, sogar verhöhnt wird, dagegen in seinem ewigen Wert als Bild, als flüchtiges Gewand der Gottheit hervorleuchtet. Die magische Auffassung des Lebens war mir stets nahe gelegen, ich war nie ein »moderner Mensch« gewesen, und hatte stets den »Goldenen Topf« von Hoffmann, oder gar den »Heinrich von Ofterdingen«, für wertvollere Lehrbücher gehalten als alle Welt- und Naturgeschichten (vielmehr hatte ich auch in diesen, wenn ich solche las, stets entzückende Fabulationen gesehen). Jetzt aber hatte bei mir jene Lebensperiode begonnen, wo es keinen Sinn mehr hat, eine fertige und mehr als genug differenzierte Persönlichkeit immer weiter auszubauen und zu differenzieren, wo statt dessen die Aufgabe sich meldet, das werte Ich wieder in der Welt untergehen zu lassen und sich, angesichts der Vergänglichkeit, den ewigen und außerzeitlichen Ordnungen einzureihen. Diese Gedanken oder Lebensstimmungen auszudrücken, schien mir nur durch das Mittel des Märchens möglich, und als die höchste Form des Märchens sah ich die Oper an, vermutlich weil ich an die Magie des Wortes in unserer mißbrauchten und sterbenden Sprache nicht mehr recht glauben konnte, während die Musik mir immer noch als ein lebendiger Baum erschien, an dessen Ästen auch heute noch Paradiesäpfel wachsen können. Ich wollte in meiner Oper das tun, was mir in meinen Dichtungen nie ganz hatte glücken wollen: dem Menschenleben einen hohen und entzückenden Sinn setzen. Die Unschuld und Unerschöpflichkeit der Natur wollte ich preisen und ihren Gang bis dahin darstellen, wo sie durch das unausbleibliche Leiden gezwungen

23

wird, sich dem Geiste zuzuwenden, dem fernen Gegenpol, und das Schwingen des Lebens zwischen den beiden Polen der Natur und des Geistes sollte sich heiter, spielend und vollendet darstellen wie die Spannung eines Regenbogens.

Allein leider gelang mir die Vollendung dieser Oper nie. Es ging mir damit, wie es mir mit der Dichtung gegangen war. Die Dichtung hatte ich aufgeben müssen, nachdem ich gesehen hatte, daß alles, was zu sagen mir wichtig schien, im »Goldenen Topf« und im »Heinrich von Ofterdingen« schon tausendmal reiner gesagt war, als ich es vermocht hätte. Und so ging es mir nun auch mit meiner Oper. Gerade als ich mit den jahrelangen musikalischen Vorstudien und mehreren Textentwürfen fertig war, und mir den eigentlichen Sinn und Gehalt meines Werkes nochmals möglichst eindringlich vorzustellen suchte, da machte ich plötzlich die Wahrnehmung, daß ich mit meiner Oper gar nichts anderes anstrebte, als was in der »Zauberflöte« längst schon herrlich gelöst ist.

Ich legte daher diese Arbeit beiseite und wandte mich nun vollends ganz der praktischen Magie zu. War mein Künstlertraum ein Wahn gewesen, war ich weder zu einem »Goldenen Topf« noch zu einer »Zauberflöte« fähig, so war ich doch zum Zauberer geboren. Auf dem östlichen Wege des Lao Tse und des I Ging war ich längst weit genug vorgedrungen, um die Zufälligkeit und Verwandelbarkeit der sogenannten Wirklichkeit genau zu kennen. Nun zwang ich diese Wirklichkeit durch Magie nach meinem Sinne, und ich muß sagen, ich hatte viel Freude daran. Ich muß jedoch auch bekennen, daß ich nicht immer mich auf jenen holden Garten beschränkt habe, den man die weiße Magie nennt, sondern je und je zog mich die kleine lebendige Flamme in mir auch auf die schwarze Seite hinüber.

Im Alter von mehr als siebzig Jahren wurde ich, nachdem eben erst zwei Universitäten mich durch die Verleihung der Würde eines Ehrendoktors ausgezeichnet hatten, wegen Verführung eines jungen Mädchens durch Zauberei vor die Gerichte gebracht. Im Gefängnis bat ich um die Erlaubnis, mich mit Malerei zu beschäftigen. Es wurde mir

24

bewilligt. Freunde brachten mir Farben und Malzeug, und ich malte an die Wand meiner Zelle eine kleine Landschaft. Noch einmal war ich also zur Kunst zurückgekehrt, und alle Schiffbrüche, die ich als Künstler schon erlebt hatte, konnten mich nicht im geringsten daran hindern, noch einmal diesen holdesten Becher zu leeren, noch einmal wie ein spielendes Kind eine kleine geliebte Spielwelt vor mir aufzubauen und mein Herz daran zu sättigen, noch einmal alle Weisheit und Abstraktion von mir zu werfen und die primitive Lust des Zeugens aufzusuchen. Ich malte also wieder, ich mischte Farben und tauchte Pinsel ein, trank noch einmal mit Entzücken alle diese unendlichen Zauber: den hellen frohen Klang des Zinnober, den vollen reinen Klang des Gelb, den tiefen rührenden des Blau, und die Musik ihrer Vermischungen bis ins fernste, blasseste Grau hinein. Glücklich und kindlich trieb ich mein Schöpfungsspiel, und malte also eine Landschaft an die Wand meiner Zelle. Diese Landschaft enthielt fast alles, woran ich im Leben Freude gehabt hatte, Flüsse und Gebirge, Meer und Wolken, Bauern bei der Ernte und noch eine Menge schöner Dinge, an denen ich mich vergnügte. In der Mitte des Bildes aber fuhr eine ganz kleine Eisenbahn. Sie fuhr auf einen Berg los und stak mit dem Kopf schon im Berge drin wie ein Wurm im Apfel, die Lokomotive war schon in einen kleinen Tunnel eingefahren, aus dessen dunkler Ründung flockiger Rauch herauskam.

Noch nie hatte mein Spiel mich so entzückt wie dieses Mal. Ich vergaß über dieser Rückkehr zur Kunst nicht bloß, daß ich ein Gefangener und Angeklagter war und wenig Aussicht hatte, mein Leben anderswo als in einem Zuchthause zu enden – ich vergaß oft sogar meine magischen Übungen und schien mir Zauberer genug, wenn ich mit dünnem Pinsel einen winzigen Baum, eine kleine helle Wolke schuf.

Indessen gab die sogenannte Wirklichkeit, mit welcher ich in der Tat nun ganz zerfallen war, sich alle Mühe, meinen Traum zu höhnen und immer wieder zu zerstören. Fast jeden Tag holte man mich, führte mich unter Bewachung in äußerst unsympathische Räumlichkeiten, wo inmitten von vielem Papier unsympathische Menschen saßen, die mich ausfragten, mir nicht glauben wollten, mich anschnauzten, mich bald wie ein dreijähriges Kind, bald wie einen abgefeimten Verbrecher behandelten. Man braucht nicht Angeklagter zu sein, um diese merkwürdige und wahrhaft höllische Welt der Kanzleien, des Papiers und der Akten kennenzulernen. Von allen Höllen, welche der Mensch sich wunderlicherweise hat schaffen müssen, ist diese mir stets als die höllischste erschienen. Du brauchst nur umziehen oder heiraten zu wollen, einen Paß oder Heimatschein zu begehren, so stehst du schon mitten in dieser Hölle, mußt saure Stunden im luftlosen Raum dieser Papierwelt hinbringen, wirst von gelangweilten und dennoch hastigen, unfrohen Menschen ausgefragt, angeschnauzt, findest für die einfachsten und wahrsten Aussagen nichts als Unglauben, wirst bald wie ein Schulkind, bald wie ein Verbrecher behandelt. Nun, jeder kennt dies ja. Längst wäre ich in der Papierhölle erstickt und verdorrt, hätten nicht meine Farben mich immer wieder getröstet und vergnügt, hätte nicht mein Bild, meine kleine schöne Landschaft, mir wieder Luft und Leben gegeben.

Vor diesem Bilde stand ich einst in meinem Gefängnis, als die Wärter wieder mit ihren langweiligen Vorladungen gelaufen kamen und mich meiner glücklichen Arbeit entreißen wollten. Da empfand ich eine Müdigkeit und etwas wie Ekel gegen all den Betrieb und diese ganze brutale und geistlose Wirklichkeit. Es schien mir jetzt an der Zeit, der Qual ein Ende zu machen. Wenn es mir nicht erlaubt war, ungestört meine unschuldigen Künstlerspiele zu spielen, so mußte ich mich eben jener ernsteren Künste bedienen, welchen ich so manches Jahr meines Lebens gewidmet hatte. Ohne Magie war diese Welt nicht zu ertragen.

Ich erinnerte mich der chinesischen Vorschrift, stand eine Minute lang mit angehaltenem Atem und löste mich vom Wahn der Wirklichkeit. Freundlich bat ich dann die Wärter, sie möchten noch einen Augenblick Geduld haben, da ich in meinem Bilde in den Eisenbahnzug steigen und etwas dort nachsehen müsse. Sie lachten auf die gewohnte Art, denn sie hielten mich für geistig gestört.

26

Da machte ich mich klein und ging in mein Bild hinein, stieg in die kleine Eisenbahn und fuhr mit der kleinen Eisenbahn in den schwarzen kleinen Tunnel hinein. Eine Weile sah man noch den flockigen Rauch aus dem runden Loche kommen, dann verzog sich der Rauch und verflüchtigte sich und mit ihm das ganze Bild und mit ihm ich. In großer Verlegenheit blieben die Wärter zurück.

(1925)

## Die Entstehungsjahre des Steppenwolf
### Eine biographische Chronik

*1922*
*Frühjahr*              *Aus dem ›Tagebuch eines Entgleisten‹.*
                       *Erstdruck am 12. 4. 1922.*
*7. 5.*                Siddhartha *beendet.*
*Ende Mai*             *Besuch von T. S. Eliot in Monta-*
                       *gnola, der Hesses Aufsätze* Blick ins
                       Chaos *gelesen hatte.*
                       *Niederschrift von* Pictors Verwand-
                       lungen.
*21. August*           *Vortrag über indische Kultur und*
                       *Kunst in Lugano.*
                       *Hesse schreibt die Einleitung zu*
                       *›Salomon Geßners Dichtungen‹. Diese*
                       *von ihm herausgegebene Auswahl er-*
                       *scheint noch 1922.*
*September*            *Emmy und Hugo Ball kommen nach*
                       *Montagnola.*
*Oktober*              Siddhartha *erscheint.*
*Dezember*             *Weihnachten bei Ruth Wenger und*
                       *ihren Eltern, der Schriftstellerin Lisa*
                       *Wenger und Theo Wenger in Dels-*
                       *berg (Delémont).*
*31. 12.*              *bei Cuno Amiet in Oschwand/Bern.*

*1923*
*Januar*               Sinclairs Notizbuch *erscheint.*
*17. 4.*               *Lektüre von Oswald Spenglers ›Der*
                       *Untergang des Abendlandes‹, das er*
                       *rezensierte.*
*8. 5. – Mitte Juni*   *erste Kur in Baden bei Zürich,*
                       *Ischias- und Gichttherapie.*
*10. 5.*               *in Zürich bei der Uraufführung von*
                       *Othmar Schoecks ›Elegie‹, Liederfol-*
                       *ge nach Gedichten von Lenau und*
                       *Eichendorff.*

29

| | |
|---|---|
| *Mitte Juli* | *Hesse schreibt die Betrachtung* Madonna d'Ongero. *Erstdruck 12.8.1923* |
| *14.7.* | *Scheidung von seiner ersten Frau Maria Hesse, geb. Bernoulli.* |
| *18. 9. – 19. 10.* | *Nachkur in Baden bei Zürich.* |
| *20. 10.* | *wieder in Montagnola.* |
| *28. 10.* | Psychologia Balnearia *(später unter dem Titel* Kurgast *publiziert) beendet.* |
| | *Lektüre von Jean Paul.* |
| *Mitte November* | *2 Tage in Davos. Lesung in einem Sanatorium vor Schwerkranken.* |
| *Ende Nov. bis Ende Dez.* | *Aufenthalt in Basel, oft bei Ruth Wenger, die im Hotel Krafft am Rhein eine kleine Mansardenwohnung gemietet hat.* |
| | *Bis Mitte Januar mit hohem Fieber Darminfektion in einer Basler Klinik.* |
| *1924* | |
| *Januar* | *Vorabdruck der* Psychologia Balnearia *im Januar- und Märzheft der ›Neuen Rundschau‹.* |
| *11.1.* | *Eheschließung mit der Sängerin Ruth Wenger in Basel.* |
| | *Langwierige Bibliotheksarbeit für die bei S. Fischer von Hesse und seinem Neffen Karl Isenberg herausgegebene Reihe ›Merkwürdige Geschichten und Menschen‹.* |
| *10. 3.* | *wieder in die Klinik (Darminfektion) eingewiesen.* |
| *28. 3.* | *zurück nach Montagnola.* |
| *Anfang Mai* | *bei Cuno Amiet.* |
| *Juni* | *seine Frau Ruth, die befreundete Sängerin Ilona Durigo und Klabund kommen nach Montagnola.* |
| | *Hesse aquarelliert viel.* |

30

| | |
|---|---|
| *Juli* | *Die Erzählung* Tragisch *erscheint in der ›Neuen Rundschau‹.* |
| *August* | *Besuche von S. Fischer und Martin Buber.* |
| | *Hesse schreibt den Essay* Goethe und Bettina, *der im Oktober in der ›Neuen Rundschau‹ erscheint.* |
| *September* | *die* Psychologia Balnearia *erscheint als Privatdruck in 300 Exemplaren.* |
| *Oktober* | *3 Wochen Kur in Baden bei Zürich.* |
| *2. 11.* | *zu den Proben von Othmar Schoecks Musikdrama ›Penthesilea‹ (nach Heinrich von Kleist) nach Zürich.* |
| *3. 11.* | *wieder zurück in Montagnola.* |
| *Mitte Nov.* | *In Basel, Lothringerstr. 7, mietet Hesse bei Fräulein Martha Ringier eine kleine möblierte Mansardenwohnung mit zwei Räumen.* |
| *Ende Nov.* | *Deutschlandreise mit seiner Frau Ruth.* |
| *1. 12.* | *Lesung in Stuttgart. Fahrt nach Ludwigsburg zu seinem Halbbruder Karl Isenberg und dessen Sohn Karl (genannt Carlo) Isenberg, mit dem er bei S. Fischer die Buchreihe ›Merkwürdige Geschichten und Menschen‹ herausgibt. Im Ludwigsburger Schloß probt Ruth Mozarts ›Zauberflöte‹.* |
| *3. 12.* | *Lesung in Ludwigsburg.* |
| *11. 12.* | *Rückkehr nach Basel.* |
| *Ende Dez.* | *mit Ruth bei Cuno Amiet.* |
| | |
| *1925* | |
| *Januar* | *Langwierige Bibliotheksarbeit an dem Projekt, eine zwölfbändige Anthologie ›Das klassische Jahrhundert deutschen Geistes 1750–1850‹ herauszugeben.* |

31

| | |
|---|---|
| *Ende Jan.* | *Vorlesungen in Freiburg und Baden-Baden* (Kurzgefaßter Lebenslauf). |
| 7. 2. | *S. Fischer kommt nach Basel.* |
| | *Wieder Bibliotheksarbeit an der Anthologie.* |
| 4. 3. | *Vertragsabschluß mit der Deutschen Verlags-Anstalt über ›Das klassische Jahrhundert deutschen Geistes 1750–1850‹.* |
| 20. 3. | *Rückkehr nach Montagnola.* |
| *Ostern* | *mit Emmy und Hugo Ball in Agnuzzo.* |
| *Mai* | *bei seiner Frau Ruth wird Lungentuberkulose festgestellt.* |
| | *Die Deutsche Verlags-Anstalt zieht sich aus finanziellen Gründen von der Realisation der Schriftenreihe ›Das klassische Jahrhundert deutschen Geistes 1750–1850‹ zurück.* |
| | *Im Juni versucht Hesse, den Tempel Verlag, im September S. Fischer für das Projekt zu gewinnen; beides erfolglos.* |
| | Fremdenstadt im Süden, *Erstdruck am 31. 5. 1925.* |
| | *Hesses erste Frau Maria wird wieder gemütskrank, nachdem sich ihr älterer Bruder Adolf Bernoulli das Leben genommen hat. Sie und ihr jüngerer Bruder Fritz Bernoulli müssen in eine Nervenklinik eingeliefert werden.* |
| *Juli* | Gespräch, *Erstdruck am 28. 7. 1925.* |
| | *Hesse besucht mit Carl Hofer seine Frau Ruth in Carona bei den Schwiegereltern Wenger.* |
| *August* | Aus Indien und über Indien, *Erstdruck am 24. 9. 1925.* |
| *Ende Sept. bis 30. 10.* | *Kur in Baden bei Zürich.* |

32

| | |
|---|---|
| *1. 11. – Mitte Nov.* | *Deutschlandreise mit Lesungen. Stationen: Blaubeuren (1.–3. 11.), Ulm (4. 11.), Augsburg (5. 11.), Nürnberg, München (wo er Reinhold Geheeb, Otto Blümel, Thomas Mann und Joachim Ringelnatz trifft und Karl Valentin sieht), Ludwigsburg (15. 11.), Blaubeuren (17. 11.).* |
| *20. 11.* | *bei Alice und Fritz Leuthold in Zürich, die für ihn die Wohnung, Schanzengraben 31, mieten.* |
| *24. 11. – 18. 12.* | *Niederschrift der* Nürnberger Reise *in Montagnola.* |
| | Sehnsucht nach Indien, *Erstdruck am 12. 12. 1925.* |
| *19. 12.* | *bezieht seine Züricher Wohnung, Schanzengraben 31, die bis 1931 sein Winterdomizil bleibt.* |
| | *Besucht unerkannt einen Hermann-Hesse-Abend, vgl. S. 50 ff.* |
| | *Lektüre von Hölderlin und Novalis.* |
| *Weihnachten* | *in Baden bei Zürich.* |
| | *Schreibt in diesem Winter über 40 Gedichte (später teilweise aufgenommen in* Krisis*).* |
| | |
| *1926* | |
| *Januar* | *Vorabdruck von* Die Nürnberger Reise *in der* ›Neuen Rundschau‹ *(Jan./März/April).* |
| | *Abends Psychoanalyse mit Dr. J. B. Lang, einem C. G.-Jung-Schüler.* |
| *6. 1.* | *Besuch bei seiner Frau Ruth in Basel, die aus Arosa zurückgekehrt ist.* |
| | Ausflug in die Stadt, *Erstdruck am 17. 1. 1926* |
| *Februar* | *Das* Bilderbuch *erscheint.* |
| | *Teilnahme an verschiedenen Fastnachtsbällen u. a. dem Maskenball* |

33

| | |
|---|---|
| 16. 3. | *des Hotel Baur au Lac mit Hans Arp, Hermann Hubacher, Ernst Morgenthaler, Julia Laubi-Honegger, Othmar Schoeck, Volkmar Andreä u. a.* |
| März | Verbummelter Tag, *Erstdruck am 31. 3. 1926.* |
| Anfang April | *hört zum drittenmal in diesem Winter in Zürich Mozarts ›Zauberflöte‹.* |
| 6. 5. | Steppenwolf-*Lesung in Zürich.* |
| 17. 5. | *in Stuttgart, Pfingsten in Blaubeuren.* |
| Ende Mai | *wieder in Montagnola.* |
| 18. 6. | *Manuskript* Krisis *an S. Fischer geschickt.* |
| 22. 7. | *Besuch von Eleonore und Heinrich Wiegand in Montagnola.* |
| August | *Erstdruck des* Kurzgefaßten Lebenslaufs *in der ›Neuen Rundschau‹.* |
| September | *Hesse aquarelliert viel und schreibt wieder am* Steppenwolf. |
| Anfang Oktober | *Hugo Ball beginnt mit der Monographie: ›Hermann Hesse. Sein Leben und sein Werk‹.* |
| ca. 8. 10. – 10. 11. | *Kur in Baden bei Zürich.* Herbst. Natur und Literatur, *Erstdruck am 17. 10. 1926.* |
| 27. 10. | *Hesse wird als auswärtiges Mitglied in die Sektion für Dichtkunst der Preußischen Akademie der Künste gewählt.* |
| November | Der Steppenwolf. Ein Stück Tagebuch in Versen, *erscheint in der ›Neuen Rundschau‹.* Die Sehnsucht unserer Zeit nach einer Weltanschauung. *Erstdruck im Nov. 1926.* *In Zürich hört Hesse Mozarts* »Don Giovanni«. Kofferpacken, *Erstdruck am 14. 11. 1926.* |

| | |
|---|---|
| *Mitte Nov. bis Mitte Dez.* | *Deutschlandreise: Ulm (15. 11.), Stuttgart (25. 11.), Darmstadt (29. 11., Begegnung mit Hermann Graf v. Keyserling), Marburg (besucht die Indologen Walter Otto und Wilhelm Hauer), Frankfurt (7.–9. 12. bei Richard Wilhelm).* |
| *ca. 15. 12.* | *zurück in Zürich, wo er 6 Wochen lang »Tag und Nacht« am »Prosa-Steppenwolf« arbeitet.* |

*1927*

| | |
|---|---|
| *1. 1.* | *seine Frau Ruth wünscht die Scheidung. Reinschrift des »Prosa-Steppenwolfs« beendet.* |
| *11. 1.* | |
| *Mitte Jan. bis Anfang Febr.* | *krank in Baden bei Zürich.* |
| *8. 2.* | *Treffen mit S. Fischer in Zürich, der das Manuskript des »Prosa-Steppenwolfs« gelesen hatte.* |
| *20. 2.* | *Lesung aus dem* Steppenwolf *in C. G. Jungs »Psychologischem Club« in Zürich.* |
| | *Hesse besucht wieder Maskenbälle.* März in der Stadt, *Erstdruck am 6. 3. 1927.* |
| *18. 3.* | *Scheidungsklage von Ruth trifft ein.* Morgen-Erlebnis, *Erstdruck am 19. 5. 1927.* |
| *27. 3.* | *Hugo Ball schickt das fertige Manuskript seiner Hesse-Monographie an S. Fischer.* |
| *April* | Schlafloser Gast im Hotelzimmer, *Erstdruck am 4. 4. 1927.* |
| *Mitte April* | *Rückkehr nach Montagnola.* Rückkehr aufs Land, *Erstdruck am 1. 5. 1927.* |
| *Ende April* | *Beginn der Arbeit an* Narziß und Goldmund. |
| *Mai* | *Vorabdruck des* Tractats vom Steppenwolf *in der ›Neuen Rundschau‹.* |

| | |
|---|---|
| 2. 5. | *Scheidung von seiner zweiten Frau Ruth (geb. Wenger).* |
| 16. 5. | *Lesung aus dem* Steppenwolf *in Zürich.* |
| | *Hesse liest und rezensiert Franz Kafkas* »Das Schloß«. |
| Juni | Der Steppenwolf *und Hugo Balls Hesse-Monographie erscheinen bei S. Fischer. Hesse schreibt für Kurt Wolff das Geleitwort zu Frans Masereels* »Idee« *und das Gedicht* »Von der Wiege bis zur Bahre«. |
| 2. 7. | *50. Geburtstag in Montagnola mit Dr. J. B. Lang, Louis Moilliet, Tilly und Max Wassmer, Ninon Dolbin u. a.* |
| | *Hugo Ball wird am selben Tag in Zürich operiert: Magenkrebs.* |
| 26. 7. | *Hugo Ball wird zu seinen Angehörigen nach Sant' Abbondio gebracht, wo ihn Hesse jeden zweiten Tag besucht.* |
| 14. 9. | *Hugo Ball stirbt.* |
| Ende Okt. bis Ende Nov. | *Hesse krank in Baden bei Zürich, schreibt den Zyklus* Verse im Krankenbett. |
| Dezember | Schaufenster vor Weihnachten, *Erstdruck am 11. 12. 1927.* |
| | *Wieder in Zürich, schmerzhafte Augenbehandlung mit Operation.* |
| | Nach der Weihnacht, *Erstdruck am 1. 1. 1928.* |
| 1928 Januar | *mit Ninon Dolbin in Arosa, liest und rezensiert Kafkas* »Amerika« *und Eichendorffs* »Ahnung und Gegenwart«. |
| 6. 2. | *Lesung* Vom Steppenwolf, Krisis-*Gedichte und* Pictors Verwandlungen *in Zürich.* |

36

| | |
|---|---|
| März | *Deutschlandreise mit Lesungen. Stationen in Ulm, Heilbronn, Würzburg (22. 3.), Darmstadt, Weimar.* |
| 25. 3. – 6. 4. | *krank in Lankwitz bei Berlin.* |
| 6. 4. | *in Berlin, hört dort die Matthäuspassion. Besucht das Kaiser-Friedrich-Museum und ein Pferderennen.* |
| 11. 4. | *Rückflug von Berlin über Stuttgart nach Zürich.* |
| April | *in einer einmaligen Auflage von 1 150 Exemplaren erscheint* Krisis. Ein Stück Tagebuch. Vom Steppenwolf *erscheint in der ›Neuen Rundschau‹.* |

Hermann Hesse
*1926*

# Der Steppenwolf
## in Briefen, Selbstzeugnissen und Dokumenten

*Die im folgenden zusammengestellten Texte verstehen sich als autobiographische Dokumentation der Entstehungsjahre des Steppenwolfs. Darüber hinaus resümieren sie die wichtigsten späteren Äußerungen Hermann Hesses über sein Buch. Alles, was einen direkten oder unmittelbar atmosphärischen Bezug zur Konzeption des Steppenwolfs erkennen ließ und uns bis Redaktionsschluß zugänglich wurde, findet sich hier in chronologischer Reihenfolge belegt. Die meisten Texte entstammen der Korrespondenz Hermann Hesses, aber auch Passagen eindeutig autobiographischer Natur aus den (in Buchform meist noch unpubliziierten) Feuilletons und Sammelrezensionen der Jahre 1925–1929 wurden einbezogen, da sie das Bild ganz wesentlich ergänzen und differenzieren. Diese Selbstzeugnisse wurden angereichert und illustriert durch Dokumente, Bildmaterial und Schilderungen von Augenzeugen (im Unterschied zu den Selbstzeugnissen: kursiv gedruckt), soweit sie das Dargestellte komplettieren. Leider war es aus Gründen des Umfangs nicht möglich, die gleichfalls in einen solchen Zusammenhang gehörenden autobiographischen Bücher* Psychologia balnearia *(1923, später unter dem Titel:* Kurgast) und Die Nürnberger Reise *(1925) aufzunehmen. Hier muß auf andere Ausgaben verwiesen werden.*

*Zwei Texte markieren den größeren, sechs Jahre umgrenzenden Rahmen der Steppenwolf-Zeit: das im Frühjahr 1922, noch vor Beendigung des* Siddhartha *geschriebene Fragment* Aus dem ›Tagebuch eines Entgleisten‹ *(von Hesse als eine »Vorstudie zum Steppenwolf« bezeichnet) und die im April 1928 erschienene Erzählung* Vom Steppenwolf, *in der bereits die Reaktionen des Publikums verarbeitet sind, die Buch und Autor zuteil wurden. Diese und andere autonome oder formal nicht eindeutig autobiographische Texte aus der Entstehungszeit des Steppenwolf sind in den nachfolgenden Kontext nicht einbezogen worden. Sie finden sich anschließend in zwei separaten Kapiteln »Texte zum*

39

*Steppenwolf« und »Texte aus dem Umkreis des Steppenwolfs«. Die in den Kommentaren vermerkte Abkürzung WA bezieht sich auf die neue, zwölfbändige Hermann-Hesse-Werkausgabe, Suhrkamp Verlag, Frankfurt/Main, 1970.*

Den tiefsten Ursprung meiner ganzen Lebenskrankheit kenne ich nur allzu gut. Er liegt darin, daß in den Jugendjahren, für's Leben bestimmend, all meine Anlagen, Wünsche und all meine Selbsterziehung sich rein auf das Seelisch-Dichterische gerichtet hat, und daß ich mit der Zeit immer klarer erkennen mußte, daß ich damit in unserer Zeit ein hoffnungsloser Outsider sei. Wäre dies nicht, so könnte ich meine Bücher ebenso hemmungslos herstellen, wie Du Deine Zigaretten[1] und hätte weder die Qual, mein Sein und Tun meistens als unnütz und hoffnungslos zu empfinden, noch hätte ich den Antrieb gehabt, zu meiner inneren Rechtfertigung die Qualität meiner Produktion so zu steigern, wie ich es getan habe. Denn wenn ich auch von unserer ganzen Literatur und mir selber wenig halte, so weiß ich doch, daß an seelischer und dichterischer Intensität und Reinheit unsere Zeit sehr wenig hervorgebracht hat, was den besten meiner Dichtungen gleichsteht.

*(Brief, 26. 6. 1923, an Emil Molt)*

Das Verheiratetsein, das ich nun wieder lernen sollte, glückt mir noch nicht gut[2]. Es zieht mich, davonzulaufen und irgendwo allein und konzentriert einer geistigen Arbeit oder meinem Seelenheil zu leben, und nur zu manchen Stunden sehe ich, wie egoistisch das doch ist. Es ist wahrhaftig für einen Dichter und Denker, der gewohnt ist, seine eigenen Wege zu gehen und seine eigenen einsamen Spiele zu spielen noch schwerer als für andre Leute, sich hinzugeben und sein wertes Ich ein wenig zu vergessen.

*(Brief, 24. 2. 1924, an Hugo Ball)*

Ruth hat im Singen auch gute Fortschritte gemacht und hat sich jetzt wieder einen Affenpinscher bestellt, der aber

1 Der Empfänger war Gründer und Inhaber der Zigarettenfabrik Waldorf-Astoria.
2 Am 11. 1. 1924 hatte Hesse in Basel die Sängerin Ruth Wenger, Tochter der Schriftstellerin Lisa Wenger, seine zweite, um 20 Jahre jüngere Frau geheiratet.

noch nicht da ist. Da außerdem das Windspiel Amorette, der Kater Figaro und der Papagei Coco da ist, wird es dann etwas lebhaft werden in den kleinen Stübchen, und vielleicht werde ich dann entbehrlich und kann nach Montagnola gehen, was mir freilich sehr lieb wäre...
Das ist ja überhaupt mein Fehler im Leben: ich bleibe immer allein und kann nie die weite Leere durchstoßen, die mich von den andern Menschen trennt.

*(Brief, 25. 1. 1925, an Emmy Ball-Hennings)*

Also ich habe in Basel, nah beim St. Johannstor, eine nette, stille Mansardenstube für diesen Winter, den ich auf Befehl der gnädigen Frau wieder in Basel zuzubringen habe. Ich wohne in meiner Klause, Ruth in ihrer, das heißt im Hotel Krafft, und den Tag über gehen wir unsern ernsthaften Geschäften nach, ich namentlich in der Universitätsbibliothek, wo ich fast täglich sitze und arbeite, trotz ganz verfluchter Augenschmerzen[1]. Und am Abend erscheine ich dann im Appartement der Frau Hesse, finde irgend was zum Abendessen bereit, und dann bringen wir den Abend miteinander zu, in Gesellschaft der Katze, des Hundes und des Papageis Koko, der mein Freund ist und mich sehr ans Haus fesselt. Dann gehe ich im Nachtnebel wieder den Rhein entlang in mein Quartier.

*(Briefe, ca. Jan./Feb. 1925, an Alice Leuthold)*

Da schicke ich Ihnen eine von den Blumen, die ich den Winter über in meiner hübschen Mansarde züchte.[2] Aber ich bin die nächsten 4 bis 6 Wochen hier und hoffe sehr,

1 Vorarbeit für eine große, von Hesse und seinem Neffen Karl Isenberg herausgegebene und mit Einleitungen versehene 12-bändige Bibliothek von Neuausgaben »Das klassische Jahrhundert deutschen Geistes 1750–1850«. (Umfang pro Band 320–400 S.; vorgesehene Titel: »Geist der Romantik«, »Geist von Weimar«, »Deutsche Bildnisse« (klassische Essays über Persönlichkeiten), »Der Kreis um den jungen Goethe« (Lenz, Merck, etc.), »Romantische Reisen«, »Aus deutschen Selbstbiographien«, »Vergessene Meister der Prosa«, »Mittelalterliche Dichtungen nach Schlegel« u. a.)
2 Der Briefkopf zeigt eine abstrakte, von Hesse aquarellierte Blume.

42

wir könnten uns je und je sehen. Ins Viergetier[1] komme ich natürlich auch.

Mein Zimmer ist in der Nähe vom St. Johannstor, Telefon ist nicht im Haus. Aber meine Frau wohnt im Hotel Krafft, dort ist Telefon, und ich komme jeden Abend hin. Sie lädt Sie auch herzlich ein, jederzeit, am liebsten zu einem Abendbrot, nicht Hoteltafel, sondern privat in der kleinen Wohnung, die sie im Hotel hat.

*(Brief, 1925, an Albert Steffen)*


Daß der Schriftsteller und Dichter vogelfrei ist und jeder Lump in jeder Zeitung ihm Beschimpfungen antun darf, die kein Kesselflicker sich gefallen lassen würde – diese Erfahrung ist bitter, sie hat aber für mich auch nicht viel Dornen mehr, denn ich habe sie schon so lang und so reichlich gemacht, daß es nicht mehr wehtut.

Ich bin also wieder im Tessin, seit 14 Tagen, nachdem mein Lebensversuch in Basel Fiasko gemacht hat. Nun sitze ich wieder da wie vor drei Jahren, nur um eine schwere Enttäuschung und eine große Verantwortung reicher.

... Ich war eine Weile ziemlich verzweifelt und mochte nicht mehr leben. Aber dann fand ich einen Ausweg. Ich nahm mir vor, daß ich an meinem 50. Geburtstag, in zwei Jahren, das Recht haben werde mich aufzuhängen, falls ich es dann noch wünsche – und jetzt hat alles, was mir schwer fiel, ein etwas anderes Gesicht bekommen, da es ja auch im bösesten Fall bloß noch zwei Jahre dauern kann.

*(Brief, 1. 4. 1925, an Emmy und Hugo Ball)*


Heiners[2] Schullehrer schrieb mir, daß der Knabe sich leider nicht entschließen könne in der Schule so viel zu leisten, wie seine Fähigkeiten versprächen, und daß er sich mehr für ein Mädchen interessiere als für die Schule. Ich muß ihm nun schreiben, daß ich das sehr in der Ordnung finde.

*(Brief, 1925 an Alice und Fritz Leuthold)*


1 Drama von Albert Steffen.
2 Hesses zweiter, damals 16-jähriger Sohn.

43

Der Geist

der Romantik

—

Herausgegeben

von

Hermann Hesse

—

Erster Band

1925

Deutsche Verlags-Anstalt Stuttgart
· Berlin und Leipzig

Das

klassische Jahrhundert

deutschen Geistes

1750—1850

—

Herausgegeben

von

Hermann Hesse

—

Muster der Titelseiten einer auf
zwölf Bände konzipierten
Anthologie – eines Projektes, an
dem Hesse parallel zur Niederschrift
des »Steppenwolf« gearbeitet hat.

Hermann Hesse und Ruth Wenger, Basel, Lothringerstr. 7, Wohnsitz Hesses im Winter 1924.

Das Hotel Krafft, Basler Domizil Hermann Hesse und Ruth Wenger, seine zweite Frau. Ruth Wengers 1923–1925.

Ich habe diesen Winter wieder in Basel zugebracht, wie schon den vorigen, es ist mir aber nicht gut bekommen, und ich weiß noch nicht, ob ich den Versuch wiederholen werde. Ich habe nun viele Jahre ganz einsam gelebt, oft Monate ohne mit jemand zu sprechen, und nun, wo ich da und dort mir versuchsweise die Welt wieder ansehe und es mit Menschen probiere, zeigt es sich, daß ich eine Kruste um mich habe und nach irgend etwas rieche, was die Geselligen nicht vertragen können, so daß ich ganz von selber immer schnell wieder allein gelassen werde, auch wo ich das nicht mehr suche.

*(Brief, 17. 5. 1925, an Stefan Zweig)* ·

Sie werden sich in Basel schnell wieder hineinfinden. Sie haben dort Wurzeln, haben Aufgaben und Herzenszusammenhänge. Wenn ich das irgendwo hätte, wären meine Dilemmen leichter. Ich habe mein Leben lang die Unabhängigkeit gesucht, und habe sie nun so gründlich, daß ich dran ersticke.

*(Brief, Mitte Mai 1925, an Martha Ringier)*

Ich lebe seit langem in einer solchen Hölle, daß an kein Briefschreiben zu denken ist. Die Situation ist natürlich innerlich begründet, und läuft auf eine zunehmende, lähmende und schwer erträgliche Freudlosigkeit und Schwermut hinaus, begleitet und unterstützt von fast beständigen Schmerzen, namentlich in Augen und Kopf. Das dauert nun schon Monate, und neuerdings ist auch noch von außen her viel Böses gekommen. Zuerst wurde der Verleger untreu, mit dem ich die große Arbeit von Neuausgaben älterer Dichter machen wollte, und ich habe nun sieben Monate vergeblich gearbeitet, was desto mehr schade ist, als es sich um lauter augenmordende Bibliotheksarbeit handelte.

*(Brief, 25. 6. 1925, an Hugo Ball)*

1 Die Zimmervermieterin in Basel, Lothringerstr. 7, bei der Hesse im Winter 1924 eine Mansardenwohnung mit zwei kleinen Räumen bezog. Vgl. S. 154.

46

Blick vom Hotel Krafft auf den Rhein und die Altstadt von Basel.

Außer dem materiellen Verlust hat die Enttäuschung mich sehr getroffen, denn diese Arbeit, die mich schon den ganzen Winter über in Basel beschäftigt hatte, war in schweren Zeiten die einzige Ablenkung und Betäubung, die ich hatte.

Der Bruch mit jenem Verleger, der völlig unerwartet und unberechtigt von seiner Seite kam, traf gerade zusammen mit der Nachricht von Ruths Tuberkulose. Damit waren auch die andern Pläne, die ich mir für die nächste Zukunft gemacht hatte, ausgestrichen.

Und wieder acht Tage nachher wurde ich plötzlich nach Ascona gerufen, fand meine geschiedene Frau wieder mit schweren Anfällen und mußte den Jüngsten, der bei ihr lebte, wegnehmen und vorläufig zu Bekannten schicken. Mia hat eine schwere Familientragödie erlebt. Ihr älterer Bruder hat sich umgebracht, bei diesem Anlaß wurde nicht nur Mia wieder gemütskrank, und hatte diesmal sogar schwere Tobsuchtsanfälle, sondern auch ihr jüngerer Bruder wurde krank und wurde in Basel ins Irrenhaus gebracht. Und da dieser Bruder Mias Ratgeber, Vermögensverwalter etc. war, liegen nun alle diese Sorgen wieder auf mir, samt der Sorge für den Buben, dem dies Erlebnis natürlich wieder geschadet hat. Ich war einige Tage völlig fertig und verzweifelt, irgenwie habe ich es aber doch ausgefressen, und warte nun ab, was weiter kommen will. Ich kam erst vorgestern von Ascona zurück, Mia ist noch dort und hat eine Pflegerin.

*(Brief, 7. 6. 1925, an Alice Leuthold)*


Daß unsre Leiden sinnlos sind, wollte ich ja nicht sagen. Wenn ich sinnlos sage, so drücke ich damit meine Stimmung an all den Tagen aus, an denen es mir nicht gelingt, selber einen Sinn in der Sache zu finden, in meinen Augenschmerzen, in meinem Lebensekel, in meinem Ekel gegen meinen eigenen Beruf, in meinem Ehe-Unglück etc. An diesen Tagen empfinde ich dies alles als sinnlos, und mich und mein Leben als mißglückt und weggeworfen, und diese Tage waren seit drei Monaten weitaus häufiger als die andern. Zwischenein sehe ich ja wohl die Kindlich-

48

keit meines Verhaltens, und sehe ahnend doch einen Sinn, aber nie für lange Zeit.

*(Brief, 30. 7. 1925, an Hugo Ball)*

Da ich mich wahrscheinlich doch bald auf die Flucht ins Jenseits begeben werde – das Leben ist mir in letzter Zeit doch allzu lästig geworden – sende ich Ihnen, dem alten Freunde und wohlwollenden Betrachter meiner Taten und Schicksale, vorher noch meinen kurzgefaßten Lebenslauf[1] zur gefälligen Bedienung. Ob das sehr phantastische Buch vom Steppenwolf, das ich plane, noch geschrieben werden wird, weiß ich nicht, es ist die Geschichte eines Menschen, welcher komischerweise darunter leidet, daß er zur Hälfte ein Mensch, zur andern Hälfte ein Wolf ist. Die eine Hälfte will fressen, saufen, morden und dergleichen einfache Dinge, die andre will denken, Mozart hören und so weiter, dadurch entstehen Störungen, und es geht dem Manne nicht gut, bis er entdeckt, daß es zwei Auswege aus seiner Lage gibt, entweder sich aufzuhängen oder aber sich zum Humor zu bekehren.

*(Brief, 18. 8. 1925, an Georg Reinhart)*

Als ich nun neulich hörte, daß Du um diese Zeit fünfzig Jahre alt werdest, dachte ich zuerst: Na, wenn Sturz nichts mehr mit mir zu tun haben will, brauche ich ihm auch nicht zum 50. Geburtstag zu kondolieren. Und nun tue ich es doch, denn ich habe in letzter Zeit viel an dich gedacht und mich an Vieles erinnert, was du durchzumachen hattest. Und da es auch mir so gegangen ist, und ich darum sehr allein stehe und von den frühern Freunden überhaupt nicht mehr verstanden werde, denke ich mir, es gehe dir vielleicht ähnlich, und es freue dich, wenn einer dir einen Gruß schickt, der selber vom Leben eigentlich genug hat. Ich habe dies Jahr wieder schwer durch müssen: meine geschiedene Frau, für die ich zu sorgen habe, war wieder schwer geisteskrank, und es gab Szenen,

1 Kurzgefaßter Lebenslauf. Vgl. S. 9 ff.

49

Aufregungen, Telegramme und Sorgen jeder Art in Menge. Und meine zweite, junge Frau ist lungenkrank und liegt schon das ganze Jahr.

*(Brief, 22. 9. 1925 an Hans Sturzenegger)*

Wenn ein Einsiedler nach langen Jahren seine Klause verläßt und sich in eine Stadt und in die Nähe der Menschen begibt, dann hat er meistens für sein Tun vortreffliche Gründe anzuführen, das Ergebnis dagegen ist meistens ein lächerliches. Der Eremit soll Eremit bleiben wie der Schuster Schuster. Daß das Eremitentum kein Beruf sei oder ein minderwertiger, ebenso wie das Betteln, ist eine europäische Mode-Meinung, welche niemand ernst nehmen wird. Einsiedler ist ein Beruf, ebenso wie Schuster, ebenso wie Bettler, ebenso wie Räuber, ebenso wie Krieger, es ist ein viel älterer, wichtigerer, heiligerer Beruf als etwa solche Pseudo-Berufe wie Gerichtsvollzieher, Professor der Ästhetik und dergleichen. Und wenn ein Mensch aus seinem Beruf, aus seiner Maske und Rolle herausfällt, so mag er dies aus den begreiflichsten und liebenswürdigsten Gründen tun, es kommt doch gewöhnlich nur eine Dummheit dabei heraus.

So ging es auch mir, als ich, mit mir und meinem Leben unzufrieden, meine Klause am Berge hinter mir abschloß und für eine Weile unter die Menschen und in die Stadt ging. Ich tat es aus Neugierde und aus Lust nach neuen Erlebnissen und Beziehungen, ich tat es in der schwachen Hoffnung, vielleicht wieder ein wenig Freude, Spaß und Zufriedenheit zu erleben, nachdem ich lange nur Überdruß und Schmerz gekostet hatte. Ich hatte die Hoffnung, es möchte mir vielleicht glücken, mich wieder an anderen Menschen zu messen, die Menschen und mich selbst wieder ernst nehmen zu können. Ich war gewillt, die Stadt, die Menge, die Öffentlichkeit, die Kunst, den Handel, kurz alle Zauber dieser Welt auf mich wirken zu lassen, mich von der Schwere und eingebildeten Weisheit des Einsiedlers und Denkers zu befreien, wieder Mensch, wieder Kind zu werden, wieder an den Sinn und die Schönheit des Menschenlebens glauben zu können. Ein Mensch von

50

meiner Art, der im Grunde an den Wert des Menschenlebens nicht glauben kann, dem aber auch die gewohnten
Auswege der Naiven, in den Selbstmord und in den Wahnsinn, verbaut und unmöglich sind, der also eigens von
der Natur dazu erfunden zu sein scheint, sich und den
anderen an seinem Beispiel die Unsinnigkeit und Aussichts-
losigkeit dessen zu erweisen, was die Natur unternahm,
als sie sich auf das Experiment ›Mensch‹ einließ, ein solcher
Mensch hat natürlich ein etwas schwieriges Leben und
fühlt daher von Zeit zu Zeit das Bedürfnis, ein andres
Register zu ziehen und dies oder jenes an seinem Leben
zu verändern, damit es vielleicht etwas erträglicher und
hübscher werde.

So war ich also mit meinem Koffer in eine Stadt gereist
und hatte mir dort, mitten zwischen den Menschen, ein
Zimmer genommen. Es war nicht leicht, sich an das Leben
hier zu gewöhnen. Zu erstaunlichen, unglaublichen Tages-
zeiten standen diese Leute in der Frühe auf, kamen in
der Nacht nach Hause, spielten Klavier und Violine, nahmen Bäder, liefen auf und ab. Die meisten waren Ge-
schäftsleute oder Angestellte von solchen, und alle hatten
ganz irrsinnig viel zu tun. Die einen nämlich hatten in
der Tat viel Arbeit, weil ihre Geschäfte schlecht gingen,
waren überanstrengt durch die Bemühungen um deren Ver-
besserung. Überanstrengt waren sie alle, und beinahe alle
fabrizierten Dinge oder trieben Handel mit Dingen, welche
der Mensch zum Leben nicht braucht und welche lediglich
erfunden wurden, um dem Hersteller und dem Händler
Geld einzubringen. Ich versuchte manche dieser Gegen-
stände aus Neugierde. Da ich in dem Lärm und Getriebe
wenig schlafen konnte, tagsüber aber oft müde war und
Langeweile hatte, kaufte ich von einem dieser Händler
ein Schlafmittel, von einem andern einige Bücher, deren
Zweck es war, den Leser angenehm zu unterhalten. Aber
das Schlafmittel, statt mich schlafen zu machen, machte
mich aufgeregt und nervös, und die Bücher, statt mich
zu unterhalten, machten mich am hellen Tag einschlafen.
Und so war es im Grunde mit allem. Es wurde da ein
Spiel getrieben, das allen Mitspielern, Händlern wie Käu-
fern, sichtlich großen Spaß machte, welches aber ernst zu

nehmen niemand einfiel. Es war die Zeit vor einem großen jährlichen Feste, das den Sinn hat, einesteils die Industrie zu fördern und einige Wochen lang den Handel zu beleben, andererseits aber durch das Ausstellen von abgesägten jungen Bäumen in allen städtischen Wohnungen eine Art von Erinnerung an die Natur und den Wald zu erwecken und die Freuden des Familienlebens zu feiern. Auch dies war ein Spiel und Übereinkommen, das ich bald durchschaute. Weder gab es jemand, dem die Erinnerung an Natur und Wald ein Bedürfnis gewesen oder der doch so töricht gewesen wäre, diese Zimmertannen für ein geeignetes Mittel zur Pflege der Naturfreude zu halten, noch auch wurde Familie, Ehe und Kindersegen von der Mehrzahl des Volkes sehr verehrt, sondern nahezu allgemein als eine Last empfunden. Aber das Fest beschäftigte vier Wochen lang Millionen von Angestellten und machte zwei Tage lang der gesamten Bevölkerung sichtlichen Spaß. Sogar mir, dem Fremden, bot man süßes Backwerk an und wünschte frohe Feiertage, und einige Stunden lang wurden in Häusern, denen dies recht ungewohnt war, Orgien von Familienglück begangen.

In dieser Zeit sah übrigens die Stadt reizend aus. In den breiten Geschäftsstraßen strahlte Tag und Nacht Haus an Haus und Fenster an Fenster von Lichtüberfluß, von ausgestellten Waren, von Blumen, von Spielzeug, und es schien das ganze so schwere und ernste Arbeitsleben all der Millionen in der Tat ein witziges und gut ausgedachtes Unterhaltungsspiel zu sein. Störend freilich für den Fremdling war die Sitte der Gastwirte, auch an jenen Stätten der Betäubung, wo man Natur, Familie, Geschäft und alles für Stunden zu vergessen und in wohlschmeckenden Getränken wegzuspülen sucht – auch an diesen stillen Trink- und Rauchstätten Lichterbäume mit oder ohne Musik aufzustellen, welche hier noch mehr als in den Privathäusern einen Glanz und eine Sentimentalität ausstrahlten, in welcher das Atmen schwer wurde.

Eines Abends, noch ehe die Festtage begonnen hatten, saß ich bei einer Eierspeise und einem halben Liter Rotwein leidlich zufrieden in einem Wirtshause, da fiel mir die Ankündigung einer Zeitung ins Auge, die mich sofort

52

fesselte. Es war da ein Hermann-Hesse-Abend von einem literarischen Verein veranstaltet, dessen Besuch sehr empfohlen wurde. Schleunigst ging ich hin, fand das Haus und den Saal und an dere Saaltür einen Kassierer den fragte ich, ob Herr Hesse selber auftrete. Er verneinte mit der Bemerkung, daß ich nicht den mindesten Wert auf die Mitwirkung dieses Herrn lege.

Ich bezahlte eine Mark und bekam ein Programm, und nachdem ich eine Weile gesessen und gewartet hatte, ging die Veranstaltung los. Da hörte ich eine Reihe von Dichtungen, die ich in meinen jüngeren Jahren geschrieben hatte. Ich hatte damals, als ich sie schrieb, noch die Neigungen und Ideale der Jugend, und es war mir mehr um Schwärmen und Idealismus zu tun als um Aufrichtigkeit; ich sah darum das Leben vorwiegend hell und bejahenswert, während ich es heute weder liebe noch verneine, sondern eben hinnehme. Es war mir daher merkwürdig, in diesen Dichtungen meine eigene Stimme aus der Jugendzeit her reden zu hören. Die Dichtungen waren zum Teil durch Kompositionen in Musik gesetzt und wurden von hübsch gekleideten Damen vorgesungen, teils auch wurden sie deklamiert oder vorgelesen, und ich konnte zusehen, wie derjenige Teil der Zuhörerschaft, der jugendlich und sentimental fühlte, die Darbietungen einschluckte und dazu empfindsam lächelte, während ein anderer, kühlerer Teil der Hörer, zu dem auch ich zählte, unbewegt blieb und entweder ein wenig mißachtend lächelte oder einschlief. Und mitten in alldem Beobachten und in der Verwunderung über die hübsche Seichtigkeit dieser Dichtungen, die mir doch einst so wichtig und heilig gewesen waren, konnte ich in mir trotz allem ein gutes Stück Eitelkeit beobachten, denn ich war jedesmal enttäuscht und etwas verletzt, wenn Sängerin oder Vorleser, wie dies ja üblich ist, einzelne Worte in den Gedichten ausließen oder durch andere ersetzten. Indessen bekam diese ganze Abendunterhaltung mir nicht gut, ich konnte den Schluß nicht abwarten, weil ein trockenes und bitteres Gefühl in Kehle und Magen mich von dannen trieb, das ich dann mit Cognac und Wasser stundenlang vergeblich zu vertreiben suchte. Auch bei dieser literarischen Abendunterhaltung, wo ich doch gewissermaßen als

Sachverständiger und Fachmann gelten konnte, bemerkte ich wieder diese Isolierung, die mich zum Eremiten bestimmt und welche darin besteht, daß ich in mir ein unergründliches Verlangen trage, das Menschenleben ernst nehmen zu können, während alle anderen es nach einer geheimen, mir unbekannten Spielregel, als ein amüsantes Gesellschaftsspiel betrachten und vergnügt mitspielen.

Während nun alles, was ich sah und erlebte, mich nur weiter in diese Verlegenheit hineintrieb und das richtige Mitspielen mir nirgends gelingen wollte, kam inzwischen doch einmal auch ein Erlebnis, das mich nicht lächerlich machte, sondern bestätigte und stärkte. Ich mußte einen Freund beerdigen helfen, der plötzlich gestorben und keineswegs ein Einsiedler, sondern ein vergnügter und geselliger Mensch gewesen war. Als ich diesem Toten nun zum Abschied in das still gewordene Gesicht blickte, konnte ich darin weder Mißmut noch Schmerz darüber lesen, daß er aus dem hübschen Spiel des Lebens herausgerissen war, sondern nur ein tiefes Einverstandensein, eine Art von Genugtuung darüber, daß es ihm nun endlich geglückt und vergönnt war, das rätselhafte Menschenleben nicht mehr als ein Spiel hinter sich zu bringen, sondern es im tiefsten Grunde ernst zu nehmen. Dies Totengesicht sagte mir viel, und es machte mich nicht traurig, sondern froh. Und so bummle ich weiter durch die Straßen, sehe mir die hübschen Frauen und die eiligen, verärgerten Männer an, die alle ihr etwas verlegenes und gekünsteltes Festfreude-Gesicht inzwischen wieder abgelegt haben, und habe manchmal mein Leid, manchmal meinen Spaß an diesem Theater, hinter dessen geheime Spielregeln ich am Ende doch noch zu kommen hoffe.

*(»Ausflug in die Stadt«, geschrieben im Dez. 1925, Erstdruck: Frankfurter Zeitung, 17. 1. 1926)*


Von allen Seiten umgibt und umschnürt mich die verfluchte Weihnachtsstimmung mit ihrer mir von Jahr zu Jahr unleidlicher werdenden Sentimentalität und Familiarität, wo ich das »Fest« zubringen werde, weiß ich noch

54

nicht, entweder hier in Zürich in irgendeiner Kneipe oder vielleicht drüben in Baden, wo es doch etwas hübscher wäre...
Ich selber habe vor Familie und Weihnacht und Geschenken und alle dem Getue und der verlogenen Sentimentalität des sogenannten Familienlebens einen solchen Ekel, daß ich nicht hingehen kann.

*(Brief, ca. Dez. 1925, an Hugo Ball)*


Ich bin zur Zeit in Zürich, muß Sie aber herzlich bitten, meine Adresse *keinem* Menschen zu sagen, auch nicht Freunden, denn ich muß ungestört bleiben .... Wenn man mit dem Leben fertig ist, und nur noch den Ast sieht, an dem man sich aufhängen wird, macht es einem doch Freude, wenn man sieht, daß man noch Freunde hat.
Wenn Sie mir zur Weihnacht etwas schenken wollen, so will ich das nicht ablehnen. Ich bin empfänglich für ein paar Cigarren, oder für ein Fläschchen Cognac oder irgend so etwas. Und da ich mich in den nächsten 8 oder 10 Tagen noch nicht aufhängen werde, sondern erst so etwa im Februar, wäre der Adressat für das Geschenk also noch vorhanden.

*(Brief, 19. 12. 1925 an Max Thomann)*


In Zürich wohne ich sehr merkwürdig in einem alten Stadtteil an einem Kanal bei zwei jüdischen Zwergen, die erwachsen sind und in Büros arbeiten, aber nicht größer sind als kleine Buben. An meiner Stubentür ist eine Thora-Rolle angebracht, und im Badezimmer ist für den kleineren der Zwergli, ganz tief, nah am Boden, ein Kinderbänklein angebracht, wo er sein Seifchen und Schwämmchen etc. liegen hat. Den Haushalt führt eine ebenfalls sehr kleine, doch annähernd normal gewachsene Tante. Daß die Zwerge abends bis 10 vierhändig Klavier spielen, ist sehr störend, aber alles in allem geht es. Essen tu ich, mit Ausnahme des Frühstücks, da und dort außer dem Haus, abends oft mit meinem Freund Dr. Lang (einst in Luzern) zusammen.

*(Brief. 25. 12. 1925, an seine Schwester Adele)*

Haus am Schanzengraben 31 in Zürich, wo Hesse vom Dez. 1925 bis April 1931 sein Winterquartier hatte und das »Steppenwolf«-Manuskript abschloß.

Ihre Auffassung zu teilen vermag ich nicht. Sie stehen mit dieser Auffassung (daß nämlich der Dichter nicht das Recht habe, sich durch den Versuch aufrichtiger Aussprache das unerträglich gewordne Leben zu retten, auch auf die Gefahr hin, daß einige Leser ein wenig deprimiert werden). Sie stehen mit dieser Auffassung nicht allein, mehrere Freunde, auch meine kleine Frau, denken ebenso. Ich hätte jedoch nie im Leben etwas leisten können, wenn ich auf diese Stimmen von außen hätte hören wollen. Wenn mein Leben nicht ein gefährliches, leidvolles Experiment wäre, wenn ich nicht ständig am Abgrund entlang liefe und das Nichts unter mir fühlte, hätte mein Leben seinen Sinn nicht, und ich hätte dann alle meine Dichtungen, auch die scheinbar angenehmen und freundlichen, nicht machen können. Daß ich aber, um nicht etwa einen zufriedenen Leser zu erschrecken, in mir das Erlebnis und den Trieb zu subjektiver Wahrheit unterdrücken solle, diese Forderung kann ich zwar ruhig anhören, kann sie verstehen und hinnehmen, aber folgen kann ich ihr nicht.

Es ist nur gut, daß Sie bloß jenen kleinen harmlosen Aufsatz von mir zu Gesicht bekamen, und nichts von meinen andern neuesten Schriften, welche zum größten Teil nicht publizierbar sind, und in denen jenem Urproblem noch ganz anders zu Leibe gegangen wird. Ich lebe nun seit sieben Jahren, seit meinem Weggang von Bern, außerhalb der Menschenwelt, ohne Familie, ohne jede Lebensgemeinschaft, beinah jeden Tag vor dem Problem des Selbstmordes stehend – da sieht man die Dinge eben auf seine Art an und frißt sich auf seine Art hindurch. Daß aber die Leser eines Dichters von ihm das Angenehme und leicht Verdauliche annehmen, dagegen jeden weniger süßen Ton, den er anschlägt, mit Strenge rügen, das ist ein Verhältnis zwischen Dichter und Leser, das ich nicht ernst nehmen kann. Ich lasse jedem Leser sein volles Recht, mich zu lesen oder nicht, mich zu lieben oder zu hassen, meine Sachen schön oder dumm zu finden – aber ich für mich beanspruche ebenfalls das Recht, mich auf meine Art durch das schwere Leben zu schlagen, und mich mit meinen Problemen auf meine eigene Art auseinander zu setzen. *(Brief, Ende 1925, an Helene Welti)*

Ich versuche nun schon seit langer Zeit, mir das Leben irgendwie erträglicher zu machen, doch gelingt es mir nicht, und da ich auch wieder nicht naiv genug bin, um mich einfach totzuschießen, ist es eine schäbige Existenz. Selbst wenn die Augen noch einmal wieder besser werden sollten, habe ich wenig zu hoffen, als daß es mir je und je für Augenblicke wieder glücken wird, in der Welt der Visionen Ersatz fürs Leben zu finden.

*(Brief, 29. 12. 1925 an Eva Oppenheim)*

Für mich ist die romantisch-literarische Welt und die Arbeit daran zur Zeit recht fern gerückt , ich lebe, soweit ich überhaupt lebe, in aktueller, lebendiger Romantik und Magie, und schwimme wieder viel in der farbigen Tiefsee völlig außernormaler, phantastischer Träume und Vorstellungswelten. Es ist für mich der einzige Weg, das Leben unter den jetzigen Umständen ertragen zu können, und da ich hier einen Freund habe (den Pistorius[1] des Demian), mit dem ich diese Wege gehe, hat diese böse Zeit (ich war und bin monatelang beständig dicht am Selbstmord gewesen) doch auch ihre Größe und Schönheit. Wieweit es mir einmal gelingen wird, meine jetzigen Chaos-Blicke und innern Erlebnisse mitteilbar und zu Dichtung zu machen, weiß ich nicht, es scheint fast unmöglich, aber auch hier handelt es sich ja bloß um den magischen Schritt vom Kra Kra zum All-Einen.

*(Brief, 7. 1. 1926, an Carlo Isenberg)*

Es ist eine alte Erfahrung, daß wir die Probleme, die uns im Innern jeweils beschäftigen, immer wie durch einen Zauber auch in der Außenwelt antreffen. Wer in seiner Seele den Plan erwägt, sich ein Haus zu bauen, oder die Notwendigkeit, seine Ehe zu scheiden oder sich operieren zu lassen, der trifft bekanntlich das gleiche Problem und Menschen, die vom selben Problem besessen sind, stets auch auffallend häufig in seiner Umgebung an. Ich habe die gleiche Erfahrung auch mit meiner Lektüre gemacht,

1 Dr. J. B. Lang, Psychotherapeut, Schüler von C. G. Jung.

nämlich, daß mir in Zeiten, in denen irgendein Lebensproblem mich tief in Anspruch nimmt, mir auch von allen Seiten her Bücher ungesucht in die Hände fallen, in denen eben jenes Problem eine Rolle spielt.

So sind mir in letzter Zeit, während ich zu jeder Stunde mit neuer Intensität mit einem der Hauptprobleme im Kampf lag, hintereinander mehrere Bücher begegnet, in welchen, wie mir schien, eben dieses Problem behandelt wurde. Ich meine das Problem des Menschen und seiner Kultur überhaupt, die alte böse Frage, ob wirklich der Mensch eine Höchstleistung der Natur darstelle, ob seine Kultur etwas anderes sei als eine arge Versündigung an der Mutter Natur, und ob er nicht vielleicht am Ende nur ein gefährliches, kostspieliges und mißglücktes Experiment sei. Denn wir sehen, daß keine Zivilisation möglich ist ohne Vergewaltigung der Natur, daß der zivilisierte Mensch allmählich die ganze Erde in eine langweilige und blutlose Anstalt aus Zement und Blech verwandelt, daß jeder noch so gute und idealistische Anlauf unweigerlich zu Gewalt, zu Krieg und Schmerzen führt, daß der Durchschnittsmensch das Leben ohne die Hilfe des Genies nicht aushalten würde und dennoch der geschworene Todfeind des Genies ist und immer sein muß, und wie diese fatalen Zwangsläufigkeiten alle heißen.

Da bekam ich zum Beispiel ein Buch zugesandt, ein merkwürdiges und traurig machendes Buch, das die Tochter Tolstois zusammengestellt hat und das in deutscher Ausgabe von Fülöp Müller bei Cassirer erschienen ist. Dies Buch enthält die Dokumente über Tolstois Flucht und Ende. Es ist nicht gut, die Intimitäten großer Männer kennen zu lernen; und den alten Tolstoi (der ja nicht ein broschürenschreibender Moralist, sondern auch ein großer Dichter war) in dieser elenden Atmosphäre von Hysterie, altem Eheunglück und Mißtrauen dahinleben zu sehen, bis er endlich verzweifelt davonläuft, um zwanzig Jahre zu spät, und davonreist, um beinahe wie ein Selbstmörder zu sterben, das hat etwas Schauerliches. Es ist das Genie, das untergehen muß, und seine brave, tüchtige Frau ist die ideale, bürgerliche Gattin, die Vertreterin alles Gesunden, Vernünftigen und Erlaubten, welche, obwohl selber

59

schwer seelenkrank geworden, am Ende den närrischen Mann besiegen und überleben muß. Die alte Tragödie!..

Ich las auch die »Khra Khralina« von Panait Istrati, einem Halborientalen aus dem Balkan. Das Buch ist kein Kunstwerk, es fehlt ihm dies und jenes, aber solche fachmännisch-künstlerische Fragen sind mir zurzeit nicht wichtig. An Erlebnis fehlt es dem Buche nicht, es quillt davon über, und an einer Stelle wird das Erlebnis so stark, daß sich auch die wahrhaft überzeugende, große Form dafür von selbst findet. Es ist die Stelle, wo die Mutter des Helden, eine schöne Lebedame, am Ende ihres sorglosen Lebens auf der Flucht ihren beiden Kindern ihr Testament mitteilt, wo sie sie auffordert und anfleht, sich in all ihrem Tun niemals von Moral oder sonstigen Regeln und Zwängen anderer abhängig zu machen, sondern einzig von der Stimme ihres eigenen Herzens, sei es auch, daß diese das Böse und Verbotene verlange. »Und du, Dragomir,« heißt es da, »wenn du kein tugendhafter Mann sein kannst, so werde ein Spitzbube, aber ein Spitzbube, der Herz hat – denn, Kinder, ein Mensch ohne Herz ist ein Toter, der die Lebenden zu leben hindert.« Diese Stelle nahm ich als Gewinn aus dem abenteuerlichen Buche mit, in dem ein erlebnisfroher und ungrüblerischer Mensch sich über das Leben merkwürdig dunkle und schwere Gedanken macht. Dies Buch erschien bei Rütten und Loening in Frankfurt.

Auch einen zweibändigen schwedischen Roman las ich (deutsch bei Quitzow in Lübeck), die »Seelambs« von S. Siwertz. In diesem flotten, klug aber etwas unbedenklich geschriebenen Buch wird die Geschichte einer Familie erzählt, deren Talent zum Raffen, Schieben und Reichwerden erstaunlich ist. Diese Geschwister Seelamb sind, wie es scheinen sollte, mit allem ausgerüstet, was der Durchschnittsmensch in einem kapitalistischen Zeitalter sich an Gaben und Fähigkeiten nur wünschen kann. Ein einziger von ihnen, der Jüngste, hat etwas anderes, Tieferes in sich, und geht gerade daran zu Grunde. Zwar übt der Autor sorgfältig Gerechtigkeit und läßt auch die anderen Geschwister mehr oder weniger unglücklich werden, hier aber wirkt seine Darstellung ein wenig gewollt. Auch sieht man ja im Leben täglich, daß in der Tat den Schiebern ihre Seelenlosigkeit nicht eben wehe zu tun pflegt, und daß sie meistens herrlich gedeihen. Auf alle Fälle ist es eine nachdenkliche Lektüre, und man friert beim Zusehen, wie ein paar brutale Geldmacher die Welt rings um sich her verwüsten und verschweinen können.

Das Nachdenklichste aber, was ich in letzter Zeit las, und das, wofür ich am meisten dankbar bin, war ein Aufsatz »Der Staat und die Sünde« von Franz Oppenheimer, in der »Neuen Rundschau«. Dieser ungewöhnlich schöne und reife Aufsatz eines Soziologen hat mir eine Menge eigener, zum Teil recht unklarer Gedankenreihen bestätigt. Fachleuten mag er nichts Neues sagen, dem Laien aber ist es ein eigenes Erlebnis zu sehen, wie ein bewährter Professor einer so jungen und modernen Wissenschaft sich mit dem uralten Problem der Erbsünde befaßt und in allem Wesentlichen die Mythologien der Religionen vom ursprünglichen Unschuldszustand des Menschen, von seinem Sündenfall und von der gerade aus der Sünde entstandenen menschlichen Kultur bestätigt und wissenschaftlich belegt. Ich habe lange in deutscher Sprache nichts so Gescheites gelesen.

So liest man dies und jenes, und kämpft sich eine Weile durch die Welt der ewigen Probleme, deren jedes nie zu lösen, nur zu erleben ist, und am Ende wirft uns das Leben immer wieder an eine Stelle, wo wir das scheinbar Unmögliche neu probieren, das scheinbar Hoffnungslose mit neuer Begierde, mit neuem Eifer betreiben können. Und bei dem alten, scheinbar wirklich so hoffnungslosen Spiel gibt es für den Denkenden immer den einen Trost, daß alles Zeitliche überwindbar ist, daß Zeit eine Illusion ist, daß alle Zustände, alle Ideale, alle Epochen des Lebens nicht nach dem Schulschema hintereinander verlaufen und kausal aneinander gebunden sind, sondern außerdem auch eine ewige, außerzeitliche Existenz haben, daß also das Reich Gottes, oder jedes andere scheinbar in selige Zeitfernen projizierte Menschenideal in jedem Augenblick Erlebnis und Wirklichkeit werden kann.

*(Aus »Gedanken über Lektüre«, Berliner Tageblatt vom*
*6. 2. 1926)*

61

Mit den Tänzen ging es nur mäßig vorwärts, meine sechs Tanzstunden sind nun vorbei. Der Boston oder der Blouse (oder wie man ihn schreibt) ist mir noch recht problematisch, ich zweifle da sehr an meiner Fähigkeit, aber den Fox und Onestep glaube ich nun soweit bewältigen zu können, als man es von einem älteren Herrn mit Gicht erwarten darf. Für mich liegt die Bedeutung dieser Tänzerei natürlich vor allem in dem Versuch, mich irgendwo ganz naiv und kindlich dem Leben und Tun der Allerweltsmenschen anzuschließen. Für einen alten Outsider und Sonderling ist das immerhin von Bedeutung.

*(Brief, Feb. 1926, an Alice Leuthold)*

**Charleston**
Originalbeschreibung finden Sie im „Tanz-Sport" bei den Zeitungskiosken, Musikalien- u. Buchhandlungen oder durch
**A. Traber-Amiel**
Tanz-Akademie, Seidengasse 20.
Einzelunterricht u. Kurse jederzeit.  50300

*Zeitungsinserat, von Hesse auf eine an Alice Leuthold gerichtete Postkarte geklebt.*

Ja was sind denn das für Geschichten. Jetzt habe ich geglaubt, wir würden öfter miteinander tanzen, und Sie würden meine Tanzlehrerin sein. Das gefällt mir jetzt gar nicht.
Schlafen Sie sich gut aus, träumen Sie was recht Schönes und werden Sie wieder gesund, was soll ich denn sonst am nächsten Sonntag machen!?

*(Brief ca. Frühjahr 1926, an Karly Lang)*

62

Vorgestern war ich bei Hans Arp, und zwar in einer geschäftlichen Angelegenheit, nämlich um ein Billet zu einem Maskenball zu bestellen, zu dem Arp die Dekorationen macht. Da sprachen wir viel von Ihnen, und Arp schenkte mir ein paar von den kleinen Photographieen, die er bei Euch gemacht hat. Und schon vorher wurde ich wieder sehr an Euch erinnert, durch Franziska, die ich auf einem Maskenball antraf, als schwarzen dünnen Pagen.

Ich bin nun Monate lang fast jede Stunde am Abgrund gegangen, und glaubte nicht, daß ich davon kommen würde, der Sarg war schon bestellt. Und jetzt bin ich doch noch da, gehe auf den Maskenball, und weiß zwar noch nicht, was weiterhin aus mir werden soll, aber aufgehängt habe ich mich doch nicht. Es ging nicht ohne sehr viel Alkohol ab, und infolge davon ist auch die Gicht wieder da, aber seit Kurzem habe ich doch das Gefühl, es werde irgendwie weiter gehen und das Leben mir wieder möglich werden.

Von Ruth weiß ich sehr wenig. Sie mußte wieder eine Weile mit Fieber im Bett liegen, in Arosa, doch war es keine Verschlechterung der Lunge, sondern eine Grippe. Für den Frühling hat sie sich in Basel eine kleine Wohnung gemietet und will dann dort Singstunden geben...

Es wäre gut, wenn Ihr ein wenig hier wäret und wir je und je einen Abend in einer der kleinen Kneipen im Niederdorf beisammen sein könnten. Ich muß hier oft an Euch denken, wenn ich so durch die Zürcher Gassen strolche. Ich sehe selten Menschen, außer meinem alten Freund Dr. Lang (das ist der Pistorius im Demian), mit dem bin ich viel zusammen. Am Samstag ist also Arp's Maskenball, da gehe ich hin und setze eine Stulpnase auf und lasse mich von den Zürcherinnen auslachen.

*(Brief, 17. 2. 1926 an Emmy und Hugo Ball)*


Dear Dollar of the morning,
Auf das herrliche Bier hin habe ich am Sonntag gut geschlafen, das erstemal seit einem Monat. Aber in der nächsten Nacht war es schon wieder vorbei, und ich sah mich

darauf angewiesen, Gedichte zu machen, um die Zeit herumzubringen.

Ich bin zum Arp hingegangen und habe uns alle zum Ball am Samstag im Hotel Sonnenberg angemeldet. Um elf Uhr ist das Nachtessen, von halb neun an kann man kommen, den Eintritt kann man dort zahlen. Schoeck[1] will auch kommen.

Sollte Louis[2] noch da sein, so sage ihm Grüße und er sei ein schlechter Kerl, weil er nie zu mir kam. Wenn ich ein Föglein wär, vlög ich mit ihm auf die Balearen oder Antillen.

*(Brief, Feb. 1926, an Ernst Morgenthaler)*

Am Samstag gehe ich mit Freunden (Hubacher etc) auf den Maskenball fürs Kunsthaus, das wird der erste Ball sein, den ich in meinem Leben mitmache. Leider hat er für einen fast 50jährigen nicht mehr die Bedeutung, die er für 17jährige hat. Aber am Sonntag werde ich vermutlich sehr erledigt sein.

Ich möchte gern noch länger in Zürich bleiben, ich beginne mit Lang Fortschritte zu machen. Sturzenegger ist an der Arbeit, es wird gut.[3]

Lang und ich sind auf die Idee gekommen, ob ich nicht Lang's zweites Zimmer ihm abmieten solle, dann hätte ich ständig ein Absteigequartier in Zürich. Es leuchtete mir anfangs sehr ein, umsomehr da für den Betrag Lang ganz gut sich ebenso ein Ferienheim in Montagnola leisten könnte. Aber als ich dann zu rechnen anfing, stimmte es doch nicht, da die Bude ja unmöbliert ist. Auf alle Fälle aber ist mir klar geworden, daß der Zusammenhang mit Zürich für eine längere Zeit jetzt das ist, was ich von außen her für mein Leben brauche. Die anderen Probleme sind alle noch nicht reif zu Entscheidungen.

*(Brief, März 1926 an Alice Leuthold)*

---

1 Othmar Schoeck.
2 Louis Moilliet.
3 Der befreundete Maler Hans Sturzenegger porträtierte Hesse.

Caro Ubaker

Da ist der vergessene Groschen für das Billet.

Aber gell, wir gehen auf den nächsten Ball wieder miteinander – so bald wie möglich bitte. Nur heute bin ich leider durch einen heftigen Anfall von marasmus senilis verhindert.

Aber wenn die Fastnacht vorbei ist, werde ich mich umbringen, aus Kummer darüber, daß ich ein so überlebensgroßer Trottel war und mein ganzes Leben vergeudet habe. Ich war ein richtiger Foxtrottel, daß ich mich 30 Jahre mit den Problemen der Menschheit abgemüht habe, ohne zu wissen was ein Maskenball ist. Ich glaubte, die Leute, seien alle ungefähr so wie ich. Hätte ich gewußt, wie einfach, dumm und lieb die Herren Menschen sind, so wäre mir viel erspart geblieben. Aber was habe ich auch für Freunde, daß sie mich Jahrzehnte lang so haben herumlaufen lassen!

Aber, Hubacher, alles soll verziehen sein, wenn du mich bald wieder auf einen Ball mitnimmst. Heute tot, morgen rot, sei unsre Devise.

Herrgott, wenn ich bloß noch wüßte, wie das schöne, schöne Mädchen gestern geheißen hat! Lieber Gott, laß mich sie wiederfinden! Ich muß noch einen Fox mit ihr trotten, und jenen holden Tanz, den man mit Recht Wonne-Stepp nennt.

Es umarmt dich unter bitteren Freudetränen dein heute schwerkranker H. H.

Unterhaltungsschriftsteller

*(Brief, 17. 3. 1926, an Hermann Hubacher)*

*Nach wochenlangen Vorarbeiten der Maler und Graphiker war alles zu dem Fest bereit, welches das Volk der Künstler sich selber gab. Ich hatte Hermann Hesse überreden können, einmal mit mir einen dieser Maskenbälle im Hotel Baur au Lac zu besuchen. Ich hatte ihn am Schanzengraben gegen halb zehn abgeholt, und als wir im bereits einsetzenden Trubel auftauchten, gab es ein Hallo am Freundestisch. Max Waßmer war von Bern gekommen, Moilliet von irgendwoher erschienen, Haller und Chichio mit den beiden Sacharoffs machten schon die ersten Tänze mit,* dieser wie immer etwas melancholisch, die schöne Clotilde voller Entrain. Hesse mit etwas sauersüßer Miene schaute sich den Rummel eher skeptisch an, bis eine reizende Pierrette ihn erkannte und sich mit Schwung auf seine Knie setzte. Und siehe da, unser Freund war ›parti pour la gloire‹. In ziemlich später Stunde erschien Schoeck im Getümmel, kaum konnte er sich der Masken erwehren, und wie es im römischen Carneval heißt, genau so ging eine auf ihn zu: »Mit zwei Gesichtern steckt einer im Gedränge: man weiß nicht, welches sein Vorderteil, welches sein Hinterteil ist, ob er kommt, ob er geht.« Gelächter rundherum. Seit dem Maskenball des Schubertbundes in Wien habe ich kein so schönes Künstlerfest erlebt wie dieses. Der große Tanzsaal war verdunkelt, und in seiner Mitte schwebte und drehte sich eine große angeleuchtete, mit Hunderten von kleinen Spiegeln besetzte Kugel über uns und warf ihre Lichter wie kleine Blitze auf die tanzenden Paare. Die Orchester spielten die letzten Schlager, alles summte mit, und ab und zu erspähte man bekannte Gesichter im Dämmerlicht, es war ein tolles Treiben. Papierschlangen zischten durch die Luft und sandten ihre farbigen Signale von Tisch zu Tisch, von Paar zu Paar. Aber wo ist Hesse? Ist er uns davongelaufen? Es ging schon gegen Morgen, als wir alle müde bei unserem Tisch in die Sessel sanken, und Bacchus allein hatte das Wort. Da siehe, kommt in aufgeräumtester Laune unser Hesse wieder, frischer als wir alle springt er auf den Tisch und tanzt uns einen »Wonnestep« vor, daß die Gläser klirren. Dann schreibt er Haller und mir einen Vers auf die nicht mehr steife Hemdenbrust, und Schoeck setzt die Noten dazu. Noch nie habe ich eine so stolze Brust mit nach Hause getragen. Das Fest klang aus, wie es begonnen hatte, der alte Freundeskreis war wieder beisammen und wanderte zu einer Mehlsuppe in die Kronenhalle. Am folgenden Tag erhielt ich von Hesse ein Dankbriefchen mit dem melancholischen Schluß: »Was habe ich auch für Freunde, daß sie mich jahrzehntelang so herumlaufen lassen, ohne daß ich wußte, was ein Maskenball ist.«

(›Mit Hermann Hesse am Künstlermaskenball‹, aus »Der Bildhauer Hermann Hubacher«, Atlantis Verlag, Zürich)

66

Umschlag der Menükarte des Hotel Baur au Lac
zum Kunsthaus-Maskenfest 1926.

»Maskenball«, Aquarell von Hermann Hesse, 1926.

Ich kann Dir bloß raten, diese sogenannte öffentliche Meinung für das zu halten, was sie ist, für Dreck, und Dich nicht drum zu kümmern. Wenn es Dir gegangen wäre wie mir, daß Du von der gesamten Presse Deines Vaterlandes, anständiger Gesinnungen wegen, zehn Jahre lang beständig und immer wieder als Sauhund, als Drückeberger, als Vaterlandsverräter usw. gebrandmarkt worden wärest, so würdest Du mitfühlen, wie fern und komisch diese Welt mir ist.

Wie die Welt vor 15 Jahren von Gaienhofen aus sich ansah, daran kann ich mich dunkel noch erinnern. Wie sie heut von dort aus aussieht, weiß ich nicht, und habe darum über die Richtigkeit oder Unrichtigkeit deiner heutigen Anschauungen kein Urteil. Ich freue mich, wenn ich in Deinen Schriften den alten lieben Ton wieder finde und an schwäbische Urlaute und Urgefühle gemahnt werde. Und ich zucke die Achseln und bin ein klein wenig betrübt, wenn ich in Deinen Schriften (namentlich einst in den politischen Aufsätzen) Anschauungen vertreten finde, die ich für vollkommen falsch und darum für gefährlich halte. Das geistige Deutschland hat, so scheint es mir, den Krieg überhaupt nicht erlebt, sonst könnte es nicht nach diesen grauenvollen Jahren genau die alten Melodieen singen und mit dem alten, treuherzig blauen Blick der Unschuld in die Welt blicken. Nach meiner Meinung hat Deutschland nicht nur den Krieg verloren, sondern ist zu einem sehr großen Teil auch an seinem Ausbruch schuld gewesen, und seine geistige Haltung und öffentliche Meinung, obenan die des Kaisers, war dumm und gefährlich, und ist seither nur sehr teilweise durch die Not korrigiert worden.

Ich weiß, daß Du in diesen Dingen vollkommen anders denkst und fühlst als ich, und ich bin Dir dankbar dafür, daß Du es nicht für nötig hältst, Dich mit mir darüber zu zanken. Sondern Du bist zwar nicht mit mir und meinen Gedanken einverstanden, aber Du denkst Dir, daß ich im Grunde doch auch eine Art von Mensch bin und das Recht zu meinen Meinungen, Urteilen und Irrtümern besitze, und dabei wollen wir es lassen.

Eine Auseinandersetzung über Literarisches halte ich für

nutzlos. Ich halte von der ganzen deutschen Literatur von heute, meine eigene natürlich inbegriffen, nicht das Mindeste, sie ist keine zehn Pfennig wert. Einen Disput darüber aber müßten wir eben doch mit dem Politischen beginnen, und das will ich nicht...

Was mich betrifft, so schwimme ich bergab, meistens leicht betrunken, und erlebe solche Sachen wie in dem Gedicht, das ich Dir beilege[1]. Du hast Dich einmal auf einer Karte über ähnliche Erlebnisse und Gedichte von mir lustig gemacht. Tue das ruhig. Aber es ist halt doch so, und ich glaube, daß Du Dir mein Leben und Tun kaum recht vorstellen kannst. Es ist ja auch nicht nötig.

Behüt Dich Gott, Ugel – ich weiß nicht, ob dies oder jenes in meinem Brieflein Dir weh tut – daß ich es nicht mit böser Absicht tat, weißt du. Und was die Literaten von uns halten, ist vollkommen Wurst. Mir geht es auch nicht viel anders – seit 1916, seit ich dem Kaiser und dem damaligen deutschen Standpunkt den Rücken zugewendet habe (es brauchte damals mehr Mut als anno 18) gibt es kaum noch drei Blätter im Reich, die was von mir drucken, sogar der alte Simplizissimus hat Bedenken. So frißt jeder von uns sein Schicksal. Leb wohl, ich wünsch Dir Gutes zum Geburtstag.

*(Brief, Mitte März 1926, an Ludwig Finckh)*


Schon seit Monaten lebe ich jetzt in der Stadt, nach jahrelangem einsamem Landleben, und bin nun endlich so weit, daß ich die Vergnügungen und Kindereien der Stadtmenschen als ihresgleichen teilen kann und nicht mehr ganz und gar als Fremdling zwischen ihnen herumlaufe. So monatelang sich jeder ernsthaften Arbeit zu entziehen, die Zeit totzuschlagen und nach dem Vergnügungskalender zu leben, ist ein Luxus, den ich mir bisher in meinem Leben noch nie gegönnt hatte. Aber jetzt habe ich es gelernt, und bin auf eine angenehme Weise verbummelt und ver-

1 Dem Brief lag das Gedicht »Morgen nach dem Maskenball« bei mit der Notiz »Vorgestern geschrieben«. Vgl. S. 190 f.

70

trottelt, aus welcher wieder heraus zu kommen mir später vermutlich einige Mühe machen wird.

Das Schönste von allem war der Karneval. Noch tagelang fielen mir je und je verspätete Konfetti aus den Ärmeln, und über meinem Schreibtisch, der meistens von friedlichem Staub bedeckt ist, hängen und stecken an der Wand Photographien von Frauen in eleganten oder phantastischen Ballkostümen. Es ist eine unglaublich schöne Frau darunter, ihretwegen hat es sich gelohnt, daß ich schnell noch vor dem Altwerden den Foxtrott und den Boston gelernt habe. Ich kannte sie noch nicht, als ich zum Tanzlehrer ging, und doch war es ihretwegen, daß ich hinging. Man tut alles im Leben, oder das Meiste, der Frauen wegen. Habe ich den größten Teil meines Lebens hindurch mich angestrengt und mir Systeme ersonnen, um mich gegen die Frauen zu wehren, so tue ich jetzt das Gegenteil. Habe ich mich während meiner Jugendjahre um Weisheit bemüht, so gebe ich mir jetzt Mühe, auch einmal ein Kindskopf zu sein. Und es gelingt, nicht immer, aber oft genug, und macht mir Freude.

Gestern habe ich wieder so einen Tag verbummelt. Zu Hause, auf meinem Arbeitstisch, lag die seit einigen Tagen angesammelte Post, alle diese so ernsthaften Briefe und Drucksachen, ungeöffnet und ungelesen, während ich mich da und dort herumtrieb. Da ich Tags zuvor, wie immer, sehr spät zu Bett gegangen war, stand ich erst gegen Mittag auf, blätterte ein wenig in meinen Nachtpapieren, in jenen Blättern, die ich auf dem Nachttisch liegen habe und auf die ich Nachts in den Schlafpausen allerlei Phantasien kritzele, teils Verse, teils Zeichnungen, und an denen ich mehr Freude habe als an jenen Manuskripten, die man drucken kann und für welche man Honorar bekommt und berühmt wird.

*(Aus »Verbummelter Tag«, Frankfurter Zeitung, vom 31. 3. 1926)*


Ich bin seit unsrem Wiedersehen stets im Schwimmen geblieben, war nach der Heimkehr im November nur einige Tage daheim, eigentlich nur zum Umpacken, und bin seit-

71

her in Zürich. Und da habe ich weder Schul-Belange ge-
wahrt noch Verfügungen verfogen, noch Betreffen betrof-
fen, sondern habe schlecht und recht gelumpt und mir
das Leben ein wenig um die Ohren geschlagen, weil ich
in einer so verzweifelten Situation war, daß irgend etwas
geschehen mußte. Na, ich habe also jetzt mehrere Monate
mein Reise- und Münchener Leben fortgesetzt, nichts gearbeitet, täglich viel gesoffen, und außerdem getanzt. Ich
habe am Fasching sämtliche Bälle Zürichs bis zum lichten
Morgen mit meiner Gegenwart beehrt, mich in diverse
schöne Frauen verliebt, deren kostümierte Photographieen
in meiner Bude hängen, und mich überhaupt sehr darum
bemüht, aus dem verbissenen Einsiedler Hesse ein gutes,
dummes und etwas vergnügtes Vieh zu machen, und es
ist gar nicht schlecht geglückt. Der Gicht hat es nicht
gut getan, die gedeiht wieder, aber sonst war es gut, und
getanzt habe ich den Foxtrott trotz Gicht etc. ohne Un-
terlaß.

*(Brief, 10. 3. 1926, an Otto Blümel)*


Honeggerlein, kleines Blümelein,
Wo hat der Wind dich her geweht?
Ich wünsche mir der Fox zu sein,
Der stets mit dir spazieren geht...

Dies hab ich meinem lieben
Honeggerlein in der Nacht geschrieben,
Ich war etwas betrunken heimgekommen,
Da sah ich dein Bild an der Wand,
Das hat mich angeschaut und hat mich ins Land
Der Träume hinüber genommen,
Immer bist du im Traum mein Schatz und Spiel,
Das zu mir aus dem Himmel herunter fiel.

*(12. 3. 1926 an Frau Julia Laubi-Honegger)*


Ich danke Ihnen, ... auch für Ihre Mahnungen, obwohl
ich diese nicht befolgen kann. Die Methoden Goethes,
des Langlebigen, zu befolgen, wäre nicht Sache eines Kleist,

72

„De Pfnüsel" am Zürcher Kunsthaus-Maskenball

(Phot. Ric. Aluf, Zürich)

Julia Laubi-Honegger, H. H.'s Tanzpartnerin zusammen mit dem Komiker Emil Hegetschweiler.

eines Lenz, eines Lenau gewesen, und ist auch meine Sache nicht. Dem Übel den Widerstand einer geschlossenen Persönlichkeit entgegenzusetzen, ist klassische Haltung. Ich habe diese klassische Haltung nie gelernt. Ich bin christlich, allzu christlich, erzogen worden und habe gelernt, dem Übel nicht zu widerstehen, bereit zum eigenen Untergang zu sein.

Ihre Ahnung trifft das Richtige. Ich bin seit wohl einem Jahr in der schlimmsten Krise meines Lebens, und hoffe auch heute noch, sie werde nicht vorübergehen, sondern mir den Hals brechen, denn ich bin des Lebens satt zum Erbrechen.

Nur um Eines möchte ich Sie bitten. Ich habe viele Freunde, die sich darüber aufregen, wenn ich jetzt hie und da »negative« Stimmungen zum Ausdruck bringe, und sich darüber beklagen, und mich an die Pflicht des Dichters erinnern, den Optimismus des Bourgeois zu schonen. Bitte stimmen Sie in diesen Chor nicht auch mit ein! Ich habe viel auszuhalten, und kann auch viel aushalten, aber nur wenn ich dabei atmen, seufzen, singen, mich äußern kann. Wenn man mir verbietet, oder mich einschüchtert, auch in negativen, bösen, gefährlichen Situationen Aussprache und Bekenntnis zu versuchen, dann ersticke ich und dann bleibt mir nur, mich umzubringen.

*(Brief, 10. 4. 1926, an Felix Braun)*

Heut früh kam Ihre Karte mit dem wohlfrisierten Geheimrat Goethe... und obwohl ich gar kein Briefschreiber bin, möchte ich Ihnen doch diese Grüße erwidern.

Sie sind mir seit Langem lieb und wichtig. Ich verdanke Ihnen[1] so ziemlich alles, was ich an Beziehung zum Chinesischen habe, das mir, nach einer vieljährigen, mehr indischen Orientierung, sehr wichtig wurde.

Für manche Ihrer Aufsätze, vor allem aber für Ihren Lao Tse, Ihren Dschuang Dsi etc. etc. bin ich Ihnen seit Langem vielen Dank schuldig, den ich nun auch einmal aus-

1 Richard Wilhelm, Sinologe, Übersetzer der klassischen chinesischen Literatur. Vgl. Hesses Rezensionen seiner Übertragungen, »Schriften zur Literatur, 2«.

74

Postkarte (2. 6. 1926) von Prof. Richard Wilhelm an Hesse mit einem Goethebild von Karl Bauer. »Der sentimental frisierte Goethe im Steppenwolf ist von meinem Zeitgenossen Karl Bauer, der eine Menge solcher Bildnisse für die gute Stube erfunden hat«.
*(Brief, 1949 an M. Haussmann)*

sprechen möchte. Daß wir in meinem Vetter Gundert[1] in Mito auch einen gemeinsamen Freund haben, darüber habe ich mich schon oft gefreut. Von Ihrer heutigen Tätigkeit weiß ich nicht so sehr viel, ich lebe ganz als Outsider, und habe der aktuellen geistigen Welt (wie sie etwa von Keyserling[2] etc. repräsentiert wird) den Rücken gekehrt. Dagegen finde ich bei China-Freunden wie Reinhart[3] wieder gemeinsame Beziehungen zu Ihnen. Die Zürcher Psycho-Analytiker stehen mir ferner, sie scheinen mir mit Ausnahme von Jung alle liebenswerte, aber flache, wohlangepaßte Erfolgsmenschen zu sein, durchdrungen von der Aufgabe, das Leben im bürgerlichen Sinn zu bejahen und sich um seine Tragik zu drücken. So habe ich auch diese Beziehungen einschlafen lassen.

Ihre chinesische Welt zieht mich mit ihrer magischen Seite an, während ihre prachtvolle moralische Ordnung mir, dem Unsozialen, bei aller Bewunderung fremd bleibt. Leider ist mir dadurch auch das I Ging nur teilweise zugänglich, ich betrachte zuweilen seine tiefe satte Bilderwelt, ohne zur Ethik der Kommentare eine eigentliche Beziehung zu haben. Auf dem dürren Ast, auf dem ich sitze, blüht die Blume der staatlichen, familiären und gesellschaftlichen Beziehungswelten leider nicht.

Desto dankbarer bin ich für die stillen geistigen Liebesbeziehungen, die mir das Leben trotzdem gebracht hat, und zu ihnen gehört das China, das ich durch Sie kennen lernte, und damit die Dankbarkeit gegen Sie und Ihr Werk. Sie einmal aussprechen zu dürfen ist mir eine Freude.

*(Brief, 4. 6. 1926, an Richard Wilhelm)*


Jetzt sitze ich wieder im Tessin in Montagnola, und habe dich vorher gar nicht mehr gesehen, und bin überhaupt ziemlich angeschmiert. Aber wenn du einmal den Weg ins Tessin findest, können wir doch den Valenzia und

---

1 Wilhelm Gundert, Japanologe, Übersetzer des ZEN-Werkes BI-YAEN-LU. Vgl. Hesses Besprechung in »Schriften zur Literatur, 2«.
2 Hermann Graf von Keyserling.
3 Georg Reinhart, Mäzen und Sammler.

76

den Yearning tanzen, denn ich habe mir, um doch wenigstens irgend etwas Erfreuliches von Zürich mit heimzubringen, einen kleinen Grammophon gekauft. Wenn es mir am Abend gar zu dumm und windig wird, ziehe ich ihn auf und lasse einen Tanz los, und denke allerlei.

*(Brief, 19. 6. 1926, an Frau Julia Laubi-Honegger)*

Jene Zeitungsangriffe gegen mich, die immer von Zeit zu Zeit wieder kommen und dann durch Dutzende von Blättern gehen, nehme ich persönlich natürlich nicht ernst, sie kränken mich nicht. Dagegen mir »nichts draus zu machen«, wie Sie mir raten, das bringe ich eben leider doch nicht fertig. Ich vergesse es ja oft genug, aber ganz und gar davon wegsehen und es vergessen kann ich doch nicht, wie die ganze Welt mit vollen Segeln und schmetternder Musik auf den nächsten Krieg los segelt. Dazu habe ich unter dem letzten Krieg allzu sehr gelitten.

Jene reaktionäre Hetzpresse in Deutschland ist nämlich nicht irgend eine kleine dumme Nebensache, sondern sie umfaßt dreiviertel aller Zeitungen, dreiviertel dessen, was das ganze deutsche Volk Tag für Tag liest und schluckt, und die Organisation[1] kauft noch immer neue Blätter an. In Deutschland wissen dreiviertel der Bevölkerung heute noch nicht, daß sie den Krieg nicht bloß leichtsinnig angefangen, sondern auch verloren haben.

*(Brief, 13. 7. 1926, an Helene Welti)*

22. 7. 1926
*Ein Tag mit Hermann Hesse*
*Aus dem Tagebuch von Heinrich Wiegand*

*Montagnola: ein kleines Nest von Weinbauern, Gärtnern, Fabrikarbeitern, Maurern. Wenn die Maurer heimkehren, mit etwas Geld, bauen sie sich klotzige Häuser. Rein italienische Bevölkerung.*

1 Hugenberg-Konzern.

77

*Wir saßen in der Osteria von Franchini, links der Haupt-
straße. Tranken Vermouth und Tamarindo con Selz. [Um]
halb ging ich allein zur Post. Das Auto kam mit zwei
Passagieren, zwei Damen – Hesse war nicht zu sehen.
Ich fragte ein schlankes, reifes, fünfzehnjähriges Ding nach
dem Domizilio di Sig. Hesse. Es führte mich, an der Osteria vorbei, durch einen dunklen Torbogen, ein wenig hinauf. Drei Häuser aneinandergebaut auf der Höhe des Dor-
fes: ein altes in Schlößchenmanier, daran ein Anbau: sach-
lich, sympathisch, nicht ohne Vornehmheit und ein drittes,
wiederum angebaut, am geräumigsten, das Eckhaus.
Das Mädchen wies mich in das mittlere, ein italienischer
Name stand links an der hölzernen Tür. »Eine Treppe
hoch«, sagte das Mädchen und ging. Ich stieg gewundene
Steinstufen empor. Neben der zweiteiligen Holztür ein
handgemaltes Täfelchen:*

*Hermann Hesse
Aquarelle aus dem Tessin,
Schriftstücke*

*Ein Kleiderständer neben der Tür. Ich klopfte, Schritte
und »Herein«. Ich öffnete die Tür, einer kommt auf mich
zu: mittelgroß, dunkelbraun und rot, mit Brille, starkem
bloßen Hals, gelbem Basthemd und Flanellhose mit Gürtel, in Filzschuhen und derben Strümpfen. Ich erkenne
ihn sofort. Er fragt: »Wiegand?« – »Ja.« Er reicht mir
die Hand, und wir drücken kräftig die Hände und sehen
uns grad und fest in die Augen.
Im nicht sehr hohen Zimmer mit drei Türen steht ein
langer ungedeckter Tisch, Regale an den Wänden, bis oben
mit Büchern angefüllt, Bilder über Bilder, viel eigene Aquarelle, ein Jugendbildnis Mozarts, eins von Hoffmann, eine
Radierung von Steiner: Hoffmann, anscheinend ein Ka-
lenderblatt. Links über der Tür ein Bildnis Hesses, um
15 – 20 Jahre jünger wohl. Dies ist sein Eßzimmer und
Magazin. Wir gehen durch die Tür in sein Wohn- und
Arbeitszimmer. Es ist heller, geräumiger. Der Schreibtisch,
auf dem ein Brief seines Sohnes liegt, des ältesten, der
gerade beim Schweizer Militär dient. Regal über und an
Regal, Versuch zu einer Kartothek, Bild an Bild, Zeichnungen angezweckt, gerahmt und ungerahmt, eigene, frem-*

78

de, ein Tisch mit Manuskripten, eine Smith-Schreibmaschine, Stühle, sehr bequeme darunter, viele Kissen aller Arten, ein Sofa mit einem weiteren Tisch. Man sieht: Wildnis, schöne Wildnis. Bücherstöße auf der Erde. Ein Regal mit eigenen Werken, Bildermappen. Eine Tür zum Balkon. Ich sitze auf dem Sofa, er gegenüber im bequemen Stuhl. Gradliniges Gesicht, scharfer Nasenrücken, doch kräftig große Nase, schmaler strenger Mund, dunkelbraunes Haar ohne Frisur vorn quer gekämmt, am Wirbel etwas gelichtet. Feine Hände mit bestimmten Bewegungen, kleine Verdickungen der Gicht. Ein zugleich kühnes und resigniertes Gesicht, energisch und gütig. Glatt rasiert, Langschädel. Das erstaunlichste: die Augen. Wenig Weiß, viel Iris, eine Fülle heller Bläue. Ein durchdringender gefüllter Blick. Erstaunlich darum, weil Hesse kurzsichtig ist, augenleidend. Aber auch wenn er die Brille abnimmt, ist es nicht der Blick eines Kurzsichtigen, sondern ein fester, strahlender.

Er spricht von Mittagessen. Ich sage, daß ich nichts brauche, erst am Abend esse und daß Ellen in der Osteria esse und auf mich warte – denn ich habe ihn nicht zu zweit überfallen wollen. Er sagt, da bekäme sie nichts zu essen, ich müsse sie herbeischaffen.

Ich sage ihm, daß ich sein Aussehen gut fände, energisch, daß man noch viel von ihm erwarten könne. Er wehrt ab. Äußerlich halte er sich, doch fehle ihm jeder innere Antrieb. Er sähe keinen Zweck, er täte es niemandem zuliebe, er ließe sich von außen stoßen.

Von Ringelnatz: Er kann ihn sehr gut leiden, er habe einen Abend mit einem dritten und ihm in München verbracht. Zwischen Abendessen und Kabarett habe er viel Kirschwasser getrunken. Er läse ihn sehr gern; eigenwillig, aufrichtig.

Ich richte ihm Grüße Unbekannter und Ossips[1] aus. Von meinem Leben in Leipzig müsse ich ihm noch erzählen. Er führt mich auf den Balkon: ein weiter Blick über das Tal nach den Höhen des Tessins und fernen Hochalpen, ein leuchtender Ausschnitt des Luganer Sees. Das Haus fällt tief ab in einen üppigen Garten. Eine mächtige Som

1 Ossip Kalenter.

*mermagnolie reicht an den Balkon. Schöne Kamelienbäume. Klingsors Garten! Später sagte er: manchmal stehe er auf diesem Balkon mitten im Gewitter.*

*Als ich ihm sagte, ich hoffe noch die Freiheit zu erreichen oder irgendwas: da muß man aber viel arbeiten, nicht an Heiraten denken!*

*Die alte Haushälterin (Angelina) bat ihn heraus – er forderte mich auf, nun Ellen zu holen. Als wir zusammen auf die Höhe des Hauses kamen, trat er aus der Tür, ging uns entgegen und begrüßte Ellen herzlich.*

*Wir setzten uns ins Eßzimmer. Es gab ein Reisgemüse mit Kapern, sehr schmackhaft, und einen Bohnensalat mit Eiern. Dazu einen roten Tessiner Wein, süß und leicht, vortrefflich.*

*Wir sprachen von:*

*Literatur, eine komische Angelegenheit. Heute geht jeder Name nur zwei Jahre, dann ist es vorbei (Hasenclever). Von einer Generation könne man nicht sprechen. Sie seien vor zwanzig Jahren doch noch eine gewesen. Am meisten respektiere er Thomas Mann. Er sei oft dünn, dürr, trocken: aber es stimme doch alles, er beherrsche den Kram. – Von Josef Ponten: das sei ein fabelhafter Mensch, der liefe acht Tage in der Gegend herum, dann könne er sie mit allen Tiefen erfassen, mit allen Finessen beschreiben. Der habe ihn besucht und ihm den Vorschlag gemacht, Bilder zu seinem Aufsatz zu machen. Er, Hesse, lebe sieben Jahre hier und getraue sich einen solchen Aufsatz nicht. Er habe ihn auch nicht gelesen, aber die Bilder gerne gemacht. Er habe auch zu einer Novelle, die der Ponten »mal in zwei Stunden, wo er sich hingesetzt« habe, geschrieben hat, zwei Bilder aus dem Tessin gegeben. Der Verleger habe ihn in Zürich verfolgt. Bilder verkaufen, mache ihm Freude. Die Novelle habe er nicht gelesen. – Über Ponten durchaus ironisch. Es käme ihm rührend vor, wenn sich manche Zeitungen so ernsthaft mit Literatur beschäftigen. Er habe mir aber mit dieser Bemerkung nicht auf die Zehen treten wollen.[1]*

*Als ich ihm von der Achtung berichtete, die man ihm*

1 Heinrich Wiegand (1895–1934) war Journalist, Theaterkritiker, Rezesent, publizierte in der »Frankfurter Zeitung«, dem »Berliner Tageblatt«, der »Neuen Rundschau«, der »Literarischen Welt«.

80

*entgegenbringe, auch dort, wo das Wesen ganz anders geartet sei: schließlich sei doch etwas hängengeblieben, wie konsequent er geblieben sei im Krieg und Nachkrieg, wie er von rechts angepöbelt worden sei. Dagegen andre: Erst Arme-Leute-Dichtung, dann Kriegsgeschrei, dann Revolutionslyrik, dann pazifistische Novellen und morgen faschistische Essays. In diesem Zusammenhang über Gerhart Hauptmann kräftigste Worte der Ablehnung. Über den »Ketzer von Soana«, ohne den Titel zu nennen, ein vernichtendes Urteil. (Am Marmortisch, zwei Diener hinter ihm, das warme Wasser rauscht in die Wanne des Grand Hotels, schreibt er: Allein auf felsiger Höhe. Ein Geier über mir...) Er fragt, ob wir Kaffee mögen. Wir verzichten und sitzen dann bequem, distanziert im Arbeitszimmer. H. raucht eine schwarze, schlechte Virginia, mir gibt er eine gute helle Zigarre.*

*Ich erzähle von der Schule. Er: Ja, mit dem dreißigsten Lebensjahr müßte der Staat jedem Lehrer eine Villa am Gardasee schenken, dann wäre das Pädagogikproblem gelöst.*

*Er hat ein sehr herzliches, befreiendes Lachen. Sieht oft sehr schlau aus.*

*[Otto] Flake mag er gut leiden. Er habe sich oft über seinen positiven Optimismus gewundert und ihn danach fragen wollen. Doch letzten Winter in Zürich habe er recht deprimiert ausgesehen. Zürich sei Flakes Lieblingsaufenthalt.*

*Klabund sei früher jedes Frühjahr bei ihm aufgetaucht. Jetzt gehe es ihm ja gut, gottseidank. Früher habe er oft keinen Pfennig gehabt. (Anscheinend hat H. ihn manchmal finanziell unterstützt.) Er fragte nach einem politischen Redakteur der »Dresdner Neusten Nachrichten«, der von der Kriegsgefangenenstelle Bern dahin gebracht worden war.*

*Er erzählte von seiner Arbeit während des Krieges. Einmal wollte man ihn zum Beamten-Stellvertreter im Offiziersrang machen, aber er habe trotz damit verbundener finanzieller Vorteile abgelehnt, weil er die Fessel fürchtete. Er trug nie Uniform. Er war einer dem Kriegsministerium untergeordneten Stelle zugeteilt. (Nicht der Gesandtschaft, was man ihm angeboten hatte.)*

*Einmal habe er gemeldet, daß die Franzosen Vereinbarungen nicht einhielten. Der Major: »Dafür werde ich französische Offiziere nach Litauen stecken, die sollen die Füße erfrieren.« Er habe abgeraten und von da an solche Meldungen unterdrückt.*

*Schweizer von Geburt, habe er sich später in Deutschland naturalisieren lassen, was ihm teuer zu stehen gekommen sei. Jetzt sei er wieder Schweizer. Die Schweiz als Staat tauge auch nichts. Er erzählte von den harten Wintern im Tessin, zur Inflationszeit. Das Porto sei teurer gewesen als das Honorar wert, wenn es aus Deutschland eintraf. Ebenso sei es mit den Buchhonoraren gewesen. »Siddhartha« habe ihm gar nichts gebracht. Jetzt gehe es ihm finanziell gut. Er sei in einer Korrespondenz: Vierzehn Federn (mit Klabund, Döblin u. a.), die den Zweitdruck übernehmen.*

*Ich sehe mir Bilder an. Nur Landschaft. Alle mit Ausnahme der stilisierten Kompositionen vor der Natur gearbeitet. Ich liebe die Farben. Manche Bilder haben etwas von der treibenden Üppigkeit, von der Geilheit des Wachsens, andre sind streng und blaß und zart. Alle Tessin. Manches erinnert mich an Henri Rousseau. Doch beherrscht er das Detail nicht wie dieser. (Wie er selber darauf entgegnet.) Manchmal erwachsen ihm Grenzen im Handwerksmäßigen. Er zeigt aus Mappen alte und neue Blätter. Er ist Autodidakt und hat viel Freude an seinen Blättern. (erste Veröffentlichung im »Wieland«).*

*Über [Ludwig] Thoma: Die Angriffe auf Justiz, Pfaffen, Wilhelm hätten ihm Spaß gemacht, weil er sich gern rauft. Über die geistige Bedeutung habe er sich wenig Gedanken gemacht. Im Grunde war er immer Nationalist und Materialist – der Kriegsausbruch bewies es. Menschlich sei er ein feiner Kerl gewesen.*

*[Albert] Langen: klein, nervös, beweglich, anregend. Seine Geschichten erfand er flunkernd. Immer mit anderen Versionen und blieb dann bei der erfolgreichsten. (Hamsun-Geschichte)*

*Von S. Fischer sprach er wohlwollend und gut. Er sei ihm jetzt entgegengekommen bei den Gesammelten Werken, weil Hesse doch vieles nicht wieder aufnehme (Aus*

82

*Indien). Er treffe ihn manchmal in Lugano. (Sonst kommt er dorthin nur für den Zahnarzt.)*

*Nein, in Berlin sei er nie gewesen. Letztlich beinahe in Dresden, aber dann habe ihm vor acht Stunden Schnellzug gegraut. Er habe abgesagt.*

*Die Vortragsabende behagen ihm gar nicht. Er sieht ihren Sinn nicht ein. Gestern habe er geschrieben: »Ich will Ihnen zusagen, aber Sie müssen gewärtig sein, daß zwei Tage vorher ein Telegramm kommt: erkältet. Wollen Sie unter solchen Umständen nicht lieber verzichten?«*

*Wir traten auf den Balkon, die Gewitter sind manchmal unter ihm. Er lobte auch Othmar Schoeck, den er hoch hält und mit dem er gern zusammen ist. Er zeigt auf Sero: dort habe Foggazzaro gewohnt. Dort spielten seine Romane. (Hesse habe schon als Knabe Altitalienisch gelesen.)*

*Ellen mahnte mit den Augen zum Aufbruch. Es war zwei Uhr vorüber. Ich begann den Abschied. »Ich überlegte gerade, ob ich mit Ihnen gehen könnte und vielleicht mit Ihnen baden. Vor zwei Jahren war es mir verboten, im Vorjahr tat ich's auch nicht.« Er war unschlüssig, und wir gingen hinaus. »Auf Wiedersehen«, sprach er. Ich dankte ihm und versicherte ihm, daß ich keine Interviews für's Wiener Journal machen würde.*

*Am Garderobenständer draußen begann er von seinen Märchen zu erzählen, Pictors Verwandlungen, selbst geschrieben, selbst illustriert. »Das müssen Sie sich noch ansehen. Haben Sie noch Zeit?« »Wir haben den ganzen Tag Zeit, um Ihre Zeit handelt es sich.«*

*Wir setzten uns ins Wohnzimmer aufs Sofa und lasen Pictors Verwandlungen, das er gern vorliest wegen der hübschen Innenreime. Er gab Proben davon. Das Märchen ist das alte Hesse-Problem: Einsamkeit – Verwandlung – nur Zweiheit kann erlösen. In seiner schönen Handschrift mit lustigen liebevollen Bildern eine Köstlichkeit. Er verkaufte es gegen Schweizer Franken während der Inflation.*

*Er saß während des Lesens in seinem bequemen Stuhl uns gegenüber. Neue Gespräche begannen.*

*Hamsun: Ihn halte er für den größten lebenden Dichter,*

*er sei der einzige, den er sofort zu nennen wisse. Nur die Franzosen müsse er ausnehmen, bei diesem erstaunlichsten Volke gäbe es immer Überraschungen. Jammes sei doch ein großer Dichter.*

*Seinen Aufsatz »Eigensinn«[1] habe er einmal dem »Berner Bund« geschickt und habe ihn zurückerhalten, und der alte Dr. Bühler habe ihm geschrieben, Eigensinn führe zu nichts Gutem, das wisse er noch aus Schulzeiten.*

*Verleger: Rascher sei ein Konjunktur-Unternehmen gewesen. Kein Geld. Orell Füssli sei der wichtigste Schweizer Verleger. Aus dem im Kürschner angezeigten »Italien« (Gedichte mit fremden Bildern) sei nichts geworden. Der Verleger habe Pleite gemacht. Während der Inflationszeit sei ihm manches tolle Projekt vorgelegt worden. Als nächstes Buch plane er »Betrachtungen«, gesammelte Aufsätze, auch literarischen Inhalts (Goethe und Bettina).*

*Er begann von seiner Familie zu sprechen: drei Söhne, der älteste stehe ihm am nächsten (zwanzigjährig), der zweite (achtzehn) sei ihm entfremdet, zwischen ihnen sei Streit gewesen, der sei von der Mutter gerade in den Jahren der Trennung beeinflußt worden. Er besuche ein Technikum. Der dritte (zwölf oder dreizehn) kenne ihn viel zu wenig, als daß es ein bestimmtes Verhältnis geben könne. Der älteste ist in der Nähe und besucht ihn öfter. Er [Hesse] muß seine [erste] Frau unterstützen. Sie hat ihr Vermögen durch eigene Schuld eingebüßt, weil sie es einen Bruder durchbringen ließ. Sie hat ihm viel Unruhe gemacht. Die Kinder wurden ihr zugesprochen. Dann stand sie mit ihnen in fremder Stadt auf einem Bahnhof und klagte ihn an. Telegramme an ihn. Sie in der Anstalt, er bekommt die Kinder. Sie wird entlassen, beansprucht die Kinder, erhält sie. Nach einiger Zeit dasselbe. So mehrfach. Zuletzt, im Vorjahr, ist sie wieder im Irrenhaus.*

*Er zeigte mir die erste Ausgabe von »Unterwegs«[2]. Wir sprachen über: Im Grase hingestreckt (das nur in der zweiten [Auflage] steht und auch nicht in der Auswahl). Über gute und schlechte Zeilen; Gedichtprüfung: wenn eine Zeile im Gedächtnis fehlt.*

1 »Eigensinn«, vgl. WA 10, S. 454 ff.
2 »Unterwegs«, Gedichte Georg Müller, München 1911 u. 1915.

84

*Er lehnte viele seiner alten Gedichte ab: schrecklich schlecht, sentimental. Plant aber eine größere Auswahl. Zeigt mir, auf Verlangen, aber sichtlich gern den Erstling: »Romantische Lieder«, bei Pierson, Dresden 1898. Das Exemplar seiner Mutter, mit seiner Widmung. Spaßige Aufmachung, broschiert, kleine unschöne Drucktypen. Schenkt mir die von ihm herausgegebenen »Dokumente zu Novalis Leben und Sterben« (bei Fischer): Zur Erinnerung an Montagnola und H.H. Juli 1926.*

*Und dann: »Ja, wenn Sie Zeit haben... kennen Sie das Stück »Der kleine Weg«?[1] Den Weg könnte ich Sie führen, und dann können wir sehen, wie es mit dem Baden ist.«*

*Unsre Freude ließ sich nicht verbergen. Sein Badezeug lag schon gerichtet, er zog die Schuhe an. In der Tür kehrten wir nochmals um, wir mußten das Knabenbildnis Eichendorffs ansehen. Es hing an dem Regal neben der Tür zum Wohnzimmer, alte Gravüre, zart, rührend, hellen Blickes und doch verträumt. Darunter ein Novalis, ein Bild Shakespeares. Er setzte einen Panama auf, ging in Hemd und Hose, ohne Kragen, doch steckten beide Kragenknöpfchen im Hemd, ohne Stock.*

*Nahe beim Hause bogen wir ab, hinunter nach dem See zu, den »Kleinen Weg«. Zuzeiten hielten wir an, in Bewunderung der Landschaft, des Lichtes, der Blüten. Ein Garten, erstickend im Detail. Die Maler verzweifeln davor, weil sich die großen Linien verlieren, Bildchen an Bildchen. Ein Weg zur Nachtzeit ist beschrieben, aufwärts, in »Klingsors letzter Sommer«. »Das war aber auch ein Sommer!« Der Maler Louis (Moilliet) existiert. Jetzt auf den Balearen, etwas verzweifelt. »Der kleine Weg« zeigt unseren Weg kontrastreicher, im Frühjahr, mit Erd- und Stammfarben. Wir sahen nichts als Grün, üppigstes Grün. »Wie machen Sie das nur, den Weg hier so fabelhaft beschreiben?« – »Zweihundertmal gehen – das Aufschreiben dauert zwei Stunden.« Aber die Melodie der Schilderung! – –*

*Ich versuchte wieder einmal, ihn vom Wert gerade seines Schreibens zu überzeugen. Aber er sagt ganz richtig: Auch*

1 »Der kleine Weg«, (1921) vgl. WA 6, S. 316 ff.

*wenn das objektiv richtig sei, so helfe es ihm nichts, mache ihn nicht froh. (Welche Ehrlichkeit, wie frei von Pose und jedem Gefühl von Wichtigkeit! Nichts von Dienst am Volkstum usw.)*

*Von »Klein und Wagner«[1]: Es habe ihn verwundert, daß seine Freunde von der Novelle fast gar nicht gesprochen hätten. Und ihm sei sie sehr wichtig gewesen. »Sicherlich, denn sie bedeutet in Ihrem Werk einen neuen Bezirk. Sie beweisen darin: Solche Dinge kann ich auch schreiben. Überdies: das Lieblingsthema der modernen Dramatik.« Ich erkläre ihm, inwiefern.*

*Zeitweilig sahen wir das Dorf Agnuzzo liegen – von jeder Seite aus anders, aber immer gegliedert und geschlossen. Dort hat Hugo Ball lange gewohnt. Seine Frau ist Emmy Hennings. (Die »Emmy« im »Schreibenden Glas«[2].) Er war oft mit ihm zusammen. (Während des Krieges war auch Ball in Zürich.)*

*Zu Ellen, hinter ihr abwärts gehend: »Sie schreiten ganz tapfer, gar nicht so, als ob Sie direkt von Dresden kämen.«*

*Wir suchten unten den Badeplatz. Die Leute grüßten ihn alle sehr respektvoll, er freundlich, spricht mit ihnen oft ein paar Worte. Mit Kindern spricht er stets, mit allen, auch den kleinsten »tschau, tschau«. Am Strand wird ein Boot zur Entenjagd hergerichtet. Er beäugt es fachmännisch und sehnsüchtig.*

*Wir ziehen Schuh und Strümpfe aus, einen kleinen Bach zu durchwaten, um einen besseren Badeplatz zu erhalten. Es mag auf vier gegangen sein. Wir gingen zu dritt ins Wasser, wir zwei schwammen hinaus. Dann trockneten wir in der Sonne am Strande. Mit Kindern und Großen sprach er italienisch oder Schwyzer-Dütsch. (Das spräche er auch meist in Zürich.) Am Bodensee sei er viel am Wasser gewesen. Und als Knabe. Heute sei er seit zwei Jahren zum erstenmal baden. Es fehle der Antrieb.*

*Ob er nochmal nach Indien wolle? Er könne nach Japan, wo der Vetter sei. Das brauche viel Vorbereitung. Es feh-*

1 »Klein und Wagner« (1919) vgl. WA. 5, S. 304 ff.
2 »Das schreibende Glas« (1922) vgl. WA. 6, S. 320 ff.

86

le der Antrieb. Für wen? Ganz offen: Das sei sein Problem. Die fehlende Gemeinsamkeit, Zweisamkeit. Er habe gute Freunde, ja. Aber es fehle ein Mensch, der mit ihm zusammenwachse. Er hätte gern wieder ein Haus, einen Garten. Aber für wen? Es fehlt der Antrieb.

Ein Kind hatte einen Kopfkissenbezug aufgeblasen: Schwimmblase. Schwer nur, sich darüber zu legen. Wir lachten viel.

Ich sprach vom Zeitungsbetrieb: wie gestrichen wird. Die eigene, eigentliche Meinung. Er könne schreiben, wie er wolle. Ja, er sei ja ein Dichter. Kein Professor oder Politiker. Ihn nehme keiner ernst. So ein Sonderling...

Die Universitäten hoffnungslos.

Die Politik: Das einzig Sympathische an Deutschland, daß der Faschismus dort noch in der Opposition sei. Als Italiener möchte er keinen Tag leben. Neulich habe ihn zum zweiten Male ein junger Mensch, neunzehnjährig etwa, hier besucht, aus Frankfurt. Da staune er immer, was die alles könnten: Wirtschaft, Politik, Erziehung, Kunst. Sie verständen alles. Als er so alt gewesen sei, hätten ihm diese Dinge als schwere ernste Sachen gegolten.

Von Dr. Ehlers Arbeit über Menschentypen in »Camenzind« und »Demian«. Er kennt sie nicht. »So eine Arbeit ist doch furchtbar unnütz.« Da E. behauptet, eine Eins darauf erhalten zu haben: »Dann ist es schon schlimm.« Hier fiel einem Knaben der Ball ins tiefe Wasser. Wir schwammen beide hinaus. Hesse schwamm meist auf der Seite, den Kopf halb im Wasser, mit kräftigen und raschen Stößen. Wir spielten ein paar Minuten mit dem Balle und brachten ihn zurück. »Sie bekommen im Wasserfußball eine Eins«, sprach er zu mir. Wir trockneten wieder in der Sonne. Schwiegen oft lange. Ellen saß vor uns im Sande. Rechts die Schweizer Familie. Kinder seines früheren Nachbars, Zahnarzt in Lugano, kamen, was ihn mit heller Freude erfüllte. Er sprang auf, sie zu begrüßen. Literatur: An zweierlei mangle es: an Aufrichtigkeit und Stil. Er habe früher auch Aufrichtigkeit vermissen lassen. Der »Lauscher« habe sie, den vertrete er. Daß er weiß, wie sehr er den Stil beherrscht, fühlt man wohl.

»Siddhartha«, dessen Ideen mit einem Male dagewesen

87

*seien, habe er zu früh begonnen. Der Anfang sei ihm sehr schwergefallen.*

*Den »Franziskus«[1] könne er in seiner alten weichen Form nicht vertreten. Er sei in 14 Tagen geschrieben, das Altitalienisch sei ihm damals geläufig gewesen. Nach dem »Boccaccio«[2]. Er hätte auf Anfrage den Franz vorgeschlagen. Schuster und Loeffler hätten sofort akzeptiert und wären dann empört gewesen: der Franz sei doch kein Dichter! – Aber er habe auf seiner Arbeit bestanden, und sie sei rasch vergriffen gewesen. In Bremen (oder Lübeck) sei er einmal gewesen, mit einem freireligiösen Pfarrer zusammengekommen, der habe ihm nicht gefallen, er sei aber in den Gottesdienst gegangen, die Predigtworte seien ihm so bekannt vorgekommen: »Nach fünf Minuten bekam ich weg, das war aus meinem 'Franziscus'.« – Ich sprach von Mühlhausen (Pfarrer der reform. Kirche in L.). »Ja, die Pfaffen haben sich mit dem Krieg schön blamiert.« »Siebenkäs« – vielleicht das schönste von Jean Paul, weil er auch formal vollendet sei. Und das sei das Seltene in der deutschen Literatur. Die »Wahlverwandtschaften« hätten es. »Wilhelm Meister« sei mißglückt.*

*Von den vollendeten Zeilen: Beispiel Goethe*
*Allen Sonnenschein und alle Bäume,*
*Alles Meergestad und alle Träume*
*In dein Herz zu fassen miteinander –*
*Wie die Welt umschiffend, Banks, Solander.[3]*
*Borchardt habe im »Ewigen Vorrat deutscher Poesie«[4] danach gehandelt und Zeilen herausgestellt. Aber ungerechterweise nur bei Heine. Den schmähe er als Lumpen, könne aber sein Genie nicht leugnen. Von Ramler hat er eine lange Ode ganz abgedruckt: reizvoll, doch eben nur ein Ramler. Von Rückert bringe er fünf Seiten, weil der ein feiner, ihm sympathischer Mann sei. Das sei das Bedauerliche an dem George-Kreis: sie wären die einzigen*

1 »Franz von Assisi«, Schuster & Loeffler, Berlin, 1904.
2 »Boccaccio«, Schuster & Loeffler, Berlin 1904.
3 Aus dem Gedicht »Sendschreiben« von J. W. Goethe. (Joseph Banks und Daniel Solander begleiteten Cooks auf seiner Weltumseglung.)
4 Rudolf Borchardt, (Hg.) »Ewiger Vorrat deutscher Poesie«, München, Bremer Presse, 1926.

großen strengen Philologen und Kunstrichter, aber sie seien alle so päpstlich. So Borchardt. Ich schlug hier Kraus an, der auch Papst und ungerecht sei. Er bejahte das, ohne darauf einzugehen. Aber für die Zeilenauswahl sei er empfänglich. Wie oft stehe neben dem Herrlichsten das Banale.

Sein Vater sei ein Jahr in Indien gewesen. Aber der Vater seiner Mutter lange. Der habe neun Sprachen fließend gesprochen. Er habe das Neue Testament in zwei Sprachen der Eingeborenen übersetzt, im Auftrag der englischen Regierung. Er sei einer der ganz wenigen gewesen, die Sanskrit sprechen konnten. (Solches erzählte er mit Vergnügen, das letzte wiederholte er.)

Er selber habe Malayisch gesprochen. In Zürich habe er Freunde, die es sprechen.[1] Er gehe im September wieder hier weg, den Winter halte er nicht mehr aus. Sein Zimmer in Zürich habe er gleich behalten. Er habe allerhand dort stehen. In Zürich sei während des Krieges die Elite Europas versammelt gewesen, alles, was gegen den Krieg war. International, Philosophen, Künstler und Politiker. Eine prächtige Stadt sei es damals gewesen und sei es auch heute noch.

Stefan Zweig (der war damals auch dort) habe ihn am Bodensee als windiges Bürschchen besucht. Er sei vertraut mit den Franzosen. Hesse sprach reserviert von ihm: Essays über Balzac und Dickens, ja, das könne er. Vortrag über Rolland: das glaube er wohl, Rolland habe viel für Zweig bedeutet.

Wolfensteins Verlaine[2] kenne er nicht, ihm komme es schreckhaft vor, einen ganzen Band Gedichte zu verdeutschen. (Bezeichnend!)

»Nun müßten Sie, um einen rechten Tessiner Tag erlebt zu haben, noch einen Grotto besuchen.« Wir sehen ihn beide an. »Wir wollen versuchen, ob wir dann den Colomb oben treffen, der hat den Wein von heute mittag. Die anderen führen Piemonteser.«

1 Alice und Fritz Leuthold.
2 Alfred Wolfenstein, (Übers.) Paul Verlaine, »Armer Lelian«, Gedichte der Schwermut, der Leidenschaft und der Liebe. Cassirer, Berlin 1925.

*Ich ging dann ein letztes Mal ins Wasser. Als ich getrocknet war, brachen wir auf. Wateten durch den Bach. Auf dem Bootsrumpf banden wir uns die Schuhe. Mein Senkel riß. »Sie wenden zuviel Kraft an.«*

*Es war gegen halb sechs, wir gingen ein Stück den alten Weg und kamen auf Autofahren und Technik. Zwei Stunden Auto fahren sind reizvoll. Aber einen Tag lang immer neue Bilder vorbeisausen zu lassen, sei sinnlos. Die armen Augen!*

*Die Russen, statt der Maschine den Krieg zu erklären, hätten den Blödsinn begangen, ihr einen Tempel zu setzen.*

*Ich: Mein Lieblingsgedanke, daß diese Einrichtungen einmal nutzlos werden, leerlaufen und stehen, wegen mangelnder Menschen. Er: Ja, das ist der Trost: dies Zeug ist alles zum Verrosten da.*

*In einen schönen Blumengarten hinein machte er einer Alten Komplimente. Bello, bello!*

*Der Maler Karl Hofer sei jetzt in Agnuzzo. Den schätze er sehr. Er sei gespannt, was er mit der Landschaft anfangen werde. Stunden mit Hofer, mit Schoeck, mit solchen Potenzen, die lohnten. Sie seien selten. Manchmal, in Lugano, wenn S. Fischer einlade, mit ein paar Freunden, trinkend, sei er auch vergnügt. Aber die paar Stunden änderten nicht das Dilemma.*

*Ich fragte über Kadinsky usw. Er: Picasso sei wohl der Wichtige, die anderen epigonal. Immerhin liebe er manches von Paul Klee. Aber der wisse auch nicht weiter, male aus Verzweiflung so. Picasso habe zerschlagen, um eine neue Welt zu schaffen. Kunstschriftstellerei: Er parodiere den Stil. Mit Lussar habe er einmal geplant, ein parodistisches Buch über moderne Kunst und Kritik herauszugeben.*

*[Robert] Walser: Schade, er sei stehengeblieben. Erst habe er einen steilen Aufstieg genommen. »Geschwister Tanner« sei ein prächtiges, noch heute lesenswertes Buch. Heute sei er allzuoft verspielt. Er habe lange bei Bekannten gelebt, von ihnen. Dann habe er eine Stellung inne gehabt, vielleicht in einem Verlag oder so. Da habe er die Bekannten nicht mehr gegrüßt. Zur Rede gestellt: Er sei jetzt in einem neuen Lebenskreis, das Alte könne er nicht mehr mit her-*

90

umschleppen, er müsse Rücksicht nehmen aufs Neue und könne nicht mehr daran denken, wer ihm mal geholfen habe.

Diese Geschichte zu erzählen, bereitete Hesse großes Vergnügen. Persönlich kenne er den Walser nicht. Den Bruder liebe er auch. Doch dessen Zeichnungen zum »Knulp« gefallen ihm gar nicht.

Wenn er durch den Wald ging, streifte er mit den Händen meist durch Blätter und Gräser und hatte ein Gras in der Hand, einen Halm im Munde. (Bedeutung!) Durch den Wald gehend, zeigte er uns den Heimweg, dann gelangten wir auf schmalem Fußpfad zu den Grotti. Weinkeller in den Fels gehauen. Ein Stück festgestampfte Erde davor, Bänke und Tische, Holzgeländer, Bocciabahnen. Über uns Platanen vor allem, dann Robinien und echte Kastanien. Wild wachsend Hortensien. Im ersten größeren Grotto sitzen als Gäste zwei Wirte der benachbarten Grotti. (Die Wirte sind da, wenn's ihnen paßt sonst ist der Laden geschlossen.) Hesse sucht den Cavicc. Freudig kündigt er, daß der Wirt zu Hause sei. Er ruft den alten Colomb. Eine Frau und ein Kind sind da, und natürlich scherzt Hesse mit dem Kinde.

Dies sei der am schönsten gelegene Grotto, und er führe den besten Wein, erklärt Hesse. Wir bestellen einen halben Liter und pezzi di pane. Bald zum zweiten Male und dann noch eine Quinte. Man trinkt den Wein aus blau bemalten Tontassen (Schalen). Hesse war recht aufgeräumt, seine Augen blitzten.

Von einem Brief aus Honduras. Lang, eng beschrieben, nicht sympathisch, von einem Farmer. Den habe ein Pfarrer, ein Deutscher, besucht, sich um sein Seelenheil zu kümmern. In der Bibliothek fand er ein paar Bücher Hesses. »Ja, der Hesse, das ist auch so einer! Gelesen habe ich ja nichts von ihm, nein! Aber gehört habe ich von ihm von einer Dame, die ihn kennt. Wissen Sie, was aus ihm geworden ist? Dem Suff hat er sich ergeben.« – – Hesse: »Sowas erfahre ich nun aus Honduras. Die Dame möcht' ich auch mal vor mir haben.« Ich: »Nun, sie hat doch nichts Böses gesagt.« Hesse: »Das behaupte ich auch nicht; aber hier haben möcht' ich sie mal.«

Von Wilhelm Schäfer: Der sei letzten Winter auch in

*Zürich gewesen. Sie hätten sich aber nie getroffen. Früher hätten sie manche Viecherei miteinander gemacht. Viel getrunken. Schäfer habe ihm die kostbare Ausgabe des Winckelmann geschickt. Der habe ihm sehr gut gefallen. Dann den Hölderlin. Der gar nicht. Schäfer und Hölderlin paßten nicht zueinander. Das Buch sei dumm. Leider habe er ein Versehen begangen: dem Schäfer geschrieben über den Winckelmann, Gutes; aber der könne denken, es bezöge sich auf den Hölderlin, welchen Schäfer ihm auch geschickt habe. Hesse hatte aber noch gar nicht gelesen, als er an Schäfer schrieb: »Was Du mir schicktest ...« — So entstand der Irrtum. Hesse mag den Schäfer nicht mehr. Er sei geschwollen, schulmeisterlich. Die 13 Bände der deutschen Seele ignoriert er. (»Jetzt weiß der Mann auf einmal ganz genau alles und wie alles geworden ist.«) Und dann die »Weihnachtspredigt an das deutsche Volk«. »Ich kenne ihn besser. So ein Getue. Er mag sich nur die Bäffchen vorbinden«. »Früher vertrugen wir uns gut. Wir sind auf Du, einmal haben wir zusammen dem Jakob Schaffner die Hochzeit bewerkstelligt. Der heiratete in Darmstadt eine badische Bürgerstochter. Die Braut brachte 100 Verwandte mit. Schaffner hatte niemand. Er telegraphierte dringend an Freunde. Es kamen S. Fischer, Schäfer, Hesse. Schäfer hält eine Tischrede über die Kunst. ³/₄ Stunde. Als er fertig ist und einer danken will, steht Hesse auf: Der Schäfer habe so verkehrt gesprrochen, er müsse ihn widerlegen. Und sprach nun ebenso lange. Der arme Schaffner mußte die Rache der Verwandten erdulden. (Er erzählte fröhlich, stand dazu auf, mit Gesten und dem Glase.) In Zürich sei ihm letzten Winter begegnet, daß ein Hesse-Abend veranstaltet wurde, ohne daß er davon gewußt habe. Er sei hingegangen. Eine Dame, Vortragslehrerin, habe »Knulp« gelesen. Sehr schlecht. Aber das sei entschuldbar. Gekürzt. Das sei recht. Aber mit eingefügten Flickwörtern (auch, doch usw.) und anderem. Das sei ganz schlimm gewesen. Er sei geflohen. (Behandelt in: »Ausflug in die Stadt«, aber dort milder als in der Erzählung.¹) Er lese meist Verse, das Märchen, den zweiten Teil des Lebenslaufes.²*

1 Vgl. S. 50 ff.    2 »Kurzgefaßter Lebenslauf«, vgl. S. 9 ff.

*»Nein, in Berlin bin ich noch nicht gewesen. Was soll ich da? Dem Verlag kann man doch schreiben. Und den kleinen Fischer treff' ich auf Reisen. Die Einsiedelei, wie ich sie durch Jahre trieb, werden mir wenige nachmachen. Ich habe jämmerlich gefroren manchen Winter. Jetzt vertrag ich's nicht mehr. Bei mir geht's immer so: eine Zeitlang streng asketisch und dann andersrum.«*

*Ich sah ihn an (die straffe Haut, die festen Linien, den klaren Blick) und versicherte ihm nochmals, er sähe jung aus. »Jetzt macht er mir Komplimente.« Ich beteuerte ihm die Ernsthaftigkeit. Sprach von alten Gesichtern. Da zeigte er die verdickten Fingerglieder: »Hier sind die Scherzchen, die Sie mir im Gesicht anhängen wollen. Will er von mir das Gesicht eines Greises haben! Nein, im Gesicht braucht mir niemand die Gicht anzusehen.«*

*Die Frau reicht ihm das Kind von unten her, er bückt sich und zog es durch das Geländer. Der Einsame . . . (Sein Kater starb während des letzten Winters, als er abwesend war. Die Wirtschafterin ließ ihn eingehen. Früher habe er immer Katzen gehabt. Man könne sich so gut mit ihnen unterhalten.)*

*Hoch erhoben sich die Bäume. Es ging von der Helle in die Dämmerung. Ich habe keine schönere Kneipe erlebt. »Schade, daß Sie nicht abends hier sein können, wenn die Einheimischen kommen. Die Nacht ist herrlich.«*

*Er zahlte. Ich zog die Uhr und sagte: »Wir erreichen den Zug nach Mailand nicht mehr, wir müssen in Lugano bleiben. Also bringen wir Sie nach Hause.« »Dann müssen Sie aber noch zu mir hinaufkommen und etwas nehmen. Ich bekomme noch Milch und Butterbrot.« Wir verneinten um seinetwillen. Es war halb acht Uhr. Wir streiften das Dorf und gingen auf einem Seitenpfad außen um den Berg nach seinem Hause. Wir hielten oft des weiten Blickes willen über Berg und See. Er zeigt uns mitten im Grün eines Berges im Osten die Kirche der Madonna d'Ongero, die im Madonnenfest im Tessin[1] beschrieben ist. Morgens gegen die Sonne könne man sie nicht sehen. Er forderte uns ein zweites Mal zu bleiben auf. Ich hätte wohl nach-*

1 »Madonna d'Ongero«, vgl. WA. 6, S. 325 ff. u. »Madonnenfest im Tessin«, vgl. WA. 6, S. 332 ff.

*gegeben, aber Ellen litt es nicht, und sie hatte wohl recht damit, sowohl H.s wegen als um unseres Quartiers in Lugano willen. Ich hätte gern noch oben gesessen.*

*Unterwegs erzählte er von seiner letzten Reise Anfang dieses Jahres. Er sei Ehrenmitglied des Schwäbischen Schillervereins und hätte endlich einmal nach Stuttgart fahren müssen, der forgesetzten Einladung zu folgen. Es habe ihm aber da gar nicht gefallen. (Aus Schiller macht er sich wenig, nichts.) Er fuhr nach Calw, für einen Nachmittag. Das habe ihm auch nicht wohlgetan. Da sei er wieder zum alten Freund nach Blaubeuren[1]. (»Nürnberger Reise«) gefahren. 8 oder 10 Tage blieb er bei ihm. Den alten Freund aus Altenburg hat er auch getroffen. Schall heißt er, Studiendirektor wird er sein. Er spricht fließend Lateinisch, schreibt ihm lateinische Briefe.[2] Ihn liebt er sehr. Er hängt an diesen alten Knabenfreunden.*

*Wir sahen von unten das Haus. Mädchen rannten lachend über den Weg, sie hatten einen Garten geplündert, er rief auch ihnen zu.*

*Ob Ellen denn heute abend durchaus auf die Promenade von Lugano wolle? Seinen Garten sollten wir noch ansehen. Hätten wir's getan, wäre wohl mit Sicherheit ein weiterer Aufenthalt gefolgt.*


Edler Jüngling,
Es geht auch mir altem Ehrengreise so, daß ich von Zeit zu Zeit einsehe, was Menschentum, Geist und Kunst eigentlich sei, daß ich beschließe, energische Schritte zur Erklimmung dieser Höhen zu tun, daß ich dann schnell wieder faul werde und mich der Mutter Natur an den Ranzen werfe, daß ich dann schließlich aber doch jedesmal ein kleines Stückchen weiter vordringe, und das kleine winzige Plus an Geist, was dabei herausschaut, genügt nach meiner Erfahrung schon, um nicht nur die Leser

1 Wilhelm Häcker, der »Knabe Wilhelm« in »Die Nürnberger Reise«. Reise«.
2 Franz Schall übersetzte das Motto zum »Glasperlenspiel« ins Lateinische.

zu degoutieren und die reaktionäre Presse mobil zu machen, sondern auch um alten Freunden das Maul krumm zu ziehen wie Essig. Sollte Dir letzteres bei alten Freunden einmal passieren, so sieh es also als ein sicheres Zeichen des Fortschritts an.

*(Brief, Juli 1926, an Ernst Morgenthaler)*

Den Winter werde ich meistens wieder in Zürich sein. Es geht nicht gut, Gicht und Augenschmerzen jeden Tag, ich komme nicht mehr aus der Schweinerei heraus. Es fehlt der innere Widerstand, der Wille zum Gesundwerden und Weitermachen, ich habe genug, und spüre die zunehmende Lähmung der Kräfte bitter. Es begann im Krieg, mit dem Zerfall, mit Vaterland, öffentlicher Moral etc., dann kam der Verfall der Familie, die zunehmende Vereinsamung (meine zweite Frau ist seit zwei Jahren nicht mehr in Montagnola gewesen), dann kam allmählich das Schwierigste: die Einsicht in die Wertlosigkeit meiner geistigen und literarischen Bemühungen. Das heißt, ich glaube den relativen Wert meines Talents und meiner geistigen Welt, gemessen am heutigen Durchschnitt, keineswegs zu unterschätzen – aber die Zeit geht anderen Zielen zu, der Zerfall der Geistigkeit zu Gunsten andrer Lebenswerte macht die ganze Arbeit und Bestrebung von unsereinem zur reinen Illusion – wir könnten grade so gut bloß Seifenblasen machen.

*(Brief, 5. 8. 1926, an Georg Reinhart)*

Fast immer lieben, loben und schätzen meine Freunde, auch die nächsten, das, was ich bis vor einigen Jahren getan, gelebt und gedichtet habe, während sie mit dem Heutigen nichts anzufangen wissen. Sie werden zwar auch das Heutige, den heutigen Hesse, in einigen Jahren zum Teil verstehen und annehmen, aber dann bin ich wieder um einige Jahre voraus, auf einer ganz andern Stufe, die Worte und Briefe meiner Freunde gehen alle an einen Hesse, den ich nicht mehr kenne, der nicht mehr mit mir identisch ist.

*(Brief, 25. 9. 26, an Helene Welti)*

95

Ach Gott, was weiß unsere Zeit noch vom Geist der Romantik! Diese kühne, große Woge deutschen Geistes scheint im Sand verlaufen, und das Wort »Romantik« ist eine Art von Schimpfwort geworden, mit dem der heutige Deutsche alles das bezeichnet, was ihm unrentabel, verstiegen und jugendlich-idealistisch erscheint. Und grade die, die sich am lautesten Patrioten nennen, wenden das Schimpfwort fast auf alle einigermaßen edleren Regungen des heutigen jungen Deutschland an, beinah auf alle Bestrebungen, die anderes und edleres bezwecken als einen nächsten Krieg.

Morgen also reise ich davon, kleide mich nach Monaten wieder einmal städtisch, ziehe nach Monaten einmal wieder einen Kragen, eine Krawatte, eine Weste, einen Mantel an und bringe dann in solcher Verkleidung den Winter unter den Menschen zu, in den Städten, in den Restaurants und Konzert- und Tanzsälen, wo es keine Steinpilze gibt, wo im Frühling kein rot und blaues Lungenkraut blüht, im Herbst kein braunes Farnkraut rauscht. Nun, in Gottes Namen!

Gestern war ein fremder Herr bei mir, der machte mich darauf aufmerksam, daß im nächsten Jahr mein fünfzigster Geburtstag sei, darum sei er gekommen, um sich von mir allerlei aus meinem Leben erzählen zu lassen, für einen Gratulationsartikel, den er dann schreiben werde. Diesem Herrn sagte ich, es sei rührend von ihm, daß er sich so viel Mühe um mich gebe, ich hätte aber nichts zu erzählen, und daß er mich auf dies Jubiläum aufmerksam mache, sei gerade so nett, wie wenn zu einem Sterbenden ein fremder Herr käme, ihn auf die Nähe seines Ablebens aufmerksam machte und ihm den Katalog seiner bestempfohlenen Sargfabrik in die Hand drücke. Den fremden Herrn bin ich los geworden, den üblen Geschmack auf der Zunge nicht. Es ist Herbst, es riecht nach Welke, nach grauem Haar, nach Jubiläum, nach Friedhof.

*(Aus »Herbst. Natur und Literatur«,*
*Frankfurter Zeitung, vom 17. 10. 1926)*


Jene neuen Gedichte von mir, über die Sie mir schrieben, stammen nicht aus der Klingsorzeit, sondern alle aus dem

96

letzten Winter.[1] Ästhetisch betrachtet sind sie vermutlich wertlos, ich glaube, daß Sie Ihre eingehende Kritik da an unwürdige Objekte verschwenden, übrigens scheinen mir Eure ästhetischen Maßstäbe doch sehr zweifelhaft zu sein. Der eine Vers, den Sie sich in einem Gedicht als konventionell angestrichen haben, ist mir gerade lieb. Und bei Eichendorff ist es ja noch viel auffallender, wie er sich geradezu hinter eine Formkulisse versteckt, weil das Originellseinwollen ihm so verhaßt ist. Auf Eichendorff hin, der mit dem Apparat eines naiven Volkslieds die unglaublichsten Dinge sagt, finde ich Eure ästhetisch einwandfreien Dichter, die George etc., mit den schönen neuen, ungebrauchten Reimen und den genau gezählten Silben einfach affig, obwohl ich zu andern Stunden sie auch genieße und schätzen kann. Was mich selber betrifft, so zähle ich da nicht mit, ich habe schon seit Jahren den ästhetischen Ehrgeiz aufgegeben und schreibe keine Dichtung, sondern eben Bekenntnis, so wie ein Ertrinkender oder Vergifteter sich nicht mit seiner Frisur beschäftigt oder mit der Modulation seiner Stimme, sondern eben hinausschreit. Sie haben recht, lieber Freund, wenn Sie das tadeln, aber dem Mann können Sie es doch nicht verbieten, unter Geschrei zu verrecken.

*(Brief, 14. 10. 1926, an Heinrich Wiegand)*

Soweit meine Biographie[2] einen Sinn hat, ist es wohl der, daß die persönliche unheilbare, doch notdürftig bemeisterte Neurose eines geistigen Menschen zugleich Symptom ist für die Zeitseele.
Besprechen müssen wir dann außer den Fragen, die Sie selbst stellen werden, noch allerlei Biographisches, ferner die Geschichte meines Verhältnisses zu Indien und Asien, dann auch meine Stellung während des Krieges. Meine erste Ehe steht fern genug, um, wenn nötig, kurz gezeigt

1 ›Der Steppenwolf. Ein Stück Tagebuch in Versen‹ Neue Rundschau 37, 1926.
2 Zum 50. Geburtstag Hesses am 2. 7. 1927 gab S. Fischer bei Hugo Ball seine letzte Monographie über einen seiner »Hausautoren« in Auftrag.

97

werden zu können. Meine zweite ist noch nicht diskutabel . . .

Meine letzte halb vollzogene Inkarnation, als Steppenwolf, kann noch mit einbezogen werden. Denn jene Gedichte des letzten Winters mit dem Titel »Steppenwolf« erscheinen noch vor Ihrem Buch.

*(Brief, 13. 10. 1926, an Hugo Ball)*

Daß mein Problem zum großen Teil auch das Ihre ist, konnte ich mir wohl denken. Es ist ja nicht bloß das Problem des Mannes, der zu altern beginnt und die schwierigen Jahre um 50 kosten muß, sondern mehr noch das Problem des Autors, dem sein Beruf zweifelhaft und fast unmöglich geworden ist, weil ihm Boden und Sinn verlorengingen. Seit dem Kriege hat das bei mir stetig zugenommen, und sieben Jahre Alleinleben in meinem Tessiner Dorf haben es nicht erleichtert.

Vorerst weiß ich aus dieser Not und aus der ungeheuren Erschwerung der Produktion (jedes Wort macht mir Qualen) keinen andern Ausweg als den Versuch, ebendiese Not selbst auszusprechen, also Bekenntnisse zu schreiben, ein Teil davon sind jene Gedichte. Ob und wann es mir nochmals erlaubt sein wird, »objektiv« zu schreiben und rein als Künstler zu spielen und zu gestalten, weiß ich noch nicht. Das Ertragen des bloßen Lebens ist, trotz glücklicher Momente dazwischen, vorerst schwer genug.

*(Brief, 10. 11. 1926, an Stefan Zweig)*

Das Greisenalter macht Fortschritte. Vorgestern mußte ich mir den größten Backenzahn, den ich noch hatte, ziehen lassen, und letzte Woche wurde ich in Berlin zum Mitglied der Akademie gewählt.[1] Nun ist es bald Zeit für das

1 Preußische Akademie der Künste, Sektion für Dichtkunst, aus der Hesse am 10. 11. 1930 wieder austrat. (»Beim nächsten Krieg wird diese Akademie viel zu der Schar jener 90 oder 100 Prominenten beitragen, welche das Volk wieder wie 1914 im Staatsauftrag über alle lebenswichtigen Fragen belügen werden«. Brief, Nov. 1930, an Wilhelm Schäfer)

Crematorium und die Kränze. Ich besinne mich aber doch,
ob es sich nicht vielleicht lohnt, vorher noch den Charleston
zu lernen.

*(Brief, 11.11.1926, an Georg Reinhart)*


*Ballade vom Klassiker*
(geschrieben nach meiner Wahl
in die Berliner Akademie)

Frühe schon zum Klassiker berufen
fühlte sich der Jüngling Emil Bums,
nahte, Gott im Busen, sich den Stufen
des Apolln geweihten Heiligtums.

Selten sah man wahrlich einen Dichter
so von hehrer Streberei beseelt,
bald schon sah er sich vom Chor der Richter
als des Volkes Liebling auserwählt.

Niemals gab er sich die kleinste Blöße,
wich vom Pfade strengster Tugend nie,
sang von Gott und nationaler Größe,
was ihm ungeheuren Ruhm verlieh.

Leider war dem Hochflug nicht gewachsen
dieses Edeldichters schwaches Herz,
und auf einer Vortragstour durch Sachsen
ward er krank und schwang sich himmelwärts.

Eine Trauerfeier ohne gleichen,
der Bedeutung des Moments sich voll bewußt,
schmückte mit des Vaterlandes Eichen
des verewigten Sängers Heldenbrust.

Industrie, Finanz, Behörde, Presse
stand ergriffen um das offne Grab,
Gerhart Hauptmann warf und Hermann Hesse
eine Schaufel voll Papier hinab.

Unter andern herrlichen Trophäen
in des Volksmuseums Heiligtum
sieht man seine Schreibmaschine stehen,
Sonntags viel bestaunt vom Publikum.

Nie wird dieser Mann vergessen werden,
Deutschlands letzter Klassiker vielleicht,
denn fürwahr, es findet sich auf Erden
keiner, der ihm nur das Wasser reicht.

Ja ich selbst, der ich den Bums erfunden,
der ihm Namen, Ruhm, Gestalt verlieh,
beuge mich beschämt und überwunden
vor so viel Talent, so viel Genie.

Und so wallt des Göttlichen Gedächtnis,
von der rauhen Wirklichkeit befreit,
seines Volkes edelstes Vermächtnis,
durch Jahrhunderte zur Ewigkeit.


... Alle meine Wanderungen, alle meine Reisen, alle meine
einsamen Gänge auf Berge und um Seen, über Gebirgs-
pässe und durch südliche Felsschluchten waren ja nur eine
einzige große Flucht, ein Fluchtversuch aus dieser Zeit
heraus, aus dieser Zeit der Technik und des Geldes, des
Krieges und der Habsucht, einer Zeit, welche ihren Reiz
und ihre Größe haben mag, die ich aber mit meinem
ganzen Wesen nicht billigen und lieben, sondern bestenfalls
nur ertragen kann. Und darum ist die Mahnung dieser
Schuhe mir so fatal, weil ich heute, und nicht erst seit
heute, recht wohl erkannt habe, daß die räumliche Flucht,
das Laufen auf Wanderschuhen und das Fahren auf Eisenbahnen und Schiffen mich nicht ans Ziel bringt, daß sie
nicht aus der Zeit herausführt. Und dennoch versuche ich,
außer anderen Mitteln, auch heute noch immer wieder
dies alte, nicht bewährte Mittel des Reisens, versuche es
immer neu: manchmal mit Resignation, manchmal mit Humor, manchmal mit schlechtem Gewissen. Das Ziel ist mir
bekannt: die Erlösung von aller Zeit und allem Streben,

aber die Mittel sind zweifelhaft, und nur zwei von allen bewähren sich immer wieder für eine Weile: die Rückkehr zu naivem kindlichem Mitleben ohne Reflexion und das Versenken in zeitlose Betrachtung, das alte indische Zaubermittel der Meditation.

Nun muß ich wieder eine Reise antreten, eine Pflichtreise, denn ich habe versprochen, einige Vorlesungen abzuhalten. Natürlich nur in anständigen, bekömmlichen, leidlich hübschen Gegenden, südlich der Mainlinie, denn niemand kann mir zumuten, lediglich um der Literatur willen Reisen zu tun in Landstrichen, wo kein Wein mehr wächst. Aber auch diese gelegentlichen Reisen nach Stuttgart, nach Frankfurt oder Darmstadt, die ich mir zu Zeiten aus Pflichtgefühl aufbürde, haben das Fatale einer Flucht und eines Versuches an sich, an dessen Erfolg ich von vornherein nicht glaube. Der ideale Zweck solcher Reisen für mich wäre der, Beziehungen zum heutigen Leben zu bekommen, die Kluft zwischen der Welt und mir zu überbrücken.

*(Aus »Kofferpacken«, Berliner Tageblatt vom 14. 11. 1926)*

Wenn ich trotzdem Ihr Leben »bürgerlich« nenne, geschieht es aus einem gründlichen Verlorenhaben und Andersgewordensein heraus. Als Sie mich kannten, so bis 1917 und 18, war auch ich noch Bürger, nicht nur weil ich Familie hatte, sondern noch in 100 andern Beziehungen – das ist alles in Scherben gegangen, und da ich schon damals nicht mehr jung war, hat es eben Narben gegeben.

Meine Unabhängigkeit – da haben Sie recht – ist etwas Schönes. Das spüre ich gerade jetzt, wo ich ausnahmsweise auf 8 Tage auf sie verzichtet habe, Vorträge halte, reisen muß, bei Fremden Gast bin etc. Aber zuweilen probiere ich eben diesen Anschluß wieder (natürlich nur um mir zu bestätigen, daß es keiner ist), versuche an der Geselligkeit etc. einige Tage Teil zu nehmen und fände gern etwas von den alten holden Illusionen wieder: daß mein Leben und Tun einen Sinn und Wert habe, daß ich etwas für andre sein und bedeuten könne usw. . . . .

*(Brief, Nov. 1926, an Hildegard Jung-Neugeboren)*

101

Ein mir bekanntes junges Mädchen träumte neulich, sie sei ein Affe und ich wolle sie dazu verführen ein Mensch zu werden. In Träumen habe ich scheints keinen guten Ruf, doch sehe ich, daß die Träumer wenigstens nicht ihre schwächsten Antriebe mit meiner Maske bekleiden.

*(Postkarte, 23. 11. 1926, an Hugo Ball)*

Gestern bin ich von der deutschen Reise zurückgekommen, nach Zürich, wo ich den Winter verbringe.

... Nun habe ich wieder einmal das gefressen, was die Welt mir an Verständnis, Sympathie etc. zu bieten hat, habe fast drei Wochen lang den berühmten Mann gespielt und in vier Städten meinen Tenor gesungen, habe bei Kollegen und anderen Koryphäen (der beste war R. Wilhelm in Frankfurt) vorgesprochen, eine Anzahl Einladungen und Herrenabende abgesessen, und jetzt ist es mehr als genug, und ein Jahr lang ziehe ich mich jetzt wieder in meine gewohnte Verkrochenheit zurück, von der Du als Familienvater und Mann der Öffentlichkeit kaum eine Vorstellung hast...

Jetzt sitze ich wieder vor meiner Arbeit, einer sehr unerfreulichen Arbeit, denn seit bald drei Jahren fand ich aus meiner menschlichen und geistigen Vereinsamung und Erkrankung keinen andern Ausweg, als indem ich diesen Zustand selber zum Gegenstand meiner Darstellung machte, was hoffentlich mit der Zeit wieder ein Ende nimmt und freundlicheren Bildern Raum gibt. Was ich bisher an Bekenntnishaftem seit 2 Jahren produzierte, war nicht geeignet, mir Freunde zu erwerben, und die alten Freunde, die ich etwa noch hatte, schüttelten dazu die Köpfe und schwiegen diplomatisch.... auf meine neuen Gedichte haben sie mir nur mit verlegenem Schweigen geantwortet.

*(Brief, 16. 12. 1926 an Otto Hartmann)*

Das gehört zu meiner Art und meinem Leben, daß ich ein sehr schlechter und ungeeigneter Verwandter, dagegen ein guter und treuer Freund bin. In meinem ganzen Leben hat die Familie keine gute und glückliche Rolle gespielt, während die Freundschaft an erster Stelle stand.

... Vorerst nimmt mich der Abschluß meines neuen Buches, dessen erste Niederschrift nahezu fertig ist, ganz in Anspruch. Ich begann mit diesem sehr gewagten und phantastischen Buch, in dem etwas ganz Neues probiert wird, vor reichlich zwei Jahren, in Basel, und bin jetzt so weit, daß das Buch im Wesentlichen unter Dach ist und im Notfall auch so gedruckt werden könnte, wie es jetzt ist, doch werde ich es nochmals vollkommen durcharbeiten und neu schreiben, dazu brauche ich wohl nahezu den Rest dieses Winters.

Das Buch dreht sich um das selbe Problem wie meine neuen Gedichte, zieht den Kreis aber viel weiter.

*(Brief, 22. 12. 1926 an Lisa Wenger)*

Sie wissen noch, daß ich vor einem Jahre einmal etwas verstimmt über Euch war, als ich Euch mehrmals in Briefen einiges von meiner Verzweiflung mitgeteilt hatte, und Sie darauf gar nicht oder mit dem freundlichen Hinweis darauf antworteten, daß die Madonna mir schon helfen werde. Ich war wütend über diese billige Madonna.

Und etwas ähnlich geht es mir auch jetzt. Ich mache meinen Steppenwolf fertig, die Abschrift für den Verleger, das hält mich für den Augenblick zusammen, und wenn ich damit fertig bin, hoffe ich die Courage zu finden und mir den Hals durchzuschneiden, denn das Leben ist mir unerträglich, und das äußert sich auch in beständigem körperlichem Wehgefühl.

Liebe Emmy, ich blicke in die liebe Heiligen- und Glaubenswelt Ihres Buches[1] hinüber wie ein verhungerter Arbeitsloser am Sylvesterabend in das Schaufenster eines eleganten Blumenladens blickt. In der Tat, alle diese hübschen luxuriösen Blumen existieren, und alle diese hübschen sympathischen Götter und Heiligen werden in marmornen Kirchen von einem großen Heer von bezahlten Priestern verehrt und täglich abgestaubt – aber für den, dem der Wind

1 Emmy Ball-Hennings, »Der Gang zur Liebe. Ein Buch von Städten, Kirchen und Heiligen«. Kösel & Pustet, München, 1926.

um die Ohren pfeift, sind diese lieben holden Götter eben doch bloß hübsche Bilder, und die Welt wird nicht vom Heiland regiert, sondern vom Teufel, und das Leben ist kein Gottesgeschenk, sondern eine unerträgliche Qual und Schweinerei.

*(Brief, 31. 12. 1926, an Emmy Ball-Hennings)*

Es ist der zweite Januar, und ich hätte viel dafür gegeben, dies neue Jahr nicht mehr erleben zu müssen. Das Taedium vitae wird immer würgender. Zur Zeit sitze ich Tag für Tag, mit schmerzenden Augen und mit schmerzenden Gicht-Händen, an der Schreibmaschine, um den Prosa-Steppenwolf ins Reine zu schreiben, der nach Fischers Absicht vielleicht schon zum Geburtstag als Buch erscheinen soll. Warum ich mich so plage, weiß ich nicht, es geschieht aus Sucht und Betäubung. Das Werk selbst hat mir keine Freude gebracht und ist mir schon jetzt zum Kotzen entleidet...
Es grüßt Dich der halbverreckte
Steppenwolf H

*(Brief, 2. 1. 1927, an Hugo Ball)*

Heut ist der dritte Januar, und das ist nicht gut, denn erstens war erst vorgestern Sylvesternacht, und die habe ich nach alter abendländischer Sitte damit zugebracht, diverse mit Wein gefüllte Flaschen und Gläser zu leeren, und sie gegen andere Gläser zu stoßen. Zweitens aber war gestern der heilige Berchtoldstag, und das bedeutet für die Zürcher, die eine sehr gesunde Nation sind, eine Verpflichtung zum »Berchtoldsmahl«, und so habe ich heute Nacht schon wieder bis halb drei Uhr fressen, trinken, tanzen und Prosit rufen müssen, und weiß jetzt nicht, ob mein Kopfweh davon herrührt oder von der wahnsinnig überhitzten Arbeit, mit der ich diese Tage über meinem Manuscript »Steppenwolf« gesessen bin......
Ich schreibe den Steppenwolf, in Prosa, zu Ende und ins Reine, nach zweijähriger Arbeit, habe aber keine Freude mehr daran, habe hier auch keinen Freund zur Hand,

dem ich einmal die paar witzigeren Stellen daraus vorlesen könnte, ich habe nur die nackte Arbeit, das Hinunterwürgen, den Kampf mit der dummen Schreibmaschine etc. etc., es ist zum Kotzen.

*(Brief, 3. 1. 1927, an Heinrich Wiegand)*

Mein Verhältnis zum Leben ist so wie zu einem Portemonnaie, in dem nichts drin ist. Das Protemonnaie ist sehr hübsch, aus Leder, und hat wahrscheinlich viel gekostet, und man sollte eigentlich dankbar dafür sein, aber da der Inhalt fehlt, schätzt man es nur mäßig und fragt sich oft, warum man sich eigentlich immer weiter damit schleppt.

*(Brief, 12. 1. 1927, an Emmy Ball-Hennings)*

Inzwischen habe ich wochenlang, Tag für Tag wie verrückt an der Arbeit, den Prosa-Steppenwolf fertig gemacht, und bin nun nachträglich ziemlich zusammengefallen, spüre plötzlich die Überarbeitung, Schlaflosigkeit etc. und bin zugleich betrübt, denn nun habe ich die Freude des Schaffens, die vorübergehend meinem Leben eine Art von Sinn und Freude gibt, wieder einmal hinter mir und sitze im Leeren, und es kann Jahre dauern, bis ich das noch einmal erlebe, falls es überhaupt noch einmal dazu kommt . . .
Wenn ich geahnt hätte, was dieser 50. Geburtstag alles bringt, so hätte ich von Anfang an alles unterdrückt, was dazu gehört, auch Balls Buch. Jetzt kommt alle paar Tage Neues, zehn Verleger wollen bei dem Anlaß ein Geschäft machen, Komponisten wollen Lieder von mir herausgeben, Maler wollen mich malen und radieren, Redakteure wollen die Daten meines Lebens wissen, der Bürgermeister von Konstanz will meine Genehmigung und Gegenwart für ein Hessefest am 2. Juli, und so weiter, es ist schon zum Speien. Da kann ich nun, so gut es geht, meine Tage an der Maschine sitzen und all die Briefe irgendwie beantworten, und nebenher die Korrespondenz mit Ruths Anwalt besorgen . . .

105

. . . Na, nimm es nicht ernst, ich selber nehme es ja auch bloß in meinen schlechteren Stunden ernst. Mit dem Steppenwolf, den Versen und der Prosa sollst Du Dich gar nicht einlassen und abgeben, es würde Dir bloß wehtun.

*(Brief, 21. 1. 1927, an seine Schwester Adele)*

Ich war die letzten 6 Wochen Tag und Nacht wie irrsinnig an der Arbeit, und habe mein neues Buch fertig gemacht, d. h. den Schlußstrich unter eine zweijährige Arbeit gezogen. Jetzt bin ich sehr zusammengeklappt.
Wenn Du gern einmal abends eine Stunde mit mir bist, so laß michs wissen, aber ohne Dich etwa dazu zu zwingen. Vielleicht geht es am nächsten Dienstag nach dem Konzert, das ich gern hören würde, wenn Du mir einen Platz hast. Deine Konzerte, und öfters eine Mozartoper im Theater, sind die einzigen geistigen Genüsse außer Rotwein und Cognac, die ich in Zürich finde. Letztere bilden meine gewohnte Abendgesellschaft.

*(Brief, Jan. 1927 an Volkmar Andreä)*

Mit dem Steppenwolf, nach dem Du fragst, steht es so: Es gibt den Roman Steppenwolf, in Prosa, der ist kürzlich zu Ende geschrieben und liegt beim Verleger, erscheint so bald wie möglich. Gestern sagte mir Fischer, der ihn noch auf der Reise zu Ende gelesen hatte, seine Meinung darüber. Ich habe ihn seit 25 Jahren nie so erschüttert, begeistert und auch beunruhigt von einem neuen Buch sprechen hören. Das Buch wird Aufsehen machen, aber nicht nur schönes, sondern die Feinde auch von der politischen Seite her, werden sich ebenfalls rühren, vielleicht sogar der Staatsanwalt. Dies darfst Du aber niemand weiter sagen. Außer dem Roman gibt es aber auch noch die Gedichte. Diese sind, (einige davon lerntest Du ja kennen und warst entsetzt davon, ebenso wie manche andre Freunde) teilweise in der Rundschau abgedruckt gewesen.

*(Brief, 9. 2. 1927, an seine Schwester Adele)*

Seit einigen Tagen bin ich, nachdem ich zweieinhalb Wochen in Baden gelegen, wieder in Zürich, und lese heut Abend in einem Club aus dem Steppenwolf vor. Das ist der neue Roman, aus dem Sie Proben kennen und der im Sommer erscheint, in dem aber Beethoven nicht vorkommt. Damit kann ich also nicht dienen...

Das Manuscript wurde fertig, grade ehe ich krank wurde, und die ersten Tage glaubte ich, es sei nur Erschöpfung von der langen aufregenden Schlußarbeit am Roman, es war aber auch Grippe dabei, Fischer hat das Buch inzwischen schon gelesen und will es baldmöglichst als Buch bringen, ein Stück daraus kommt vorher noch in seiner Rundschau.[1]

Da haben Sie Recht in Ihrem Brief, wenn Sie sagen, ein Trinker müsse wenig arbeiten und viel schlafen. Daran hatte ich nicht gedacht, als ich mich, so in meinem kleinen Maßstab, zum Säufer ausbildete. Ich schlafe zu wenig, arbeite zu viel, esse wenig und verdaue elend, und dabei bilde ich mir ein, auch noch trinken zu können. Leider kann ich es nicht so schnell aufgeben – es müßte schon irgend ein Ziel und eine Lockung vor mir stehen, um mich zu einem gesundern Leben zu verführen.

Ihr Brief hat mich herzlich gefreut, umsomehr als bei mir die bekannte erste Eitelkeit und Freude am fertigen Buch schon vorüber ist – das geht mit den Jahren immer schneller: ein paar Jahre Herumprobieren und Spielen, mit langen grauen Pausen, dann ein paar Monate aufregender intensiver Arbeit beim Fertigmachen, mühevoll aber doch schön, und dann eine Woche oder zwei Freude über das Produkt, und dann ist es schon wieder vorbei, und ich sehe, wie klein der Umfang, wie gering der Tiefgang, und wie zweifelhaft der Stil ist. Nun, dennoch freut es mich oft sehr, wenn gute Leser spüren, was ich meine und möchte.

Jetzt muß ich mich anziehen und rasieren und dorthin schleichen, wo meine Vorlesung stattfindet, im psychologischen Club. Ich hätte gern mehr an Sie geschrieben, aber die Zeit ist um, und es liegt noch so viel Post da.

*(Brief, 20. 2. 1927 an Heinrich Wiegand)*

1 Im Mai 1927 wurde der »Tractat vom Steppenwolf« in der Neuen Rundschau vorabgedruckt.

Ich lasse die Welle branden. Ich gehe essen, trinke ein kleines Glas Rotwein dazu, einen Kaffee hinterher, dann gehe ich in ein Warenhaus und kaufe sonderbare Sachen, unnütze und lächerliche Sachen, die ich fünfzig Jahre lang nie gekauft und gebraucht habe und die mir jetzt auf einmal notwendig scheinen oder doch Spaß machen. Ich kaufe eine Nase mit Bart aus bemalter Gaze, ich kaufe einen scherzhaften kleinen Hut aus Pappe, und dies und jenes, und bereite mich darauf vor, morgen einen Maskenball zu bestehen. Es wird Mühe machen, gewiß, und als Tänzer werde ich nicht glänzen, niemand wird mich den Charleston tanzen sehen, und die Musik mag spielen, was sie will, ich werde dazu ungefähr dasselbe tanzen, was ich immer tanze, und was man vor einigen Jahren Onestep nannte. Ich habe keinen Ehrgeiz mehr. Mein einziger Ehrgeiz ist, mir selbst zu beweisen, daß ich trotz allem noch eine Nacht aufbleiben und tanzen und Wein trinken und den Frauen hübsche Dinge sagen kann, und wenn ich nachher auch zwei Tage krank sein werde, ich bin gern bereit, soviel für den Scherz zu zahlen. Ich vergeude ja keine richtigen Tage, nicht volle, straffe, grüne Tage eines jungen Menschen, Tage voller Lust, Tage voll Arbeit, Tage voll brennenden Leidens, sondern nur eben solche Tage eines ältern Herrn, Tage, um die es nicht schade ist.

Ich werde morgen tanzen, und werde ein paar Stunden lang mitschwimmen und mich vergessen, ich freue mich darauf. Die jungen Mädchen werden sich nichts aus mir machen und werden von mir unbelästigt bleiben, und ebenso jene glühenden und durstigen Frauen der Reifezeit, welche sich sonst gerne an Männer meines Alters halten. Ich werde mit jenen Frauen tanzen, die auf mich warten und mich dennoch ein wenig fürchten, weil sie fühlen, daß ihre Schmerzen, ihre Enttäuschungen, ihre Ängste, ihre Ahnungen von der Trauer und Fragwürdigkeit des Lebens von mir genau gekannt und gewußt werden, ohne daß ich doch davon spreche. Es sind nicht Frauen eines bestimmten Alters, die ich meine, sondern Frauen eines bestimmten Charakters und Schicksals. Sie kommen zu mir, sie lieben mich, auch ohne daß ich um sie werbe. Ich bin ihr Freund, ihr Vertrauter, ihr Kamerad, sie wissen

108

alle ihre Geheimnisse, ihre Leiden, ihre Ängste bei mir wohl verwahrt, wohl verstanden.

Mit diesen Frauen werde ich tanzen. Und werde dabei hinüber blicken zu den andern, den unbeschwerten, strahlenden, die ich einst so sehr geliebt und begehrt habe. Ihnen zuschauen zu können, an ihnen Freude haben zu können, ohne sie zu begehren, das gehört zu den wenigen Dingen, die das Altwerden mich gelehrt hat. Ihnen werde ich mit erfreuten, mit liebenden und doch nicht begehrenden, mit neidlosen Blicken folgen.

*(Aus »März in der Stadt«, Berliner Tageblatt vom 6. 3. 1927)*

Caro e stimatissimo Ballo
Dein lieber Brief hat mir wohl getan. Ich lebe wieder wie gewöhnlich, und habe sogar vorgestern wieder gewolft und gestept, einen großen Maskenball, kompliziert dadurch, daß ich am gleichen Abend eine Vorlesung aus dem Steppenwolf im psychologischen Club halten mußte. Ich arbeitete also bis zehn Uhr Abends als Poet und Barde, ruhte eine halbe Stunde aus, und erschien um halb zwölf, wenig unternehmungslustig, in den Ballsälen, wo ich zum ersten Schluck Sekt ein Kopfwehpulver nahm. Allmählich umblühten mich die Mädchen so hübsch, daß ich doch warm wurde und ein paarmal tanzte, bis ich plötzlich (wie schon während der Grippe) Herzbeschwerden kriegte und mich setzte. Aber so im Lauf der Nacht stieg die Musik mir doch wieder ins Gebein, der schonungsbedürftige ältere Herr fing wieder an zu tanzen und zu küssen, und auf einmal war es Tag, die Musikanten liefen fort, die Stühle wurden auf die Tische gestapelt und auf der Straße fuhren lärmend und unnütz die Trambahnen. Um halb acht legte ich mich ins Bett, döste eine Stunde, dann wollte ich aufstehen, um mich zu waschen, aber jetzt war das Herz böse, schlug heftig und tat unangenehm weh, und dieser Tag war nicht entzückend, aber heute lebe ich doch wieder und tanze zwar nicht, habe aber doch keine Schmerzen mehr.

Ich glaube, ich schrieb dir, daß für den Steppenwolf nach

109

Fischers Meinung eine gewisse Gefahr bestehe. Fischer schrieb mir nachträglich, ich möchte diesen Verdacht niemand mitteilen – also bitte behalte es für dich, falls ich dir was davon mitgeteilt habe.

Die Contes drolatiques haben ihren Besitzer wieder gefunden.

Gestern schrieb mir Annette Kolb, neben ihrem und Schickeles Haus in Badenweiler sei ein Häuschen mit kleinem Atelier käuflich, und sie wünschten sich mich zum Nachbarn, ich möge doch kommen. So wird einem Steppenfuchs immer einmal wieder eine saure Traube über der Nase weg gezogen.

Ich freue mich auf Deine Arbeit, es wird mir merkwürdig sein in diesen Spiegel zu blicken. Wenn Du damit fertig bist, so schicke es gleich nach Berlin, und, falls du nicht einen leserlichen Durchschlag für mich hast, gib dort Ordre, daß die Korrekturbogen (nur zum Lesen) auch in einem Exemplar an mich geschickt werden.

Tanti saluti, Euch allen dreien!

*(Brief, ca. 22. 2. 1927 an Hugo Ball)*

Heut morgen kam Dein liebes Briefchen aus Stuttgart, darüber war ich froh. Eine Stunde später bekam ich aus Basel die umfangreiche Klageschrift zugestellt, in der meine Frau Ruth auf Scheidung ihrer Ehe klagt. Der Beweis, daß man mit einem Menschen wie mir unmöglich leben könne, und daß ich durch und durch minderwertig und lebensunfähig sei, wurde der Frau nicht schwer – ihre Klageschrift besteht zum weitaus größten Teil aus Stellen meiner eigenen Schriften, des Kurgast, der Nürnberger Reise etc. Nun ja, so geht jetzt dies Kapitel zu Ende. Gesehen habe ich meine Frau übrigens seit mehr als einem halben Jahr nicht, und ihre Klage kommt mir nicht überraschend.

Die Stadt ist mir sehr verleidet, und mein Befinden schäbig, ich habe immer Magenschmerzen und kann meistens nicht essen, dafür trinke ich aber brav. Es ist ja schon möglich, daß ich auch diese Krisis überhaue, und den 50. und auch noch den 60. Geburtstag erlebe, aber vielleicht

110

glückt es mir doch vorher zu entschlüpfen, es wäre mir sehr lieb.

*(Brief, 18. 3. 1927, an Ludwig Finckh)*

Aufs Äußerste geschwächt durch den Kater nach einer ungewöhnlich heftigen und langdauernden Tanzerei mit großem Trinkgelage, außerdem gereizt durch einen Gichtanfall, hatte ich am Abend zuvor ein Veronal genommen, und lag am Morgen zu einer Stunde, wo andere Menschen schon längst wieder am Geldverdienen sind, noch schlafend in meinem Bett, die Ohren sorgfältig mit Wachs verstopft, das Gehirn angenehm betäubt teils vom Veronal teils noch von jener Ballnacht her. Ohne Zweifel träumte ich etwas Hübsches, denn das Gewecktwerden war mir äußerst zuwider. Auch bin ich seit Jahren daran gewöhnt, daß die mich jeweils betreuende Dienstmagd auf meinen Morgenschlaf die denkbar peinlichste Rücksicht nimmt und sich niemals getrauen würde, mich am Morgen zu wecken, geschehe was da wolle. Diesmal aber, ausgerechnet an diesem wohleingefädelten, sorgfältig vorbereiteten Schlafmorgen, wurde ich zu meinem großen Erstaunen und Entsetzen roh und gewaltsam geweckt, durch heftiges Klopfen an die Zimmertür und durch das Eintreten eines Mannes, welcher nach siegreichem Kampf gegen die mich treubewachende Magd sich der Türklinke bemächtigt und mein Zimmer erstürmt hatte. Er war in Zivil, aber Gott soll mich strafen, wenn ich ihm nicht sofort den Polizisten ansah. Das Zivilkleid nötigte ihn zu menschlichem Benehmen, es wirkte im Gegensatz zu der Gewaltsamkeit seines rohen Eindringens beinahe bestrickend. Er stellte sich vor, richtig mit einem bürgerlichen Namen, wie ihn Polizisten sonst niemals haben, aber ein Polizist war er dennoch, und er brachte mir einen Zettel, einen sehr wertlosen und unerfreulichen Zettel, für den er erst noch unbedingt eine Quittung haben wollte. Ich unterschrieb mit dem mir dargereichten Tintenstift, sah den Herrn sich wieder zurückziehen, schlief sofort wieder ein, erwachte aber schon nach zehn Minuten wieder, und nun war es mit allem Schlaf vorbei. Ich las jetzt den Zettel und erfuhr, daß das Zivil-

111

gericht mich in der von meiner Frau eingereichten Scheidungsklage am so und so vielten auf zehn Uhr vormittags einlade. Also in Bälde sollte ich schon wieder früh aufstehen, und morgens zu einer unmenschlichen Stunde an einen höchst widerwärtigen Ort zu vermutlich nicht sympathischen Menschen gehen, um womöglich noch zu irgend etwas verurteilt zu werden! Ach es war keine Freude, auf dieser Welt zu leben. Vorgestern abend hatte ich zwar mehrere Stunden lang anders gedacht, wie denn überhaupt ein konsequentes, charaktervolles Beharren bei endgültigen Gesinnungen mir leider nicht gegeben ist. Also vorgestern Nacht, während ich mit Lolo tanzte, hatte ich allerdings zu erkennen geglaubt, daß das Leben auf dieser Erde trotz allem sehr hübsch sei. Daß Lolo dann etwas später mit dem Mann, dem der große Fiatwagen gehörte, davon fuhr, war vermutlich der erste Anlaß zum Umschwung meiner Gesinnung. Und jetzt fand ich das Leben wieder einmal höchst widerlich. Ich verbarg das Papier mit der Vorladung im Nachttisch, in der Hoffnung, es werde mir gelingen, es zu vergessen und zu verlieren. Dann stand ich auf und setzte mich zum Morgenkaffee.

Dieser Kaffee ist ja eigentlich das einzige Hübsche, was der Morgen uns armen Menschen bringt. Nicht so die Morgenpost. Sie mag für einen Millionär oder Minister noch unangenehmer sein, aber schlimm genug ist es doch, so jeden lieben Morgen wieder vom gleichen Papierstapelchen empfangen zu werden, das immer die gleichen Briefe enthält, und so äußerst selten die, welche man sich wünschen möchte! Selten nur im Leben ist es mir begegnet, daß ich etwa eine Kiste zugestellt bekam mit dem Begleitschreiben: ›Verehrter Herr, nachdem Sie mir durch Ihre Schriften so manche gute Stunde verschafft haben, möchte ich mir erlauben, Ihnen anbei durch Übersendung von 500 Havanna-Zigarren etc. etc. etc.‹ Oder wie nett wäre es, wenn etwa Lolo heute schriebe: ›Lieber Hermann, du mußt gespürt haben, wie sehr ich neulich auf dem Ball in dich verliebt war, und du wirst ohne weiteres begreifen, daß lediglich wirtschaftliche Erwägungen mich bestimmen konnten, für einen Augenblick jenen Fiatwagen zu besteigen. Rasiere dich und sei in aller Eile gegrüßt, denn in

112

einer Stunde werde ich in deine Arme etc. etc. etc.‹ Nein, sehr selten nur erhalte ich solche Briefe. Statt dessen erhalte ich Rechnungen, erhalte Einladungen zur Mitarbeit von Redaktionen neugegründeter Zeitschriften, welche zwar als schwache Anfänger keine Honorare bezahlen können, dafür aber auch keinen Leserkreis haben, so daß die Autoren sich dort stets in der besten Gesellschaft befinden. Ich erhalte Zuschriften vom Zivilgericht, und von der Akademie der Künste, und Einladungen zu Vorträgen über die Zukunft des Abendlandes, lauter Briefe, die mich nicht interessieren. Außerdem erhalte ich fast jede Woche von irgend einer Zeitung oder Zeitschrift ein eingesandtes Gedicht zurück, mit einem Brief, in dem der Redakteur seine tiefe Abneigung gegen gute Lyrik hinter Höflichkeiten vergeblich zu verbergen sucht. Und dann die wohlwollenden Zuschriften von älteren Damen, die mir nahelegen, doch baldigst meine ganz ungerechtfertigte pessimistische Weltanschauung mit einer bekömmlicheren zu vertauschen und statt Alkohol doch lieber Brombeerentee zu trinken.

*(Aus »Morgen-Erlebnis«,*
*Erstdruck, Neue Zürcher Zeitung, 19. 5. 1927)*


### *Brief von einer Redaktion*

»Wir danken sehr für Ihr ergreifendes Gedicht,
Das uns so tiefen Eindruck hinterlassen hat,
Und wir bedauern herzlich, daß es nicht
So recht geeignet scheint für unser Blatt.«

So schreibt mir irgendeine Redaktion
Fast jeden Tag. Es drückt sich Blatt um Blatt.
Es riecht nach Herbst, und der verlorne Sohn
Sieht deutlich, daß er nirgends Heimat hat.

Für mich allein denn schreib ich ohne Ziel,
Der Lampe auf dem Nachttisch les ich's vor.
Vielleicht leiht auch die Lampe mir kein Ohr.
Doch gibt sie hell, und schweigt. Das ist schon viel.

*(1927)*

113

Was Sie mit den auf mein Alter etc. zielenden Bemerkungen Ihres Briefes meinen, weiß ich genau. Aber wenn Sie mir immer wieder widersprechen und ermahnende Worte zurufen, so oft Sie mich irgend etwas Trauriges, Verstimmtes, Leidendes äußern hören, so muß ich Ihnen doch sagen, daß Sie im Grunde sich selber widersprechen und in Ihren Worten viel bürgerlicher sind als in Wirklichkeit. Wenn ich Ihnen und Anderen als Autor sympathisch bin, so ist es vor allem darum, weil es mir mit meiner Arbeit ernst ist und ich sie weder als Geldgewerbe noch als Artistenstück betreibe, und weil ich versuche, etwas weniger zu lügen als in der Literatur sonst üblich ist. Wenn ich nun meine Gefühle von Lebensüberdruß, Altsein etc. nicht äußern, verschweigen oder umfrisieren würde, so wie Ihr es wünscht, würdet Ihr sehr bald merken, daß damit auch aller Wert in meinen Schriften verloren ginge. Der Dichter ist nicht, wie Ihr Bürger stets meint, dazu da, um für die Bürger als Spezialist mit dem Mittel des Wortes das Leben zu bejahen, sondern um Jubel und Jammer des Menschenlebens auszusprechen, unbekümmert darum, ob Leser und Kritik es gerne schlucken oder nicht. Und so werde ich weiterhin das leidvolle Chaos meines Lebens, das fast nur aus Schmerz besteht, aussprechen, auch wenn Ihr Hygieniker und Optimisten es nicht gern hört und so tut, als machte ich da bloß dumme Späße, wo ich grade mein Blutigstes und Wahrstes ausspreche. Traurig macht mich dabei nur, daß auch die besten und liebevollsten Leser eines Dichters ihn nur soweit verstehen, als es ihnen eben paßt und bekömmlich scheint...

Das Bisherige galt jenem Wiegand, der sich, in Teilen seiner Briefe an mich, allzu sehr mit dem guten Bürger identifiziert, und vom Dichter heitere Miene und holde Worte der Lebensbejahung erwartet, auch wenn der Dichter dieses Leben zum Kotzen findet. Der andere Wiegand, mit dem sich jenseits dieser Civilisationsschwelle reden läßt, soll mir im Sommer willkommen sein, wenn er mich wieder besucht. Nur kann ich nicht sehr lange voraus Abmachungen treffen. Sie müssen es halt riskieren und kommen. Addio, grüßen Sie auch Ihre Frau. Die meine, die ich seit bald einem Jahr nicht mehr gesehen habe, hat mich um die Scheidung gebeten, und irgendwo beschäftigen sich zur Zeit Gerichtsbeamte mit dieser Sache.

Seien Sie mir nicht böse – es war mir bloß etwas störend, auch von Ihnen die selben Töne hören zu müssen wie ich sie von jeder alten Tante und jedem Backfisch mir singen lassen muß. Können Sie nicht sehen, daß die Art meiner scheinbar plaudernden und halb ironischen Bekenntnis-Schreiberei, wie sie in jenen Aufsätzen versucht wird, etwas Neues ist, und daß es sich hier um eine sehr subtile, heikle, sehr subjektive Wirklichkeit handelt, in der mein Gewissen äußerst streng in Anspruch genommen wird, und wo das Hören auf so belanglose Einwände mir einfach nicht erlaubt ist? Warum nehmen Sie alles andre als Dichtung und Symbol, die Gicht und den Lebensekel aber nicht? Nur wegen des Bejahungsparagraphen, den irgend einmal ein begabter Lehrer in die deutsche Kritik eingeführt hat.

*(Brief, ca. 12. 4. 1927 an Heinrich Wiegand)*

*Aus dem Urteil des Zivilgerichts des Kantons Basel-Stadt vom 27. 4. 1927:*
*Das eheliche Verhältnis der Parteien sei ohne wesentliches Verschulden der einen oder der andern Seite unheilbar zerrüttet. Die Parteien hätten nach der Hochzeit nur einige Wochen gemeinsam in einem hiesigen Hotel gewohnt; nachher sei der Beklagte nach dem Tessin verreist und die Klägerin zur Vollendung ihrer Gesangstudien in Basel zurückgeblieben. Auch später seien die Parteien nie zu einer gemeinsamen Wohnung gekommen. Abgesehen vom Altersunterschied beruhe dies auf einer vollständigen Verschiedenheit der Charaktere. Der Beklagte sei eine reife Künstlernatur, aber starken Stimmungen unterworfen; namentlich am Morgen befinde er sich meist in düsterer, gereizter Stimmung. Ferner habe er eine Neigung zum Einsiedlerleben, könne sich nicht nach andern Menschen richten, hasse Gesellschaftlichkeit und Reisen. Der Beklagte habe diese Eigenheiten selbst in seinen Büchern eingehend geschildert (Psychologia Balnearia, Seite 29 ff., Die Nürnberger Reise, abgedruckt in »Die Neue Rundschau« 1926,*

*Seite 378 ff.); er nenne sich in diesen Schriften selbst einen Eremiten und Sonderling, einen Neurotiker, Schlaflosen und Psychopathen. Die Klägerin dagegen sei jung und lebensfroh, liebe geselligen Verkehr und ein herzliches Familienleben; sie lasse sich zwar nicht so leicht in Erregung bringen wie der Beklagte, könne aber anderseits nicht so leicht verzeihen wie er, so daß auch kleinere Unstimmigkeiten bei ihr lange nachgewirkt hätten. Deshalb seien alle Versuche, das gemeinsame Eheleben aufzunehmen, gescheitert; der Beklagte habe sie im Winter 1924 täglich bei ihren Eltern in Basel besucht, sei aber meist in düsterer Stimmung gewesen, habe wenig gesprochen und nie bei ihren Eltern übernachten wollen. Im Sommer 1925 habe sie im Tessin ein eigenes Häuschen bewohnt; er habe sie wohl besucht, sei aber nur einmal über Nacht geblieben. Sie habe ihn während zwei Jahren nur einmal in seinem tessinischen Wohnsitz besucht. Der Briefverkehr sei nur sehr spärlich gewesen. Mit der Familie der Klägerin sei der Beklagte nicht in Verbindung gekommen. Seit 15. Oktober 1926 hätten sich die Parteien nicht mehr gesehen. Da bei der Klägerin laut ärztlichem Zeugnis keine Schwangerschaft vorliege, sei die in ZGB 103 vorgesehene Wartefrist in der beantragten Weise abzukürzen. Da Gütertrennung bestehe und beide Teile ihr Vermögen stets getrennt verwaltet hätten, seien keine vermögensrechtlichen Ansprüche zu stellen. Die Kosten übernehme die Klägerin.*

Ich glaube, lieber Herr Wilker, wenn Sie eine Ahnung hätten von dem Leben, das ich führe, so würden Sie die Situation, in die Ihre Liste mich bringt[1], reichlich komisch finden. Ich wünsche mir zu meinem 50. Geburtstag einzig dies, daß ich den 51. nicht mehr zu erleben brauche. Und wenn ich mir ein Buch vorstelle, in dem alle diese von Ihnen genannten Autoren, aus Höflichkeit und weil sie nun eben einmal darum gequält worden sind, einige Zeilen beitragen, so sieht dies Buch außerordentlich langweilig und unnütz aus.
Also ich bitte Sie sehr: Lassen Sie bitte doch womöglich diese Unternehmung ungetan, sie wird niemand Freude

116

machen. Auf alle Fälle will ich nicht daran mitschuldig sein – von mir aus würde ich nicht die Courage haben, einen einzigen von diesen Männern um eine Zeile zu bitten. Und auch wenn sie alle miteinander von mir entzückt wären und mir die hübschesten Sachen sagen würden, würde dies meine eigene Auffassung von unsrer Zeit und unsrem Geist und unsrer Literatur um nichts ändern, es würde mich nur lachen machen...

Bitte lassen Sie mich nun in Ruhe, ich sehe und glaube, daß Sie es gut meinen, aber warum wollen Sie einen Menschen, der seit vielen Jahren einsam und außerhalb Eurer ganzen Welt lebt, nun unter die Menschen ziehen, und warum soll ausgerechnet ich, der ich mein Leben lang auf alles Offizielle, auf alle Berühmtheiten etc. etc. gepfiffen hat, nun am Ende eines enttäuschten und einsamen Lebens noch den Affentanz mitmachen? Nein, lassen wir das bleiben!

Ich wäre Ihnen sehr dankbar, wenn Sie mir jetzt nicht einen Brief schreiben möchten, in dem Sie mir tröstend und lächelnd auf die Schulter klopfen, und mir versichern, daß das alles bloß Grillen von mir seien. Ich würde das als Hohn empfinden. Ich lebe seit vielen Jahren in der Hölle, und wünsche dem bald ein Ende, alles andre interessiert mich nicht.

*(Brief, ca. Mai 1927 an Karl Wilker)*


Über den Steppenwolf höre ich jetzt viel, es ist aber nichts dabei, was mich interessiert. Warum sollte gerade dies Buch

1 Zum 50. Geburtstag Hermann Hesses plante Dr. Karl Wilker eine Anthologie mit Gruß- und Dankadressen prominenter zeitgenössischer Persönlichkeiten und Kollegen zusammenzustellen. Eine Liste der vorgesehenen Gratulanten hatte er Hesse zur Durchsicht zugeschickt. Diese Reaktion Hesses ist charakteristisch. Bereits 1906 antwortete er auf eine Umfrage der »Allgemeinen Buchhändlerzeitung« an die Autoren der meistgekauften Bücher: »Ich habe an dem mir zugefallenen, zum Teil unverdienten Erfolg meines »Peter Camenzinds« mehr als genug und will das Publikum nicht auch noch durch persönliche Mitteilungen auf mich aufmerksam machen«. Auch gegen die Verwendung seines Photos in der Verlagswerbung hat er sich lange hartnäckig gewehrt. Vgl. Korresp. mit S. Fischer.

# Tractat

von

## Steppenwolf

Nur
für
Verrückte

Es war einmal einer namens Harry, genannt der Steppenwolf. Er ging auf zwei Beinen, trug Kleider und war ein Mensch, aber eigentlich war er doch eben ein Steppenwolf. Er hatte vieles von dem gelernt, was Menschen mit gutem Verstande lernen können, und war ein ziemlich kluger Mann. Was er aber nicht gelernt hatte, war dies: mit sich und seinem Leben zufrieden zu sein. Dies konnte er nicht, er war ein unzufriedener Mensch. Das kam wahrscheinlich daher, daß er im Grunde seines Herzens jederzeit wußte (oder zu wissen glaubte), daß er eigentlich gar kein Mensch, sondern ein Wolf aus der Steppe sei. Es mögen sich kluge Menschen darüber streiten, ob er nun wirklich ein Wolf war, ob er einmal, vielleicht schon vor seiner Geburt, aus einem Wolf in einen Menschen verzaubert worden war oder ob er als Mensch geboren, aber mit der Seele eines Steppenwolfes begabt und von ihr besessen war oder aber ob dieser Glaube, daß er eigentlich ein Wolf sei, bloß eine Einbildung oder Krankheit von ihm war. Zum Beispiel wäre es ja möglich, daß dieser Mensch etwa in seiner Kindheit wild und unbändig und unordentlich war, daß seine Erzieher versucht hatten, die Bestie in ihm totzuschlagen, und ihm gerade dadurch die Einbildung und den Glauben schufen, daß er in der Tat eigentlich eine Bestie sei, nur mit einem dünnen Überzug von Erziehung und Menschentum darüber. Man könnte hierüber lang und unterhaltend sprechen und sogar Bücher darüber schreiben; dem Steppenwolf aber wäre damit nicht gedient, denn für ihn war es ganz einerlei, ob der Wolf in ihn hinein-

Ausstattung des Steppenwolf-Tractats in der Erstausgabe von 1927.

verstanden werden! Auch meine nächsten Freunde tun es ja mit Witzen ab.

Aber was den Traktat betrifft, da stehst Du diesmal nicht auf meiner Seite: Nämlich der grelle, gelbe Traktat-Umschlag ist mein Einfall, und es war mein spezieller Wunsch, den sonderbaren, jahrmarkthaften Charakter, den der Traktat in der Geschichte hat, recht kräftig sichtbar zu machen, und der Verleger war aus Geschmacksgründen sehr dagegen; ich mußte mich ernstlich stemmen, um es durchzusetzen.

*(Brief, 29. 5. 1927, an Alice Leuthold)*

Ich sage Ihnen schönen Dank, namentlich für Ihr schönes Eingehen auf den Steppenwolf. Von den Kritikern der Zeitungen, groß und klein, habe ich darüber bisher ebensowenig etwas Kluges oder wenigstens etwas Ehrliches vernommen wie über meine früheren Bücher. Und auch die Mehrzahl meiner Freunde vermag in dem Buch höchstens das Kuriosum zu sehen. Ein Kritiker, ein typischer erfolgreicher Journalist, streberisch, weltgewandt, tut den Spruch: »Steppenwölfe« sind wir im Grunde alle! Nun ja.

*(Brief, 15. 6. 1927 an Heinrich Wiegand)*

Vor einigen Wochen sandte ich Dir mein im letzten Winter fertig gewordenes Buch. Die Presse nimmt es nicht sehr ernst – wann nähme sie denn je etwas ernst? Aber einige Freunde werden schon etwas von der Hölle und ihrer Temperatur ahnen, in der das Buch entstanden ist.

*(Brief, 20. 6. 1927, an Hans Sturzenegger)*

Jetzt komme ich also mit einem kleinen papiernen Blumenkranz und gratuliere Dir zum Erscheinen Deines Buches[1], erstens weil es jetzt da ist, zweitens weil es sehr anständig aussieht, drittens weil ich es nun nochmals gelesen habe und erst jetzt, nach der zweiten ungestörten Lektüre, imstande bin, Dir etwas darüber zu sagen.

Ich muß Dir sehr zu diesem Buch gratulieren, und mir

1 Hugo Ball, »Hermann Hesse, Sein Leben und sein Werk«, S. Fischer Verlag, Berlin, 1927.

auch, obwohl ich ja nicht an allen Stellen Deine Auffassungen teile, und obwohl ich im Ganzen ja etwas schamhaft bin und eigentlich mich nicht gern im Mittelpunkt einer Diskussion sehe. Gestern Nacht träumte ich, im Zusammenhang mit Deinem Buch: ich sah mich selber sitzen, nicht im Spiegel, sondern mich selbst als zweite lebendige Figur, lebendiger als ich selbst, ich durfte aber durch ein inneres Verbot mich nicht richtig ansehen, das wäre ein Sündenfall gewesen, ich zwinkerte nur einen Moment durch den Augenspalt und sah den lebendigen Hesse sitzen.

Nun, und um »Diskussionen« handelt es sich ja nicht, sondern ich sehe erst jetzt, daß dies Buch Dein zweitbestes ist (es wäre Dein bestes, wenn sein Gegenstand sich an Würde mit dem des byzantinischen[1] vergleichen könnte). Ich sehe erst jetzt, wie sehr gut Du nicht die banale Geschichte, sondern die Legende dieses Lebens geschrieben hast, die magischen Formeln gefunden. Auch da, wo Du Dich tatsächlich irrst, d. h. falsche Daten annimmst, hast Du Recht und triffst die Linie. Nur an sehr wenigen Stellen habe ich noch leise Einwände. Einzelnes sehe ich noch befangen an. An andern Orten habe ich Neues über mich von Dir gelernt, nicht nur im Maulbronner Kapitel, sondern namentlich auch über das Verhältnis von Lauscher und Camenzind. Vielleicht bringe ich es mit der Zeit doch noch dazu, diesen Camenzind nochmals zu lesen, was seit mindestens 15 Jahren nicht mehr geschehen ist.

Einige Deiner Worte beschämen meine Bescheidenheit. Aber da Du selbst Dich in diesem Buch wieder als einen Meister der wahren Dichtung, der Findung von Hieroglyphen und Ideogrammen erwiesen hast, darf ich Dir sagen, wie wohl es mir tut, von einem der wenigen, denen ich in dieser Kunst mich als Bruder fühle, grade in diesem wesentlichen Punkt verstanden zu sein.

*(Brief, Juni 1927, an Hugo Ball)*

Viel Schönes und auch Drolliges brachte der Tag[2] mir dennoch und eine Genugtuung: daß unter den hun-

1 Hugo Ball, Byzantinisches Christentum, Duncker & Humblot, München–Leipzig 1923.
2 50. Geburtstag am 2. 7. 1927.

120

derten von Glückwünschen und Zurufen kein einziger offizieller war. Mit Ausnahme der Schweizer Schillerstiftung ist weder aus der Schweiz noch aus Deutschland irgend eine offizielle Ehrung gekommen, nicht einmal ein Ehrendoktor. Ich schließe daraus, daß ich das Recht habe, noch eine Weile zu leben.

*(Brief, 4. 7. 1927, an Hans Sturzenegger)*

Der Steppenwolf wird freundlicher aufgenommen als ich dachte und als mir lieb ist. Gerissene Journalisten und schmachtende Tanten entdecken plötzlich auch in sich den Steppenwolf und klopfen mir kollegial auf die Schulter![1] Was bisher niemand gesehen hat, auch kein Kritiker, ist die Form der Dichtung, eine neue Form, die keineswegs (wie viele meinen) fragmentarisch ist, sondern wie eine Sonate oder Fuge proportional gebaut.[2]

*(Brief, 8. 7. 1927, an Felix Braun)*

Ein Leser des Steppenwolf, ein Schriftsteller etwa meines Alters, der mich bisher sehr wenig leiden konnte, hat mir nach der Lektüre geschrieben, dies Buch werde die Schichtung in meiner Leserschaft völlig umkrempeln, so daß meine frühern Freunde sich jetzt gegen mich stellen oder mich nicht verstehen werden und umgekehrt viele frühern Feinde jetzt Freunde werden. – Nun, bei Dir also hat der Steppenwolf nicht so gewirkt, er hat der Freundschaft nicht die arme Gurgel abgebissen, und darüber bin ich froh. Ein Werk von dieser Art, das die Person des Autors so sehr preisgibt, wirbt nicht um Lob und Erfolg, sondern um Verständnis bei wirklichen Freunden, und dies Verständnis hat mir Dein Brief gezeigt. Merkwürdig, daß bis jetzt die Frauen am schönsten auf das Buch reagiert haben! Mia, meine geschiedne Frau, hat mich daraufhin besucht und war einen halben Tag da.

*(Brief, ca. Juli 1927, an Alice Leuthold)*

1 Vgl. »Vom Steppenwolf« S. 209 ff.
2 Vgl. Theodore Ziolkowski, »Hermann Hesses Steppenwolf. Eine Sonate in Prosa« S. 353 ff.

Mein letztes Buch, der Steppenwolf, wird von der gesamten Presse mit freundlichem Mißverständnis begrüßt, weder für den Inhalt noch für die dichterische Form, die beide nicht alltäglich sind, ist eine Spur von Verständnis da. Ich weiß nicht, ob es noch viele Länder gibt, in denen der Haß eines ganzen Volkes gegen alles Geistige so einmütig und beinahe organisiert ist wie in Deutschland. Nun ja, laßt uns darauf pfeifen.

*(Brief, ca. Juli 1927, an Hilde Jung-Neugeboren)*

Daß Du über all den meist saudummen Zeitungsartikeln zu meinem Geburtstag schließlich auf mich selber wild geworden bist, ist sehr menschlich, aber, wie das meiste Menschliche, gar nicht schön von Dir gewesen. Stelle Dir einmal mich, das Opfer selbst vor: bombardiert nicht nur von vielen hundert Briefen, sondern auch noch von gegen 100 Zeitungsartikeln, aus denen ich, mit einzigen drei Ausnahmen, deutlich sehen konnte, daß meine Anstrengungen seit 25 Jahren eitel waren, und daß man im Land der Denker zwar geneigt ist, mir gewisse artistische Talente zuzugestehen, im übrigen aber weit davon entfernt, mich irgend ernst zu nehmen. Ich bin ein Romantiker, sagen sie, und da in der heutigen deutschen Sprache Romantik, Idealismus, Sentimentalität und Lächerlichkeit ungefähr zu Synonymen geworden sind, – na, kurz, ich will das nicht weiter breittreten. Ich war so angeekelt, dazu vom Lesen und teilweisen Beantworten der Briefe wochenlang so überanstrengt, daß ich sogar eine ganze Weile nervöse Magengeschichten mit Erbrechen etc. hatte.

*(Brief, 5. 8. 1927, an Otto Hartmann)*

Wenn man bedenkt, daß das deutsche Volk ernste Lektüre nicht liebt und daß darum jeder üble Prinzessinnenroman Zeitungen findet, die ihn abdrucken und die dem Autor ein paar tausend Mark für seine Arbeit zahlen, während ein Buch wie mein Steppenwolf im ganzen Reich keine Stelle fand, wo ein Vorabdruck möglich gewesen wäre...

*(Brief, 29. 8. 1927, an Carl Seelig)*

Es ist halt immer das alte Geheimnis: wenn wir Künstler oder Denker etwas sagen, so setzen wir stillschweigend voraus, daß unsre Hörer unsresgleichen seien, daß sie das seien, was ich Menschen nenne, während die Welt das schon »Genies« nennt. Es geht nicht gut an, offen auszusprechen, daß die große Mehrzahl der Menschen keine sind, auch die große Mehrzahl der Künstler keine Künstler. Darum sagte ich das vom »Können« in der Kunst – denn das andre, nämlich, daß hinter der Kunst ein wirklicher Mensch stehe, setze ich eben voraus.

*(Brief, Sept. 1927, an Hermann Hubacher)*

Von der »Krisis« weiß ich nur, daß sie als Privatausgabe schon seit einem halben Jahr fertig gesetzt ist, daß sie dem Verlag aber als entbehrlicher Pleonasmus neben dem Roman vorkommt und daher zurückgelegt wird. Mir einerlei, aber schade. *(Brief, 2. 11. 1927, an Heinrich Wiegand)*

Der Schluß des Steppenwolfs ist wie der Schluß jedes Menschenwerks, die Tür ins Unendliche. Sie steht im Steppenwolf, und zwar gerade im Schluß, weit offen. Eben darum ist ja die Presse und Leserschaft von diesem Schluß entsetzt. Er verlangt, daß wir über die Schwelle treten und Götter werden.

Nun, seien Sie nicht böse! Ich wehre mich ja im Grunde nicht so sehr gegen die »Welt«, ich bin bereit, mich von ihr erdrücken zu lassen, aber gutheißen werde ich sie nie; stets werde ich noch das schäbigste magische Theater ihr vorziehen...

Der Tod Balls[1], und seit dem Steppenwolf das vollkommen unverstandene Alleinbleiben, haben mir das Leben in dieser entzückenden Welt vollends zur ständigen Qual gemacht. Wenn ich an Ihre verlegenen Worte über den Wolf denke, oder an die Kritik der Zeitungen oder an das elegante, dumme Geschwätz Wieglers[2] etc. etc. dann

1 Hugo Ball starb am 14. September 1927.
2 Paul Wiegler, »Der andere Hesse«, Die literarische Welt 3, Nr. 27, bzw. »Neue Bücher der Erzählung«, Neue Rundschau 38, 1927, bzw. »Der Steppenwolf«, Weltstimmen 1, 1927.

sehe ich, daß für mich in Eurer Welt nichts mehr zu holen ist als das langsame Ersticken. Auf Eure Welt anders zu reagieren als durch Krepieren oder durch den Steppenwolf, wäre für mich Verrat an allem, was heilig ist.

*(Brief, Nov. 1927, an Felix Braun)*

Die Regenzeiten sind bedrückend, in vier durchfrorenen Wintern, während der Inflationszeit, habe ich hier vor einem winzigen Kaminfeuerchen gesessen, und habe meine Gesundheit für immer verdorben. Seither, und seit der Geldbeutel es wieder erlaubt, gehe ich über den Winter fort, nicht, um schönere Gegenden zu sehen, denn sie gibt es nicht, noch um Abwechslung zu suchen, denn Langeweile ist etwas, was die Natur nicht kennt, sie ist eine Erfindung der Städter – aber ich reise zu den warmen Bädern, ich reise in Städte, wo es gutschließende Türen und Fenster, warme Holzböden, gute Öfen, wo es einen Arzt und einen Masseur gibt, und während ich mit ihrer Hilfe die Winterschmerzen zu ertragen suche, fällt dies und jenes Schöne mir in den Schoß: Besuch bei Freunden, gute Musik, Stöbern in Bibliotheken und Galerien. Ich wohne dann in der Stadt, und es kommen da, obwohl ich schwer zu finden bin, allerlei Leute zu mir. Es kommen verkannte Maler mit Mappen voll toller Entwürfe, es kommen junge selbstbewußte Leute, die Philologie studiert haben und jetzt eine Doktorarbeit über mich machen wollen; sie machen sie auch, reißen mich und das, was ich in dreißig Jahren gearbeitet habe, unerschrocken in Fetzen, und bekommen dafür von ihrer Fakultät den Doktorhut auf die klugen Köpfe gesetzt. Es kommen versoffene Kunstzigeuner, die viel gute Geschichten wissen und jedenfalls ergiebiger sind als alle »gute Gesellschaft«, und es kommen die Kometen und Exzentriker des Geistes, Genies mit Verfolgungswahn, Religionsgründer, Magier. Für sie alle bin ich eine Art Onkel, wir haben einander gern, sie sehen mich mit Verwunderung scheinbar mitten im bürgerlichen Leben stehen und doch zugleich ihrer Welt angehören, sie rechnen mich nicht ganz zu sich, zur Zunft der Heimatlosen, und wissen doch, daß ich nicht nur Mozart und die Florentiner Madonnen liebe, sondern ebensosehr die Entgleisten, die gehetzten Steppenwölfe. Wir tauschen Gedichte und Zeichnungen, geben einander Redaktionsadressen, leihen einander Bücher und trinken manche Flasche Wein miteinander. Manchmal lasse ich mich auch zu einer Reise in irgendeine schöne, bildungshungrige Stadt verleiten, jedes Jahr einmal, da bekomme ich Reisegeld und Honorar, werde von einem Kenner durch die Altertümer und Sehenswürdigkeiten der Stadt geführt, und muß dafür einen Abend lang fremden Menschen in irgendeinem unsympathischen Saal meine Gedichte vorlesen, und tue es jedesmal mit dem Gefühl: »Nie wieder!«

Aber ehe dies Stadt- und Reise- und Zigeunerleben wieder beginnt, muß ich hier Abschied nehmen, muß die Wurzeln aus der Erde ziehen, muß Koffer packen, muß Natalina und Mario und Annunziata die Hand schütteln, muß mit dem Gepäck nach Lugano fahren und mich in einen Zug setzen, und auch dann noch bin ich zuhause, bin gebunden und hörig, und erst, wenn die letzten rosigen Berghänge verschwinden und die Tannenwälder zum Gotthard hinführen, ist plötzlich Fremde und Freiheit um mich, und ich bin wieder eine Pflanze ohne Wurzel, ein Zigeuner.

Seit drei Tagen steht in meiner Stube offen gähnend der große Koffer, und ich soll wieder einmal packen. Es muß gut überlegt werden, denn es ist für mindestens sechs Monate. Kleider, Stiefel und Wäsche, das ist einfach, das zieht man aus den Laden, legt es in den Koffer, sitzt darauf und drückt zu. Aber alles andere, alle die kleinen Sachen, die man zum Arbeiten, zum Vergnügen braucht! Bücher muß man mitnehmen, und Malzeug, und Skizzenbücher, und das eine oder andere Bild, um damit ein Hotelzimmer umzuzaubern, und so noch manches, und meistens nimmt man das Verkehrte mit. Man ist beim Packen immer viel zu praktisch und pedantisch. Gerade auf die »praktischen« Sachen kommt es ja gar nicht an, die kriegt man überall, und die sind überall gleich. Aber dies und jenes Unpraktische, richtig ausgewählt, kann das ganze Gepäck sinnvoll und lustig machen: ein Talisman, ein ausgestopfter Vogel, ein Haufen alter Briefe. Emmy Hennings

125

versteht das wunderbar, sie reist los und hat weder Schuhe noch Wäsche mit, wohl aber ein Madonnenbild und eine runde Spieldose, die hat drei Lieder auf der Walze und hat schon manchen hoffnungslosen Bruder für eine Stunde froh gemacht.

*(Aus »Herbstgedanken«, geschrieben ca. Febr. 1928)*

Danke für Ihren lieben Gruß! Dem Steppenwolf ist es nicht geglückt, von irgend einem berühmten Mann unter die lesenswerten Bücher des Jahres gezählt zu werden. Offenbar sind es die Ladenmädchen und Dienstboten, die ihn kaufen.

*(Brief, Januar 1928, an Felix Braun)*

Allerlei Lesenswertes steht eigentlich auch in meinem »Steppenwolf«, einem Roman, der mit mehr Bewußtsein und mehr Kunst gebaut ist, als seine Kritiker ahnen. Da jedoch die bürgerliche Presse dieses Buch als böse und unanständig, die sozialistische es als hoffnungslos individualistisch (sie nennen das »bürgerlich«!) ablehnt, scheint es in der Tat nicht empfehlenswert zu sein.

*(Aus »Über allerlei neue Bücher«, 1928)*

Denn schließlich hat der Künstler ja nicht die Aufgabe, irgendeine allgemein anerkannte Weltanschauung zum Ausdruck zu bringen, sondern seine eigene, einmalige Art von Leben und Erfahrung so kraftvoll und entschieden wie möglich auszudrücken. Man kann optimistisch oder pessimistisch denken – erst wenn dies Denken seinen scharfen, voll gespannten Ausdruck findet, wird es für andere von Belang. Und da sehen wir, daß oft sehr pessimistisch empfundene Dichtungen oder andere Kunstwerke uns beglücken und lieb werden können.

*(Brief, 27. 2. 1928, an Cuno Amiet)*

Ich habe heut früh Ihren Aufsatz über die Krisis gelesen. Haben Sie Dank dafür!

Ich begreife, daß Sie sich mit dieser Formulierung von dem Problem loslösen mußten, und daß Sie es sich nicht leisten können, ewig weiter an dem Ihnen verwandten Problemkomplex zu kauen...

Die Formulierung des Unterschiedes zwischen Alleinsein und Einsamkeit, auf die Krisis angewandt, ist ein Fund, und Einiges hat auch mir neue Klarheit gebracht.

Da Sie so tief eingedrungen sind, muß ich Ihnen auch sagen, wo ich mich von Ihnen nicht völlig verstanden fühle. Es ist erstens die religiöse Herkunft meines Wesens und Denkens, etwas, was keiner meiner Kritiker, außer Ball, je begriffen hat. Ob man es nun als Wert oder als Mangel ansehe: ich bin nun einmal in einer Sphäre hoher, ja leidenschaftlicher Religiosität aufgewachsen, und sie ist in mich übergegangen, wenn sie sich in mir auch vielfach geändert und pervertiert hat. Und so ist die Verzweiflung Harrys keineswegs nur die an sich selbst, sondern die an der Zeit. Die Wurstigkeit, mit der der Krieg erlebt und sofort wieder vergessen wurde, ist das stärkste Symptom. Das Sichverantwortlichfühlen für die Welt und für sein Volk konnte ein religiöser Deutscher anno 14 bis 19 nicht in sich tragen, ohne daß er an seinem Volk und seiner Zeit verzweifelt ist.

Damit sind wir beim zweiten Punkt. Auch Sie, wie alle meine Kritiker, finden es eine rein subjektive Schrulle oder Empfindlichkeit, daß Harry noch immer an den »alten Kriegsgeschichten« zu kauen hat. Ja, für mich ist der Krieg mit seinen vier Jahren Mord und Unrecht, mit seinen Millionen Leichen und seinen zerstörten herrlichen Städten keine »alte Geschichte«, die jeder Vernünftige doch Gottseidank längst vergessen hat, sondern er ist, weil ich die Bereitschaft zu seiner Wiederholung in tausend Zeichen überall atme, sehe, fühle, rieche, für mich wahrlich eine mehr als ernste Angelegenheit.

Ich habe Ihnen gesagt, was mir im Moment zu Ihrem Aufsatz einfällt. Ich finde ihn so wertvoll, daß ich fragen möchte, ob Sie ihn irgendwo erscheinen lassen? Möglicherweise könnte ich die Neue Rundschau zum Abdruck bewegen. Sicher ist es freilich gar nicht – es herrscht dort mir und der »Krisis« gegenüber zwar große Höflichkeit,

127

aber von wirklichem Verständnis keine Spur. Immerhin würde ich den Versuch machen.

*(Brief, 1928, an Erhard Bruder)*

Für mich sind die Steppenwolfgedichte schon nicht mehr sehr lebendig, sie sind zwei bis vier Jahre alt und haben mit meinem Leben von heute schon nichts mehr zu tun.
Ich bin beständig auf Reisen oder in Zürich. Nach Montagnola mag ich gar nicht mehr gehen (muß es aber schließlich doch), weil dort jeden Tag Besuche kommen, um den Steppenwolf im Käfig zu sehen und ihn ein wenig zu hänseln. Es gibt nichts so Wildes, Böses und Grausames in der Natur wie die Normalmenschen. Mögen sie das Genick brechen, die Henker.

*(Brief, 27. 4. 1928, an Olga Diener)*

Gott sei Dank, ich bin der Stadt entflohen, ich habe das Kofferpacken und das Reisen hinter mir und bin wieder zu Hause, nach einer Abwesenheit von sechs Monaten. Es war hübsch, wieder durch den Gotthard zu fahren – ich mag diese Fahrt wohl mehr als hundertmal gemacht haben und kann sie noch immer genießen. Es war hübsch, in Göschenen noch einmal tüchtig schneien zu sehen, in Airolo vom Schnee Abschied zu nehmen, in Faido die ersten Wiesenblumen, vor Giornico die ersten blühenden Aprikosenbäume und Birnbäume zu erblicken.
Die Ankunft in Lugano allerdings war nicht entzückend. Die Überbevölkerung der Erde hat mir seit langem nicht mehr so übel entgegen geschrien wie hier, wo um die Zeit der Ostern sich die Fremden zusammenscharen wie die Heuschrecken. In dem kleinen Lugano sind ein Viertel der Einwohner von Berlin, ein Drittel von Zürich, ein Fünftel von Frankfurt und Stuttgart anzutreffen, auf das Quadratmeter kommen etwa zehn Menschen, täglich werden viele erdrückt, und dennoch spürt man keine Abnahme, nein jeder ankommende Schnellzug bringt 500 bis 1 000 neue Gäste. Es sind selbstverständlich reizende Menschen, sie nehmen mit unendlich Wenigem vorlieb, zu dreien schla-

fen sie in einer Badewanne oder auf dem Ast eines Apfelbaumes, atmen dankbar und ergriffen den Staub der Autostraßen ein, blicken durch große Brillen aus bleichen Gesichtern klug und dankbar auf die blühenden Wiesen, welche ihretwegen mit Stacheldraht umzäunt sind, während sie noch vor einigen Jahren frei und vertraulich in der Sonne lagen, von kleinen Fußwegen durchzogen. Es sind reizende Menschen, diese Fremden, wohlerzogen, dankbar, unendlich bescheiden, sie überfahren einander gegenseitig mit ihren Autos ohne zu klagen, irren tagelang von Dorf zu Dorf, um ein noch freies Bett zu suchen, vergebens natürlich, sie photographieren und bewundern die in längst verschollene Tessiner Trachten gekleideten Kellnerinnen der Weinlokale und versuchen italienisch mit ihnen zu reden, sie finden alles reizend und entzückend, und merken gar nicht, wie sie da, Jahr um Jahr mehr, eine der wenigen im mittlern Europa noch vorhandenen Paradiesgegenden eiligst in eine Vorstadt von Berlin verwandeln. Jahr um Jahr vermehren sich die Autos, werden die Hotels voller, auch noch der letzte, gutmütigste alte Bauer wehrt sich gegen die Touristenflut, die ihm seine Wiesen zertritt, mit Stacheldraht, und eine Wiese um die andre, ein schöner, stiller Waldrand um den andern geht verloren, wird Bauplatz und eingezäunt. Das Geld, die Industrie, die Technik, der moderne Geist haben sich längst auch dieser vor kurzem noch zauberhaften Landschaft bemächtigt, und wir alten Freunde, Kenner und Entdecker dieser Landschaft gehören mit zu den unbequemen altmodischen Dingen, welche an die Wand gedrückt und ausgerottet werden. Der Letzte von uns wird sich am letzten alten Kastanienbaum des Tessins, am Tag eh der Baum im Auftrag eines Bauspekulanten gefällt wird, aufhängen.

Einstweilen allerdings genießen wir noch einen bescheidenen Schutz. Erstens gibt es im Lande noch einige Gegenden, in welchen der Typhus häufig auftritt (im vorigen Jahr ist ein Freund von mir samt seiner Frau in seinem Tessiner Dorf daran gestorben), und zweitens geht noch immer die Sage, die Luganer Landschaft sei am schönsten im April (wo meistens die alljährliche Regenzeit ist), und im Sommer sei es hier vor Hitze nicht auszuhalten. Nun,

129

den Sommer mit seiner schönen Hitze gönnt man uns vorerst noch, und wir sind dessen froh. Jetzt aber, im Frühling, drücken wir ein Auge zu, oft auch beide, halten unsre Haustüren gut verschlossen und sehen hinter geschlossenen Läden hervor der schwarzen Menschenschlange zu, die sich, ein fast ununterbrochener Heerwurm, Tag für Tag durch alle unsre Dörfer zieht und ergreifende Massenandachten vor den Resten einer einst wahrhaft schön gewesenen Landschaft begeht.

Wie voll es doch auf der Erde geworden ist! Wohin ich blicke neue Häuser, neue Hotels, neue Bahnhöfe, alles vergrößert sich, überall wird ein Stockwerk aufgebaut; irgendwie auf Erden eine Stunde lang zu spazieren, ohne auf Menschenscharen zu stoßen, scheint nicht mehr möglich. Auch nicht in der Wüste Gobi, auch nicht in Turkestan.

Ach, und ebenso geht es mir im Kleinen, in meinem kleinen, engen Jungesellenhaushalt; alles ist voll und wird immer voller, nirgend ist Platz! Die Wände habe ich längst vollgemalt, es ist kein Platz mehr für Bilder. Die Bücherschäfte krachen und hängen schief, so sehr sind sie mit doppelten Bücherreihen überlastet. Und immer kommen neue dazu, immer wieder liegt mein Studierzimmer voll von Paketen, vorsichtig und langbeinig muß ich zwischen ihnen meinen Weg suchen. Und, das ist das Komische, auf einige Pakete Schund kommt immer wieder ein Treffer, die guten Bücher sterben nicht aus; immer wieder wird mein Entschluß, überhaupt nichts Neues mehr zu lesen, umgeworfen durch Sendungen von Verlegern, die ich nur bewundern kann. So bleiben auch jetzt, nachdem ich einige hundert Bände Ballast entfernt habe, eine Anzahl ganz wundervoller Bücher übrig, die ich trotz allem eben doch liebe und bei mir behalten möchte, und so werden sie denn mit Gewalt in die krachenden Bücherborde gezwängt ...

In diesen köstlichen Büchern lese ich, in meiner Klause eingeschlossen, während draußen die Primeln und Anemonen blühen und der dunkle Schwarm der Fremden sich durchs Gefilde bewegt. Weil es heute Mode ist, zu Ostern in Lugano zu sein, sind sie hier. In zehn Jahren werden sie in Mexiko oder Honduras sein. Wenn es Mode wäre,

130

schöne Gedichte und Geschichten zu lesen und zu kennen, würden sie sich auf die obengenannten Bücher stürzen. Das überlassen sie jedoch mir, ich funktioniere als stellvertretender Leser für Millionen. Dafür werde ich dann im Sommer, wenn hier die berüchtigte Hitze ausbricht, auf unsern kleinen Wald- und Wiesenwegen wieder Raum haben und gehen und atmen können. Dann sind die Fremden zu Hause in Berlin oder im Hochgebirge oder weiß Gott wo, immer aber da, wo sie sich mit ihresgleichen ums letzte leere Bett streiten und im Staub ihrer eignen Autos husten und blinzeln müssen. Sonderbare Welt!

*(Aus »Rückkehr aufs Land«,*
*Kölnische Zeitung vom 1. 5. 1928)*

Was nun den Preis der »Krisis« betrifft, so ist es natürlich schade, daß weder Fischer noch ich einen Spezialfond von einigen Tausend Mark für eine solche Sache übrig haben. Aber es ist nun einmal so, daß ein in kleiner Auflage gedrucktes Buch sehr teuer sein muß. Es in großer Auflage zu drucken, dafür wäre Fischer wohl zu haben gewesen, nicht aber ich, denn ich finde, dies Buch ist eine private Angelegenheit. Sie zu einer öffentlichen zu machen, dazu wird es erst dann Zeit sein, wenn ich etwa so lange tot sein werde wie etwa Nietzsche es heute ist. Denn das muß man den Deutschen lassen: wenn sie auch den Geist und die Dichter bitter hassen, so wissen sie doch nach 30 bis 50 Jahren stets genau zu erkennen, ob die Privatangelegenheiten eines Dichters oder Philosophen wirklich nur privat waren oder vielleicht doch alle angingen.

Kurz: Ich wollte, daß diese Gedichte gedruckt seien, d. h. daß sie für immer niedergelegt wären, darum ließ ich sie drucken, statt bloß einige Abschriften zu verschicken. Ich wollte aber nicht, daß unter dem Volk, dessen Kritik über mich lediglich aus Schulmeisterei und krassem Unverständnis besteht, diese Gedichte etwa zu einem Sensations- und Modebuch würden, wie es ja der Steppenwolf nahezu geworden ist. Dazu sind diese Gedichte zu wenig objektiv, dazu sind sie zu sehr Bekenntnis und momen-

131

tane Notiz. Mit diesem Buch modeberühmt zu werden und Geld zu verdienen, wäre mir ärger gewesen als alles andre, was die vereinten Stämme der Germanen mir schon angetan haben. Eine Auswahl der mehr »objektiven« Gedichte daraus kann ja später immer noch in einen Gedichtband aufgenommen werden.

*(Brief, 8. 5. 1928, an Heinrich Wiegand)*

Die Magie des Traumes versagt am Tage oft, weil auch noch der beste Träumer die Außenwelt im Wachen wichtiger nimmt als er sollte. Die Verrückten können das besser; sie erklären sich für Kaiser und die Zelle für ihr Schloß, und alles stimmt wunderbar.
Die Außenwelt umzaubern können, ohne doch verrückt zu werden, das ist unser Ziel. Es ist nicht leicht, dafür aber ist wenig Konkurrenz da. 99 Menschen von 100 haben ja ganz andere Ziele.

*(Brief, Juni 1928, an Olga Diener)*

Schade, daß Sie über dem Hesse von vor 30 Jahren den heutigen so gar nicht mehr sehen und gelten lassen können! Dieses Aburteil über dreißig Jahre Leben und Arbeit ist vielleicht etwas zu hart und christlich.

*(Brief, 6. 7. 1928, an Frau Wackernagel)*

Gesundheit, Tüchtigkeit und geistloser Optimismus, lachende Ablehnung aller tieferen Probleme, feistes, feiges Verzichten auf aggressive Fragestellung, Lebenskunst im Genießen des Augenblicks – das ist die Parole der Zeit. Übertrieben problemlos, imitiert amerikanisch, ein als feistes Baby verkleideter Schauspieler, übertrieben dumm, unglaubhaft glücklich und strahlend (»smiling«), so steht dieser Mode-Optimismus da, jeden Tag von neuen strahlenden Blüten geschmückt, mit den Bildern neuer Stars, mit den Zahlen neuer Rekorde. Daß alle diese Bilder und

132

Zahlen nur einen Tag dauern, danach fragt niemand, es kommen ja stets neue. Und durch diesen allzu übertriebenen, allzu dummen Optimismus, der Krieg und Elend, Tod und Schmerz für dummes Zeug erklärt und nichts von irgendwelcher Problematik hören will – von diesem überlebensgroßen, nach amerikanischem Vorbild aufgezogenen Optimismus wird der Geist zu ebensolchen Übertreibungen gezwungen und gereizt, zu verdoppelter Kritik, zu vertiefter Problematik, zu feindseliger Ablehnung dieses ganzen himbeerfarbenen Kinder-Weltbildes, wie es die Modephilosophen und die illustrierten Blätter spiegeln ... Und überall in dem, was ich tue, lese, denke, überall begegnet mir derselbe Zwiespalt der heutigen Welt. Täglich kommen ein paar Briefe zu mir, Briefe von Unbekannten meistens, wohlmeinende und gutherzige Briefe, zustimmende oder anklagende, und alle handeln von gleichen Problemen, alle sind sie entweder von einem hahnebüchenen Optimismus und können mich, den Pessimisten, nicht genug tadeln oder auslachen oder bedauern – oder sie geben mir Recht, geben mir fanatisch und übertrieben Recht, aus tiefer Not und Verzweiflung heraus ...

Natürlich haben wir Dichter und Geistigen nicht recht, wenn wir unsere Zeit nur anzuklagen, nur zu verurteilen wissen. Aber sollten nicht auch wir Geistigen (man nennt sie heute Romantiker) ein Stück dieser Zeit sein, und ebenso gut das Recht haben in ihrem Namen zu sprechen und eine ihrer Seiten zu verkörpern, wie die Preisboxer und Automobilfabrikanten?

*(Aus »Hochsommertag im Süden«, Berliner Tageblatt vom 9. 7. 1928)*

Es war nicht bös gemeint. Aber wenn einige meiner alten Freunde, statt ein Stück meines Wegs mit mir zu gehen, mir stets versichern, wie viel lieber ich ihnen vor 25 Jahren gewesen sei als heute, dann ist das ein wenig so, wie wenn ein Mann seiner Frau jeden Sonntag erzählt, wie hübsch sie doch vor 25 Jahren gewesen sei! Weder Frauen noch Männer haben das gern.

*(Brief, Juli 1928, an Frau Wackernagel)*

Was Du über die treuen Vaterlandsfreunde à la X sagst, trifft haargenau ein Gefühl, das ich hundertmal tief und störend empfunden habe. Das Fatale dabei ist nicht, daß gute und echte Menschen gelegentlich allzu kindliche Ideale haben. Sondern daß von diesen edlen Schwärmern die Kaiser, Ludendorffe und Hugenberge ihre Ideologie und ihre Heldensprache entlehnen und das Volk mit gestohlenen echten Brillanten bezaubern. Alle die pathetischen Kaiserworte von der Schimmernden Wehr und von der Nibelungentreue wären ja unschädlich, wenn nicht Leute wie X tatsächlich Nibelungen wären und das Nibelungenlied liebten, das Wilhelm sicher nie gelesen hat.

Mit den Steppenwolf-Gedichten ist es so: sie sind unter dem Titel »Krisis« im Frühling bei Fischer erschienen, aber sehr teuer in einer nur einmaligen kleinen Auflage, die wohl längst vergriffen ist. Ich fand keinen andern Weg, um die Existenz dieses Gedicht-Cyklus zu sichern, so daß er nicht mehr verloren gehen kann, und ihn doch zugleich vor der Mode- und Sensationslust zu schützen. Jetzt besitzen bloß einige hundert Leute dies Buch, das in seiner ungekürzten Form nach meiner Meinung das rückhaltloseste deutsche Dichterbekenntnis seit Heine ist. Wenn diese Besitzer auch zum Teil nicht die mir erwünschten Leser sind, so ist doch der Cyklus nun aufbewahrt, gedruckt und niedergelegt, mehr wollte ich nicht. Dagegen nehme ich eine reichliche Auswahl aus diesen Gedichten mit in mein nächstes Gedichtbuch auf, das etwa in einem Jahr kommen soll.

*(Brief, Ende Oktober 1928 an Otto Hartmann)*

Was ich mein Leben lang getrieben habe, nannte man in früheren Zeiten Dichten. Heute nennt man es ›Romantik‹, mit einem Ton von Geringschätzung. Warum war Romantik etwas Minderwertiges? War Romantik nicht das, was die besten Geister Deutschlands getrieben hatten, die Novalis, Hölderlin, Brentano, Mörike, die deutschen Musiker von Beethoven bis Hugo Wolf? Manche neueren Kritiker brauchen für das, was man einst Dichtung und dann Romantik nannte, jetzt die ironische Bezeichnung ›Biedermeier‹. So als sei das deutsche und europäische Geistesleben eines Jahrhunderts, als sei die Sehnsucht Schlegels, Schopenhauers und Nietzsches, der Traum Beethovens und Schuberts eine flüchtige, längst erstorbene Großvätermode gewesen! Aber dieser Traum ging ja nicht um Lieblichkeiten und stilistische Kleinigkeiten, er war Auseinandersetzung mit zweitausend Jahren Christentum, mit tausend Jahren Deutschtum, er ging um den Begriff des Menschentums. Warum war das heute so wenig geachtet, warum wurde es von den führenden Schichten unseres Volkes als lächerlich empfunden? Warum gab man Millionen aus für die ›Ertüchtigung‹ unserer Körper, und auch ziemlich viel für die Routinierung unseres Verstandes, und hatte nichts als Ungeduld und Gelächter übrig für jede Bemühung um die Bildung unserer Seele? War wirklich der Geist, aus dem das Wort gekommen war: ›Was hülfe es dir, wenn du die ganze Welt gewännest, und nähmest doch Schaden an deiner Seele‹ – war dieser Geist wirklich Romantik, oder ›Biedermeier‹, war er wirklich abgetan, erledigt und lächerlich?«

*(Brief, Dez. 1928 an die Preußische Zeitung)*

Die Opern von Mozart sind für mich der Inbegriff von Theater, so wie man als Kind, noch eh man es gesehen hat, sich ein Theater vorstellt: wie der Himmel, mit süßen Klängen, mit Gold und allen Farben. Ich habe mich für das eigentliche Theater ja niemals interessieren können, das heißt für die Schauspieler und die Dramen: ich bin niemals freiwillig in ein Schauspiel gegangen, nur wenigemale aus Pflicht oder weil Freunde mich mitschleppten. Ich habe weder den Hamlet noch den Lear noch den Faust oder Don Carlos oder irgendein Stück von Hauptmann usw. jemals auf der Bühne gesehen, ich habe einfach kein Interesse dafür. Desto lieber aber gehe ich in die Oper, d. h. nicht in jede, sondern zu Mozart, auch zu Rossini, Donizetti, Lortzing oder zur Carmen. Wie oft ich die Zauberflöte und den Figaro gehört habe, das kann ich nicht mehr zählen.

*(Brief, 10. 1. 1929, an Emmy Ball-Hennings)*

135

Von den großen musikalischen Formen sind es zwei, in welchen über das Musikalische hinaus das Ganze des Menschentums angepackt und formuliert, in welchen seine Größe gepriesen, seine Gebrechlichkeit betrauert, seine Abhängigkeit von höheren Mächten bekundet wird: das Oratorium und die Oper. In der deutschen Musik haben beide kurz nacheinander ihren Gipfel und ihren größten Meister erlebt: das Oratorium in Bach, die Oper in Mozart.

Ist in Bachs Kirchenmusiken die Würde und tiefe Bedeutsamkeit des Kunstwerks schon durch die Texte gegeben oder doch beansprucht durch das Bekenntnis zu den Mysterien des Christenglaubens, so ist in Mozarts Opern der jeweilige Text und dramatische Stoff von geringerer Bedeutung. Es liegt zwar dem »Figaro« ein klassisches literarisches Vorbild zugrunde, die »Zauberflöte« ist aus den Humanitätsidealen des 18. Jahrhunderts gespeist, und der »Don Juan« wird als Theaterstück getragen von einem echten Mythus – aber dennoch hätte kein einziger dieser Texte sich auch nur über die Zeit Mozarts, geschweige denn bis heute erhalten, wären sie nicht vom Geist Mozarts zu einer Lebendigkeit gesteigert, die in anderthalb Jahrhunderten um keinen Schatten gealtert ist. In den klagenden Arien der Pamina, den werbenden des Don Juan, in den unvergleichlichen Gesängen und Wechselgesängen des Figaro finden wir, obwohl sie auf Texte ohne Ewigkeitswerte komponiert sind, ein ewiges, verklärtes Abbild unserer Leidenschaften, Irrungen, Erlösungsmöglichkeiten, und die scheinbar sehr weltliche Atmosphäre dieser Stücke entläßt uns kaum weniger gerührt, erschüttert und doch beseligt als eins der großen Werke kirchlicher Musik.

Das kommt unter anderm daher, daß Mozart, ebenso wie Bach, uns weder belehren noch verblüffen, noch ermahnen will, daß er überhaupt nichts will als seinen Dienst am jeweiligen Werk so vollkommen wie möglich zelebrieren, seine Person in diesem Dienst so vollkommen wie möglich hingeben und auslöschen. Was uns nach dem Anhören einer dieser wunderbaren Opern bleibt, das ist nichts Persönliches, ist nicht eine spezielle Art von Pathos oder von Schelmerei, es ist das Hinschwinden alles Persönlichen und Zufälligen in das Geheimnis der Form. So kommt es,

136

daß letzten Endes trotz aller gewaltigen Unterschiede ein Werk von Bach und eines von Mozart im aufrichtigen Hörer zum gleichen Erlebnis führt. Ob wir während einer Bach-Passion noch so oft erschüttert und dem Schluchzen nahe waren, ob wir während einer Mozart-Oper noch so oft gelächelt und geschmunzelt haben, am Ende sind Lächeln und Erschütterung nicht mehr zu unterscheiden und haben mit unserm Elebnis wenig mehr zu tun, das viel tiefer gedrungen ist: auch wir hingegebenen Hörer haben die Oberfläche des Scheins durchstoßen und unser Ich verloren und eine Stunde das Göttliche geatmet.

Niemals wird man diese unausschöpflichen und unbegreiflichen Werke so häufig vor vollen Häusern spielen wie die jeweiligen Schlager der Saison. Aber man wird sie immer und immer wieder vor entzückten und dankbaren Hörern spielen, wenn die Schlager von heute und von morgen und von vielen kommenden Generationen ausgespielt und vergessen sein werden.

*(»Mozarts Opern«, 1932)*

In allem, was die Kritik etc. betrifft, sind wir ja einig, dazu ist nichts mehr zu sagen. Inmitten der Presse, der Kritik, der heutigen Öffentlichkeit ist der Künstler wie ein Saurier aus Vorzeiten, hilflos und aufgeschmissen, in falschem Sinne bestaunt, in falschem Sinne belächelt.

*(Brief, 16. 5. 1929, an Heinrich Wiegand)*

Mir ist es so gegangen: Bespuckt und angegriffen bin ich noch niemals wegen irgend einer dummen und halben und wertlosen Sache worden (obwohl ich dazu genug Anlaß gab bei der Läßlichkeit meiner Produktion), sondern wenn ich ausgepfiffen wurde, so war es jedesmal für eine Leistung oder Gesinnung, die sich nachher bewährt hat.

*(Brief, 23. 5. 1929, an Olga Diener)*

Die Feststellung, daß ein Dichter als Neurotiker einer bestimmten Klasse zugehört, sagt über ihn so wenig aus

137

als über Napoleon die Feststellung, er sei Epilektiker gewesen. Und über die komplizierten Fragen, die dann entstehen, wenn ein Dichter zeitweise seine eigene Neurose (weil sie Zeitsymptom ist) zum Gegenstand der Dichtung macht, hat die Broschüre leider gar nichts zu Tage gebracht. Die »Neurosen« können ja Krankheiten sein, und sind es meistens, die heutige Dichterneurose jedoch (von Hamsun bis Rilke und so vielen andern sind alle Neurotiker) kann ja am Ende auch eine Gesundheit sein, nämlich das einzig mögliche Reagieren beseelter Naturen auf eine Zeit, die nur Geld und Zahl und keine Seele kennt.

*(Brief, 17. 8. 1929, an Hugo Marti)*

Wir Künstler sind ja eher Kinder als Helden, und hätten Sinn für dieses und jenes Hübsche im Leben, aber ein heutiger Mozart bedürfte eines Grades von Naivität, den wir uns nicht vorstellen können.

*(Brief, 21. 10. 1929, an Heinrich Wiegand)*

Dieselben Kritiker, die es beim Steppenwolf des Dichters unwürdig fanden, daß er das Aktuellste und Persönlichste ausspreche, reden jetzt[1] von »Flucht in die Vergangenheit«... Als ob es heute irgendwo eine geistige Wirklichkeit gäbe als in der Vergangenheit oder in den magischen Theatern einiger Dichter.

*(Brief, Ende Mai 1930, an Carlo Isenberg)*

Die Leser sind jetzt alle erfreut, daß der Hesse endlich wieder etwas so Nettes geschrieben hat, und gratulieren mir dazu, daß ich von dem verzweifelten Steppenwolf den Weg zu dem hübschen Goldmund gefunden habe. Ich begreife es nicht; ich begreife nur, daß, wie immer, die Leser wieder etwas ganz anderes lesen als was ich gemeint habe. Im Goldmund fällt es ihnen leicht, sich um die Tragik zu drücken. Im Steppenwolf dagegen haben sich fast alle Leser redlich um Mozart und die Unsterb-

1 Bei »Narziß und Goldmund«.

138

lichkeit gedrückt, und nichts gelesen als die Verzweiflung Hallers, die einen ja nichts angeht, weil man für die nicht mitverantwortlich ist.

*(Brief, ca. Juli 1930, an W. Lochmüller)*

Meine Bekannten und die Beurteiler meiner Schriften sind beinahe alle der Meinung, ich sei ein Mann ohne Grundsätze. Aus irgendwelchen Beobachtungen und aus irgendwelchen Stellen meiner Bücher schließen diese wenig scharfsinnigen Leute, ich führe ein unerlaubt freies, bequemes Leben ins Blaue hinein. Weil ich morgens gern lange liegen bleibe, weil ich mir in der Not des Lebens hie und da eine Flasche Wein erlaube, weil ich keine Besuche empfange und mache, und aus ähnlichen Kleinigkeiten schließen diese schlechten Beobachter, ich sei ein weichlicher, bequemer, verlotterter Mensch, der sich überall nachgibt, sich zu nichts aufrafft und ein unmoralisches, haltloses Leben führt. Sie sagen dies aber nur, weil es sie ärgert und ihnen anmaßend scheint, daß ich mich zu meinen Gewohnheiten und Lastern bekenne, daß ich sie nicht verheimliche. Wollte ich (was ja leichter wäre) der Welt einen ordentlichen, bürgerlichen Lebenswandel vortäuschen, wollte ich auf die Weinflasche eine Kölnischwasser-Etikette kleben, wollte ich meinen Besuchen, statt ihnen zu sagen, sie seien mir lästig, vorlügen, ich sei nicht zu Hause, kurz, wollte ich schwindeln und lügen, so wäre mein Ruf der beste und der Ehrendoktor würde mir schon bald verliehen werden.

In Wirklichkeit nun ist es so, daß ich, je weniger ich mir die bürgerlichen Normen gefallen lasse, desto strenger meine eigenen Grundsätze halte. Es sind Grundsätze, die ich für vortrefflich halte und deren Befolgung keinem meiner Kritiker auch nur einen Monat lang möglich wäre. Einer von ihnen ist der Grundsatz, keine Zeitungen zu lesen – nicht etwa aus Literatenhochmut oder aus dem irrtümlichen Glauben, die Tagesblätter seien schlechtere Literatur als das, was der heutige Deutsche ›Dichtung‹ nennt, sondern einfach, weil weder Politik, noch Sport, noch Finanzwesen mich interessieren, und weil es mir seit

Jahren unerträglich wurde, Tag für Tag machtlos zuzusehen, wie die Welt neuen Kriegen entgegenläuft.

Wenn ich nun meine Gewohnheit, keine Zeitungen anzusehen, wenige Male im Jahr für eine halbe Stunde unterbreche, habe ich außerdem den Genuß einer Sensation, ebenso wie beim Kino, das ich auch nur, mit heimlichen Schaudern, etwa einmal im Jahr betrete. An diesem etwas trostlosen Tage nun, ins Bett geflüchtet und leider nicht mit anderer Lektüre versehen, las ich zwei Zeitungen. Die eine, eine Zürcher Zeitung, war noch ziemlich neu, erst vier oder fünf Tage alt, und ich besaß sie, weil ein Gedicht von mir in dieser Nummer abgedruckt stand. Die andere Zeitung war etwa eine Woche älter und hatte mich ebenfalls nichts gekostet, sie war in der Form von Einwickelpapier in meine Hände gelangt. In diesen beiden Zeitungen las ich nun mit Neugierde und Spannung, das heißt ich las natürlich nur jene Teile, deren Sprache mir verständlich ist. Jene Gebiete, zu deren Darstellung eine besondere Geheimsprache erforderlich ist, mußte ich mir entgehen lassen, also Sport, Politik und Börse. Es blieben also die kleinen Nachrichten und das Feuilleton übrig. Und wieder begriff ich mit allen Sinnen, warum die Menschen Zeitungen lesen. Ich begriff, bezaubert vom vielmaschigen Netz der Mitteilungen, den Zauber des verantwortungslosen Zuschauens und fühlte mich eine Stunde lang in der Seele eins mit jenen vielen alten Leuten, die jahrelang herumsitzen und nur deshalb nicht sterben können, weil sie Radio-Abonnenten sind und von Stunde zu Stunde Neues erwarten.

Dichter sind meistens ziemlich phantasiearme Menschen, und so war ich denn wieder berauscht und überrascht von allen diesen Nachrichten, von denen ich kaum eine selbst zu erfinden imstande gewesen wäre. Ich las höchst merkwürdige Dinge, über die ich Tage und Nächte lang werde nachzudenken haben. Nur wenige der hier mitgeteilten Nachrichten ließen mich kalt: daß man noch immer heftig und erfolglos gegen die Krebskrankheit kämpfe, setzte mich ebensowenig in Erstaunen wie die Meldung von einer neuen Stiftung zugunsten der Ausrottung des Darwinismus. Aber drei- oder viermal las ich aufmerksam eine Notiz

140

aus einer Schweizer Stadt, wo ein junger Mensch wegen fahrlässiger Tötung seiner eigenen Mutter verurteilt wurde, und zwar zu einer Geldstrafe von hundert Franken. Diesem armen Menschen war das Unglück passiert, daß er, vor den Augen seiner Mutter, sich mit einer Schießwaffe beschäftigte, daß die Waffe losging und die Mutter tötete.

Der Fall ist traurig, aber nicht unausdenklich, es stehen schlimmere und unheimlichere Nachrichten in jeder Zeitung. Aber wieviele Viertelstunden ich mit Nachberechnungen dieser Geldstrafe verschwendet habe, schäme ich mich einzugestehen. Ein Mensch erschießt seine Mutter. Tut er es absichtlich, so ist er ein Mörder, und wie die Welt nun einmal ist, wird er nicht einem weisen Sarastro übergeben, der ihn über die Dummheit seines Mordes aufklärt und ihn zum Menschen zu machen versucht, sondern man wird ihn für eine gute Weile einsperren, oder in Ländern, wo noch die guten alten Barbarensitten Geltung haben, wird man ihm, um Ordnung zu schaffen, seinen törichten Kopf abhacken. Nun ist ja dieser Mörder aber gar kein Mörder, er ist ein Pechvogel, dem etwas ungewöhnlich Trauriges passiert ist. Auf Grund welcher Tabellen nun, auf Grund welcher Taxierungen vom Wert eines Menschenlebens oder von der erzieherischen Kraft der Geldstrafe ist das Gericht dazu gekommen, dieses fahrlässig zerstörte Leben gerade mit dem Geldbetrag von hundert Franken einzuschätzen? Ich habe mir keinen Augenblick erlaubt, an der Redlichkeit und dem guten Willen des Richters zu zweifeln, ich bin überzeugt, daß er sich große Mühe gab, ein gerechtes Urteil zu finden, und daß er zwischen seinen vernünftigen Erwägungen und dem Wortlaut der Gesetze in schwere Konflikte kam. Aber wo in der Welt ist ein Mensch, der die Nachricht von diesem Urteil mit Verständnis oder gar mit Befriedigung lesen könnte?

Im Feuilleton fand ich eine andere Nachricht, sie bezog sich auf einen meiner berühmten Kollegen. Von ›unterrichteter Seite‹ wurde uns da mitgeteilt, daß der große Unterhaltungsschriftsteller M. zur Zeit in S. weile, um Verträge über die Verfilmung seines letzten Romans abzuschließen, und daß ferner Herr M. geäußert habe, sein nächstes Werk werde ein nicht minder wichtiges und spannendes Problem behandeln, aber er werde kaum vor Ablauf von zwei Jahren imstande sein, diese große Arbeit fertigzustellen. Auch diese Nachricht beschäftigte mich lang. Wie treu, wie gut und sorgsam muß dieser Kollege täglich seine Arbeit leisten, damit er solche Voraussagen machen kann! Aber warum macht er sie? Könnte nicht vielleicht während der Arbeit doch ein anderes, heftiger brennendes Problem ihn erfassen und zu anderer Arbeit zwingen? Könnte nicht seine Schreibmaschine eine Panne erleiden oder seine Sekretärin erkranken? Und wozu war dann die Vorausankündigung gut? Wie steht er dann da, wenn er nach zwei Jahren bekennen muß, daß er nicht fertig geworden sei? Oder wie, wenn die Verfilmung seines Romans ihm soviel Geld einbringt, daß er das Leben eines reichen Mannes zu führen beginnt? Dann wird weder sein nächster Roman, noch sonst jemals wieder ein Werk von ihm fertig werden, es sei denn, daß die Sekretärin die Firma weiter führe.

*(Aus »Lektüre im Bett«, 1929, Erstdruck: Nationalzeitung*
*Basel, 1. 4. 1947)*


Der Goldmund wird von den meisten Lesern freundlich aufgenommen, meistens wird er in Gegensatz zum Steppenwolf gebracht und auf dessen Kosten gelobt. Mir ist der Steppenwolf ebenso lieb und ich habe ihn mit derselben Liebe und Hingabe geschrieben, er ist Goldmunds Bruder. Aber er hat wenig Freunde, weil seine Probleme dem Anschein nach aktueller sind – und beinahe niemand hat gemerkt, daß der Steppenwolf nicht bloß von Haller, von Jazzmusik und Onestep handelt, sondern ebenso sehr von Mozart und den Unsterblichen.

*(Brief, Juli 1930 an Georg Alter)*


Der »Goldmund« entzückt die Leute. Er ist zwar um nichts besser als der Steppenwolf, der sein Thema noch klarer umreißt und der kompositorisch gebaut ist wie eine

Sonate, aber beim Goldmund kann der gute deutsche Leser Pfeife rauchen und ans Mittelalter denken, und das Leben so schön und so wehmütig finden, und braucht nicht an sich und sein Leben, seine Geschäfte, seine Kriege, seine »Kultur« und dergleichen zu denken.

*(Brief, ca. Nov. 1930 an Erwin Ackerknecht)*

Das, was Sie und viele andre mir über den »Goldmund« schreiben, ist gut gemeint, trifft aber an allem vorbei, was ich selbst meine. Die Leser freuen sich über die »Harmonie«, und freuen sich, daß statt des schrecklichen »Steppenwolfs« jetzt etwas Angenehmeres von mir da ist, etwas, was zwar ein wenig an die Abgründe erinnert, sie aber nicht aufreißt, etwas, wobei man sich klug und wehmütig vorkommen kann, wobei man aber ruhig weiter Geld verdienen oder Kinder erziehen kann, denn es spielt ja im Mittelalter, und ist ja nur Dichtung, usw.

Für mich sieht es ganz anders aus. Rein künstlerisch ist der »Steppenwolf« mindestens so gut wie »Goldmund«, er ist um das Intermezzo des Traktats herum so streng und straff gebaut wie eine Sonate und greift sein Thema reinlich an. Aber er erinnert an den Krieg (der übermorgen wieder da sein wird) und an Jazzmusik und Kino und Euer ganzes heutiges Leben, dessen Hölle aufzuzeigen Ihr dem Dichter nicht erlauben wollt. Natürlich wissen das die Leser nicht, sie lesen ehrlich und folgen dem Gesetz des geringsten Widerstandes, es zieht sie dahin, wo es weniger weh tut. Das Problem des »Goldmund« ist das des Künstlers, ein furchtbares, tragisches Problem – aber der Leser ist ja selber nicht Künstler, er kann da gefahrlos aus der Ferne zusehen. Während beim »Steppenwolf« muß er seine eigene Zeit, seine eigenen Probleme sehen, muß sich vor sich selbst schämen, und das will er nicht. Kunst ist ja nicht da, um weh zu tun, meint er. Und denkt nicht daran, daß er auch Bachs Musik nur darum ertragen, ja »genießen« kann, weil Bachs Glaube und seine Probleme ihn nicht mehr viel angehen.

*(Brief, 13. 11. 1930, an M. W.)*

143

Wenn ich nun auf junge Leser zum Beispiel des »Steppen-wolfs« treffe, so finde ich sehr oft, daß sie alles in diesem Buch, was über den Irrsinn unsrer Zeit gesagt ist, sehr ernst nehmen, daß sie aber das, was mir tausendmal wichtiger ist, gar nicht sehen, jedenfalls nicht daran glau-ben. Es ist aber damit nichts getan, daß man Krieg, Technik, Geldrausch, Nationalismus etc. als minderwertig ankreidet. Man muß an Stelle der Zeitgötzen einen Glau-ben setzen können. Das habe ich stets getan, im »Steppen-wolf« sind es Mozart und die Unsterblichen und das magische Theater, im »Demian« und im »Siddhartha« sind dieselben Werte mit anderen Namen genannt . . .
Vor kurzem fragte mich eine junge Frau, wie ich denn das mit dem magischen Theater im »Steppenwolf« gemeint habe, es habe sie schwer enttäuscht, daß ich mich da in einer Art Opiumrausch über mich selbst und alles lustig mache. Ich sagte ihr, sie möchte jene Seiten noch einmal lesen, und zwar mit dem Wissen, daß nichts, was ich je gesagt habe, mir so wichtig und heilig war wie dies ma-gische Theater, daß es Bild und Hülle sei für das, was mir zutiefst wertvoll und wichtig ist. Sie schrieb mir etwas später, jetzt habe sie begriffen.

*(Brief, 4. 5. 1931 an R. B.)*

Mir selber geht es mit den Jahren mehr und mehr so, daß ich meine Dichtungen mehr erlebe (erleide) als mache, mich also auch nicht gegen das wehren darf, was sie schwerer zugänglich macht. Eine von ihnen, der Step-penwolf, ist ganz und vollkommen unverstanden geblieben, und dabei sogar, aber aus Mißverständnis, ein Mode-Erfolg gewesen.

*(Brief, ca. Jan. 1932 an Martin Buber)*

Die Aufgabe des Goldmund war unendlich viel leichter und seine Lektüre setzt beim Leser keine hohen Quali-täten voraus.
Der Deutsche liest ihn, findet ihn hübsch und sabotiert weiter seinen eigenen Staat, tappt weiter in politische Aben-

teuer und Sentimentalitäten hinein, lebt weiter sein altes, verlogenes, unanständiges, verbotenes Leben. Ich habe nicht das Bedürfnis, von ihm geschätzt und vor ihm rehabilitiert zu werden. Ich finde ihn scheußlich und wünsche ihm den Untergang, dem Menschentyp, dem der heutige Durchschnittsdeutsche, zumal der »geistige« angehört.

*(Brief, 1931 oder 1932)*

Seit es mir wieder schlecht geht, seit 4 Wochen, sieht mir, dem alten Moralisten, jeder Wunsch nach etwas Freundlichem und Gutem verdächtig wie ein Wunsch nach Flucht aus, und es ist auch etwas Richtiges daran, weil seit einigen Wochen ein literarischer Plan in mir aufgetaucht ist, zu dessen Ausführung und Bewältigung ich zwar noch gar keinen Weg sehe, der aber eben doch da ist, als Forderung und Ausrufezeichen und Damoklesschwert. Ich möchte es gern einmal wieder so gut haben wie die andern Unterhaltungsschriftsteller, und wie ich selber es etwa bis zum Jahr 1914 gehabt habe: daß die Pläne, die einem einfallen, immer dem Leser so angenehm und dem Dichter so in die Hand passend, so bequem und leicht auszuführen sind. Seither hat es sich immer so getroffen, daß grade das, was auszuführen mir ganz unmöglich schien, mir zum Problem wurde, es begann mit einigen der Märchen und dann dem Demian, und das Schwierigste waren Siddhartha und Steppenwolf. Jedesmal war es entweder fast unmöglich, die Form dafür zu finden (z. B. beim Steppenwolf und der Morgenlandfahrt), oder es wurde, um wirklich ins Innere des Stoffes zu kommen, so viel Erleben, so viel Hingabe, so viel Opfer erfordert (am stärksten in den vielen Monaten, die zwischen dem 1. und 2. Teil des Siddhartha liegen), daß ich unendlich oft Lust hatte, davonzulaufen und den schönen Stoff liegen zu lassen. So ist es auch jetzt wieder, und bis ich wirklich die erste Zeile an dem Neuen zu schreiben versuche, können Monate, und auch ein Jahr und mehr vergehen, und obwohl ich in dieser Zeit nichts tue, komme ich mir doch höchst beschäftigt und okkupiert vor. So war es besonders beim Goldmund, dessen Problem (d. h. der Kern seines Stoffes) mich schon

145

volle 1½ Jahre, noch während der Arbeit am Steppenwolf, im Innern beschäftigte, ehe ich die erste, mißglückte und später vernichtete Niederschrift anfing.

*(Brief, 3. 4. 1932, an Helene Welti)*

Diesen letzten Zürcher Sonntagnachmittag bin ich mit Ninon in der Zauberflöte gesessen. Es konnte keine schönere und bewegendere Art geben, mich nochmals im Ganzen dieser Zürcher Zeiten zu erinnern, der Zeiten des Steppenwolf, der Zeiten mit Ruth, der Zeiten mit Euch, es war mein Abschied von einer ganzen Lebensperiode, die jetzt abgeblüht ist und verlassen werden muß, und vorerst fällt es mir noch schwer und das Herz tut weh dabei.

*(Brief, ca. Mitte April 1932, an Alice und Fritz Leuthold)*

Die Empfindlichkeit der Menschen gegen das, was sie pornographisch nennen, ist verschieden, und die Ihre ist nicht etwa normal und maßgebend, sondern ebenso subjektiv wie jede andere.
Sie glauben z. B. ganz naiv, daß meine Bücher auf niemand roh, erotisch und abstoßend wirken könnten. Da täuschen Sie sich aber sehr. Ich habe zum Steppenwolf mehr als 100 Briefe bekommen, in denen Leser sich von mir lossagen, weil sie dieses »Wühlen im Schmutz« und diese »Schilderungen der Unzucht« nicht ertragen könnten. Und ebenso war es mit den Liebesszenen im Goldmund: Dutzende schrieben mir empört darüber. Ein junger Hitlerianer aus Schwaben schrieb mir, das sei die geile Lüsternheit eines alternden Mannes, und er hoffe, ich möchte bald vollends verrecken. Eine Frau schrieb mir, sie werde nie mehr ein Buch von mir lesen, einst habe sie Camenzind und Roßhalde gern gehabt, aber sie sei Mutter von Söhnen und würde diesen niemals erlauben, Sachen wie den Goldmund zu lesen.

*(Brief, ca. Ende Mai 1932, an H. Zwissler)*

146

Mich überraschen Ihre Mitteilungen über den Kurs auf einen neuen Weltkrieg los gar nicht – ich habe seit 1919 nichts anderes gesehen und geglaubt, und habe seither nicht nur im Steppenwolf, sondern in ungezählten Aufsätzen, über deren »Pessimismus« sich die Redakteure oft lustig machten, davon gesprochen und davor gewarnt.

Ja, es wird wieder Schweinereien geben, aber vielleicht erlebe ich es doch nicht mehr, das sollte mir lieb sein.

*(Brief, Juni 1931 an Josef Englert)*

Neulich kriegte ich, nicht zum erstenmal, aus dem Norden so einen Brief von einer Dame, sie beklagt sich, daß einst der »Camenzind« so schön und »deutsch« gewesen und jetzt der »Steppenwolf« und »Goldmund« so häßlich und »jüdisch« sei und nur von Schweinereien handle. Erst aus dem »deutsch« und »jüdisch« erkannte ich die Melodie: Hitler.

*(Brief, Ende Juni 1932, an seine Schwester Adele)*

Der Inhalt und das Ziel des »Steppenwolf« sind nicht Zeitkritik und persönliche Nervositäten sondern Mozart und die Unsterblichen. Ich dachte sie den Lesern näher zu bringen indem ich mich selbst vollkommen preisgab – die Antwort war Anspucken und Hohngelächter. Dieselben Leser, die den Steppenwolf auslachten oder angriffen, waren dann vom Goldmund entzückt, weil er nicht heute spielt, weil er nichts von ihnen verlangt, weil er ihnen nicht die Schweinerei ihres eigenen Lebens und Denkens vorhält. Das ist, von mir aus gesehen, der Unterschied zwischen den beiden Büchern, er besteht beim Leser, nicht bei mir.

Aufgabe des Steppenwolf war: Unter Wahrung einiger für mich »ewiger« Glaubenssätze die Ungeistigkeit unserer Zeittendenzen und ihre zerstörende Wirkung auch auf den höherstehenden Geist und Charakter zu zeigen. Ich verzichtete auf Maskeraden und gab mich selbst preis, um den Schauplatz des Buches wirklich ganz und schonungslos echt geben zu können, die Seele eines weit über Durchschnitt

Begabten und Gebildeten, der an der Zeit schwer leidet, der aber an überzeitliche Werte glaubt. Der deutsche Leser hat sich über das Leiden Harrys amüsiert und ihm auf die Schulter geklopft, das war der ganze Erfolg der Anstrengung.

*(Brief 1931 oder 1932, an P. A. Riebe)*

Sie haben im »Klingsor« das Dichterische entdeckt, das Sie im »Steppenwolf« vermissen. Sie haben es dort aber bloß nicht gefunden. Der »Steppenwolf« ist so streng gebaut wie ein Kanon oder eine Fuge, und ist bis zu dem Grade Form geworden, der mir eben möglich ist. Er spielt und tanzt sogar. Aber die Heiterkeit, aus der er es tut, hat ihre Kraftquellen in einem Grad von Kälte und Verzweiflung, die Sie nicht kennen. Es gibt keine Form ohne Glauben, und es gibt keinen Glauben ohne vorherige Verzweiflung, ohne vorheriges (und auch nachheriges) Wissen um das Chaos.

*(Brief, Okt. 1932, an E. K.)*

In ihrem letzten Brief haben Sie aber ganz vergessen, was es eigentlich war, was Sie zuerst an mich schreiben ließ, und worauf ich in meinen beiden Antworten reagierte. Es war Ihre Frage, ob ich im »Steppenwolf« es mit irgendetwas ernst meine, oder einfach ein angenehmes Einduseln in Opiumräusche vorschlage. Daß es mir mit allen meinen Büchern und meinem Leben nicht gelungen ist, so weit verstanden zu werden, daß es mir Ernst ist, das war für mich nicht nur eine persönliche, sondern auch eine prinzipielle Enttäuschung. Aus Ihrem letzten Brief zum Beispiel erfahre ich nebenher, daß Sie auch den »Siddhartha« kennen. Sie haben also beim Lesen des »Steppenwolfs« den Eindruck haben können: dieser Mensch, der den »Siddhartha« geschrieben hat, sagt jetzt offenbar das Gegenteil.

Da Sie mit Ihrer Frage über das »magische Theater« den ganzen Ernst des Lebens und Tuns angezweifelt haben, für den ich durch manche Hölle gegangen bin, legte ich in meinen Antworten einen Ton von Spott auf die Feststellung, wie sehr ernst Sie Ihr eigenes Suchen und Denken nehmen. Auch in Ihrem letzten Brief betonen Sie wieder sehr, wie unbedingt Ihre Generation (oder die Minderheit, der Sie angehören) es »verlangt«, daß man Ihr Suchen ernst nehme.

Für meinen Standpunkt ist das ohne Sinn. Ich nehme das Suchen jedes Menschen ernst, einfach als Lebenstatsache, ich habe vor jedem Menschen unbedingt Respekt, solang er sich mir nicht durch wirkliche Erfahrung als wertlos zeigt. Ich war sogar so naiv, für mich und meine Arbeit das gleiche als selbstverständlich vorauszusetzen: nämlich daß der Leser mich entweder wegwerfe oder aber mir so viel Vertrauen schenke, daß er mir zutraut, es sei mir ernst.

Aber auch diese Kluft zwischen Ihnen und mir kommt nur von den Lebensaltern her. Für Sie, die Jungen, hat Ihr eigenes Sein, Ihr Suchen und Leiden, diese große Wichtigkeit mit Recht. Für den, der alt geworden ist, war das Suchen ein Irrweg und das Leben verfehlt, wenn er nichts Objektives, nichts über ihm und seinen Sorgen Stehendes, nichts Unbedingtes oder Göttliches zu verehren gefunden hat, in dessen Dienst er sich stellt und dessen Dienst allein es ist, der seinem Leben Sinn gibt.

Also: Ihr Suchen und Leiden nehme ich unbedingt ernst. Und ich wünsche Ihnen sehr, daß das Ergebnis Ihres Suchens sich einmal als dem meinen ähnlich erweisen wird: nicht in den Formen und Bildern, durch die es sich ausdrückt, sondern in der Sinngebung und Wertgebung für Ihr eigenes Lebens.

Das Bedürfnis der Jugend ist: sich selbst ernst nehmen zu können. Das Bedürfnis des Alters ist: sich selber opfern können, weil über ihm etwas steht, was es ernst nimmt. Ich formuliere nicht gern Glaubenssätze, aber ich glaube wirklich: ein geistiges Leben muß zwischen diesen beiden Polen ablaufen und spielen. Denn Aufgabe, Sehnsucht und Pflicht der Jugend ist das Werden, Aufgabe des reifen Menschen ist das Sichweggeben oder, wie die deutschen Mystiker es einst nannten, das »Entwerden«. Man muß

149

erst ein voller Mensch, eine wirkliche Persönlichkeit geworden sein und die Leiden dieser Individuation erlitten haben, ehe man das Opfer dieser Persönlichkeit bringen kann.

Der »Steppenwolf« ist kein geeignetes Objekt für unsere Diskussion, denn er hat ein Thema, das Sie nicht kennen: die Krise im Leben des Mannes um das fünzigste Jahr. Daher wohl auch die Mißverständnisse . . .

Eben wie ich schließen will, fällt mir ein: Sie könnten das mißverstehen, was ich über »Entwerden«, Opfer etc. sage, nämlich als wollte ich es so darstellen: ich sei mit diesem Entwerden und diesem Opfer etc. fertig, hätte es vollzogen und stünde irgendwo jenseits. Im Gegenteil: ich kämpfe darum, ich leide darunter, ich wehre mich oft auch dagegen, aber ich sehe das Ziel, und glaube an den Sinn, sowie Harry Haller neben der Tanzmusik und andern Vergänglichkeiten an die Unsterblichen glaubt.

*(Brief, Januar 1933, an M. K.)*


Das Buch[1] stößt auf mehr Verständnis, als ich erwartet hatte, wahrscheinlich nicht, weil die Menschen mit ihm mehr einverstanden wären, als sie es sonst mit mir sind, sondern weil dies Buch scheinbar harmlos und freundlich bleibt und gar nichts Aggressives hat. Vor einigen Jahren sagte ich im Steppenwolf dasselbe (statt des Bundes etc. waren es dort die Unsterblichen und Mozart) und das Buch wurde ein Erfolg und eine Sensation, für eine Saison, und dabei blieb es, seine Anklagen und Mahnungen wurden von keinem Menschen ernst genommen. Wir Künstler müssen uns darein finden, daß wir immer, und grade wenn es uns recht ernst ist, für unsre Wirte und Abnehmer eine Art Hofnarren bleiben, die man gern hat, die man leben läßt und denen man auch einige kleine Freiheiten erlaubt, denen ein wirklicher Einfluß aber nie gegönnt wird.

*(Brief, Frühjahr 1933, an Alfred Kubin)*

1 Die Morgenlandfahrt.

150

Caro & Stimatissimo! Am Karfreitag haben wir die Lektüre Ihres zweiten Bandes beendet (in dessen 1. Kapitel ich den Gruß an den Steppenwolf entdeckte[1] und mit frohem Schrecken auch dieses Symbol in die Unendlichkeit der Äonen und des Mythos zurückgerückt sah). Ich habe an diesem Band dieselbe reine Freude wie am ersten.

*(Postkarte, ca. 2. 4. 1934, an Thomas Mann)*

Ich stehe in einer Krise, die keinem »Intellektuellen« meines Alters erspart bleibt, und da für mich jede kollektive Lösung (etwa durch ein Bekenntnis zu einer der modischen Kollektiv-Weltanschauungen wie Faschismus, Kommunismus etc) unmöglich ist, komme ich mir inmitten dieser Zeit mit meiner Lebens- und Denkart wirklich vor wie ein Tier der Urwelt, das durch eine Sündflut mitten in die mechanisierte Welt einer heutigen Großstadt geschwemmt worden wäre.

*(Brief, 5. 4. 1936, an Martin Bodmer)*

Den Grundsatz, daß die Dichtung dazu da sei, dem Volk einfache, gesunde, erheiternde, über Konflikte weghelfende Kost zu bieten, diesen Grundsatz wird ohne Zweifel Herr Goebbels oder General Franco wörtlich mit Ihnen teilen. Welche Art von Kunst man machen soll, darüber kann man verschieden denken, aber die ganze Frage geht leider nur die Fabrikanten von Kunst etwas an, nicht die eigentlichen Künstler, denn diese sind keineswegs vor die Wahl gestellt, was sie machen sollen. So habe ich während ge-

---

1 ›Joseph und seine Brüder‹, Band II berichtet von Josephs Lektüre des Gilgamesch-Epos. Er liest da die Geschichte »des Waldmenschen Engidu und wie die Dirne aus Uruk, der Stadt, ihn zur Gesittung bekehrte ... Das zog ihn an, er fand es vorzüglich, wie die Dirne den Steppenwolf zustutzte«. In seiner Antwort vom 9. 4. 1934 schrieb Thomas Mann: »Ich war herzlich froh zu hören, daß auch der zweite Band vor Ihnen bestanden hat. Ja, der »Steppenwolf« ist eine Huldigung, die Sie hoffentlich wirklich nicht als Übergriff empfunden haben. Ganz unversehens floß das Wort mir aus der Feder, zum Zeichen, daß diese Ihre Prägung in den charakterisierenden Sprachschatz eingegangen; und ich denke, es wird manchem Leser Spaß machen als ein Fingerzeig von meinem Werke hinüber zu Ihrem.«

wisser Jahre meines Lebens, gegenüber einer Welt voll Gewalt und Verlogenheit, meinen Dichter-Appell an die Menschenseele nicht anders zu äußern vermocht als dadurch, daß ich mich als Beispiel nahm und mein eigenes Sein und Leiden darstellte, in der Hoffnung, von ähnlich Gestimmten verstanden, und mit der Erwartung, von den andern dafür verachtet zu werden. Es haben mir Hunderte gesagt, privat und öffentlich, daß die Werke meiner Krisenzeit geschmacklos, eitel, unerlaubt subjektiv seien, und daß das Backen von Brot oder das Nähen von Hemden vielmal verdienstvoller sei als das Schreiben von solchem Zeug. Es haben mich auch die Freunde zum Teil damals verlassen. Ich mußte es schlucken. Auf der anderen Seite der Rechnung steht eine Minorität von Lesern, die mir, wenn auch zuweilen zögernd und mit Hemmungen, gefolgt sind, und denen das Wissen um mich etwas Stärkendes, Brüderliches bedeutet und ihnen leben half.

*(Brief, Jan/Feb. 1937)*


Soeben erscheint bei der Büchergilde ein Neudruck des Steppenwolf. Man hat mich damals seinetwegen, namentlich wegen seines Pessimismus und seiner Kriegssorgen, viel ausgelacht. Ich las ihn nun seit 15 Jahren zum ersten mal wieder und fand alles richtig und bewährt: vom heutigen Krieg ist dort vielemale wie von einer absolut unweigerlichen Tatsache die Rede.

*(Brief, Herbst 1942, an P. A. Brenner)*


Es freut mich, daß Sie den Steppenwolf so miterlebt haben. Er wird von den meisten seiner Leser etwas belächelt als die private Geschichte eines Herrn Haller, der sich zu wichtig nimmt. Selten merkt einer, daß das Buch außerdem von dem Krieg handelt, den es 16 Jahre vorher mit jedem Jahr näher kommen sah, und weiter von einer festen, objektiven Glaubenswelt. Die Leser merken meistens nur die Nebensachen.

*(Brief, Sommer 1943, an Dr. Lewandowski)*

152

Danke für Ihre Karte. Aber haben Sie das mit dem Preis[1] wirklich ernst genommen? Ich nicht. Ich hätte Ihnen zur Zeit, als vor Jahrzehnten die Betrachtungen und der Steppenwolf erschienen und teils ausgelacht, teils giftig abgelehnt wurden, voraussagen können, daß im Augenblick der umgekehrten Konjunktur, im Moment der nächsten deutschen Niederlage es Preise, Feiern und Auflagen für mich regnen werde – Dinge, die zu solcher Zeit genau so wenig Wert haben als etwa der Geldbetrag des jetzigen Preises, für den ich, wenn ich ihn nicht verschenken würde, auch nicht ein Stückchen Brot oder gar ein Glas Wein bekäme.

*(Brief, Nov. 1946, an Felix Braun)*

Meine Meinung zu Ihrer Steppenwolffrage ist die: Sie sollten, glaube ich, sich rein an das Buch halten, und nicht an Äußerungen, die der Autor darüber später gelegentlich getan hat. Ich hatte oft Grund mich über steppenwolflesende Schulknaben etwas zu ärgern, und tatsächlich habe ich ja auch das Buch in der Zeit dicht vor meinem 50. Jahr geschrieben. Aber daß ich dabei an nichts andres gedacht habe als an ein Thema etwa wie »Das Problem des 50 jährigen«, stimmt natürlich nicht, und überhaupt habe ich bei keinem meiner Bücher solche thematisch-theoretischen Absichten gehabt.

*(ca. 1947 an Horst Dieter Kreidler)*

Den Gedankengang mit der Ungewißheit darüber, wieweit wir Musikalischen mit unsrem Geschmack recht haben, wieweit Lehar und Mozart vielleicht doch gleichwertig seien, hat, glaube ich, schon der Steppenwolf in Gesprächen mit Pablo abgewandelt. . . .
Aber diese Gedankengänge, für die ich heut wenig mehr gebe, sind Psychologie, und führen nirgends hin. Wenn Lehar gleich Mozart ist, warum soll dann nicht Hitler gleich Jesus oder Sartre gleich Sokrates sein. Die Welt

1 Goethe-Preis der Stadt Frankfurt.

braucht, das haben wir erlebt, Moral nötiger als Gescheit-
heit, und Ordnung der Werte nötiger als Psychologie.

*(Brief, 1. 2. 1947 an Erich Oppenheim)*


Die sehr nette alte Dame ist Frl. Martha Ringier, eine
in Basel lebende Lenzburgerin. Bei ihr habe ich einen
Winter lang in Basel als Mieter gewohnt und dort, in
einer sehr lieben kleinen Mansardenwohnung von 2 Stuben,
die erste Hälfte des Steppenwolf geschrieben. Wenn ich
heimkam und die Treppen hinauf stieg, stand auf dem
Vorplätzchen vor der Glastür im 2. Stock die schöne
Araukarie.

*(Brief, ca. 1948)*


Weitaus die Mehrzahl der Menschen, mit denen ich lebe,
deren Werk oder Vorbild mir etwas bedeutet, deren Vorhandensein mir tröstlich ist, lebt nicht in diesem trüben
»Heute«, sondern auf einer überzeitlichen Ebene, im »Steppenwolf« habe ich sie, glaube ich, die »Unsterblichen« genannt. Zu ihnen gehören Bach wie Jesus, Lao Tse und
Buddha wie Giorgione, Corot oder Cézanne. Ich glaube
nicht, daß es irgend einem Künstler, Dichter oder Denker
anders geht: seine Kameraden sind vor allem die Vorangegangenen, die, deren Gedanken, Ziele und Ideale auch
nach Jahrzehnten, Jahrhunderten oder Jahrtausenden noch
lebendig und schön und wirksam sind, während die Kaiser,
Könige, Staatsführer, Feldherren, die Größen des »Heute«,
alle morgen schon veraltet und dann rasch vergangen sind.
Was ist heut Kaiser Wilhelm, Hitler, Hindenburg?

*(Brief, Februar 1953 an H. M.)*


Es gibt eine Menge von jungen Leuten unter meinen Lesern, die nach kurzer Begeisterung für »Demian«, für
»Steppenwolf« oder »Goldmund« gern wieder zu ihrem
Katechismus oder zu ihrem Marx oder Lenin oder Hitler
zurückkehren. Und dann wieder gibt es solche, die sich
nach dem Lesen solcher Bücher nun allen Gemeinsamkeiten

154

und Bindungen entziehen zu müssen meinen und sich dabei auf mich berufen. Ich vertraue aber darauf, daß es auch sehr viele andere gebe, die aus unsern Dichtungen so viel aufnehmen, als ihre Natur erlaubt, die einen Autor wie mich als Anwalt des Individuums, der Seele, des Gewissens gelten lassen, ohne sich ihm wie einem Katechismus, einer Orthodoxie, einem Marschbefehl unterzuordenen und ohne die hohen Werte der Gemeinschaft und Einordnung über Bord zu werfen. Denn diese Leser spüren, daß es mir weder um die Zerstörung der Ordnungen und Bindungen zu tun ist, ohne die ein menschliches Zusammenleben unmöglich wäre, noch um die Vergottung des Einzelnen, sondern um ein Leben, in dem Liebe, Schönheit und Ordnung herrschen, um ein Zusammenleben, in dem der Mensch nicht zum Herdenvieh wird, sondern die Würde, die Schönheit und die Tragik seiner Einmaligkeit behalten darf. Ich zweifle nicht daran, daß ich zuweilen geirrt und gefehlt habe, daß ich manchmal allzu leidenschaftlich war und daß mancher junge Leser durch Worte von mir verwirrt und gefährdet worden ist. Aber wenn Sie die Mächte betrachten, die in der heutigen Welt der Entwicklung des Einzelnen zur Persönlichkeit, zum Vollmenschen hinderd entgegenstehen, wenn Sie den phantasiearmen, schwach bestellten, den ganz nur angepaßten, nur gehorsamen, nur gleichgeschalteten Typus Mensch betrachten, der das Ideal der großen Kollektive und vor allem des Staates ist, dann wird es Ihnen nicht schwerfallen, für die kämpferischen Gebärden des kleinen Don Quichote gegen die großen Windmühlen Verständnis und Nachsicht aufzubringen. Der Kampf scheint aussichtslos und unsinnig. Viele bringt er zum Lachen. Und doch muß er gekämpft werden, und doch hat Don Quichote nicht minder Recht als die Windmühlen.

*(Brief, März 1954 an eine Studentin)*

Deine Basler Schilderungen habe ich mit Genuß gelesen. In eine Spalenbergkneipe bin ich auch ein paarmal einst gekommen, mein Weinlokal aber während meiner 2 Basler

Winter um 1924 war der Helm am Fischmarkt, im Steppenwolf Stahlhelm, der auch längst nicht mehr steht.

*(Brief, 31. 3. 1955, an K. Dettinger)*

Anders ist es, wenn Sie Knecht einen Steppenwolf nennen.
Er ist dessen Gegenteil. Der Steppenwolf flieht vor dem
Verzweiflungstod durchs Rasiermesser ins naive sinnliche
Leben. Knecht aber, der Gereifte, verläßt heiter und tapfer
eine Welt, die ihm keine Entwicklungsmöglichkeiten mehr
läßt.

*(Brief, 28. 8. 1955, an R. Klotz)*

Das ehemalige Restaurant »Zum Helm« am Fischmarkt in Basel;
der »Stahlhelm« im »Steppenwolf«.

Texte zum ›Steppenwolf‹

## NACHWORT ZUM »STEPPENWOLF«

Dichtungen können auf manche Arten verstanden und mißverstanden werden. In den meisten Fällen ist der Verfasser
einer Dichtung nicht die Instanz, welcher eine Entscheidung
darüber zusteht, wo bei deren Lesern das Verständnis
aufhöre und das Mißverständnis beginne. Schon mancher
Autor hat Leser gefunden, denen sein Werk durchsichtiger
war als ihm selbst. Außerdem können ja auch Mißverständnisse unter Umständen fruchtbar sein.
Immerhin scheint mir der »Steppenwolf« dasjenige meiner
Bücher zu sein, das öfter und heftiger als irgendein anderes
mißverstanden wurde, und häufig waren es gerade die zu-
stimmenden, ja die begeisterten Leser, nicht etwa die ab-
lehnenden, die sich über das Buch auf eine mich befrem-
dende Art geäußert haben. Zum Teil, aber nur zum Teil,
kommt die Häufigkeit dieser Fälle davon her, daß dieses
Buch, von einem Fünfzigjährigen geschrieben und von
den Problemen eben dieses Alters handelnd, sehr häufig
ganz jungen Lesern in die Hände fiel.
Aber auch unter den Lesern meines Alters fand ich häufig
solche, denen mein Buch zwar Eindruck machte, denen aber
merkwürdigerweise nur die Hälfte seiner Inhalte sichtbar
wurde. Diese Leser haben, so scheint mir, im Steppenwolf sich selber wiedergefunden, haben sich mit ihm identifiziert, seine Leiden und Träume mitgelitten und mitge-
träumt, und haben darüber ganz übersehen, daß das Buch
auch noch von anderem weiß und spricht als von Harry
Haller und seinen Schwierigkeiten, daß über dem Steppenwolf und seinem problematischen Leben sich eine zweite,
höhere, unvergängliche Welt erhebt, und daß der »Traktat«
und alle jene Stellen des Buches, welche vom Geist, von der
Kunst und von den »Unsterblichen« handeln, der Leidenswelt des Steppenwolfes eine positive, heitere, überpersönliche und überzeitliche Glaubenswelt gegenüberstellen, daß
das Buch zwar von Leiden und Nöten berichtet, aber keines-

wegs das Buch eines Verzweifelten ist, sondern das eines Gläubigen.

Ich kann und mag natürlich den Lesern nicht vorschreiben, wie sie meine Erzählung zu verstehen haben. Möge jeder aus ihr machen, was ihm entspricht und dienlich ist! Aber es wäre mir doch lieb, wenn viele von ihnen merken würden, daß die Geschichte des Steppenwolfes zwar eine Krankheit und Krisis darstellt, aber nicht eine, die zum Tode führt, nicht einen Untergang, sondern das Gegenteil: eine Heilung.

*(1941)*

## KRISIS
## Ein Stück Tagebuch
## von Hermann Hesse

*Liebe Freunde!*

Während Ihr mir zum fünfzigsten Geburtstag gratuliert, bereite ich dies Heft Gedichte für Euch zum Druck vor, das Tagebuch eines Winters und eine Antwort im voraus auf Eure Glückwünsche. Der »Mann von fünzig Jahren« hat wenig Grund, Glückwünsche einzuheimsen. Er pflegt mehr mit der Angst vor dem Altern und Sterben beschäftigt zu sein als mit der Freude am Festefeiern.

Indessen ist das Problem des alternden Mannes, die altbekannte Tragikomödie des Fünfzigjährigen, keineswegs der einzige Inhalt dieser Verse. Es ist in ihnen nicht bloß von dem nochmaligen Aufflackern der Lebenstriebe im Alternden die Rede, sondern mehr noch von einer jener Etappen des Lebens, wo der Geist seiner selbst müde wird, sich selbst entthront und der Natur, dem Chaos, dem Animalischen das Feld räumt. In meinem Leben haben stets Perioden einer hochgespannten Sublimierung, einer auf Vergeistigung zielenden Askese abgewechselt mit Zeiten der Hingabe an das naiv Sinnliche, ans Kindliche, Törichte, auch ans Verrückte und Gefährliche. Jeder Mensch hat dies in sich. Ein großer Teil, ja der allergrößte Teil dieser dunkleren, vielleicht tieferen Lebenshälfte ist in meinen früheren Dichtungen unbewußt verschwiegen oder beschönigt worden. Der Grund zu diesem Verschweigen lag, wie ich glaube, nicht in einer naiven Verdrängung des Sinnlichen, sondern in einem Gefühl der Minderwertigkeit auf diesem Gebiete. Ich verstand mich auf das Geistige im weitesten Sinne besser als auf das Sinnliche; im Denken oder Schreiben konnte ich mit einer Auswahl hochstehender Zeitgenossen den Wettlauf aufnehmen, im Shimmy-Tanzen und den Künsten des Lebemannes dagegen war ich ein Barbar, obwohl ich wußte, daß auch diese Künste wertvoll sind und zur Kultur gehören.

Mit zunehmenden Jahren nun, da das Schreiben hübscher Dinge an sich mir keine Freude mehr macht und nur

161

eine gewisse spät erwachte, leidenschaftliche Liebe zur Selbsterkenntnis und Aufrichtigkeit mich noch zum Schreiben treibt, mußte auch diese bisher unterschlagene Lebenshälfte ins Licht des Bewußtseins und der Darstellung gerückt werden. Es fiel mir nicht leicht, denn es ist angenehmer und schmeichelhafter, der Welt seine edle, vergeistigte Seite zu zeigen als die andere, auf deren Kosten die Vergeistigung stattgefunden hat. Viele meiner Freunde haben mir denn auch aufs deutlichste gesagt, daß meine neueren Unternehmungen, im Leben wie im Dichten, unverantwortliche Entgleisungen seien und daß der Autor des »Siddhartha« sich selbst eine würdige Haltung schuldig sei. Ich denke nun hierüber anders, vielmehr es handelt sich hier nicht um Meinungen und Gesinnungen, sondern für mich um Notwendigkeiten. Man kann nicht das Ideal der Aufrichtigkeit haben und immer nur die hübsche und bedeutende Seite seines Wesens zeigen. Die andere ist auch da, und ich gestehe, daß meine Aufrichtigkeit hier noch bedeutende Löcher hat, daß ich in diesem Büchlein eine Anzahl von Gedichten weggelassen habe, weil ihre Mitteilung meinem Selbstgefühl allzu weh getan hätte.
Liebe Freunde, es ist mir an Eurem Urteil nichts gelegen. Viel aber liegt mir an Eurer Liebe. Erhaltet sie mir, auch wenn Ihr meine Verse nicht billiget.


*Hingabe*

Dunkle du, Urmutter aller Lust,
Die ich floh, die ich so oft verflucht,
Die mich dennoch immer hat gesucht,
Endlich werf ich mich an deine Brust!

Nimm mich hin, furchtbare Mutter Nacht,
Todeswollust ist's, dich zu umarmen,
Heimlich aus dem heißen Abgrund lacht
Ahnung von Erlösung, von Erbarmen.
Tief in deinen schwarzen Augen brennt
Deiner düstern Liebe Glut so wehe,
Deiner Liebe, die mich ganz erkennt,

162

Deren Todesruf ich ganz verstehe.
Willig folg ich dir durch Blut und Angst,
Fühle, wie du mich zurückverlangst,
Um noch einmal mich dein Kind zu nennen,
Um in einem Kuß mich zu verbrennen.

*Sterbelied des Dichters*

Bald geh ich heim,
Bald geh ich aus dem Leim,
Und meine Knochen fallen
Zu den andern allen,
Der berühmte Hesse ist verschwunden,
Bloß der Verleger lebt noch von seinen Kunden.

Dann komm ich wieder auf die Welt,
Ein Knäblein, das allen wohlgefällt,
Sogar alte Leute schmunzeln
Aus wohlwollenden Runzeln.
Ich aber saufe und fresse,
Heiße nicht mehr Hesse,
Liege bei den jungen Weibern,
Reibe meinen Leib an ihren Leibern,
Kriege sie satt und drücke ihnen die Gurgel zu,
Dann kommt der Henker und bringt auch mich zur Ruh.

Dann kann ich wieder auf Erden
Von einer Mutter geboren werden
Und Bücher schreiben oder Weiber begatten.
Ich bleibe aber lieber am Schatten,
Bleibe im Nichts und ungeboren
Und ungeschoren, im Jenseits verloren,
Da kann man über alle diese Sachen
Lachen, lachen, lachen, lachen.

*Altwerden*

Von der Wand schilfert Kalk herunter,
Schuppen scherben aus meinem grauen Haar,

Einst war ich so froh und munter,
Ich bin nicht mehr, was ich einst war.
Ach, die Sterne scheinen am Himmel zu stehen
Mit ihrem lieben Licht,
Aber sie stehen nicht,
Sie rennen blitzschnell, und sie drehen
Sich immer weiter und jagen sich.
So eile und renne auch ich,
Während ich ruhig bei meinem Cognac sitze,
Schnell und schneller dem Grab entgegen.
Der Kalk rieselt von der Wand,
Über den Boden zucken die blauen Blitze,
Vom Fenster spritzt der Regen
Mir auf die Kniee und auf die Hand.
Mein Gott, so kommet doch und seid nett mit mir!
Aber niemand kommt, niemand kommt.
Ich sitze und schreibe auf mein Papier,
Sitze vom Regen angespritzt
Und warte auf das, was nicht kommt,
So wie auf dürrem Ast der Rabe sitzt.


*Kopfschütteln*

Wär ich einsam und Asket geblieben,
Statt in diese bunte Welt zu tauchen,
Mich noch einmal brennend zu verlieben,
Mich noch einmal lodernd zu verbrauchen!
Traurig seh ich ein, ich alter Knabe:
Dieses Tun ist lächerlich und nichtig,
Das ich viel zu spät begonnen habe,
Nicht einmal den Onestep kann ich richtig!
Aber da ich nun einmal begonnen,
Mich ins warme Schlammbad einzuwühlen,
Hat dies Leben ganz mich eingesponnen,
Läßt sich nicht mehr dämmen oder kühlen.
Immer weiter tanz ich, fall ich, sink ich,
Spiel und Trunk und Wollust hingegeben,
Täglich mehr verkomm ich und ertrink ich
In dem angenehmen Luderleben.

164

*Der Dichter*

Nachts kann ich oft nicht schlafen,
Das Leben tut weh,
Da spiel ich dichtend mit den Worten,
Den schlimmen und den braven,
Den fetten und den verdorrten,
Schwimme hinaus in ihre still spiegelnde See.
Ferne Inseln mit Palmen erheben sich blau,
Am Strande weht duftender Wind,
Am Strande spielt mit farbigen Muscheln ein Kind,
Badet im grünen Kristall eine schneeweiße Frau.
Wie übers Meer die wehenden Farbenschauer
Über meine Seele die Versträume wehn,
Triefen von Wollust, starren in Todestrauer,
Tanzen, rennen, bleiben verloren stehn,
Kleiden sich in der Worte viel zu bescheidenes Kleid,
Wechseln unendlich Klang, Gestalt und Gesicht,
Scheinen uralt und sind doch so voll Vergänglichkeit.
Die meisten verstehen das nicht,
Halten die Träume für Wahnsinn und mich für verloren,
Sehn mich an, Kaufleute, Redakteure und Professoren –
Andre aber, Kinder und manche Frauen,
Wissen alles und lieben mich wie ich sie,
Weil auch sie das Chaos der Bilderwelt schauen,
Weil auch ihnen die Göttin den Schleier lieh.


*Mißglückter Abend*

Sie hatten mich zu Abend eingeladen,
Aber mit mir war heute nichts los,
Kater und Kopfweh waren groß,
Und immer diese Schmerzen in den Waden,
Sie können nichts Gutes bedeuten.
Und dann hingen bei diesen Leuten
Solche dumme Bilder an der Wand,
Ein Goethe und mancher andre Kunstgegenstand,
Schließlich spielte auch noch jemand Klavier

Mit kräftiger, doch ahnungsloser Hand,
Und kurz, ich hielt es plötzlich nicht mehr aus
In dem leider so achtbaren Haus.
Ich sagte der Hausfrau irgendeine Schnödigkeit,
Unartig bin ich gleich nach Tische weggelaufen,
Sie sagten, es täte ihnen leid,
Aber man sah schon, es war gelogen.
Traurig bin ich davongezogen,
Um irgendwo ein kleines Mädchen zu kaufen,
Das nicht Klavier spielt und sich nicht für Kunst intressiert.
Doch fand ich keines und begann wieder zu saufen,
Obwohl ich eben erst damit renommiert,
Ich würde es mir gründlich abgewöhnen.
Sagt, seid ihr alle so scheußlich allein,
Oder muß nur ich auf der schönen
Welt so einsam und wütend und traurig sein?
Ihr Menschen, warum ladet ihr einander ein?
Warum hängt ihr solchen Kram an eure Wände?
Warum macht ihr diesem Hundeleben,
Das doch niemand Freude machen kann,
Nicht ein rasches, aber edles Ende,
Sondern spielet Klavier und sprecht über Thomas Mann?
Ich kann es nicht verstehen,
Soviel Cognac ist nicht gesund,
Man kommt dabei auf den Hund.
Aber ist es nicht edler, unterzugehen?


*Frohe Nacht*

Schlimm ist's, schlaflos zu liegen, wenn man betrübt ist
Und alle Flügel traurig zur Erde hängen.
Schön ist's, schlaflos zu liegen, wenn man verliebt ist
Und alle Quellen der Sehnsucht nach oben drängen.

Nachts in der Bar, enttäuscht und allein, wollt ich gehen,
Zahlte den Whisky und trabte traurig von hinnen,
Da auf der Treppe blieb ich bezaubert stehen,
Alsbald bereit, die Nacht nochmals zu beginnen.

166

Gisela kam und Fanny, und eben begannen
Oben den seligsten Onestep die Musikanten
O wie beglückend und schnell die beflügelten Takte rannen!
Alle glühten wir auf, und tanzten rasend, und brannten.

Jetzt schon bei grauendem Morgen lieg ich im Bette,
Trage Giselas Duft noch blühend in allen Sinnen,
Summe den Shimmy, denke an Fanny und hätte
Nichts dagegen, nochmals diese Nacht zu beginnen.


*Nach dem Abend im Hirschen*

Wir schliefen alle, leicht betrunken, in der Bar,
An deinem weißen Hals lag meine Wange,
Zart roch dein Pelz und voll dein schwarzes Haar,
Vor deiner Jugend ward mir plötzlich bange.
Was will ich hier, in diesem schönen Arm,
An dieser Brust, auf diesen jungen Knieen,
Ich alter Mann, dem nie ein Glück gediehen?
Du bist für mich zu jung, zu schön, zu warm.
Was will ich hier an diesen Marmortischen,
Wo Sherry fließt und Würfelbecher stehn?
Ich will zum Wassermann und zu den Fischen
Und heim in das gewohnte Elend gehn.
Verschwinde, Clown, aus dieser heitern Runde,
Wo Leichtsinn blüht und junge Schönheit lacht,
Nimm deinen Hut, längst schlug es Mitternacht,
Lauf heimwärts, alter Narr, und geh zugrunde!
Da stand ich auf und ging, sie merkten's nicht,
Und draußen im Kanal schwamm Sternenlicht,
Ich war so müd, und meine Hände brannten.
Vor meinem Hause saß ein fremder Hund,
Der roch an mir und floh den Unbekannten;
Ich stieg die Treppe, jeder Schuh wog hundert Pfund,
Im Spiegel starrten rote Augenlider
Und graues Haar, das welkt und geht zugrund.
Ach biss' und fräße mich der fremde Hund!
Es geht bergab, die Jugend kommt nicht wieder.

*Weg zur Mutter*

Manchmal duftet aus dem öden Grau
Eine Stunde voller Seligkeit,
Blumig wie der Name einer Frau:
Dagmar, Eva, Lise, Adelheid.
Manchmal schimmert so ein weißer Blitz
Mädchenhaut aus eines Ärmels Spalt,
Liebesblick aus schmalem Augenschlitz,
Kurzer Freuden holder Aufenthalt.
Und obwohl ich ihre Kürze kenne,
Bin ich voll Verlangen nach der Lust,
Sende Liebesblicke aus und brenne
Zärtlich auf an jeder Frauenbrust.

So zum Kinde bin ich jetzt geworden,
Das in seiner kleinen Freuden Flucht
Gierig läuft und heimlich allerorten
Mutterduft und Mutterbrüste sucht.
Seid willkommen, kurze Liebesfeuer,
Seid geküßt, ihr Augen braun und blau,
Spiel der Werbung, buntes Abenteuer,
Sei willkommen, ewige Mutter Frau!
Dich zu lieben, weiß ich, führt zum Tod,
Eilig ist mein Faltertraum verloht.
Laß mich nicht im Dunkeln einst verderben,
Mitten in den Flammen laß mich sterben!


*Nachdem ich aus dem »Steppenwolf« vorgelesen hatte*

Den ganzen Abend durfte ich meine Gedichte vorlesen,
Es sind zwei liebe Freunde dagewesen;
Ich las und las, während sie ruhten und Rotwein tranken,
Wurde warm, wurde heiß, und sie lobten die guten
                                        [Gedanken,
Fanden es fein, dankten, gähnten ein wenig,
Gingen fort und zu Bett. Und ich saß allein,
Entthront, zwischen meinen Papieren ein Irrenhauskönig.
Ach, wären sie noch eine Stunde geblieben!

168

Wie gern hätte ich, bei einem stillen Glas Wein,
Mich langsam gekühlt und wieder zur Erde gefunden!
So aber liefen sie weg, die Lieben,
Kaum hatte ich meine Arbeit getan;
Urplötzlich saß ich hart auf der Erde unten,
Verstimmt, ernüchtert! Grau sah das Papier mich an,
Und so saß ich und sitze noch immer hier,
Trinke Wein, starre auf das beschriebne Papier,
Trinke, starre, wünsche ich hätte geschwiegen,
Und werde die ganze Nacht schlaflos liegen.


*Fest am Samstagabend*


Heut war die schöne Mailänderin dabei,
Wir tanzten wenig, saßen lang und sprachen,
Früh um fünf Uhr kam ich nach Haus,
Man sah am Himmel, daß der Tag schon nahe sei.
Geliebte, du darfst nicht schelten noch lachen,
Die Mailänderin sah so traumhaft aus,
Ihr Auge und Mund ist so klar geschnitten;
Zwei Stunden lang war ich in sie verliebt,
Ohne sie doch um mehr zu bitten,
Als was jede Frau jedem Manne von selber gibt.
Jetzt schau ich zurück auf die festliche Nacht,
Sie hat mir doch etwas wie Glück gebracht,
Und nun träum ich von deinen schwarzen Haaren,
Liebe Seele, wärest du hier!
Meine Sehnsucht geht nur nach dir;
Niemals werd ich nach Mailand fahren,
Wenn ich es auch so obenhin versprach.
Der Sonntagmorgen schaut in mein Gemach,
Nur eine Minute schlief ich und sah im Traum
Dich und die Milanesin zusammenfließen,
Weib und Schlange unter dem Lebensbaum,
Und mich so fest und glühend umschließen,
Wie ich's in Jünglingsträumen einst gefühlt,
Die niemals eine Wirklichkeit ernüchtert und gekühlt.
Das Paradies stand hell in Flammen,
Und ihr beide drücktet mein Herz

So voll selig tötender Liebe zusammen,
Daß ich verging in rasender Wollust Schmerz.
– Wohin ist das schon wieder entschwunden?
Ich liege, Schlaf erwartend, seit Stunden,
Müde, müde, aber noch immer ein wenig froh.
Nun ja, ich weiß, es bleibt nicht lange so.


*Zu Johannes dem Täufer sprach Hermann der Säufer:*

Alles ist mir ganz willkommen,
Laß uns weiter schlendern!
So hat's seinen Lauf genommen,
Nichts ist mehr zu ändern.
Schau, ich bin ein leeres Haus,
Tür und Fenster offen,
Geister taumeln ein und aus,
Alle sind besoffen.
Du hingegen hast noch Geld,
Zahle was zu trinken,
Voller Freuden ist die Welt,
Schade, daß sie stinken.

Andre Dichter trinken auch,
Dichten aber nüchtern,
Umgekehrt hab ich's im Brauch,
Nüchtern bin ich schüchtern.
Aber so beim zehnten Glas
Geht die Logik flöten,
Dann macht mir das Dichten Spaß.
Ohne zu erröten,

Preise ich des Daseins Frist,
Lobe aus dem Vollen,
Bin Bejahungsspezialist,
Wie's die Bürger wollen.

Wer des Lebens Wonnen kennt,
Mag das Maul sich lecken.
Außerdem ist uns vergönnt,
Morgen zu verrecken.

*Jede Nacht*

Jede Nacht der gleiche Jammer,
Erst getanzt, gelacht, gesoffen,
Müde dann in meine Kammer
Und ins kühle Bett geschloffen.
Kurzer Schlaf und langes Wachen,
Verse aufs Papier geschrieben,
Brennende Augen wund gerieben,
Lieber Gott, es ist zum Lachen!
Zwischen Träumetrümmern lieg ich,
Wünsche dieser Qual ein Ende,
In zerwühlte Kissen schmieg ich
Heiße Wangen, feuchte Hände,
Schütte Whisky in die Kehle,
Und in den verlorenen Schlünden
Jammert die erstickte Seele.
Irgendwo aus Höllengründen
Kommt der Morgen dann geschlichen,
Und der Tag mit fürchterlichen
Augen stiert auf meine Sünden.


*Neid*

Wenn ich doch Banjo könnte spielen
Und Saxophon in einer Jazzband blasen,
Vortänzer sein in einem Nachtlokal,
Mit meiner Kunst in alle Herzen zielen,
Froh mich ergehn in Späßen und Ekstasen,
Der Ladenmädchen Held und Ideal!
Vergnügt in mein geschweiftes Blasrohr blies' ich
Und sänge zwischenein in hellem Jubel,
Grell und begeistert in den heißen Saal
Die wunderlichen Tonraketen stieß' ich,
Peitschte im Takt empor den trunknen Trubel
Und opferte mit Tanz dem Gotte Baal.

Dann wär ich hier nicht Fremdling mehr und Gast,
Wär einer von den Priestern der Astarte,

Heimat wär mir der tönende Palast,
Aus dem ich mich so oft bekümmert stahl,
Vor dem ich oft so lang beklommen warte.
Zu spät! Vorbei! Ich werde nie erreichen
Die Strahlenden, die Götter dieser Erde,
Einsam bin ich und schwach. Ich weiß, ich werde
Nie diesen Glücklichen und Künstlern gleichen,
Ein Fremdling muß ich sein und scheuer Gast,
Muß mich mit Zuschaun, Draußenstehn bescheiden,
Muß Tänzer, Banjo, Saxophon beneiden,
Muß traurig in die frohen Feste sehen
Und meiner Verse Leierkasten drehen,
Den andern lächerlich, mir selbst verhaßt.


*Betrachtung*

Ich bin einmal ein Dichter gewesen,
Jetzt kann ich nur noch Knittelverse machen,
Die Leute, die sie lesen,
Schimpfen darüber oder lachen.
Ich war einmal ein Weiser und wußte viel,
Ich war schon ganz nahe am Ziel,
Nun bin ich wieder ein Narr geworden,
Fange wieder von vorne an,
Vielleicht werde ich noch brennen und morden,
Wie es im Kriege die Helden getan.
Es war mir nicht bestimmt,
Etwas Ordentliches zu werden,
Das Leben ist schwer auf Erden;
Schon meine Schullehrer haben gewußt,
Daß es mit mir einmal ein böses Ende nimmt.
Diesem bösen Ende entgegen
Lockt mich die Stimme in meiner Brust,
Die singt so dunkel und macht mir Lust,
Mich auf die Eisenbahnschienen zu legen.
So schlimm wie das Leben kann der Tod nicht sein,
Denn gar manche Leute nahmen sich das Leben;
Aber niemals fiel es einem Toten ein,

Wieder sich den Tod zu nehmen,
Er müßte sich ja schämen.
Nein, in den Tod ging schon mancher freiwillig hinein,
Aber noch keiner in das Leben.


*Verführer*

Gewartet habe ich vor vielen Türen,
In manches Mädchenohr mein Lied gesungen,
Viel schöne Frauen sucht ich zu verführen,
Bei der und jener ist es mir gelungen.
Und immer, wenn ein Mund sich mir ergab,
Und immer, wenn die Gier Erfüllung fand,
Sank eine selige Phantasie ins Grab,
Hielt ich nur Fleisch in der enttäuschten Hand.
Der Kuß, um den ich innigst mich bemühte,
Die Nacht, um die ich lang voll Glut geworben,
Ward endlich mein – und war gebrochene Blüte,
Der Duft war hin, das Beste war verdorben.
Von manchem Lager stand ich auf voll Leid,
Und jede Sättigung ward Überdruß;
Ich sehnte glühend fort mich vom Genuß
Nach Traum, nach Sehnsucht und nach Einsamkeit.
O Fluch, daß kein Besitz mich kann beglücken,
Daß jede Wirklichkeit den Traum vernichtet,
Den ich von ihr im Werben mir gedichtet
Und der so selig klang, so voll Entzücken!
Nach neuen Blumen zögernd greift die Hand,
Zu neuer Werbung stimm ich mein Gedicht . . .
Wehr dich, du schöne Frau, straff dein Gewand!
Entzücke, quäle – doch erhör mich nicht!


*O so in später Nacht . . .*

O so in später Nacht nach Hause gehen,
Verliebt, verschmäht, von keinem Kuß beglückt,

173

Und in die bleichen Himmelsfelder sehen,
Wo der Orion traurig erdwärts rückt!

Und dann daheim, von Licht und Bett empfangen,
Sich niederlegen einsam und betrogen,
Von schweren Wünschen hin und her gezogen,
Umsonst nach Schlaf, nach Traum, nach Trost verlangen,

Voll Trauer über ein verschwendet Leben
In Schächten der Erinnerungen schürfen
Und wissen, daß nur Ein Trost uns gegeben:
Dem Lebenmüssen folgt das Sterbendürfen!


*Steppenwolf*

Ich Steppenwolf trabe und trabe,
Die Welt liegt voll Schnee,
Vom Birkenbaum flügelt der Rabe,
Aber nirgends ein Hase, nirgends ein Reh!
In die Rehe bin ich so verliebt,
Wenn ich doch eins fände!
Ich nähm's in die Zähne, in die Hände,
Das ist das Schönste, was es gibt.
Ich wäre der Holden so von Herzen gut,
Fräße mich tief in ihre zärtlichen Keulen,
Tränke mich voll an ihrem hellrotem Blut,
Um nachher die ganze Nacht einsam zu heulen.
Sogar mit einem Hasen wär ich zufrieden,
Süß schmeckt sein warmes Fleisch in der Nacht –
Ist denn alles und alles von mir geschieden,
Was das Leben ein wenig heiterer macht?
An meinem Schwanz ist das Haar schon grau,
Auch kann ich gar nimmer deutlich sehen,
Schon vor Jahren starb meine geliebte Frau.
Und nun trab ich und träume von Rehen,
Trabe und träume von Hasen,
Höre den Wind in der Winternacht blasen,
Tränke mit Schnee meine brennende Kehle,
Trage dem Teufel zu meine arme Seele.

174

*Protest*

Dem Menschen ist's gegeben,
Am siebten Tag zu ruhn,
Doch kann er auch daneben
Noch manches andre tun.
Holde Blumen blühen an des Weibes Bauch,
Innen ist alles voller Gedärme,
Wofür ich weniger schwärme,
Es war in meiner Heimat nicht der Brauch.

Indessen haben Bräuche und Sitten
Seit damals unleugbar gelitten,
Und die Ehrbarkeit, die ich so sehr geliebt,
Ist etwas, was es fast gar nicht mehr gibt.
Sechs Tage sollst du essen,
Am siebten in deinem Schweiße ruhn
Und Gott nicht vergessen,
Sondern brav Geld verdienen und Gutes tun:
All diese Gebote haben leider
Überall, sogar in der Schweiz,
Viel verloren von ihrem Reiz;
Denn ernst ist die Kunst, das Fleisch aber heiter.
Mancher frißt sogar Kutteln zum Abendmahl,
Ich seh es oft mit Grauen,
Während doch Gott dem Menschen befahl,
Seinen Nächsten zu lieben, Männer wie Frauen.

Kurz, ich kenne mich nimmer aus
In diesem Narrenhaus,
Und zu den werten Lesern gewandt
Protestiere ich als Mensch, Christ, Patriot und Protestant.


*Die Zauberflöte am Sonntagnachmittag*

Heut hab ich einen Fehler gemacht.
Ich folgte einem naiven Verlangen
Und bin in die Zauberflöte gegangen.

Da saß ich in des Theaters Nacht,
Hörte ergriffen die allzu geliebten Töne,
Tränen liefen mir glühend über die Wangen,
Zauberhaft grüßte mich die unsterbliche Schöne,
Die mir einst Heimat war und mir nun Fremde ward.

O wie sangen die seligen Engelknaben!
O wie wehte das Lied von Taminos Flöte so zart!
Alle Schauer der Kunst, die je mich beseligt haben,
Rannen noch einmal durch mein erschrocknes Herz,
Brandeten auf und wurden zu rasendem Schmerz.

Rings um mich in der Wolke
                    von Stank und Programmgeknister]
Saßen zufrieden die frohen Sonntagsphilister,
Lobten das Stück und wandelten heimatwärts.
Ich aber, der ich nicht Heimat noch Frieden kenne,
Der ich immer nur Dornen zu pflücken gewußt,
Irre flackernd umher in der Nacht und renne
Alle Speere der Sehnsucht mir tief in die Brust,
Laufe davon, um mich möglichst rasch zu erschießen,
Werde aber, geborener Dilettant,
Später, wenn ich mich heiß und müde gerannt,
Irgendwo landen, wo Rotwein und Cognac fließen.


*Traumfigur*

Es geht ein greiser Mann
Mit weißen Locken unterm schwarzen Hut,
Der hübsch aussieht und lebhaft reden kann,
Doch ist er alt und kühl sein Blut.

Halb ist er lächerlich
Und tut mir leid in seiner Ahnentracht,
Die so hübsch ist und dennoch ihn komisch macht,
Halb ist er ehrwürdig und feierlich.

Der Alte geht und spricht
Bedauernd und klug über die jetzige Zeit.

176

Richtig verstehn kann ich ihn nicht,
Bin aber zu höflicher Zustimmung bereit.

So geht der alte Mann,
Spricht Klugheit aus der knorpeligen Kehle.
Ich wollte, ach, er ginge mich nichts an!
Doch ist er ja ein Abbild meiner eigenen Seele.


*Bei der Toilette*

So viele Jahre lebt ich fern der Welt,
Fremd diesem Markt der Weiber und Genüsse,
Wild, ungepflegt, auf mich allein gestellt,
Bruder der Bäume, Freund der Seen und Flüsse.
Jetzt lern ich Abende damit vertun,
Frisur, Krawatte, Hemd und Haut zu pflegen,
Im Smoking auszugehn und blanken Schuhn,
Am Boy vorbei, der Tanzmusik entgegen.

Im Spiegel seh ich lächeln mein Gesicht,
Ein wenig müd, ein wenig grauer, bleicher,
Ein wenig böser auch und faltenreicher.
Einst war das Auge klar, die Stirne licht,
Wange und Lippe lachender und weicher,
Da braucht ich Puder und Pomade nicht.

Nun, altes Männlein, kämme hübsch den Scheitel,
Rasier dich gut und schlüpf ins Abendhemd!
All dein Bemühn ist doch vermutlich eitel,
Du bleibst in dieser Welt doch immer fremd.
Und einmal wird der Wald zurück dich reißen,
Der Bach, der Regen, Sterne, Berge, Seen,
Du wirst den hübschen Plunder von dir schmeißen

Und noch einmal die alten Wege gehn,
Wirst wieder wandern, schweifen, schauen dürfen,
Den Becher Einsamkeit zu Ende schlürfen
Und sterben in der Wildnis ungesehn.

*Vergebens hab ich allen Cognac –*

Vergebens hab ich allen Cognac ausgesoffen,
Kaum daß ich eine Stunde schlief!
Die brennenden Augen wie Wunden offen,
Lieg ich verdammt und schlaflos, lese den Brief,
Den meine Geliebte mir gestern geschrieben,
Fluche dem Leben, fluche dem törichten Lieben,
Schmeiße wüst durcheinander Trochäen und Jamben,
Trage dennoch im Herzen Hölderlins tiefe Musik,
Sehe fern leuchten der Jugend begeisterte Lampen,
Starre blind in des Schicksals irrsinnigen Blick.
Vater, Mutter, möge euch Gott verzeihn,
Daß ihr dieses Menschen Geburt geduldet!
Oh, und auch ich habe roh das Schlimmste verschuldet,
Armen Kindern den Fluch des Lebens zu leihn!
Nur durch Mord und Blut ist das gutzumachen,
Triff mit dem Messer im eigenen Herzen den Feind!
Höre der blutigen Götter grausames Lachen,
Reiß an der Sonne, die dennoch brutal weiterscheint!
Auf der Schmerzen glühenden Felsen geschmiedet,
Hör ich mein Blut, wie es bös in den Schläfen siedet,
Wie es geil und gierig nach neuen Leiden verlangt,
Wie es trotz allem feig vor dem Tode bangt.


*Die Unsterblichen*

Immer wieder aus der Erde Tälern
Dampft zu uns empor des Lebens Drang:
Wilde Not, berauschter Überschwang,
Blutiger Rauch von tausend Henkersmählern,
Krampf der Lust, Begierde ohne Ende,
Mörderhände, Wuchererhände, Beterhände.
Angst- und lustgepeitschter Menschenschwarm
Dunstet schwül und faulig, roh und warm,
Atmet Seligkeit und wilde Brünste,
Frißt sich selbst und speit sich wieder aus,
Brütet Kriege aus und holde Künste,
Schmückt mit Wahn das brennende Freudenhaus,

178

Schlingt und zehrt und hurt sich durch die grellen
Jahrmarktsfreuden seiner Kinderwelt,
Hebt für jeden neu sich aus den Wellen,
Wie sie jedem einst zu Kot zerfällt.

Wir dagegen haben uns gefunden
In des Äthers sterndurchglänztem Eis,
Kennen keine Tage, keine Stunden,
Sind nicht Mann noch Weib, nicht jung noch Greis.
Eure Sünden sind und eure Ängste,
Euer Mord und eure geilen Wonnen
Schauspiel uns gleichwie die kreisenden Sonnen,
Jeder einzige Tag ist uns der längste.
Still zu eurem zuckenden Leben nickend,
Still in die sich drehenden Sterne blickend,
Atmen wir des Weltraums Winter ein,
Sind befreundet mit dem Himmelsdrachen;
Kühl und wandellos ist unser ewiges Sein,
Kühl und sternhell unser ewiges Lachen.


*Wie schnell das geht!*

Eben war ich noch ein Kind,
Lachte laut in meiner glatten Haut,
Und jetzt bin ich schon ein alter Mann,
Der vertrottelt seinen Faden spinnt,
Der aus roten Augen blöde schaut
Und nicht mehr ganz aufrecht gehen kann.
O wie geht das Welken so geschwind:
Gestern rot, heute Idiot,
Übermorgen tot!
Wenn meine Geliebte mich nicht betrogen hätte
Und meine Frau mich nicht hätte verlassen,
Liefe ich noch singend durch die Gassen,
Läge ich noch blühend in meinem Bette.
Aber wenn die Frauen dich lassen stehn,
Dann, mein Junge, gib dich verloren,
Versieh dich mit Whisky und halte steif die Ohren;
Dann heißt es abtreten und untergehn.

## Schlimmer Abend

Jetzt sind sie im Odeon, fragen nach mir,
Trinken Champagner, tanzen am Ende schon,
Und ich sitze allein in der dreckigen Kneipe hier,
Bin mißmutig und feig meinem Versprechen entflohn.
Ich brachte die Laune nicht auf und den Mut,
Mich anzuziehn, zu rasieren und hinzufahren,
Wie ein trotziger Junge von sieben Jahren
Drückte ich mich. Ich nahm meinen ältesten Hut,
Lief im Regen hierher in die üble Kaschemme,
Wo ich harte Eier mit Rotwein hinunterschwemme
Und diesen Abend, auf den ich mich lange gefreut,
So dumm versaue, daß es mich jetzt schon reut.
Jetzt werde ich noch drei, vier Zigarren rauchen,
Angetrunken mit Kopfweh nach Hause laufen,
Vielleicht unterwegs noch im Adler einiges saufen,
Um recht im Jammer und Dreck unterzutauchen.
Hoffentlich komme ich nicht mehr nach Haus,
Hoffentlich bringt mich ein Auto zur Strecke,
Radiert mich mit seinen Gummirädern aus,
Daß ich endlich fertig bin und verrecke.
Es hätte schon lange geschehen sollen,
Ich komme immer, immer im Leben zu spät ...
Laß im Dreck, Chauffeur, deine Räderchen rollen!
Ziehe den Hut, Herr Pfarrer, zum Totengebet!
– Aber am Ende mißglückt mir auch dies Unternehmen!
Könnt ich das noch, ich würde mich wirklich schämen.

## Reaktion auf einen Zeitungsangriff

Ein Hund hat mich ins Bein gebissen,
Einer von jener flinken Rasse,
Die ich mit besonderer Liebe hasse,
Er hat mir die Hosen und den guten Ruf zerrissen,
Dieser tüchtige Journalist,
Vor Wut und Eifer war sein Kopf ganz rot,
Natürlich ist er ein Kriegshetzer und Nationalist.
Er wünscht mir einen baldigen Tod,

180

Ein Wunsch, den ich von Herzen erwidere.
Sein Artikel hat mich vieles gelehrt,
Nur die Gabe des Wortes ist ihm nicht beschert,
Mit einer armen Hundesprache behilft sich der Biedere,
Man sollte ihm etwas Wortschatz und Syntax leihen.
Aber dieser flinke Hund und Zeitungsknecht
Hat in der Hauptsache leider dennoch recht:
Er wünscht mir den Tod und ahnt wohl nicht,
Wie sehr dies meinen eigenen Wünschen entspricht.
Möge es dem Kerl in die Suppe schneien!
Möge er noch hundert Jahre leben müssen,
Verdammt, seine Artikel auswendig zu lernen!
Ich aber bin gerne erbötig, nach all den Genüssen
Dieses Lebens mich anderswohin zu entfernen.


*Schizophren*

Das Lied ist aus,
Wollen Sie also gefälligst wenden,
Entgürten Sie Ihre Lenden
Und fühlen Sie sich hier, bitte, wie zu Haus!
Legen Sie ab Ihre werte Persönlichkeit
Und wählen Sie sich als Abendkleid
Eine beliebige Inkarnation,
Den Don Juan oder den verlorenen Sohn
Oder die große Hure von Babylon,
Es geschieht nur zur besseren Belügung,
Die Garderobe steht ganz zu Ihrer Verfügung.

Haben Sie vielleicht meine Eltern gekannt?
Sie zählten zu den Stillen im Land,
Doch waren auch sie von der Erbsünde gehetzt,
Sonst hätten sie mich nicht in die Welt gesetzt.
Indes spielt dies hier eigentlich keine Rolle,
Zur Fortpflanzung bediene ich mich der Knolle,
Es ist das höchste Glück auf Erden
Und kann auch elektrisch betrieben werden.
So werden Sie wohl freundlichst gestatten,
Daß wir beide uns höflich begatten,

181

Wie es sich ziemt zwischen Vater und Sohn.
Vielleicht bedienen Sie inzwischen das Grammophon,
Während ich im Ständeratsaale
Die amtlichen Begattungssteuern bezahle.


*Abend mit Doktor Ling*

Das Leben ist darum so beschissen,
Weil wir doch alle sterben müssen,
Es lohnt sich nicht recht, etwas anzufangen,
Alles Schöne und Gute ist ja so schnell vergangen.
Das beste, um die Menschheit erfreulicher zu gestalten,
Wäre, sie zehn Minuten unter Wasser zu halten.
Indessen tun wir dieses heute nicht,
Schon weil es uns an Wasser gebricht.
Trinken wir lieber einen Liter Wein
Und unterhalten wir uns mit Doktor Ling
Über unsre gegenseitigen Depressionen,
Das wird das klügste sein,
Und fressen wir eine Leber mit grünen Bohnen
Oder einen gebratenen Schmetterling.
Was hilft des Ruhmes Lorbeerkranz,
Sind keine roten Äpfel dran?
Was nützet mir der schönste Schwanz,
Wenn ich damit nicht wedeln kann?
Nein, wir wollen noch einen Liter saufen
Und uns eine Brissago kaufen,
Mehr bietet dieses dumme Leben nicht.
Und dann bauen wir aus unsern Depressionen
Ein Haus, um darin zu wohnen,
Indessen uns die Nachwelt Kränze flicht.
Dort sitzen wir auf unsern armen Ärschen
Und bilden uns ein, die Welt zu beherrschen.


*Fieber*

Zu meiner Geliebten fuhr ich in der Eisenbahn,
Kam nachts erfroren zurück bei Hagel und Regen,
Mußte mich gleich mit Fieber niederlegen,

182

Denn die Treue sie ist ja kein leerer Wahn.
Jetzt hab ich richtig die Grippe gekriegt,
Träume unausdenkbar scheußliche Sachen,
Komme dazwischen, wenn die Vernunft manchmal siegt,
Doch noch dazu, mir einen Topf Grog zu machen.
Morgen früh nehme ich ein heißes Bad
Von ungefähr sechzig Grad,
Sollte mir aber nicht mehr zu helfen sein,
So gehe ich eben ein,
Möchte aber für diesen Fall notieren,
Was mir etwa noch zu sagen scheint,
Einerlei, ob es Freund oder Feind
Noch erfreuen mag oder interessieren:

Meiner Geliebten schicke ich viele Küsse
Auf Augen, Mund, Hals, Nacken, Knie und Füße,
Ich habe sie mehr geliebt, als sie ahnt,
Und habe mehr von ihr gelitten,
Als ich sonst auf Erden zu leiden fand.
Ihre schönen Finger, ihr Fuß und ihr schlanker Gang
Verdienen Andacht, Danksagung und Lobgesang.

Meine Freunde, ihr lieben Kameraden,
Ihr seid zu einem Totentrunk geladen,
Hundert Flaschen Burgunder stifte ich eurer Runde.
Sprechet von mir wie jeder mag,
Aber sprecht es beim Wein, mit lachendem Munde!

Euch danke ich noch in dieser beklommenen Stunde;
Von allem, was ich mit Menschen erlebt,
Ist eure Freundschaft das Beste gewesen,
Immer wieder hab ich nach Liebe gestrebt,
Immer wieder dankbar in euren Augen gelesen,
Daß auch für mich die Blume des Lebens blüht,
Daß auch für mich das Flämmlein der Liebe glüht.

Ach und ihr Lüfte, Berge, Winde, farbige Bilderwelt,
Seid noch einmal umarmt und ans Herz gedrückt,
Blaue Seen, schaumige Wolken, die mich entzückt
Und mir so viele Sommertage erhellt.

Auch von dir nehm ich Abschied und sage dir Dank
Holde Musik, du seligstes aller Spiele,
Wald der Töne du, Melodiengerank –
Keiner andern Göttin dank ich so viele
Tröstliche, schmerzliche, innige Freuden wie dir!

Aber mehr als ihr alle, geliebte Schäume,
Ist der dunkle schweigende Bruder mir,
Tiefer als Liebe, holder als alle Träume,
Dem ich lange gedient, lang schon die Hände bot:
Sei mir willkommen du, innig ersehnter Tod.
Dir entgegen durch Schmerzen und Fieber renn ich,
Dir entgegen mein Herz schon so lange voll Sehnsucht strebt,
Dir entgegen in lachender Liebe brenn ich:
Nimm mich! Lösch mich! ich habe genug gelebt.

*Noch immer krank*

Fieber kann ich schlecht vertragen,
Immer noch lieg ich und döse,
Nichts als etwas Grog im Magen,
Kranksein macht mich dumm und böse.
Wenn es wenigstens tödlich wäre!
O dann wär mir's eine Ehre,
Es heroisch zu ertragen.

Diesmal ist es ja noch gnädig;
Freunde kamen mich besuchen,
Alice brachte Tee und Kuchen. . . .
Ist auch keine Gattin tätig,
Meines Fiebers Brand zu lindern,
Droht auch keine Schar von Kindern
Mich am Sterben zu verhindern,
Fehlt es auch an Anverwandten,
Treuen Schwestern, lieben Tanten,
Dennoch bin ich nicht verlassen,
Und ich weiß das sehr zu schätzen!

184

Ach, mir ahnt, beim nächsten Male
Werd ich einsam kämpfen müssen.
Über lärmig fremden Gassen
Lieg ich dann im Krankensaale,
Niemand wird die Stirn mir netzen,
Niemand sanft ins Haar mich küssen,
Niemand Tee und Kuchen bringen,
Sondern einsam werd ich liegen,
Einsam auf das Ende warten.
Krankenschwestern werden harten
Angesichtes auf mich blicken
Und mir raten, mich zu schicken,
Werden dann mit ihren harten
Händen kühl mir die erstarrten
Finger zur Gebetsparade
Liebelos zusammenbiegen.
Lieber Gott, in deiner Gande
Mich aus ihren Klauen rette!
Jage diese frommen Ziegen
Fort von meinem Sterbebette!


*Schweinerei*

Wenn alles nicht so müßte sein
Und alles etwas anders wäre,
Dann wäre ein rechtes Schwein zu sein
Mir eine hohe Ehre.
Alles ist anders, als es scheint,
Haben die Philosophen gemeint,
Haben aber das Schwein vergessen.
O selig, o selig, noch klein und rein
Und ein junges Schwein zu sein,
Mit dem Rüssel aus der Schüssel fressen,
Mit dem Rüssel in der Schüssel wühlen,
Geil zu blicken aus des Auges Schlitz,
Einer treuen Seele schlichtem Sitz,
Und sich ganz und gar als Schwein zu fühlen!
Niemals hab ich dieses Glück genossen,
Während doch so viele andre Säue

185

Ehrenvoll und ohne jede Reue
Säuisch sich gewälzt in allen Gossen.
Tausend nie erlebte Schweinereien
Ahn ich sehnsuchtsvoll im Traum der Nacht,
Und mir scheint, bei Gott, sie seien
Einzig nur für mich gemacht.
Leider ist mir armem Idioten
Dieses grenzenlose Glück verboten.
Hinter mir in wesenlosem Scheine
Hör ich Schweine grunzen, Schweine, Schweine.


*Ein Brief*

Mein hochgeehrter Herr von Klein,
Ihren schmeichelhaften Brief habe ich erhalten,
Der mich einlädt, in Ihrem werten Verein
Einen literarischen Abend abzuhalten.
Aber leider kann ich mich nicht verpflichten,
Noch im Januar kommenden Jahres zu existieren;
Das Existieren freut mich mitnichten,
Schon jetzt beginn ich die Lust daran zu verlieren.

Und was nun meine Dichtungen betrifft,
So wurde Ihnen darüber allzu Hübsches erzählt:
Für Ihren Verein wären sie das reine Gift.
Viele meiner Freunde habe ich damit gequält,
Denn sie meinen, es sei des Dichters Beruf,
In des Bürgers Interesse das Leben stramm zu bejahen,
Wie sie das von so manchem Dichter betätigt sahen,
Der berühmte Romane und herrliche Dramen schuf.
Was mich betrifft, so schrieb ich zwar auch solche Sachen,
In der Lebensbejahung war ich früher groß,
Doch hatte ich damals noch wenig vom Leben gesehen.
Heute muß ich darüber lachen,
Und wenn ich ehrlich sein will, muß ich gestehen:
Nein, mit dem allzuviel bejahten Leben ist nichts los.

Wenden Sie sich gütigst an andre Adressen,
Wie der Kürschner sie Ihnen zu Hunderten nennt;

186

An Kürschners Schreibtisch bin ich lange genug gesessen,
Nun ziehe ich vor, gleich dem verlorenen Sohn
Brüderlich zwischen den Schweinen zu sitzen,
Das heißt in der Bar zwischen all den widrigen Fritzen
Cognac zu schlürfen oder Flip oder eine Flasche Beaune.
Dabei ist mir verhältnismäßig wohl,
Ich liebe die Jazzmusik und den Alkohol,
Und mit diesem Bekenntnis zum Guten und Schönen
Hoffe ich Sie, sehr geehrter Herr Groß und Klein,
Samt Ihrem so verdienstvollen Verein
Wieder einigermaßen zu versöhnen.


*Der Wüstling*

Rot blüht die Blume der Lust,
Rosig lächelt die Knospe auf deiner Brust,
Schaudert bebend unter meiner Zunge.
Einst war ich ein kleiner Junge,
Lernte Griechisch und ging zur Konfirmation,
Eines frommen Vaters vielversprechender Sohn.
Aber was ich damals versprochen,
Daraus ist nicht viel geworden,
Ich bin heraus aus eurem Garten gebrochen,
Schweife flackernd umher in der Wildnis,
Noch verfolgt und gequält von jenem Jugendbildnis,
Das ich mich mühe zu tilgen und langsam zu morden.
Vielleicht morde ich's, Mädchen, in deiner Seele,
Vielleicht, noch eh diese Stunde der Lust verglüht,
Drück ich die Hände um deine zuckende Kehle.
O wie dunkel das Lächeln auf deinen Lippen blüht!
Küß mich! Beiß mich! Und eine Stunde später
Ist vielleicht schon alles vorbei und vollendet,
Ist das Bildnis erloschen, das lästige Blatt gewendet,
Blut blüht im Bett, und die Polizei sucht den Täter.

Es blüht die Blume an deiner Brust!
Menschen wie mich zu lieben, ist nicht gut.
Ach, daß du mich hast lieben gemußt,
Zahlen wir, kleine Herzeleide,

187

Zahlen wir alle beide
Mit unserem Blut.


*Weinerlich*


Der Regen fällt,
Der Wind leiert müd in den Ästen;
Es stinkt in der Welt,
Es stinkt nach verschüttetem Wein und verrauchten Festen,
Es stinkt nach Tod und Geburt und Lebensschweinerei,
Nach Suppe und nach Kot.
An der Ecke wartet der Tod,
Er guckt, ob ich reif zum Verwesen sei.
Mich interessiert es nicht,
Ich gucke ihm müd ins Gesicht.
Die Ohren fallen mir schon vom Kopf
Und die Haare gehen mir aus,
Ich bin ein armer Tropf.
Bringt mich denn niemand nach Haus?


*In schlafloser Nacht geschrieben*


Mein Leben ist hingeronnen,
Ich habe alles vergessen,
Oft mein ich, es habe kaum erst begonnen
Und ich sei noch ein kleines Kind,
Oft auch scheint mir, ich lebe seit Zeiten unermessen,
Sei älter als die Berge und Ströme sind.


Da und dort leben Kinder von mir
Und Frauen, die mich geliebt und verlassen,
Niemand blieb lange bei mir.
Als Kind trank ich Milch aus Geburtstagstassen,
Jetzt trinke ich Wein, Cognac, Wermut und Bier,
Und mein Magen ist davon verdorben.
Ich wäre schon lang gestorben,
Aber die Neugierde hält mich wach;

Ich muß immer wieder begierig die Freuden und Qualen
Zu immer neuen tausend Malen
Brausen fühlen in mir drinnen;
Dort hör ich oft, wie im Wald einen schnellen Bach,
Das unbegreifliche Leben rinnen und rinnen,
Immer verrieseln, verströmen, immer neu beginnen,
Bezaubert lausch ich ihm nach.

Bezaubert auch bin ich von den Frauen,
Viele haben mich gern und lächeln mich schmelzend an;
Aber dennoch bin ich nicht der Mann,
Den sie ernst nehmen können und dem sie vertrauen,
Und das wäre auch wirklich nicht klug getan.
Eine hieß Ruth, die hat mich entzückt und gequält,
Sie hat nie begriffen, was mir denn fehlt
Und warum ich nicht zufrieden und glücklich sein kann.
Liebe Ninon, heute bist du mein Mond,
Scheinst in meine bange Finsternis herein,
Wo mein Herz so verhängt und traurig wohnt;
Deine klugen dunklen Augen sind voller Liebe.
Ach, daß sie immer und immer bei mir bliebe!
Aber plötzlich bin ich dann wieder allein,
Und aller Stern- und Mondenschein
Kann meine schwarze Kammer nicht heller machen.
Euch macht das lachen,
Ihr wisset nicht, wie es ist,
Wenn man nächtelang wachen und horchen und bang sein
                                                    [muß
Und am Herzen der gierige Vogel frißt.
Aber manchmal wie Mondlicht und Frauenkuß
Glitzert das Leben wieder verzaubert von Osten,
Fremdes Gestirn, über die Berge herein,
Duftet nach Liebe und lädt mich ein,
Trunken sein unbegreifliches Licht zu kosten.


*Ahnungen*

Manchmal tut mir leid, daß ich dies Leben
Eines Steppenwolfes allzu spät begonnen.

189

Hätt ich jünger schon mich ihm ergeben,
Wär es eine Quelle vieler Wonnen.
Manchmal ahn ich hinter all dem Wust,
Hinter Hüllen, die noch fallen müssen,
Einer grenzenlosen Freiheit Lust,
Einer kühlen Zukunft fernes Grüßen:
Sehe lachend mich die Wand durchstoßen,
Die mich noch vom Sternenraume trennt,
Und hinübertreten zu den großen
Sündern, deren Tat kein Wort mehr nennt,
Sehe mich vom Volk ans Kreuz geschlagen,
Dorngekrönt aus frommer Masse ragen,
Sehe Sonn und Sterne näher kommen,
Fühle mich ins Weltall hingenommen.

Aber diese kühlen Sternenräume,
Diese Schauer der Unendlichkeit
Sind ja leider nur geliebte Träume!
Niemals hab ich wahrhaft mich befreit,
Niemals hab ich dieser bangen Gassen
Bürgervolk im vollen Ernst verlassen,
Habe nur genascht vom Göttertrank!
Darum lieg ich oft so tief im Staube,
Knie ratlos und von Leid zerrissen,
Sitze auf der Armesünderbank,
Höre angsterfüllt auf mein Gewissen,
Dessen Stimme ich doch nicht mehr glaube.


*Morgen nach dem Maskenball*

Gewissermaßen hattest du ja recht.
Dein dummes Auto knattert um die Ecke,
Indes ich dasteh und die Lippen lecke –
Pfui Teufel, schmeckt die Morgensonne schlecht!

So blind hast du gewühlt in meinen Haaren,
So wild und irr gebrannt an meinem Munde!
Und jetzt, Lolo, bist du davongefahren,
Ein zahmes Huhn mit seinem Eheknecht;

190

Betrogen steh ich in der Morgenstunde,
Sie hat was anderes als Gold im Munde – –
Nun ja, gewissermaßen hast du recht.

Gewissermaßen wünsch ich dir das Beste:
Daß du und er in eurem Fiat-Wagen
Die Hälse brechen und daß eure Reste
Ein Hund beschnüffle. . . . Was ich wollte sagen:
Bleib mir gewogen! Werde mir gestohlen!
Ich geh nach Haus. Der Teufel soll dich holen.


*Leicht betrunken*

Gewissermaßen und beziehungsweise
Ist alles, was wir schwatzen, gleich den Blumen –
Sie welken still am Busen unsrer Muhmen,
Doch weiter geht des Lebens hastige Reise.

Es leben Tiere schlafend und verborgen,
In Höhlen still ihr eignes Fett verzehrend,
Von ihnen spricht der Zoolog belehrend;
Doch leben sie genügsam, ohne Sorgen.

Von uns jedoch geht eine alte Sage,
Daß unser Dasein Höheres bedeute.
Vermutlich ist es dies, was unsre Lage
So trostlos komisch macht für uns und andre Leute.


*Paradies-Traum*

Es duften blaue Blumen hier und dort,
Mit bleichem Blick hält Lotos mich gefangen,
In jedem Blatte schweigt ein Zauberwort,
Aus allen Zweigen äugen still die Schlangen.
Aus Blumenkelchen wachsen straffe Leiber,
Mit Tigeraugen blinzeln aus dem Grün
Der blühenden Sümpfe lauernd weiße Weiber,
Aus deren Haaren rote Blumen glühn.

Es duftet feucht nach Zeugung und Verführung,
Nach dunkler Wollust unerprobter Sünden,
Unwiderstehlich aus verschlafnen Gründen
Lockt Frucht an Frucht zu kosender Berührung,
Geschlecht und Wonne atmet jeder Hauch
Der lauen Luft und schwillt vor Lustverlangen,
Wie Liebesfingerspiel um Brust und Bauch
Der Frauen spielen listigen Blicks die Schlangen.
Nicht die, nicht jene zieht mich werbend an,
Sie alle blühn und locken, nicht zu zählen,
Ich fühle alle, alle mir beglückend nahn,
Ein Wald von Leibern, eine Welt von Seelen.
Und langsam schwillt der Sehnsucht seliges Weh
Und löst, entfaltet mich nach hundert Seiten,
Zum Weibe schmelz ich hin, zum Baum, zum See,
Zum Quell, zum Lotos, zu den Himmelsweiten,
Auf tausend Flügeln auseinanderfaltet
Sich meine Seele, die ich Eins gemeint,
Vertausendfacht, zum bunten All gestaltet,
Erlösch ich mir und bin der Welt vereint.


*Besoffener Dichter*

Ich wollt, ich wär ein Katholik,
Dann wäre der Heiland für mich gestorben;
Mein Leben ist ganz verdorben,
Ich spür's an den Augen und im Genick.
Der Tod sitzt mir im Herzen
Wie ein Gespenst im verfallenden Haus,
Langsam löscht er die Lichter aus,
Eins ums andre, alle die zuckenden Kerzen:
Kerze der Liebe, Lichtlein der Kindheit,
Flamme der Dichtung, der holden Fee,
Fackel der Wollust und seligen Blindheit –
O daß ich euch alle zucken und löschen seh!

Bald, wenn ich wieder betrunken bin,
Kommt ein Automobil gerannt,
Sitzt irgendein reicher Bäckermeister drin,

192

Der karrt mich zu Tode mit sicherer Hand.
Hoffentlich bricht auch er dabei das Genick,
Dieser glückliche Katholik,
Besitzer von Haus, Fabrik und Garten,
Auf den zwei Kinder und eine Gattin warten
Und der noch mehr Geld verdient hätte und Kinder gezeugt,
Wenn nicht ein besoffener Dichter
Ihm gelaufen wäre zwischen die Auto-Lichter.
Vor dem Tode selbst ein Bäcker sich beugt.
Aber für ihn wurde der Heiland ans Kreuz geschlagen,
Unsereiner dagegen hat nichts zu sagen.


*Armer Teufel am Morgen nach dem Maskenball*

Ich hab kein Glück. Zuerst war alles gut,
Sie saß auf meinem Knie und war ganz Glut,
Dann ist sie mit dem Pierrot fortgelaufen,
Und ich, vor Wut, fing wieder an zu saufen.

Jetzt hab ich ein paar Tischchen umgerissen
Und habe dieses Loch am Knie gekriegt
Und hab kein Geld mehr, und die Brille ist zerschmissen –
Jawohl, du Teufelsweib, ich bin besiegt.

Und außer all der andern Schweinerei
Erst noch ein mehr als elendes Gewissen!
Ach wäre dieser Sonntag schon vorbei
Und ich und du und dieses ganze Leben!
Ich höre auf, ich muß mich übergeben.


*An den indischen Dichter Bhartrihari*

Wie du, Vorfahr und Bruder, geh auch ich
Im Zickzack zwischen Trieb und Geist durchs Leben,
Heut Weiser, morgen Narr, heut inniglich
Dem Gotte, morgen heiß dem Fleisch ergeben.
Mit beiden Büßergeißeln schlag ich mir
Die Lenden blutig: Wollust und Kasteiung;

193

Bald Mönch, bald Wüstling, Denker bald, bald Tier;
Des Daseins Schuld in mir schreit nach Verzeihung.
Auf beiden Wegen muß ich Sünde richten,
In beiden Feuern brennend mich vernichten.

Die gestern mich als Heiligen verehrt,
Sehn heute in den Wüstling mich verkehrt,
Die gestern mit mir in den Gossen lagen,
Sehn heut mich fasten und Gebete sagen,
Und alle speien aus und fliehen mich,
Den treulos Liebenden, den Würdelosen;
Auch der Verachtung Blume flechte ich
In meines Dornenkranzes blutige Rosen.
Scheinheilig wandl' ich durch die Welt des Scheins,
Mir selbst wie euch verhaßt, ein Greuel jedem Kinde,
Und weiß doch: alles Tun, eures wie meins,
Wiegt weniger vor Gott als Staub im Winde.

Und weiß: auf diesen ruhmlos sündigen Pfad
Weht Gottes Atem mich, ich muß es dulden,
Muß weiter treiben, tiefer mich verschulden
Im Rausch der Lust, im Bann der bösen Tat.

Was dieses Treibens Sinn sei, weiß ich nicht.
Mit den befleckten, lasterhaften Händen
Wisch ich mir Staub und Blut vom Angesicht
Und weiß nur: diesen Weg muß ich vollenden.


*Mit diesen Händen*

Alles läßt mich im Stich,
Jetzt ist auch meine Geliebte kaputt.
Es war so schauerlich,
Sie hieß Erika Maria Ruth.
Lang lauschte ich an ihren offenen Lippen,
Da kam kein Hauch und kein Ton!
Und kein Atem und Herzschlag unter den Rippen,
Es war alles aus und entflohn.
Nun gibt es keinen Streit und keine Liebe mehr,

194

O ich verlorener Sohn,
Auch diese Blume hab ich gebrochen;
Alles ist leer,
Ich wollt, ich wär tot, ich wollt, ich wär
Das Messer, mit dem ich sie totgestochen.
Das Blut am Boden war schwarz geronnen,
Lang blieb ich darin stehn;
Doch von all den erloschenen Sonnen
War kein Abendrot mehr, kein Schimmer zu sehn.
Ich habe sie vom Himmel gerissen
Und mit meinen Händen zu Scherben geschmissen,
So mußte es enden,
Mit diesen bleichen blutigen Händen. . .


*Am Ende*

Plötzlich ist verzuckt das Flackerlicht,
Das mich lockte durch so viele Lüste,
In den starren Fingern schreit die Gicht,
Plötzlich steh ich wieder in der Wüste,
Steppenwolf, und speie auf die Scherben
Der verglühten Feste ohne Glück,
Packe meinen Koffer, fahr zurück
In die Steppe, denn es gilt zu sterben.
Lebe wohl, vergnügte Bilderwelt,
Maskenbälle, allzu süße Frauen;
Hinterm Vorhang, der nun klirrend fällt,
Weiß ich warten das gewohnte Grauen.
Langsam geh dem Feinde ich entgegen,
Eng und enger schnürt mich ein die Not.
Das erschrockne Herz mit harten Schlägen
Wartet, wartet, wartet auf den Tod.

Unbekannte Gedichte
aus der
›Steppenwolf‹-Zeit


*Altwerden*

All der Tand, den Jugend schätzt,
Auch von mir ward er verehrt:
Locken, Schlipse, Helm und Schwert,
Und die Weiblein nicht zuletzt.

Aber nun erst seh ich klar,
Da für mich, den alten Knaben,
Nichts von allem mehr zu haben –
Aber nun erst seh ich klar,
Wie dies Streben weise war.

Zwar vergehen Band und Locken
Und der ganze Zauber bald,
Aber was ich sonst gewonnen,
Weisheitsschatz und warme Socken,
Ach, auch das ist bald zerronnen
Und auf Erden wird es kalt.

Herrlich ist für alte Leute
Ofen und Burgunder rot
Und zuletzt ein sanfter Tod –
Aber später, noch nicht heute.


*Kranker Künstler*

Andre gibt es, die schlafen, essen, verdauen,
Lachen morgens und sind am Abend müd',
Machen Geschäfte und halten sich schmucke Frauen,
Wie in Milchglas spiegelt die Welt sich in ihrem Gemüt.

Mir will essen, verdauen und schlafen nicht glücken,
Welk bin ich morgens und werde erst abends wach,

196

Weder Geschäft noch Familie ist mein Entzücken,
Auch den Frauen lauf' ich nie lange nach.

Aber manchmal spiegelt in meiner Seele
Sich die Welt wie Wolken in stillster See,
Klein, aber scharf und ohne Trübung noch Fehle,
Füllt mich, dehnt mich und tut mir vor Wonne weh.


*Belehrung*

Mehr oder weniger, mein lieber Knabe,
Sind schließlich alle Menschenworte Schwindel,
Verhältnismäßig sind wir in der Windel
Am ehrlichsten, und später dann im Grabe.

Dann legen wir uns zu den Vätern nieder,
Sind endlich weise und voll kühler Klarheit,
Mit blanken Knochen klappern wir die Wahrheit,
Und mancher lög und lebte lieber wieder.


*Der Mann von fünfzig Jahren*

Von der Wiege bis zur Bahre
Sind es fünfzig Jahre,
Dann beginnt der Tod.
Man vertrottelt, man versauert,
Man verwahrlost, man verbauert
Und zum Teufel gehn die Haare.
Auch die Zähne gehen flöten,
Und statt daß wir mit Entzücken
Junge Mädchen an uns drücken,
Lesen wir ein Buch von Goethen.

Aber einmal noch vor'm Ende
Will ich so ein Kind mir fangen,
Augen hell und Locken kraus,
Nehm's behutsam in die Hände,
Küsse Mund und Brust und Wangen,

197

Zieh ihm Rock und Höslein aus.
Nachher dann in Gottes Namen
Soll der Tod mich holen. Amen.


*Der Steppenwolf grübelt über den Begriff »Fortschritt«*

Des Wolfes Leben in der Steppe,
Es ist ja nur ein Weg zum Grab.
Der Fortschritt ist zwar eine Treppe,
Doch führt sie, statt hinauf, hinab.

## AUS DEM
## »TAGEBUCH EINES ENTGLEISTEN«

Wie ein Traum fährt mein Leben dahin, und wie ein Maskenfest. Überall Weibergelächter, überall vergessener Wein, hundertfarbig in seltsam zerrissener Schönheit blickt mich das Licht aus all den Scherben an. So habe ich es gewollt, so hat es Gott mit mir gewollt. Ich schmeiße es hin, mein Leben, daß die Scherben klirren; ich vergeude, ich alternder Mann, meine Tage und Stunden wie ein Student. Ich gebe mir große Mühe, ein Eintagsleben zu leben, ohne Herkunft, ohne Zukunft. Aber der Andere, der Zweite in mir, spitzt den Griffel, unerträglich ist ihm Eintagsleben, er braucht Herkunft, er dürstet nach Zukunft, er schreit brennend nach Zusammenhang und Fortdauer, und er sucht Stunde um Stunde dieses zerrinnenden Lebenstaumels festzunageln, zu notieren, einzurahmen, an die Wand der Ewigkeit zu hängen.

Der Eine in mir schmeißt sein Leben weg wie eine Hand voll Spielmarken, und der Andere in mir rennt jeder dünnen Marke gierig nach, sucht ihren Wert zu lesen, ihr Metall zu deuten, ihren Verlust sich einzuprägen. Früher trieb ich allerlei Künste, die nach außen gingen und den Leuten Spaß machten, ich war ja ein beliebter Künstler – jetzt schreibe ich, rasender Schmetterlingsjäger, dem verflackernden Augenblick nach, suche die davonperlenden Sekunden zu spießen, suche etwas von dem wegströmenden Gold zu retten, sammle einzelne Tropfen von meinem überall verrinnenden Blut. Ein schwachbegabter König hält sich einen Geschichtsschreiber, der soll schreiben, dokumentieren, festhalten, zu Dauer zwingen die Tänze im Saal, die Gelächter in den Kammern, die Feuerwerke im Garten, er läuft rastlos jedem blauen Raketenschwanz nach, und auch noch seinem blauen Spiegelschwanz im Weiher. So hat mich Gott geschaffen: trunkener König und emsiger Historiograph, und durch das Leben eines Hanswurst läuft würdig ein Ganges von Philosophie, ein Nil von Weisheit.

Seltsam ist das alles. Seltsam, wie mein Leben einst so eine stattliche und ehrenwerte Sache war, mein Name bieder,

199

treu der Blick meiner Augen, unbefleckt mein Ruf, beneidet mein Ruhm, wohlversorgt meine Familie – und wie das jetzt alles in bunten Fetzen von mir niederhängt und ich darüber lachen muß, daß dies alles einmal war, daß dies alles einmal mein war, daß dies alles zerbrach! Und wie seltsam, daß ich jetzt so von Weibern umgeben bin! Oder ist auch das vielleicht gar nicht seltsam, vielleicht durchdringend klar und von schmerzlichster Selbstverständlichkeit? Nun, ich gestehe: ja, auch dies Seltsame ist klar, wird vom Anderen in mir gewußt und verstanden, vielleicht gebilligt.

Dennoch war es sonderbar. Von den ersten Verliebtheiten des Schulknaben an war ich ein resignierender, ein schlechter, mutloser, schüchterner und erfolgloser Liebhaber der Frauen: Jede, die ich liebte, schien mir zu gut und hoch für mich. Ich habe als Jüngling nicht getanzt, nicht geflirtet, habe nie kleine Liebesverhältnisse gehabt, und habe eine lange Ehe hindurch, tief unbefriedigt, die Frauen zwar geliebt und entbehrt, aber gemieden. Und jetzt, wo ich schon zu altern beginne, stehen plötzlich überall Frauen an meinem Weg, ungerufen, und meine alte Scheu ist verschwunden. Hände finden meine Hand, Lippen meinen Mund, und wo ich wohne, finden sich überall Strumpfbänder und Haarnadeln in den Ecken. Und mitten in diesem etwas überfüllten und hastigen Liebesleben, mitten im Lesen der kleinen Billete, im Duft von Haar und Haut und Puder und Parfüms weiß ich, weiß Einer in mir genau, wohin das will, wohin das führt. Er weiß: auch dies soll mir genommen werden, auch dieser Becher soll leergetrunken und mir bis zum Ekel wieder gefüllt werden, auch diese heimlichste und schamhafteste Begehrlichkeit soll satt werden und absterben, auch aus diesem lang begehrten Paradies soll ich bald hinweggehen mit der Erkenntnis, daß das Paradies bloß eine Schenke war, aus der man matt und erinnerungslos davonläuft. So ist es, und so trinke ich auch diesen lauen Becher, und vernichte mir auch dies lang gehegte Wunschziel.

So ist es mir mit allem ergangen, was eine Zeitlang meine Träume erhitzte: eines Tages, wenn schon der Wunsch anfing, etwas welk und müde zu werden, war er plötzlich er-

200

füllt, die unerreichbare ersehnte Frucht fiel mir in den Schoß und auch sie war nur ein Apfel wie alle sind: man wünscht ihn, man bekommt ihn, man ißt ihn, und sein Reiz und Zauber ist erloschen. So ist es mir bestimmt. So habe ich einst die Freiheit ersehnt, und habe sie dann getrunken, so habe ich die Einsamkeit ersehnt, und sie dann ausgetrunken, und den Ruhm und das leibliche Wohlergehen, nur um satt zu werden und mit einem neuen, andern, verwandelten Durst zu erwachen. Wie habe ich in jungen Jahren die Ehe und Familie verehrt und mir kaum zu wünschen gewagt – und ich bekam Frau und Kinder, liebe Kinder, die ich zärtlich und ängstlich liebte – und es fiel alles wieder auseinander! Und wie habe ich in gierigen Jünglingsphantasien den Ruhm erträumt! Und der Ruhm kam, er war plötzlich da, und machte schnell satt, und war so dumm und so lästig! Wie habe ich mir einst ein sorgenloses einfaches Leben gewünscht, ohne Berufszwang, ohne Hunger, mit einem eigenen kleinen Haus auf dem Lande – und auch das kam, ich hatte Geld, ich baute ein eigenes hübsches Haus, pflanzte einen schönen Garten – und alles war eines Tages wieder wertlos geworden und stob hinweg! Ach und wie sehnlich wünschte ich mir in der Jugend große ferne Reisen, Rom, Sizilien, Spanien, Japan – und auch das kam, auch das wurde mein, ich konnte reisen, ich fuhr in Wagen und auf Schiffen in viele ferne Länder, fuhr rund um die Erde, und kam zurück und hatte nun auch diese Frucht gegessen, und auch sie hatte keinen Zauber mehr!

Dasselbe erlebe ich nun mit den Frauen. Auch sie, die Fernen, die lang Begehrten, die Unerreichbaren sind jetzt gekommen. Gott weiß durch was gezogen, und ich streichle ihr Haar und ihre bangen warmen Brüste, und wundere mich, und halte schon zögernd die angebissene Frucht in der Hand, die einst so fern und paradiesisch lockte! Sie schmeckt, die Frucht, sie schmeckt süß und voll, ich darf sie nicht schelten – aber sie macht satt, sie macht schnell satt, ich fühle es schon, und wird bald weggeworfen sein. Oft habe ich mich darüber gewundert, was einst die Freunde, dann die Freundinnen zu mir zog, denn ich bin nicht treu – aber im Grunde wußte und weiß ich doch, was es ist, was sie zu mir zog, was mir immer wieder eine Art von Macht über Menschen gab. Sie alle wittern in mir etwas, die Freunde und die Frauen, was das Leben ungewöhnlich und stürmisch macht. Sie ahnen in mir Triebe und Gefühle, die wandelbar aber stark sind, sie spüren den Durst in mir, der zwar sein Ziel immer wechselt, der aber immer wieder wild und heiß aufflammt. Mich aber führt dieser Trieb und Durst durch alle Reiche der Wirklichkeit, erschöpft sie, macht sie unwirklich, durchkreist die Welt, und flieht brennend weiter ins Unbekannte und Namenlose.

Spät bin ich heut durch die Frühlingsnacht den Berg hinauf heimgekehrt, leise sang der Regen in den Maulbeerbäumen, unterm Mantel hing die kleine braune Frau an mich geklammert, bis wir Abschied nahmen. Als sie den letzten unersättlichen Kuß aus mir sog, bei ihrem Landhaus in Ceresia, sah ich jenseits aus dem Regenhimmel Blau und Sterne treten, und einer von den Sternen war mein guter Stern, war Jupiter. Den andern sah ich nicht, den Geheimnisvollen, Uranus, dem ich dienstbar bin und der mein wirres Leben aus dem groben Wust ins Geheimnis und zur Magie hinüber zieht. Aber er ist immer da, immer zieht und saugt sein stiller Geisterblick an mir.

Auf dem letzten Stück des Heimweges, als ich sehr müde und etwas mit Wein gefüllt den steilen steinigen Fußweg hinauf kroch, ein wenig zu sehr mit Herzklopfen und Atemnot beschäftigt und in der feuchten Frühlichsnacht stark von Schmerzen in den Gelenken gepeinigt, da stand ich für Minuten außerhalb meiner selbst und sah mir zu.

Ich sah mir zu, einem äußerlich wohlerhaltenen, doch schon langsam alternden Herrn, dem der Gliederschmerz und der Wein und der steinige Heimweg Mühe macht. Ich sah mich selbst da steigen, keuchen, rasten und wieder steigen, und empfand nichts andres als ein wenig Komik und ein wenig spöttisches Mitleid. Ich sah mich: einen müden, krank und träge gewordenen Kerl, leicht angetrunken, noch jung genug, um etwas verliebt und eitel zu sein, aber im Herzen ermüdet und angesengt. Armer Junge, dachte ich spöttisch, es steht nicht glänzend mit dir, du wirst bald liegenbleiben und unter die Räder kommen. Ich sah einige Augenblicke lang mein Ich, meine derzeitige Inkarnation, ein verbrauchtes Instrument, das mir nicht lange mehr dienen wird, und

202

ich rief mir zu: »Mach Schluß mit dir, Männeken, du gehörst zum alten Eisen!«

(Aus einer unvollendeten Dichtung des Jahres 1922, einer Vorstudie zum »Steppenwolf«.)

## [JENSEITS DER MAUER]¹

Gegen Abend war ich auf meiner Reise in einem alten Städtchen angekommen und in einem alten stillen Gasthof abgestiegen. Ich hatte mir ein stilles Zimmer ausgesucht, dessen Fenster auf eine verschlafene Gasse und jenseits der Gasse in einen alten vergrasten Baumgarten hinab blickten. Dann hatte ich alsbald meinen Koffer geöffnet, das Schreibzeug und mein angefangenes Manuskript herausgekramt und auf den runden, wackligen Tisch gelegt, und mich daran gesetzt. Mit diesem herrlichen, verfluchten Manuskript wollte ich jetzt einmal vorwärts kommen, monatelang schleppte ich es nun schon auf allen meinen Reisen mit durch die Welt, und der Plan war so schön, und es begann so gut, und doch ging es nicht weiter, seit Langem hatte ich keine Seite mehr geschrieben, die ich nicht bald wieder zerrissen hätte. Hundertmal hatte die Idee dieser Dichtung mich entzückt, hundertmal hatte ich sie und diese Reise und dies Manuskript und die ganze leidige Schriftstellerei verflucht und zur Hölle gewünscht.

Jetzt ging es also wieder los. Wieder las ich mich in meine kleine Dichtung hinein, wieder stand ihr Gedanke vor mir auf, wieder fand ich den fertigen ersten Teil ganz wundervoll, und wieder stand ich vor dem unseligen Loch, wo es nicht weiter ging, starrte hinein, stützte den Kopf in die Hände, und fühlte verzweifelt die Lähmung wieder! Nein, auf diese Art war es eine Folter, ein Dichter zu sein! Man sollte keine Ideen haben, man sollte keine neuen, schwierigen und vermutlich unmöglichen Sachen probieren! Man sollte lieber seine Bücher herunter schreiben wie ein braver, anständiger Handwerker, solid und bescheiden, ohne Pro-

1 Im Manuskript trägt dieser Text keinen Titel.

bleme, den Lesern zur Freude, sich selbst zum Nutzen, ohne Krampf, ohne Kampf, ohne Gehirnverlust!

Finster erhob ich mich und trat ans Fenster. Kleinstadtfriede duftete mir entgegen. Mensch, dachte ich, wenn Du kein Narr wärest, schmissest Du Dein Manuskript in den Ofen, ließest Dich in einer solchen Stadt nieder, suchtest Aufnahme in den Kegelklub und bewürbest Dich um die Tochter des Apothekers.

Auf der Gasse war nichts zu sehen, der alte Garten aber zog mich an. Hinter einer rissigen Mauer lag da eine wundervolle grüne Wildnis in der Abenddämmerung, hohe ehrwürdige Bäume, moosige Wege, alles verwahrlost und verwachsen, und überall doch noch den Geist eines edlen Planes atmend, schöne Gesträuchgruppen, symmetrische Laubengänge. Ach, solche alte Gärten machen traurig, sie sind so schön, sie reden so eindringlich, sie richten so unerbittlich über uns und unsre verpöbelte Welt von heute.

Der Kellner kam und meldete, das Abendessen sei serviert. Er führte mich in einen leeren Speisesaal mit grünen alten Spiegeln und schwarzgewordenen Bildern an den Wänden, und in der Mitte hing ein Kronleuchter von der Stuckdecke herab, darunter stand ein Tisch, an dem saß ein alter Herr und speiste, und ihm gegenüber am selben Tische war für mich gedeckt.

»Wie dumm«, dachte ich, »warum kann ich nicht einen Tisch für mich allein haben!«

Der alte Herr, den ich schweigend grüßte, nickte mit dem Sperberkopf.

»Man sollte sich alle Wünsche erfüllen«, sagte er mit scharfem Lächeln, »warum tun Sie's nicht?«

»Alter Herr«, sagte ich, »glauben Sie wirklich, daß ich in diese Stadt und in dies Haus bloß gekommen bin, um Ihre Belehrungen zu empfangen? Sehe ich so aus?«

Ich schöpfte mir Suppe, brach Brot und schenkte Wein ins Glas, den ich versuchte und der mir nicht mundete.

»Sie sehen so aus«, sprach der alte Herr, »wie ein Mensch, der seinen Wünschen nachhängt, statt sie sich zu erfüllen. Die meisten Menschen sehen so aus. Ist es Ihnen nie aufgefallen?«

Ich wischte mir den Mund und sagte: »Mir fällt nichts auf

204

als Ihre Geschwätzigkeit. Da Sie mir aber den Rat geben, mir meine Wünsche zu erfüllen – ich habe den Wunsch, diesen Weißwein zu probieren, den Sie trinken.«

Ich nahm seine Flasche, goß mir einen Schluck in ein Glas und probierte ihn.

»Sie sind gelehrig«, sagte der alte Mann. »Das trifft man selten. Machen Sie so weiter, Sie werden es nicht bereuen.«

»Nein, da haben Sie recht. Der Wein ist sehr schön. Kellner, geben Sie auch mir eine Flasche von diesem Weißwein, und nehmen Sie den Tischwein wieder weg.«

Ich aß nun, hungrig von der Reise, umständlich und schweigend meine Mahlzeit, bis zum Käse, bis zu Nuß und Trauben, und der Gast ließ mich unbehelligt. Inzwischen war ich besserer Laune geworden, der Wein war ebenso gut wie das zart und liebevoll bereitete Essen. Eben, beim Anzünden der Zigarre, spürte ich Lust, das Gespräch mit meinem Tischnachbarn wieder anzuknüpfen, da stand er auf, der Kellner brachte ihm Stock und Hut, und der Alte nickte mir abschiednehmend mit dem scharfen Sperbergesicht zu.

»O, Sie gehen schon?« sagte ich bedauernd. »Ich habe inzwischen über Ihre Worte nachgedacht, und hätte gern noch darüber mit Ihnen gesprochen.«

Der alte Herr, der sich schon abgewandt hatte, drehte mir nochmals das Gesicht zu und sagte: »Da ist nichts mehr zu sprechen. Ich sagte: Wünsche sollte man sich stets erfüllen. Denn sehen Sie: damit sind sie erledigt. Und was erledigt ist, das plagt uns nicht mehr. Wünsche guten Abend.«

Weg ging er, der Sperber. Ich dachte: schnurriger Kerl. Und saß allein und sah mich in all den grünen Wandspiegeln abgebildet: selbst Sperberkopf, dem Alten ähnlich. Noch zehn, fünfzehn Jahre, dann sah ich aus wie er.

Die Spiegel verdarben mir die Stimmung, ich stieg in mein Zimmer hinauf, stellte mich ans Fenster und sah in den verzauberten Garten hinüber. Der Kellner kam, ich hatte ihn gebeten, mir den Wein herauf zu tragen. Ich fragte: »Gehört der Garten zu Ihrem Haus? Nein? – Kann man nicht hineingehen? – Nicht? Schade.« Er wußte nicht, wem er gehöre, nie sei jemand darin zu sehen.

Langsam trank ich meinen Wein, rauchte, sah den Mond herauf kommen, machte Gedankenreisen durch viele übereinander geschichtete Vergangenheiten. Waren andre Menschen auch so wie ich? Spielten sie auch im Leben bald die, bald diese Rolle, verloren, vergaßen sie wieder, fingen Neues an, kannten sich selbst nicht mehr? Waren alle so: bestand jeder Mensch aus einem ganzen Bündel von Persönlichkeiten, und war die Sage vom Charakter, vom Ich bloß ein frommer Schwindel? Oder war ich eine Ausnahme? Ein krankes Exemplar? Eine Seifenblase? Ein Naturspiel? Ach nein, sie waren alle so. Aber die meisten hatten eben jene Illusion der Einheit, jenen Wahn. Ja, ich hatte ihn ja selber auch gehabt, früher.

O wie schön war die nächtliche Gartenwildnis drüben! Wie konnte man sich in so etwas so schnell verlieben, genau so wie in eine Frau! Ich war in den Garten verliebt, ich wünschte ihn mir, sehnte mich in ihn hinüber. Wie lang hatte ich keinen Garten mehr gehabt! Wie lang hatte ich in Eisenbahnwagen und Hotelzimmern gelebt!

Es war noch früh, vielleicht neun Uhr, aber das Städtchen schien schon zu schlafen. Ich mochte nicht länger so stehen, ich lief weg, die Treppe hinab und aus dem Hause, über einen kleinen Platz, wo ein Brunnen floß, durch eine Gasse, durch andere Gassen, alle still und tot, und nun hatte ich in die Gasse gefunden, auf die ich vorher hinunter gewollt, wo der Garten lag. Vielleicht hatte die Mauer ein Tor, ich wollte suchen.

Sie hatte kein Tor, nichts, nicht einmal ein Loch zum Hindurchsehen. Und jetzt war mein Verlangen nach dem Garten erst recht erwacht.

Eine Erinnerung zuckte in mir auf: Wie hatte der drollige alte Herr gesagt? Man soll seine Wünsche dadurch erledigen, daß man sie erfüllt. Ja, er hatte unheimlich recht – nie tat man eigentlich, was man am liebsten wollte, immer ging man im Bogen um seine Wünsche herum, man hätschelte und feierte sie, verbog und verlog sie zu Idealen und Religionen, statt ihnen rasch und tapfer den Hals zu brechen.

Ich packte meinen Wunsch also beim Schopf. Ich suchte eine rauhe Stelle an der Mauer, wo ich den Fuß einsetzen konnte, gab mir einen Schwung und saß alsbald rittlings oben, von da ließ ich mich in den Garten hinunter gleiten.

Ich fiel mit den Händen voran in weiches Gras, und streifte

206

an ein Gesträuch, das duftete seltsam, das roch nach uralten Dingen und irgendwo in meinem fernsten Leben, in
meiner frühsten Kindheit hatte es so gerochen. O wie schön
und erregend war dieser Duft, er roch nach Urzeit, er sang
von Mutter und Großmutter. Er verwandelte mich und die
Welt, ich war nicht mehr hier oder dort, in dieser Stadt und
in jenem Garten, ich war mitten im Urwald des Vergangenen, nie Gestorbenen, der Gefühle und Erinnerungen. Ich
roch Erde, das sprach von Blumenbeeten der Kindheit, ich
war ein kleines Kind und pflanzte eine Primelpflanze in
einen Topf, drückte die duftende Erde an, goß Wasser
dazu, hatte zum erstenmal etwas gepflanzt, etwas Leben-
des, das mir gehörte und das wachsen konnte, das mit Wurzeln in der schwarzen Erde trank und aß. Ich selber senkte
Wurzeln hinab, trank Erde, aß Urwelt, keimte in feierli-
chem Zeugungsdunkel, Zeit und Gestalt war versunken, alles war Anfang, alles keimte, es gab noch nicht Mensch
noch Pflanze.

Wieder aus diesem Chaos weckte mich ein Anruf: eine
Kröte, unsichtbar, flüchtete im Dunkeln vor meinem Schritt
hinweg, auf leise klatschenden Sohlen. Schon war sie weg,
aber ein neuer Schlund in mir war aufgerissen, ein neuer
Abgrund, seit Kinderzeit gesucht und geflohen, unheimlich
und lockend, Welt des Kühlen, schleimig Glatten, Fremden, Kröte und Schlange, Gefühl des Grauens, der tiefen
Neugierde, der Angst vor Gefahr und Verbotenem. Auch
diese Welt dunkler Gefühle, mit Vorstellungen meiner
Kindheit beginnend, führte zurück bis zum Chaos, in Vor-
persönliches und Vormenschliches, in Abgründe eines
furchtbaren Urgrauens, ebenso heilig wie furchtbar, ebenso
schöpferisch wie tödlich.

Der Baum, dem ich auswich, das Gras, das mich hoch bis
zu den Knien streifte, der verwachsene Weg, das verwilderte
Rondell, der Nachtfalter, die Grille – alles, und jedes Blatt
am Strauch und jede Schwingung der Luft, war so voll Beziehung, war so weckend, erinnernd, erregend, führte mich
in's eigne Innere und darin zurück bis ins Gestaltlose –
für Augenblicke begriff ich, daß Worte des Mythos wie
Chaos und Schöpfung, Worte der Vernunft wie Vorzeit und
Entwicklung im Grunde nicht ein Nacheinander meinten,

207

sondern ein Zugleich und Ineinander. Urwelt war nicht älter als Heute, war nicht gewesen: – Urwelt und Heute waren zugleich.

Anders hatte ich diesen Garten mir vorgestellt. Jetzt war er nicht ein schönes und rührendes Gebilde großväterlicher Kultur, jetzt war er magischer Schauplatz, Urwald, Geisterbühne. Jeder beliebige Ort der Welt kann dazu werden, Wald und Tempel, Gasse und Zimmer, Wiese und Bahnhof, jeden Augenblick können wir eintreten in Urwelt, Mythos, Zeitlosigkeit – aber selten geschieht es, selten weht der Zauber uns an. Ich flog mit dem Nachtfalter durch einen indischen Wald, ich atmete im Laubgeruch Märchen meiner Kindheit, saß auf Pferden, saß auf Schulbänken, wiegte mich in Baumwipfeln und auf Schiffsmasten, jagte Paradiesvögeln nach, floh vor Ungeheuern, war alt und jung, war Zwerg und Riese. Vom Garten sah ich nichts, er war zu voll, zuviel Länder und Erdteile waren in ihm, zuviel Zeitalter, zuviel Städte und Blumen, Sterne und Schneeberge.

Wie hatte ich so lange nach einem Garten Heimweh haben können?! Der Garten war ja nichts, und all das Hübsche, Gepflegte und Angenehme, was ich hier gesucht hatte, war mir jetzt unendlich fern und gleichgültig, selbst wenn ich es in der Dunkelheit hätte sehen können. Wo war ich denn? Ich war im Märchen, ich war in der Urwelt, wo jedes Ding sich in jedes andre verwandeln kann, wo jedes Ding wesenlos und gleichgültig ist an sich, aber heilig und ewig als Gleichnis, als Bild, als flüchtiger Wohnsitz des Göttlichen. Ich war in meiner eigenen Seele, denn sie, die wir so wenig kennen, ist unsre Ur- und Zauberwelt. Wie war es möglich, daß wir so wenig von ihr wußten, daß wir so selten in ihr einkehrten!

Ein paar verlorene Töne von einem in der Ferne gespielten Klavier erreichten mein Ohr – mir war, es sei meine Schwester oder meine ferne Geliebte, welche spiele. Und alsbald erlebte und fühlte ich alles, was Musik je für mich gewesen war, gedrängt und wunderbar kristallhell in Sekunden durch, Mozart, Schubert, Bach, Orchester und Orgel, Quartett, Oper, Oratorium – für Augenblicke empfand ich die ganze Welt im Bild der Töne. Jeder Ton war Gott, jede Oktave seine Bestätigung, jede Terz seine Verbindung mit

208

dem Zeitlichen und Wandelbaren, jeder Akkord sein flüchtig aufglänzendes Kleid.

(Fragment aus dem Nachlaß)

## VOM STEPPENWOLF

Dem rührigen Besitzer einer kleinen Menagerie war es gelungen, für kurze Zeit den bekannten Steppenwolf Harry zu engagieren. Er kündigte dies in der ganzen Stadt durch Plakate an und versprach sich davon einen vermehrten Besuch seiner Schaubude, und in dieser Hoffnung wurde er auch nicht enttäuscht. Überall hatten die Leute vom Steppenwolf sprechen hören, die Sage von dieser Bestie war ein beliebter Gesprächsstoff in den gebildeten Kreisen geworden, jeder wollte dies oder jenes über dies Tier wissen, und die Meinungen darüber waren sehr geteilt. Einige waren der Ansicht, ein Vieh wie der Steppenwolf sei unter allen Umständen eine bedenkliche, gefährliche und ungesunde Erscheinung, es treibe seinen Hohn mit der Bürgerschaft, reiße die Ritterbilder von den Wänden der Bildungstempel, mache sich sogar über Johann Wolfgang von Goethe lustig, und da diesem Steppenvieh nichts heilig sei und es auf einen Teil der Jugend ansteckend und aufreizend wirke, sollte man sich endlich zusammentun und diesen Steppenwolf zur Strecke bringen; ehe er totgeschlagen und verscharrt sei, werde man keine Ruhe vor ihm haben. Diese einfache, biedere und wahrscheinlich richtige Ansicht wurde aber keineswegs von allen geteilt. Es gab eine zweite Partei, welche einer ganz anderen Auffassung huldigte; diese Partei war der Ansicht, daß der Steppenwolf zwar kein ungefährliches Tier sei, daß er aber nicht nur seine Daseinsberechtigung, sondern sogar eine moralische und soziale Mission habe. Jeder von uns, so behaupten die meist hochgebildeten Anhänger dieser Partei, jeder von uns trage ja heimlich und uneingestanden so einen Steppenwolf im Busen. Die Busen, auf welche bei diesen Worten die Sprecher zu deuten pflegten, waren die hochachtbaren Busen von Damen der Gesellschaft, von Rechtsanwälten und Industriellen, und diese Busen waren von seidenen Hemden und modern geschnit-

209

tenen Gilets bedeckt. Jedem von uns, so sagten diese liberal denkenden Leute, seien im Innersten die Gefühle, Triebe und Leiden des Steppenwolfes recht wohl bekannt, jeder von uns habe mit ihnen zu kämpfen und jeder von uns sei eigentlich im Grunde auch so ein armer, heulender, hungriger Steppenwolf. So sagten sie, wenn sie sich, von den seidenen Hemden bedeckt, über den Steppenwolf unterhielten, und auch viele öffentliche Kritiker sagten so, und dann setzten sie ihre schönen Filzhüte auf, zogen ihre schönen Pelzmäntel an, stiegen in ihre schönen Automobile und fuhren zurück an ihre Arbeit, in ihre Bureaux und Redaktionen, Sprechzimmer und Fabriken. Einer von ihnen machte sogar eines Abends beim Whisky den Vorschlag, einen Verein der Steppenwölfe zu gründen.

Am Tage, an dem die Menagerie ihr neues Programm eröffnete, kamen denn auch viele Neugierige, um das berüchtigte Tier zu sehen, dessen Käfig nur gegen einen Extragroschen gezeigt wurde. Einen kleinen Käfig, den vormals ein leider früh verstorbener Panther bewohnt hatte, hatte der Unternehmer nach Möglichkeit dem Anlaß entsprechend ausgestattet. Der rührige Mann war dabei ein wenig in Verlegenheit gewesen, denn immerhin war dieser Steppenwolf ein etwas ungewohntes Tier. So wie jene Herren Anwälte und Fabrikanten hinter Hemd und Frack angeblich einen Wolf in der Brust verborgen trugen, so trug angeblich dieser Wolf hier in seiner festen haarigen Brust heimlich einen Menschen verborgen, differenzierte Gefühle, Mozartmelodien und dergleichen. Um den ungewöhnlichen Umständen und den Erwartungen des Publikums möglichst Rechnung zu tragen, hatte der kluge Unternehmer (welcher seit Jahren wußte, daß auch die wildesten Tiere nicht so launisch, gefährlich und unberechenbar sind wie das Publikum) dem Käfig eine etwas sonderbare Ausstattung gegeben, indem er einige Embleme des Wolfsmenschen darin anbrachte. Es war ein Käfig wie alle anderen, Eisengitter und etwas Stroh am Boden, aber an einer der Wände hing ein hübscher Empirespiegel, und mitten im Käfig war ein kleines Klavier aufgestellt, ein Pianino, mit offener Tastatur, und oben auf dem etwas wackligen Möbel stand eine Gipsbüste des Dichterfürsten Goethe.

An dem Tier selbst, das so viel Neugierde erregte, war durchaus nichts Auffallendes wahrzunehmen. Es sah genau so aus wie eben der Steppenwolf, lupus campestris, aussehen mußte. Er lag meistens regungslos in einer Ecke, möglichst weit von den Zuschauern entfernt, kaute an seinen Vorderpfoten und starrte vor sich hin, als wäre da statt der Gitterstäbe die ganze unendliche Steppe. Zuweilen stand er auf und ging einige Male im Käfig auf und ab, dann wackelte auf dem unebenen Boden das Pianino, und oben wakkelte der gipserne Dichterfürst bedenklich mit. Um die Besucher kümmerte sich das Tier wenig, und die meisten waren eigentlich von seinem Anblick eher enttäuscht. Aber auch über diesen Anblick gab es verschiedene Meinungen. Viele sagten, das Tier sei eine ganz gewöhnliche Bestie, ohne Ausdruck, ein stumpfsinniger ordinärer Wolf und damit basta, und »Steppenwolf« sei überhaupt kein zoologischer Begriff. Dagegen behaupteten andere, das Tier habe schöne Augen und sein ganzes Wesen drücke eine ergreifende Beseeltheit aus, daß es einem vor Mitgefühl das Herz umdrehe. Den paar Klugen blieb indessen nicht verborgen, daß diese Äußerungen über den Anblick des Steppenwolfes ebensogut auf jedes andere Tier der Menagerie gepaßt hätten.

Gegen Nachmittag wurde der abgesonderte Raum der Schaubude, der den Wolfskäfig enthielt, von einer kleinen Gruppe besucht, die sich lange bei seinem Anblick aufhielt. Es waren drei Menschen, zwei Kinder und deren Erzieherin. Von den Kindern war das eine ein hübsches, ziemlich schweigsames Mädchen von acht Jahren, das andre ein etwa zwölfjähriger kräftiger Knabe. Beide gefielen dem Steppenwolfe gut, ihre Haut roch jung und gesund, nach den schönen straffen Beinen des Mädchens äugte er häufig hinüber. Die Gouvernante, nun ja, das war etwas anderes, es schien ihm besser, sie möglichst wenig zu beachten.

Um der hübschen Kleinen näher zu sein und sie besser zu riechen, hatte der Wolf Harry sich dicht an das Gitter der Schauseite gelagert. Während er mit Vergnügen die Witterung der beiden Kinder einsog, hörte er etwas gelangweilt den Äußerungen der dreie zu, die sich sehr für Harry zu interessieren schienen und sich höchst lebhaft über ihn unterhielten. Ihr Verhalten war dabei sehr verschieden. Der

211

Knabe, ein schneidiger und gesunder Kerl, teilte durchaus die Ansicht, welche er zu Hause seinen Vater hatte äußern hören. Solch ein Wolfsvieh, meinte er, sei hinterm Gitter einer Menagerie gerade am richtigen Ort, ihn dagegen frei herumlaufen zu lassen, wäre eine unverantwortliche Torheit. Eventuell könne man ja den Versuch machen, ob das Tier sich dressieren lasse, etwa zum Schlittenziehen wie ein Polarhund, aber es werde schwerlich gelingen. Nein er, der Knabe Gustav, würde diesen Wolf, wo immer er ihm begegnen würde, ohne weiteres niederknallen.

Der Steppenwolf hörte zu und leckte sich freundlich das Maul. Der Knabe gefiel ihm. »Hoffentlich«, dachte er, »wirst du, falls wir uns einmal plötzlich begegnen, auch eine Flinte zur Hand haben. Und hoffentlich begegne ich dir draußen in der Steppe und trete dir nicht etwa einmal unvermutet aus deinem eigenen Spiegel entgegen.« Der Junge war ihm sympathisch. Er würde ein schneidiger Kerl werden, ein tüchtiger und erfolgreicher Ingenieur oder Fabrikant oder Offizier, und Harry würde nichts dagegen haben, sich gelegentlich mit ihm zu messen und nötigenfalls von ihm niedergeschossen zu werden.

Wie das hübsche kleine Mädchen sich zum Steppenwolf stellte, war nicht so leicht zu erkennen. Es schaute ihn sich zunächst einmal an und tat das viel neugieriger und gründlicher, als die beiden andern es taten, welche alles über ihn schon zu wissen glaubten. Das kleine Mädchen stellte fest, daß Harrys Zunge und Gebiß ihr gefielen, und auch seine Augen sagten ihr zu, während sie den etwas ungepflegten Pelz mit Mißtrauen betrachtete und den scharfen Raubtiergeruch mit einer Erregung und Befremdung wahrnahm, in welcher Ablehnung und Ekel mit neugieriger Lüsternheit vermischt waren. Nein, im ganzen gefiel er ihr und es entging ihr keineswegs, daß Harry ihr sehr zugetan war und sie mit bewundernder Begierde ansah; sie sog seine Bewunderung mit sichtlichem Behagen ein. Hier und da stellte sie eine Frage.

»Bitte, Fräulein, warum muß denn dieser Wolf ein Klavier im Käfig haben?« fragte sie. »Ich glaube, es wäre ihm lieber, wenn er etwas zu fressen drin hätte.«

»Es ist kein gewöhnlicher Wolf«, sagte das Fräulein, »es ist

212

ein musikalischer Wolf. Aber das kannst du noch nicht verstehen, Kind.«

Die Kleine verzog den hübschen Mund ein wenig und sagte: »Es scheint wirklich so, als ob ich vieles noch nicht verstehen könnte. Wenn der Wolf musikalisch ist, so soll er natürlich ein Klavier haben, meinetwegen zwei. Aber daß auf dem Klavier auch noch so eine Figur stehen muß, finde ich schon komisch. Was soll er mit ihr anfangen, bitte?«

»Es ist ein Symbol«, wollte die Erzieherin zu erklären beginnen. Aber der Wolf kam der Kleinen zu Hilfe. Er blinzelte sie aus verliebten Augen höchst offenherzig an, dann sprang er auf, daß alle drei einen Augenblick erschraken, reckte sich lang und hoch und begab sich zum wackligen Klavier, an dessen Kante er sich zu reiben und zu scheuern begann, und dies tat er mit zunehmender Kraft und Heftigkeit, bis die wacklige Büste das Gleichgewicht verlor und herunterstürzte. Der Boden dröhnte, und der Goethe zerfiel, gleich dem Goethe mancher Philologen, in drei Teile. An jedem dieser drei Teile roch der Wolf einen Augenblick, wandte ihnen dann gleichgültig den Rücken und kehrte in die Nähe des Mädchens zurück.

Jetzt trat die Erzieherin in den Vordergrund der Ereignisse. Sie gehörte zu denen, welche trotz Sportkleid und Bubikopf in ihrem eigenen Busen einen Wolf entdeckt zu haben meinten, sie gehörte zu den Leserinnen und Verehrerinnen Harrys, für dessen Seelenschwester sie sich hielt; denn auch sie hatte allerlei verkniffene Gefühle und Lebensprobleme in ihrer Brust. Eine schwache Ahnung sagte ihr zwar, daß ihr wohlgehütetes, gesellges und gutbürgerliches Leben doch eigentlich keine Steppe und keine Einsamkeit sei, daß sie niemals den Mut oder die Verzweiflung aufbringen würde, dies wohlbehütete Leben zu durchbrechen und gleich Harry den Todessprung ins Chaos zu wagen. O nein, das würde sie natürlich niemals tun. Aber stets würde sie dem Steppenwolfe Sympathie und Verständnis entgegenbringen, und sehr gerne hätte sie ihm das auch gezeigt. Sie hatte große Lust, diesen Harry, sobald er wieder Menschengestalt annähme und einen Smoking trüge, etwa zu einem Tee einzuladen oder vierhändig mit ihm Mozart zu spielen. Und sie beschloß, nach dieser Richtung einen Versuch zu wagen.

Die kleine Achtjährige hatte inzwischen dem Wolf ihre ungeteilte Zuneigung geschenkt. Sie war entzückt darüber, daß das kluge Tier die Büste umgeworfen hatte, und begriff sehr genau, daß dies ihr galt, daß er ihre Worte verstanden und für sie gegen die Erzieherin deutlich Partei ergriffen hatte. Würde er wohl auch noch das dumme Klavier demolieren? Ach, er war großartig, sie hatte ihn einfach gern.

Harry hatte indessen das Interesse fürs Klavier verloren, er hatte sich dicht vor dem Kinde, ans Gitter gepreßt, niedergekauert, hatte die Schnauze ganz am Boden wie ein schmeichelnder Hund zwischen den Stäben dem Mädchen zugekehrt, und sah sie werbend aus entzückten Augen an. Da konnte das Kind nicht widerstehen. Es streckte gebannt und vertrauensvoll sein Händchen aus und streichelte die dunkle Tiernase. Harry aber äugelte ihr aufmunternd zu und begann ganz sachte die kleine Hand mit seiner warmen Zunge zu lecken.

Als dies die Gouvernante sah, war ihr Entschluß gefaßt. Auch sie wollte sich dem Harry als verständnisvolle Schwester zu erkennen geben, auch sie wollte sich mit ihm verbrüdern. Eilig nestelte sie ein kleines elegantes Päckchen aus Seidenpapier und Goldfaden auf, enthülste aus Stanniol einen hübschen Leckerbissen, ein Herz aus feiner Schokolade, und streckte es mit bedeutungsvollem Blick dem Wolfe hin.

Harry blinzelte und leckte still an der Kinderhand; gleichzeitig achtete er haarscharf auf jede Bewegung der Gouvernante. Und genau in dem Augenblick, wo deren Hand mit dem Schokoladeherzen nahe genug war, schnappte er blitzschnell zu und hatte Herz und Hand zwischen den blanken Zähnen. Die drei Menschen schrien alle gleichzeitig auf und sprangen zurück, aber die Erzieherin konnte nicht, sie war von ihrem Bruder Wolf gefangen, und es dauerte noch bange Augenblicke, bis sie ihre blutende Hand loszerren und entsetzt betrachten konnte. Sie war durch und durch gebissen.

Nochmals schrie das arme Fräulein gellend auf. Von ihrem Seelenkonflikt aber war sie in diesem Augenblick vollständig geheilt. Nein, sie war keine Wölfin, sie hatte nichts mit diesem rüden Scheusal gemein, das jetzt interessiert an

214

dem blutigen Schokoladenherzen schnupperte. Und sie setzte sich sogleich zur Wehr.

Inmitten der fassungslosen Gruppe, die sich alsbald um sie gebildet hatte und in welcher der schreckensbleiche Menageriebesitzer ihr Gegenspieler war, stand das Fräulein hochaufgerichtet, hielt die blutende Hand von sich ab, um das Kleid zu schonen, und beteuerte mit blendender Rednergabe, daß sie nicht ruhen werde, bis dies rohe Attentat gerächt sei, und man werde sich wundern, welche Summe an Schadenersatz sie für die Entstellung ihrer schönen und des Klavierspielens kundigen Hand verlangen werde. Und der Wolf müsse getötet werden, darunter tue sie es nicht, man werde schon sehen.

Schnell gefaßt, machte der Unternehmer sie auf die Schokolade aufmerksam, die noch vor Harry lag. Das Füttern der Raubtiere sei durch Plakat aufs strengste verboten, er sei jeder Verantwortung enthoben. Sie möge ihn nur ruhig verklagen, kein Gericht der Welt würde ihr recht geben. Übrigens sei er haftpflichtversichert. Die Dame möge doch lieber jetzt zu einem Arzt gehen.

Das tat sie auch; aber vom Arzt fuhr sie, kaum war die Hand verbunden, zu einem Advokaten. Harrys Käfig wurde an den folgenden Tagen von Hunderten besucht.

Der Prozeß aber zwischen der Dame und dem Steppenwolf beschäftigt seither Tag für Tag die Öffentlichkeit. Die klagende Partei nämlich macht den Versuch, den Wolf Harry selbst, und erst an zweiter Stelle den Unternehmer, haftbar zu machen. Denn, so führt die Klageschrift weitläufig aus, dieser Harry sei keineswegs als verantwortungsloses Tier zu betrachten; es führe einen richtigen, bürgerlichen Eigennamen, sei nur zeitweise als Raubtier in Stellung und habe seine eigenen Memoiren als Buch herausgegeben. Mag das zuständige Gericht nun so oder so entscheiden, der Prozeß wird ohne Zweifel durch alle Instanzen bis vor das Reichsgericht gelangen.

Wir können also in absehbarer Zeit von der maßgebendsten amtlichen Stelle eine endgültige Entscheidung über die Frage erwarten, ob der Steppenwolf nun eigentlich ein Tier sei oder ein Mensch.

(1928)

215

Texte aus dem Umkreis des ›Steppenwolf‹

## GEDANKEN ZU DOSTOJEWSKIS »IDIOT«

Oft ist Dostojewskis »Idiot«, der Fürst Lew Myschkin, mit
Jesus verglichen worden. Natürlich kann man das tun. Man
kann jeden Menschen mit Jesus vergleichen, der, von einer
der magischen Wahrheiten gestreift, das Denken vom Leben nicht mehr trennt, und dadurch inmitten seiner Umgebung vereinsamt und zum Gegner aller wird. Darüber hinaus scheint mir die Ähnlichkeit zwischen Myschkin und
Jesus nicht eben sehr auffallend, nur ein Zug noch, ein
wichtiger freilich, fällt mir an Myschkin als jesushaft auf:
seine zaghafte, krankhafte Keuschheit. Die verheimlichte
Angst vor dem Geschlecht und der Zeugung ist ein Zug, der
dem »historischen«, dem Jesus der Evangelien nicht fehlen
dürfte, der auch deutlich mit zu seiner Weltmission gehört.
Sogar ein so oberflächliches Jesusbild wie das von Renan
entbehrt dieses Zuges nicht ganz.
Aber es ist seltsam – so wenig mir der ewige Vergleich zwischen Myschkin und Christus sympathisch ist –, auch ich sehe die beiden Bilder unbewußt miteinander verbunden. Es
fiel mir erst spät, und an einem winzigen Zuge auf. Es fiel
mir eines Tages, als ich an den Idioten dachte, auf, daß
mein erster Gedanke an ihn immer ein scheinbar neben-
sächlicher ist. Wenn ich an ihn denke, sehe ich ihn, im ersten
aufblitzenden Moment der Vorstellung, immer in einer besonderen, an sich unbedeutenden, kleinen Nebenszene. Ebenso geht es mir mit dem Heiland. Wenn irgendeine Assozia-
tion mich zu der Vorstellung »Jesus« führt oder das Wort
Jesus durch Ohr oder Auge mich trifft, dann sehe ich im
ersten Aufblitz niemals Jesus am Kreuz, oder Jesus in der
Wüste, oder Jesus als Wundertäter, oder Jesus als Aufer-
standenen, sondern ich sehe ihn in dem Augenblick, wo er
im Garten Gethsemane den letzten Kelch der Vereinsamung trinkt, wo die Wehen von Sterbenmüssen und höhe-
rer Neugeburt seine Seele zerreißen, und wie er da, in einem

217

letzten rührenden Kinder-Trostbedürfnis, sich nach seinen Jüngern umsieht, ein wenig Wärme und Menschennähe, eine flüchtige holde Täuschung inmitten seiner hoffnungslosen Einsamkeit sucht – und wie da die Jünger schlafen! Da liegen sie und schlafen, der brave Petrus, der hübsche Johannes, alle miteinander, alle diese guten Leute, über die sich Jesus mit gutem Willen wieder und wieder liebreich zu täuschen gewohnt ist, denen er seine Gedanken, Teile seiner Gedanken mitteilt, so als verstünden sie seine Sprache, so als sei es möglich, seine Gedanken in der Tat diesen Leuten mitzuteilen, etwas wie verwandte Schwingung bei ihnen wachzurufen, etwas wie Verstehen, wie Verwandtschaft, wie Zusammengehörigkeit bei ihnen zu finden. Und jetzt, im Augenblick der unerträglichen Qual, wendet er sich um nach diesen Genossen, nach diesen Einzigen, die er hat, und ist so ganz aufgeschlossen, so ganz Mensch, so ganz Leidender, daß er ihnen jetzt näher zu kommen vermöchte als jemals sonst, daß er an jedem dümmsten Wort, an jeder halbwegs freundlichen Gebärde von ihnen etwas wie Trost und Aufrichtung finden könnte – aber nein, sie sind nicht da, sie schlafen, sie schnarchen. Dieser grauenhafte Augenblick ist mir, ich weiß nicht auf welchem Wege, schon seit sehr früher Jugend tief eingeprägt, und, wie gesagt, wenn ich an Jesus denke, so taucht immer sofort unfehlbar die Erinnerung an diesen Augenblick mit auf.

Die Parallele dazu bei Myschkin ist diese. Wenn ich an ihn, an den »Idioten« denke, so ist es ebenfalls ein scheinbar nicht so wichtiger Moment, der mir zuerst aufblitzt, und zwar ist es ebenfalls der Moment einer unglaublichen totalen Isoliertheit, einer tragischen Vereinsamung. Die Szene, die ich meine, ist jener Abend in Pawlowsk im Haus Lebedeffs, wo der Fürst, wenige Tage nach seinem epileptischen Anfall, als Genesender den Besuch der ganzen Familie Jepantschin empfangen hat, als plötzlich in diesen heitern und eleganten, obwohl auch schon mit heimlichen Spannungen und Schwülheiten geladenen Kreis die jungen Herren Revolutionäre und Nihilisten treten, als der gesprächige Bursche Hippolyt mit seinem angeblichen »Sohne Pawlitscheffs«, mit dem »Boxer« und den andern hereinplatzt, diese unangenehme, jedesmal widerliche, beim Lesen etwas

218

empörende und ekelhafte Szene, wo diese beschränkten und irregeführten jungen Menschen in ihrer hilflosen Bosheit so grell und exponiert und nackt wie auf überhellter Bühne stehen, wo jedes, jedes einzelne ihrer Worte einem doppelt wehe tut, einmal wegen seiner Wirkung auf den guten Myschkin, und dann noch wegen der Grausamkeit, mit der es den Sprecher selbst entblößt und freigibt – diese seltsame, unvergeßliche, obwohl im Roman selbst nicht allzu wichtige oder betonte Stelle meine ich. Auf der einen Seite die Gesellschaft, die Eleganten, die Weltleute, die Reichen, Mächtigen und Konservativen, auf der andern Seite die wütende Jugend, unerbittlich, nichts denkend als Auflehnung, nichts kennend als ihren Haß auf das Hergebrachte, rücksichtslos, wüst, wild, namenlos stupid mitten in ihrem rhetorischen Intellektualismus – und zwischen diesen beiden Parteien stehend der Fürst, allein, exponiert, von beiden Seiten kritisch und mit höchster Spannung beobachtet. Und wie endet die Situation? Sie endet damit, daß Myschkin, trotz einiger kleiner Fehler, die ihm in der Aufregung passieren, sich ganz seiner guten, zarten, kindlichen Natur entsprechend benimmt, daß er das Unerträgliche lächelnd hinnimmt, auf das Unverschämteste noch mit wahrhaft christushafter Selbstlosigkeit antwortet, bereit ist, jede Schuld auf sich zu nehmen, bei sich zu suchen, – und daß er damit vollkommen durchfällt und verachtet wird – nicht etwa von dieser Partei oder jener, nicht etwa von den Jungen gegen die Alten, oder umgekehrt, sondern von beiden, von beiden! Alle wenden sie sich von ihm ab, allen hat er auf die Zehen getreten, einen Augenblick lang sind die äußersten Gegensätze in Gesellschaft, Alter, Gesinnung völlig verlöscht, und alle sind einig, vollkommen einig darin, daß sie sich mit Entrüstung und Wut von dem abwenden, der der einzige Reine unter ihnen ist!

Worauf nun beruht die Unmöglichkeit dieses Idioten in der Welt der andern? Warum versteht ihn niemand, ihn, den doch fast alle irgendwie lieben, dessen Sanftmut allen sympathisch, ja oft vorbildlich erscheint? Was trennt ihn, den magischen Menschen, von den andern, den gewöhnlichen Menschen? Warum haben sie Recht, wenn sie ihn ablehnen? Warum müssen sie das tun, unfehlbar? Warum muß es ihm gehen wie Jesus, der am Ende nicht nur von der Welt, sondern auch von allen seinen Jüngern verlassen war? Das ist, weil der Idiot ein anderes Denken denkt als die andern. Nicht daß er weniger logisch, mehr kindlich-assoziativ denkt als sie, nicht das ist es. Sein Denken ist jenes, das ich das »magische« nenne. Er leugnet, dieser sanfte Idiot, das ganze Leben, das ganze Denken und Fühlen, die ganze Welt und Realität der andern. Für ihn ist Wirklichkeit etwas vollkommen anderes als für sie. Ihre Wirklichkeit ist für ihn völlig schattenhaft. Darin, daß er eine ganz neue Wirklichkeit sieht und fordert, wird er ihr Feind.

Der Unterschied ist nicht der, daß die einen Macht und Geld, Familie und Staat und dergleichen Werte hochschätzen, er aber nicht. Es ist nicht so, daß er das Geistige verträte und sie das Materielle, oder wie man das formulieren mag! Nicht das ist es. Auch für den Idioten besteht das Materielle, er anerkennt durchaus die Bedeutung dieser Dinge, wennschon er sie weniger wichtig nimmt. Seine Forderung, sein Ideal ist nicht ein asketisch-indisches, ein Absterben von der Welt scheinbarer Wirklichkeiten, zugunsten des in sich begnügten Geistes, der allein Wirklichkeit zu sein meint.

Nein, über die beiderseitigen Rechte der Natur und des Geistes, über die Notwendigkeiten ihres Ineinanderwirkens, würde Myschkin sich durchaus mit den andern verständigen können. Nur daß die Gleichzeitigkeit und Gleichberechtigung beider Welten für sie ein Verstandessatz, für ihn Leben und Wirklichkeit ist! Dies ist noch unklar, versuchen wir, es etwas anders darzustellen!

Myschkin unterscheidet sich von den andern dadurch, daß er als Idiot und Epileptiker, der aber zugleich ein überaus kluger Mensch ist, viel nähere und unmittelbarere Beziehungen zum Unbewußten hat als jene. Das höchste Erlebnis ist ihm jene halbe Sekunde höchster Feinfühligkeit und Einsicht, die er einige Male erlebt hat, jene magische Fähigkeit, für einen Moment, für den Besitz eines Momentes alles sein, alles mitfühlen, alles mitleiden, alles verstehen und bejahen zu können, was in der Welt ist. Dort liegt der Kern seines Wesens. Er hat Magie, er hat mystische Weisheit nicht gelesen und anerkannt, nicht studiert und bewundert, sondern (wenn auch nur in ganz seltenen Augenblicken) tatsächlich erlebt. Er hat nicht nur seltene und bedeutende Gedanken und Einfälle gehabt, sondern ist, einmal oder einigemal, auf der magischen Grenze gestanden, wo alles bejaht wird, wo nicht nur der entlegenste Gedanke wahr ist, sondern auch das Gegenteil jedes solchen Gedankens.

Dies ist das Furchtbare, mit Recht von den andern Gefürchtete an diesem Menschen. Völlig allein steht er nicht, nicht die ganze Welt ist gegen ihn. Es sind da noch einige Menschen, einige sehr zweifelhafte, sehr gefährdete und gefährliche Menschen, die ihn zuzeiten gefühlhaft verstehen: Rogoschin, die Nastaßja. Vom Verbrecher und von der Hysterischen wird er verstanden, er, der Unschuldige, das sanfte Kind! Aber dies Kind ist, bei Gott, nicht so sanft, wie es scheint. Seine Unschuld ist keine harmlose, und mit Recht erschrecken die Menschen vor ihm.

Der Idiot ist, sagte ich, zeitweise jener Grenze nahe, wo von jedem Gedanken auch das Gegenteil als wahr empfunden wird. Das heißt, er hat ein Gefühl dafür, daß kein Gedanke, kein Gesetz, keine Prägung und Formung existiert, welche anders wahr und richtig wäre als von einem Pole aus – und zu jedem Pol gibt es einen Gegenpol. Das Setzen eines Poles, das Annehmen einer Stelle, von wo aus die Welt angeschaut und geordnet wird, ist die erste Grundlage jeder Formung, jeder Kultur, jeder Gesellschaft und Moral. Wer Geist und Natur, Geist und Freiheit, Gut und Böse, sei es auch nur für einen Moment, als verwechselbar empfindet, ist der furchtbarste Feind jeder Ordnung. Denn dort beginnt das Gegenteil von Ordnung, dort beginnt das Chaos.

Ein Denken, das zum Unbewußten, zum Chaos, zurückkehrt, zerstört jede menschliche Ordnung. Dem »Idioten« wird einmal im Gespräch gesagt, er sage ja nur die Wahrheit, nicht mehr, und das sei jämmerlich! So ist es. Wahr ist alles, Ja läßt sich zu allem sagen. Um die Welt zu ordnen, um Ziele zu erreichen, um Gesetz, Gesellschaft, Organisation, Kultur, Moral zu ermöglichen, muß zum Ja das Nein kommen, muß die Welt in Gegensätze, in Gut und Böse eingeteilt werden. Mag die erste Setzung jedes Nein, jedes Verbotes, jedes »Böse« ein völlig willkürliches sein –

221

sie wird heilig, sobald sie Gesetz wird, sobald sie Folge hat, sobald sie Grundlage einer Anschauung und Ordnung geworden ist.

Höchste Wirklichkeit im Sinne menschlicher Kultur ist dies Eingeteiltsein der Welt in Hell und Finster, Gut und Böse, Erlaubt und Verboten. Höchste Wirklichkeit für Myschkin aber ist das magische Erlebnis von der Umkehrbarkeit aller Satzungen, vom gleichberechtigten Vorhandensein der Gegenpole. Der Idiot, zu Ende gedacht, führt das Mutterrecht des Unbewußten ein, hebt die Kultur auf. Er zerbricht die Gesetzestafeln nicht, er dreht sie nur um und zeigt, daß auf der Rückseite das Gegenteil geschrieben steht.

Daß dieser Feind der Ordnung, dieser furchtbare Zerstörer nicht als Verbrecher auftritt, sondern als lieber, schüchterner Mensch voll Kindlichkeit und Anmut, voll guter Treuherzigkeit und selbstloser Gutmütigkeit, das ist das Geheimnis dieses erschreckenden Buches. Dostojewski hat aus tiefem Empfinden heraus diesen Mann als krank, als Epileptiker gezeichnet. Alle Träger des Neuen, des Furchtbaren, des ungewissen Zukünftigen, alle Vorboten eines vorgeahnten Chaos sind bei Dostojewski Kranke, Zweifelhafte, Belastete: Rogoschin, die Nastaßja, später alle vier Karamasoffs. Alle werden als entgleiste, als sonderbare Ausnahmegestalten gezeichnet, aber alle so, daß wir für ihre Entgleistheit und Geisteskrankheit etwas von der heiligen Achtung empfinden, die der Asiate dem Wahnsinnigen zu schulden glaubt.

Das Bemerkenswerte und Seltsame, das Wichtige und Verhängnisvolle ist ja nicht, daß irgendwo in Rußland in den fünfziger und sechziger Jahren ein genialer Epileptiker solche Phantasien gehabt und solche Figuren gedichtet hat. Das Wichtigste ist, daß diese Bücher seit drei Jahrzehnten mehr und mehr von der Jugend Europas als die wichtigen und prophetischen empfunden werden. Das Seltsame ist, daß wir diesen Verbrechern, Hysterikern und Idioten Dostojewskis ganz anders ins Gesicht sehen als irgendwelchen Verbrecher- oder Narrenfiguren andrer beliebter Romane, daß wir sie so unheimlich begreifen, daß wir sie so seltsam lieben, daß wir etwas in uns finden, was diesen Menschen verwandt und ähnlich sein muß.

222

Das liegt nicht an Zufällen, und liegt noch weniger am Äußerlichen und Literarischen in Dostojewskis Werk. So verblüffend manche Züge bei ihm sind – man denke nur an die Vorwegnahme einer schon hoch ausgebildeten Psychologie des Unbewußten –, sein Werk wird von uns nicht als der Ausdruck hochgesteigerter Einsichten und Fertigkeiten bewundert, nicht als die künstlerische Prägung einer uns im Grunde bekannten und geläufigen Welt, sondern wir empfinden es als prophetisch, als Vorausspiegelung einer Zersetzung und eines Chaos, von dem wir Europa nun seit einigen Jahren auch äußerlich ergriffen sehen. Nicht als ob die Welt dieser Dichterfiguren ein Zukunftsbild im Sinn eines Ideals wäre – das wird niemand so empfinden. Nein, wir fühlen bei Myschkin und allen diesen Figuren nicht Vorbildlichkeit im Sinne von »So sollst du werden!«, sondern Notwendigkeit, im Sinne von: »Durch dies müssen wir hindurch, dies ist unser Schicksal!«

Die Zukunft ist ungewiß, der Weg aber, der hier gezeigt wird, ist eindeutig. Er bedeutet: seelische Neueinstellung. Er führt über Myschkin, er fordert das »magische« Denken, das Annehmen des Chaos, Rückkehr ins Ungeordnete, Rückweg ins Unbewußte, ins Gestaltlose, ins Tier, noch weit hinter das Tier zurück, Rückkehr zu allen Anfängen. Nicht, um dort zu bleiben, nicht um Tier, nicht um Urschlamm zu werden, sondern um uns neu zu orientieren, um an den Wurzeln unseres Seins vergessene Triebe und Entwicklungsmöglichkeiten aufzufinden, um aufs neue Schöpfung, Wertung, Teilung der Welt vornehmen zu können. Diesen Weg lehrt kein Programm uns finden, keine Revolution reißt uns die Tore dahin auf. Jeder geht ihn allein, jeder für sich. Jeder von uns wird, eine Stunde in seinem Leben, auf der Myschkinschen Grenze stehen müssen, wo die Wahrheiten aufhören und neue beginnen können. Jeder von uns muß einmal, einen Augenblick im Leben, in sich etwas Derartiges erleben, wie es Myschkin in seinen hellsichtigen Sekunden, wie es Dostojewski selbst in jenen Minuten erlebte, wo er dicht vor der Hinrichtung stand, und aus welchen er mit dem Blick des Propheten hervorging.

(1920)

223

## HASSBRIEFE

Deutsche Studenten haben stets ihre oft originellen und lustigen Weisen gehabt, um nicht nur Verehrung und Bewunderung, sondern auch ihre Verachtung und ihren Haß auszudrücken. Jener Teil der deutschen Studentenschaft, der durch dick und dünn die alten Traditionen zu retten sucht, der politisch reaktionär und extrem nationalistisch gesinnt ist, sendet mir aus verschiedenen Universitäten, besonders aus Halle, je und je einen Haßbrief zu. Ich kann diese Briefe nicht beantworten, so interessant sie oft auch sind, aber da sie sich, in ziemlich ähnlicher Form, von Zeit zu Zeit wiederholen und eine ehrliche und wohlgemeinte, ja enthusiastische Gesinnung zeigen, welche dennoch in ihrer Richtung überaus gefährlich ist und für unsere Zukunft Böses fürchten läßt, muß ich doch einmal davon sprechen. Ich nehme zur Grundlage den Brief eines Studenten in Halle, dessen Namen ich nicht nenne. Der Briefschreiber hat das Bedürfnis, mir mitzuteilen, daß er (samt zahlreichen Gesinnungsgenossen von ihm) nicht mit mir zufrieden ist, daß er mir eine schwere Verkennung meiner Pflichten vorzuwerfen habe, daß er samt seinen Freunden mich tief verachtet, daß ich für ihn und seine Kameraden tot und begraben bin und ihnen höchstens zum Anlaß des Gelächters dienen kann usw. Einige Sätze, besonders charakteristisch, seien mitgeteilt.

»Ihre Kunst ist ein neurasthenisch-wollüstiges Wühlen in Schönheit, ist lockende Sirene über dampfenden deutschen Gräbern, die sich noch nicht geschlossen haben. Wir hassen diese Dichter, und mögen sie zehnmal reife Kunst bieten, die aus Männern Weiber machen wollen, die uns verflachen und internationalisieren und pazifizieren wollen. Wir sind Deutsche und wollen es ewig bleiben. Wir sind die Jünger eines Schiller und Fichte und Kant und Beethoven und Richard Wagner – ja wohl, zehnmal eines Richard Wagner, dessen schmetternde Inbrunst wir in alle Ewigkeiten lieben werden. Wir haben ein Recht zu fordern, daß unsre deutschen Dichter (sind sie verwelscht, dann mögen sie uns gestohlen bleiben!) unser schlummerndes Volk aufrütteln, daß sie es wieder führen zu den heiligen Gärten des deutschen

224

Idealismus, des deutschen Glaubens und der deutschen Treue!«

Man könnte denken, das seien nun eben Stilübungen, wie sie sentimentale Jünglinge einander früher ins Stammbuch schrieben, naive Äußerungen einer jugendhaften Selbstberauschung an knalligen Worten. Aber das wäre zu optimistisch gedacht, hinter solchen Sätzen steht mehr – zwar keine Gesinnungen, aber ein starker, krankhafter, übrigens auch reichlich neurasthenischer Trotz, ein Bekenntnis zu Tendenzen, die in ihrer Weiterwirkung gefährlich, geist- und lebensfeindlich sind. Schon daß ein Student das Bedürfnis fühlt, einem Dichter mitzuteilen: »Sie sind tot für uns, wir lachen über Sie!« ist ja ein seltsames Bedürfnis. Er hat irgend etwas von mir gelesen, was ihm neurasthenisch und ungesund oder »undeutsch« oder »verwelscht« scheint – aber es genügt ihm nicht, das Buch wegzulegen, und sich von diesem Dichter nun eben abzuwenden, nein, er hat in diesem Dichter etwas gespürt, ein Gift, eine Verlockung, etwas von Welsch und International, von Menschlich, von Übernational, etwas, wovon Verlockung ausgeht, was man also desto heftiger bekämpfen und in sich selber ausreuten muß! Daß der verwelschte, pazifistische, undeutsche Dichter für ihn tot ist, daß kein anständiger, patriotisch und schillerisch gesinnter Jüngling auf solche Dichter hört, das muß er ihm (und sich selbst) laut und mit einem verdächtigen Aufwande an Affekt zurufen.

Ich will diesen Brief und die mehreren ähnlichen, die ich bekam, hier natürlich nicht erwidern. Mich interessiert es nicht, ob einige hundert oder tausend Studenten mich lesen oder nicht, mich billigen oder nicht, es gibt ernstere Nöte für mich. Aber es interessiert mich, als Symptom der Zeit, die Reaktion heutiger deutscher Studenten auf die Lektüre verwelschter, pazifistischer Dichter, auf deren Bemühungen um Entbarbarisierung und Humanität.

Interessant ist da vor allem der Satz, welcher beginnt »Wir haben ein Recht zu fordern«. Also nach der Meinung dieser Studenten ist ein Dichter nicht ein Wesen, welches das ihm Notwendige tut und das desto vollkommener, desto wertvoller ist, je sicherer und unbeirrbarer es sein Wesen, seine Erkenntnis, seine Wahrheit lebt und darstellt, sondern der

Dichter ist ein Funktionär, der sich vom Studenten sagen zu lassen hat, was er tun und verkünden soll. Der Dichter hat zu parieren, wenn der teutsche Bursch mit dem Schläger daherklirrt. Junge, wie hast du dich da verraten!

Noch aufschlußreicher für die Krampfhaftigkeit und gefährliche Verbohrtheit der Einstellung ist aber das Bekenntnis des Briefes zu jenen Deutschen, welche der Briefschreiber als die Großen und Führenden empfindet! Er ist Medizinstudent, und vermutlich war er einige Jahre im Kriege, und da er, wie ich zu seiner Ehre annehme, gewiß viel Fleiß auf sein Studium verwendet, wird er uns nicht im Ernst vormachen wollen, er habe als Student schon alle die von ihm angeführten Literaten ausstudiert. Sondern wir dürfen annehmen, er verdanke sein Wissen über deutsche Geschichte und deutsche Genies einigen alldeutschen Vorträgen, oder dem Lesen einer Tendenzschrift von Chamberlain, Rohrbach oder bestenfalls Naumann. Einige der Namen hat er wieder vergessen, die mit zum Programm gehören, so Luther und Hegel, aber deutlich ist das Programm auch so. Es stört mich einzig der Name Beethovens; ihn würde ich zwar nicht bei einer Aufzählung der deutschen Musiker an erster Stelle nennen, aber er ist mir doch zu heilig, um ihn mit in diese schäbige Sache hineinzuziehen. Lassen wir ihn weg, oder vielmehr, geben wir jenem Studenten zu, daß er unter all den ihm heiligen Namen einen einzigen genannt hat, der auch mir und den mir gleichgesinnten ehrwürdig ist: Beethoven. Daß weder Mozart noch Bach noch Gluck neben ihm stehen, sondern einzig Wagner, ist freilich schlimm. Aber schließlich ist Musik nicht jedermanns Sache, und warum soll der junge Briefschreiber nicht seine Freude an Lohengrin oder der Rienziouvertüre haben? Aber daß er von den großen deutschen Dichtern keinen einzigen kennt und nennt, daß alle tiefen, in sich echten, der Konjunktur und Anpassung schwer fähigen und darum einsam gebliebenen Deutschen ihm in dem Augenblicke nicht einfallen, wo er sein Heiligstes nennen möchte, das ist schlimm. Es gibt also für diese Art deutscher Studenten einen deutschen Geist, der eindeutig und strahlend vertreten wird durch Schiller, Fichte, Kant! Kein Goethe, kein Hölderlin, kein Jean Paul, kein Nietzsche! Ich fürchte, der

Briefschreiber sei nicht ganz ehrlich gewesen, ich habe ein Gefühl, als wären ihm im Grunde Namen wie Scharnhorst, Blücher, Bismarck, Roon etc. noch näher gelegen. Ich fürchte, von Schiller meine er weniger die revolutionäre als die dekorative Seite, und von Kant habe er die Kritik der reinen Vernunft weniger aufmerksam gelesen als die der praktischen – vielleicht aber kennt er ihn auch nur aus jener bekannten Stelle vom Sternhimmel.

Die sämtlichen von dem Briefschreiber verehrten deutschen Geister gehören, offen gesagt, für mich zu den dekorativen Größen. Ich gebe für zwei Gedichte von Hölderlin den ganzen Schiller und den Fichte dazu, und Kant hat, trotz seiner riesigen Leistung, auf den deutschen Geist einen keineswegs reinen und nur wohltätigen Einfluß gehabt. Wenigstens ist sein unerbittlich kritisches Denken und die Reinlichkeit seiner Methode keineswegs allgemein gültiges Vorbild der seitherigen Philosophen und Professoren Deutschlands geworden, wohl aber sein Ausbiegen nach der Seite der Autoritäts- und Staatsmoral und sein Servilismus dem Landesfürsten gegenüber.

Kurz, der mit so viel Schwung von unserem Briefschreiber bekannte deutsche Glaube zeigt sich mir in nichts verschieden von jenem Glauben des deutschen Durchschnittsgebildeten vergangener Zeit, von jenem bequemen, unselbständigen, streng autoritativen und vor jedem kollektiven Ideal sich verneigenden Bürgerglauben, gegen den Goethe so oft gekämpft und protestiert hat, an dem Hölderlin zerbrochen ist, den Jean Paul ironisiert und Nietzsche so wütend denunziert und an den Pranger gestellt hat. Es ist der Geist, der stets zu haben ist, wenn es gilt, unter Fahnenschwingen und Schwertgeklirr eine »große Zeit« zu eröffnen, oder Weltproteste von der Art jener Dreiundneunzig loszulassen. Es ist der Geist, der Angst vor sich selber hat und jede Verlockung von der gewohnten Fahne weg gleich als satanisch empfindet, der aber diese innere Feigheit hinter lärmendem Säbelrasseln verbirgt. Daß dieser Geist sich für den deutschen Geist ausgeben darf, daß er jahrzehntelang, vom Regime seit 1870 unterstützt, sich in die Welt hineinposaunt hat, dies hat uns andere, die wir diesen Geist nicht lieben und für einen Popanz halten, zu Internationalisten und Pazifisten gemacht. Denn jener deutsche Pseudogeist, um es klar zu sagen, ist es, dem mit Recht die Welt Schuld am Kriege vorwirft. Wer sich zu ihm bekennt, hat weiter Teil an dieser Schuld. Um den Weg aus der Hypnose durch Autorität und aus jenem »Idealismus« der doppelten Wahrheit heraus zu finden, braucht man nicht, wie jener Briefschreiber meint, das deutsche Wesen zu verneinen: Man muß sich nur so weit verwelschen und internationalisieren, daß man von Welschen und Ausländern wie Jesus, Franz von Assisi, Dante, Shakespeare zu lernen bereit ist.

Im übrigen kann man die von mir propagierte, vom Briefschreiber für undeutsche und unmännlich gehaltene Gesinnung auch von zahlreichen deutschen Männern, die ihre Verkünder und Märtyrer waren, bestätigt finden. Nur muß man dann einige Schritte tun, die der Briefschreiber zu tun über seinen andern Studien noch nicht Zeit fand: Man muß in der deutschen Vergangenheit etwas weiter zurücksteigen als bloß bis in die klassisch-idealistische Zeit, in welcher von würdigen und zum Teil genialen Männern die Fundamente zu dem geschaffen wurden, was heute als offiziell-deutsche Staatsbeamtengesinnung entartet und antiquiert ist, sondern man muß ein älteres, früheres, ein Deutschland der mittelalterlichen Dome und Dichtung aufsuchen. Und im späteren Deutschland muß man neben Wagner auch Bach und gar Mozart, neben Kant auch Schopenhauer und Nietzsche, neben Schiller auch Goethe, Hölderlin und Jean Paul kennen und anerkennen. Dann kann man ein Mann und ein Deutscher bleiben und doch die Weltgedanken der Menschenliebe und der Menschenvernunft mitdenken und verwirklichen helfen. Mit der Gesinnung jener Briefschreiber, mit dem einseitigen, idealistisch-ideologischen Deutschtum, das nur Kant, Schiller, Fichte, Wagner kennt, geht es freilich nicht. Dies einseitige, verbohrte Deutschtum, das von vielen Kanzeln und Kathedern gelehrt wurde, das mit dem Kriege nicht zusammengebrochen scheint, muß einem unendlich weiteren, elastischeren Deutschland Platz machen, wenn Deutschland nicht bis in Ewigkeit zwischen den Völkern der Welt einsam, verärgert und weinerlich sitzen bleiben soll.

(1921)

Der Professor redete schon eine ganze Weile, ohne daß ich seinen Worten folgte, ich war müde, und es war heiß, und es gab so viel anderes, was mir wichtig war und mich bedrückte, als diese Probleme. Immerhin, ich hörte seine Stimme gern und liebte den Eifer, mit dem er sprach. Er hatte das, was mir fehlte: eine geistige Heimat, einen Glauben und Codex, ein Vertrauen in den Wert und die Notwendigkeit seiner Existenz und Tätigkeit und die Illusion einer festen Verbundenheit mit seinem Volke, zu dem er wie alle Gebildeten in Wahrheit kein anderes Verhältnis hatte, als daß er einige seiner Vorurteile teilte. »Sehen Sie«, hörte ich ihn sagen, und für eine Weile gewann er wieder meine Aufmerksamkeit, »dieses neue Buch über Friedrich den Großen, der »Fridericus« von *Werner Hegemann*, ist wieder so richtig ein Belegstück für den alten Grundfehler unserer deutschen Literatur. Da kommt ein begabter und sogar merkwürdig gut unterrichteter und belesener Autor und schreibt ein Buch über König Friedrich. Und was tut er? Er reißt den Alten Fritz herunter, daß kein guter Fetzen mehr an ihm bleibt! Natürlich schreibt er nicht ein solides kritisches Werk, solche langweiligen und zeitraubenden Arbeiten überläßt er uns verachteten Fachleuten. Sondern er schreibt eine Reihe von brillanten spielerischen Unterhaltungsstücken über sein Thema, überall nur andeutend und bei keinem Einzelthema verharrend, sprunghaft und launisch, wenn auch tatsächlich recht geistvoll. Nun ja. Schließlich wäre das Dilletantische und Spielerische seiner Form nicht das Gefährliche an dem Buch. Aber was hat er für eine Einstellung zu seinem Helden? Kein Engländer würde es jemals wagen, so über einen Heros seiner Nation zu denken und zu schreiben, ein Amerikaner noch viel weniger, überhaupt in jedem anderen Volk wäre eine Gestalt wie die Friedrichs, in ihrer einsamen Größe, vor einer so maßlosen, so gehässigen Kritik geschützt. Dieser Hegemann, ein echter deutscher Literat, stellt sich in seinem Buch von der ersten Seite an die Aufgabe, alles zu verhöhnen, was Geschichtsforschung und Volksbegeisterung als ein wertvolles Gut geschaffen haben: das Bild des großen Königs und Denkers. Zug für Zug wird dies Bild zerstört. Statt eines großen Königs bleibt nichts übrig als ein habgieriger verblendet egoistischer Dynast. Statt des großen Denkers sehen wir einen geschwätzigen und eitlen Dilettanten, der schlechte Verse macht und wertlose Abhandlungen schreibt und seine Umgebung mit deren Verlesung langweilt. Statt des geistvollen Kunstfreundes sehen wir einen dünkelhaften Eiferer, der alles besser wissen will, der alle geistigen Werte in seiner eigenen Nation aus Französelei gar nicht sehen kann, und der schließlich sogar in der Musik und im Flötenspiel, die er zeitlebens mit so viel Liebe betrieb, ein kläglicher Stümper war. – Sehen Sie, das ist deutsch, das kennzeichnet leider den deutschen Intellektuellen, daß er fähig ist, so sein eigenes Nest zu beschmutzen, daß er aus irgendeiner nervösen Gehässigkeit und einem alten Insuffizienzgefühl heraus an den Gütern seines Volkes rütteln und nörgeln muß, daß nichts ihm heilig ist als seine eigene Geistigkeit.«

»Ja«, sagte ich langsam, »das kann schon sein. Aber daß die deutschen Intellektuellen Insuffizienzgefühle haben und daß die deutsche Geistigkeit sich im eigenen Hause nicht wohlfühlt, dazu hat doch vielleicht gerade Friedrich der Große reichlich viel beigetragen mit seiner Verachtung der deutschen Literatur, mit seiner Gewohnheit, ihm lästige Redakteure verprügeln zu lassen, mit seiner einseitigen Verhimmelung Voltaires. . .«

»Ah, Sie sind schon angesteckt!« rief der Professor.

»Vielleicht. Ich wollte aber noch etwas anderes sagen. Sie sprechen davon, daß deutsche Literaten gern das eigene Nest besudeln – ein Ausdruck, den ich übrigens nicht billige – und heilige Güter ihres Volkes in den Staub ziehen. Aber bei Hegemann scheint mir die Sache ja doch ganz anders zu liegen. Ich finde sein Buch im Gegenteil außerordentlich patriotisch. Es ist sogar so patriotisch, daß er, aus lauter flammender Liebe zu Deutschland, seinem Helden häufig nicht gerecht wird, denn er sieht in ihm ja eben nicht den deutschen Fürsten und Heros, sondern bloß den Preußen, und was er Friedrich vorzuwerfen hat, ist nichts anderes, als dessen Mangel an Sinn für deutsches

230

Wesen und deutsche Politik. Er sieht in Friedrich einen Verräter an Deutschland, und wenn er darüber heftig wird, dürfen wir ihm nicht vorwerfen, es fehle ihm an Vaterlandsliebe.«

»Ich sehe,« sagte der Professor, etwas ärgerlich, »daß Sie sich in der Tat von dem gefährlichen Buch haben einspinnen lassen. Das tut mir leid. Ich kann Ihnen versichern, daß Hegemanns Buch vor der geschichtswissenschaftlichen Kritik nicht bestehen wird. Eine so einseitige, gewaltsame, perfide Anwendung des Zeugnismaterials wird sich die schärfste Kritik gefallen lassen müssen.«

»Das mag wohl sein«, unterbrach ich ihn. »Lassen wir das doch die Fachleute besorgen! Mir persönlich hat Hegemanns Buch aus zwei Gründen so gut gefallen: Erstens, weil ich selbst den König Friedrich nie gemocht habe. Ich habe ihn nicht anders gekannt, als die Schulkinder ihn kennen, aus ein paar Dutzend Anekdoten und den in deutschen Lesebüchern üblichen Lesestücken über deutsche und preußische Geschichte, ferner aus den Zeichnungen Menzels, und überall schien mir dieser Friedrich, unbeschadet seiner Größe als Natur und Kerl, ein ganz ungewöhnlich unsympathischer, unvertrauter, böser und kalter Mensch zu sein. Zum erstenmal finde ich diesen Eindruck nun in einem Buch Zug für Zug bestätigt, und das macht einem stets Vergnügen. Zweitens aber gefällt mir das Buch von Hegemann so sehr, weil es mit einer in unserer heutigen Literatur gar nicht mehr üblichen Verschwendung an Geist und Witz geschrieben ist, weil sein Ton so spielend, elegant und elastisch ist, weil seine ganze furchtbare Anklage mit Lächeln und beherrschter Gebärde vorgetragen wird. Wenn es nicht von ihm selber handelte, und wenn es französisch geschrieben wäre, hätte Friedrich selber, der Freund Voltaires, für dieses Buch schwärmen können . . .«

Der Professor pfiff leise vor sich hin.

»Wir werden uns über dies Thema nicht einigen. Aber glauben Sie mir, dies Fridericus-Buch ist ein Elender. Auch Sie sind darauf hereingefallen. Es muß wirklich bei uns der Geist eine seltene Sache sein, daß ein wenig mehr als das übliche Maß davon genügt, um die absurdesten Dinge deutschen Lesern plausibel zu machen.«

231

»Es ist ja nicht der Geist allein«, sagte ich begütigend. »So billig bin auch ich nicht zu kaufen, obwohl ich ein deutscher Literat bin. Aber es stehen für einen Deutschen, und zwar gerade für einen deutschen Schriftsteller, so außerordentlich erfreuliche Sachen in diesem bösen Buch. Ich denke da vor allem an die Ehrenrettung Goethes, und ich muß sagen, es hat mich nicht wenig gefreut, daß Hegemann während der Demolierung Friedrichs noch die Zeit und Grazie findet, um eine Ehrenrettung Goethes vorzunehmen. Sie erinnern sich, wie prachtvoll Goethe, der Weimarer Minister, als Anwalt deutschen Fühlens und als Vorausahner deutscher Einheitspolitik, dem Berliner König gegenübergestellt wird, der alle seine Kriege zugunsten Frankreichs gegen Deutschland führt. Dabei war eben dieser König bisher zwar nicht wirklich populär, aber immerhin als Lesebuchfigur jedem Deutschen als einer der Ahnen und Begründer deutscher Größe wohlbekannt, während jener Goethe ebenso bekannt war als ein zwar begabter, aber leider der vaterländischen Gefühle ermangelnder Dichter, der in Weimar einen wirklichkeitsfremden Griechentraum geträumt habe. Gegen diese Legende Ihrer Kollegen von der Historie hat Hegemann eine ganz prachtvolle Attacke geritten. Ich erinnere mich, da ich selber zu den Leidtragenden gehörte, sehr genau an jene Stimmung, auf die man während des Krieges, während der »großen Zeit«, in Deutschland stieß, wenn man an Goethe erinnerte – ach, Goethe war damals der heimliche Schutzgott all der Dichter und Geistigen, die das Geschrei von der großen Zeit nicht mitmachen und nicht mit patriotischen Kriegsgesängen dienen konnten. Und dann wieder, wenn es galt, mit der deutschen Kultur zu prahlen und um die Sympathien der Neutralen zu erwerben, dann war damals die deutsche Öffentlichkeit groß darin, zu zeigen, daß Potsdam nicht der einzige Pol deutscher Kultur sei, sondern den Gegenpol Weimar habe, und daß Potsdam und Weimar eigentlich gar keine Gegensätze seien, sondern eben Gegenpole, usw. – Und das gefällt mir nun an dem Hegemannschen Buch so besonders, daß es nicht bloß diesen Schwindel wieder umstößt und die tiefe Wesensverschiedenheit zwischen Weimar und Potsdam nicht nur fühlt

und aufzeigt, sondern daß es sogar dem antideutschen Friedrich den wahrhaft deutschen Goethe überzeugend gegenüberstellt. Anno 1914 war ähnliches dem deutschen Geist leider nicht möglich, denn es fehlte zwar nicht an einem König in Berlin, der Deutschland ins Verderben bringen half, aber es fehlte im ganzen Reiche vollständig an einem Goethe.«
Damit erhob ich mich und ging weiter.

(1925)


### DIE IDEE
(Einleitung zu einer Holzschnittfolge von Frans Masereel)

»La passion d'un homme«, ›Der Leidensweg eines Menschen‹, so hieß der Titel der ersten Holzschnittfolge von Frans Masereel, die ich vor Jahren zu Gesicht bekam – seit damals gehört Masereel zu den Kameraden auf Erden, die ich liebe und verehre und mit zur inneren Bruderschaft zähle, obwohl ich ihm nie persönlich begegnet bin, und obwohl er von Art und Herkunft mir eigentlich gar nicht nahe steht, sondern eher mein Antipode ist.
»Leidensweg des Menschen« so könnte als Titel über dem ganzen Werk dieses herrlichen, fanatischen, kindlichen, raffinierten Künstlers stehen, und schon damit ist gesagt, daß Masereel von allem Anfang an schon mitten im Zentrum aller Kunst steht. Denn der Leidensweg des Menschen, die Passion der Menschwerdung, das schmerzliche Unterwegssein auf diesem schweren Wege, die tausend Aufschwünge, tausend bitteren Rückfälle – diese Passionsgeschichte ist der einzige und ewige Inhalt aller Kunst.
Dieser so moderne Künstler Masereel, dieser echte Großstädter, dieser neugierige, leicht begeisterte, immer hungrige, immer aufnahmebereite Kindermensch, der es so häufig mit Fabriken und Autos, mit Schwungrädern und Leitungen, Wolkenkratzern und großstädtischem Straßenbetrieb zu tun hat, der das verzerrte Gesicht des Wuchers, das rohe des Polizisten, das dumme der Hure, das böse des Ausbeuters hundert- und tausendmal so sehr zeitgemäß dargestellt hat, er ist im Grunde immer mit etwas durch-

aus Zeitlosem und Ewigem beschäftigt, mit der ewig gleichen, ewig leidvollen, ewig begeisternden Geschichte des Menschen. Wie aus diesem zweibeinigen, begabten, bösen, gefährlichen, feigen Vieh Mensch jener andere Mensch werden kann, den die Religionen und die großen Kulturen meinen, der Mensch der Idee, der Mensch im Dienst Gottes, der Mensch der Liebe, Selbstüberwindung und Güte – diese uralte, ernste, frohe, heilige Geschichte, von der die Bibeln aller Völker und Zeitalter handeln, dies Bethlehem, Jerusalem und Golgatha des werdenden, des strebenden Menschen ist der Inhalt von Masereels Kunst, immer und immer wieder. Er redet nicht von Moses und von den Königen, nicht von den Propheten und nicht vom Heiland, er spricht von sich selber und von uns, seinen Brüdern, er spricht vom Menschen unserer Zeit, wie er inmitten seiner Städte, seiner Maschinen, seiner Heere und Kasernen, seiner Fabriken und Zuchthäuser seinen Weg sucht, die Sehnsucht nach Gott im Herzen, von der Welt bald mit allem holdesten Liebesreiz angezogen und gefesselt, bald tief beleidigt und enttäuscht, in hundert Kämpfe verwickelt, Held und Narr eines ewigen Ideals. Viele Male hat Masereel diesen Menschen dargestellt, immer ist es er selbst. Mehrere Male schon hat er ihn sterben lassen, hat er ihn an eine Mauer vor die Flinten der Soldaten gestellt und erschießen lassen, oft schon ist er scheinbar untergegangen im hoffnungslosen Kampf mit dieser so viel stärkeren Welt, mit diesen Kasernen, diesen Richtern, diesen Zeitungs- und Fabrikmenschen, diesen Wucherern, diesen Raffern und Genießern. Aber immer wieder steht er auf, immer wieder beginnt er seinen schönen und schweren Weg, immer wieder stürzt er mit gebrochenen Flügeln vom Himmel, um sich immer wieder in begeisterter Stunde aus dem trüben Kammerfenster des Alltags zu schwingen. Und alle diese Kämpfe – das ist das Wunderbare! – alle diese Kämpfe, diese Leiden, diese Irrfahrten und Todesqualen erlebt nicht ein Prediger, nicht ein zorniger Prophet, nicht ein anklagender Richter, nicht ein boshafter Satiriker, sondern ein Liebender. Etwas von dem, was ihn so trunken und begeistert macht und seinen Flug so hinreißend beflügelt, et-

234

was von diesem Fernen, Göttlichen, selig Geahnten, inbrünstig Gesuchten, was er in Sonne und Meer, in Blume und Tier, in schönen Leibern und in schönen frommen Gebärden anbetet und immer wieder aufsucht, etwas vom Strahl dieses Göttlichen ist auch in seinen Fabriken, seinen Nachtlokalen, seinen Dirnenstuben, seinen Gerichtssälen, seinen verzerrten Egoistengesichtern. Auf vielen seiner Blätter, wo der Held in die Hand der Philister fällt und vom Pöbel gesteinigt oder von der eiskalten Gerechtigkeitsmaschine des Staates totgewalzt wird, da haben zwar die Träger der rohen Gewalt recht böse, recht wüste, rohe, viehische Gesichter, aber ihr Grinsen verrät unendliche Qual – einen schweren Weg, einen Leidensweg gehen auch sie, die Bösen, die Gewalttäter, die verirrten Brüder, die das Lebendige und Ewige in sich töten wollen, wie sie es im verfolgten Helden totschlagen. Auch sie leiden, diese rohen Gewaltmenschen, auch sie sind unterwegs auf einem schweren, mühsamen Weg, Verirrte, von Angstträumen Geplagte, krampfhaft das Dumme und Falsche Tuende. Auch sie leiden, auch sie sind Menschen, sind Brüder. Mit Liebe geht der Künstler, so sehr er mit seiner raschen Holzschneide-Technik zu vereinfachen scheint, auch bei seinen Bösewichtern und Übeltätern dem charakteristischen Ausdruck, der bezeichnenden Gebärde nach, er studiert den Zylinder des Elegants, die Fratze des anschnauzenden Polizisten, die Hosenfalte des Großindustriellen mit derselben Liebe, derselben Hingabe, Neugierde und brennenden Künstler-Besessenheit, wie er den Schimmer eines nackten Körpers, das Lächeln eines Kindes studiert.

In der Holzschnittfolge »Die Idee« hat Masereel eines seiner entzückendsten Symbole gefunden. Da sitzt er am Tisch, der liebe Kerl, eingesponnen, sinnend, konzentriert, auf den Funken wartend. Und der Funke kommt und zündet, aus des Künstlers Haupt springt hell und leicht die Idee, eine kleine, holde Mädchenfigur, eine schimmernde, nackte kleine Undine, die er entzückt und dankbar begrüßt, ans Herz drückt, anbetet, voll Verliebtheit küßt. Dann aber ist die heilige Stunde schon herum, die Idee muß fort, sie muß in die Welt hinaus, zu den Andern. Traurig nimmt er von ihr Abschied, bekümmert sieht

235

er sie ihren Weg antreten. Sie gehört nicht mehr ihm, die liebe Kleine, sie ist fortgeflogen und geht nun der Welt entgegen, ihrer Mission entgegen. Mit Neugierde, mit Freude wird sie empfangen, mitten unter einem Schwarm von Menschen, die bereit sind, sie zu packen, auszubeuten, weiterzuverschachern. Man steckt sie, das nackte, schöne Märchenkind, schnell in Allerweltskleider, traurig trägt sie die Kleider durch die Gassen, entspringt ihnen rasend, rast und tanzt nackt und strahlend durch die Welt, wird vom Volk begafft, vom Philister beargwöhnt, von der Moral denunziert, von der Polizei abgeführt, eingesperrt, neu eingekleidet. Sie findet ihren Vater und Helden wieder, der sie selig empfängt, der ihretwegen verfolgt wird, gefangen wird, zum Tode geführt wird – aber stets ist sie bei ihm, macht das Leid zur Freude, und als er erschossen werden und für seine Idee sterben soll, stellt sie sich zwischen ihn und den Tod, muß ihn aber doch sterben sehen und begraben helfen. Sie läuft weiter durch die Welt, die liebe kleine Fee, sie entzückt und erschreckt die Menschen, wird von ihnen begehrt und verfolgt, sie flüchtet in eine Druckerei, wird vervielfältigt, fliegt verhundertfacht weiter, kommt in tausend Hände, vor tausend Augen, erregt Liebe und Verachtung, Verehrung und Ärgernis – wie schwingt sie sich froh und leicht empor auf dem Blatt, wo sie die Presse verläßt! – wieder wird sie verfolgt, wird verbrannt, aber während die Verbrenner frohlockend in die Asche stieren, schwebt sie schon wieder hoch in den Lüften davon, erobert den Draht, das Telephon, die Bahn, den Morse-Apparat, den Photographen und Film, spielt überlegen und nixenhaft mit dem ganzen komplizierten Apparat unserer Mechanik, bringt alles in Erregung, bringt alles durcheinander, streut eine Saat von Unruhe, von Leben, von Liebe, von Empörung, und findet am Ende, nach achtzig Abenteuern, zu Ihm zurück, zu ihrem Vater und Geliebten. Der sitzt und hat soeben eine neue, schöne Idee geboren – aber war er denn nicht totgeschossen? begraben? Nein, er lebt längst wieder, vielleicht ist er seither schon manchen Tod gestorben, durch manches Gethsemane gegangen. Sie schwebt zu ihm herein und sieht ihn traurig

236

von der neuen Idee besessen, in die neue Schwester verliebt, aber auch die darf nicht bei ihm bleiben, auch sie muß hinaus und ihren Passionsweg antreten. So schließt sich der Ring, einsam bleibt der Schöpfer zurück.

Ich möchte wohl wünschen, daß diese Idee, diese kleine, strahlende Zauberin, recht Viele in sich verliebt mache, recht Viele bezaubere und mit Sehnsucht nach ihrer Heimat, unserer aller Heimat, erfülle. Sie ist ein Funke von jenseits, ein zarter Ruf aus der höheren Welt, eine zarte Mahnung an unser Ziel und unsere Aufgabe, an den Weg der Menschwerdung, der vor uns liegt. Wir wollen sie nicht belächeln und nicht verfolgen, dieses schöne Mädchen aus der Fremde, wir wollen sie weder verfolgen noch verbrennen, noch herabziehen und zur Hure machen. Sie ist unsere liebe kleine Schwester, ist ein Gruß aus unserer fernen Heimat.

Der Mann, der diese wunderbare kleine Bildergeschichte, und noch manch andere, gedichtet hat, ist ein Belgier, und während des Krieges erschien er eines Tages in der Schweiz, nicht um nach Rache für sein Vaterland zu schreien, sondern um dem Kriege selbst den Krieg zu erklären. Tag für Tag erschienen damals, Freude und Trost für eine treue kleine Schar von Gesinnungsgenossen, Masereels Holzschnitte gegen den Krieg, jeden Tag ein neues Blatt. Wir andern waren damals ja alle sehr beschäftigt, wir mußten schießen oder Gefangene bewachen, oder Wunden verbinden oder neue Ersatzmittel erfinden. Aber wenn ich jetzt an jene phantastische Zeit zurückdenke, so scheint mir eigentlich Masereel der Einzige gewesen zu sein, der damals Tag für Tag etwas Vernünftiges, etwas Gutes und Dankenswertes getan hat. Dafür möchte ich ihm bei dieser späten Gelegenheit meinen Dank abstatten.

(1927)

### DIE FREMDENSTADT IM SÜDEN

Diese Stadt ist eine der witzigsten und einträglichsten Unternehmungen modernen Geistes. Ihre Entstehung und Einrichtung beruht auf einer genialen Synthese, wie sie nur von sehr tiefen Kennern der Psychologie des Großstädters ausgedacht werden konnte, wenn man sie nicht geradezu als eine direkte Ausstrahlung der Großstadtseele, als deren verwirklichten Traum bezeichnen will. Denn diese Gründung realisiert in idealer Vollkommenheit alle Ferien- und Naturwünsche jeder durchschnittlichen Großstädterseele. Bekanntlich schwärmt der Großstädter für nichts so sehr wie für Natur, für Idylle, Friede und Schönheit. Bekanntlich aber sind alle diese schönen Dinge, die er so sehr begehrt und von welchen bis vor kurzem die Erde noch übervoll war, ihm völlig unbekömmlich, er kann sie nicht vertragen. Und da er sie nun dennoch haben will, da er sich die Natur nun einmal in den Kopf gesetzt hat, so hat man ihm hier, wie es koffeinfreien Kaffee und nikotinfreie Zigarren gibt, eine naturfreie, eine gefahrlose, hygienische, denaturierte Natur aufgebaut. Und bei alledem war jener oberste Grundsatz des modernen Kunstgewerbes maßgebend, die Forderung nach absoluter »Echtheit«. Mit Recht betont ja das moderne Gewerbe diese Forderung, welche in früheren Zeiten nicht bekannt war, weil damals jedes Schaf in der Tat ein echtes Schaf war und echte Wolle gab, jede Kuh echt war und echte Milch gab und künstliche Schafe und Kühe noch nicht erfunden waren. Nachdem sie aber erfunden waren und die echten nahezu verdrängt hatten, wurde in Bälde auch das Ideal der Echtheit erfunden. Die Zeiten sind vorüber, wo naive Fürsten sich in irgendeinem deutschen Tälchen künstliche Ruinen, eine nachgemachte Einsiedelei, eine kleine unechte Schweiz, einen imitierten Posilipo bauen ließen. Fern liegt heutigen Unternehmern der absurde Gedanke, dem großstädtischen Kenner etwa ein Italien in der Nähe Londons, eine Schweiz bei Chemnitz, ein Sizilien am Bodensee vortäuschen zu wollen. Der Naturersatz, den der heutige Städter verlangt, muß unbedingt echt sein, echt wie das Silber, mit dem er tafelt, echt wie die Perlen, die seine Frau trägt, und echt wie die Liebe zu Volk und Republik, die er im Busen hegt.

Dies alles zu verwirklichen, war nicht leicht. Der wohlhabende Großstädter verlangt für den Frühling und Herbst einen Süden, der seinen Vorstellungen und Bedürfnissen entspricht, einen echten Süden mit Palmen und Zitronen, blaue Seen, malerische Städtchen, und dies alles war ja leicht zu haben. Er verlangt aber auch außerdem Gesellschaft, verlangt Hygiene und Sauberkeit, verlangt Stadtatmosphäre, verlangt Musik, Technik, Eleganz, er erwartet eine dem Menschen restlos unterworfene und von ihm umgestaltete Natur, eine Natur, die ihm zwar Reize und Illusionen gewährt, aber lenkbar ist und nichts von ihm verlangt, in die er sich mit allen seinen großstädtischen Gewohnheiten, Sitten und Ansprüchen bequem hineinsetzen kann. Da nun die Natur das Unerbittlichste ist, was wir kennen, scheint das Erfüllen solcher Ansprüche nahezu unmöglich; aber menschlicher Tatkraft ist bekanntlich nichts unmöglich. Der Traum ist erfüllt.

Die Fremdenstadt im Süden konnte natürlich nicht in einem einzigen Exemplar hergestellt werden. Es wurden dreißig oder vierzig solche Idealstädte gemacht, an jedem irgend geeigneten Ort sieht man eine stehen, und wenn ich eine dieser Städte zu schildern versuche, ist es natürlich nicht diese oder jene, sie trägt keinen Eigennamen, so wenig wie ein Ford-Automobil, sie ist ein Exemplar, ist eine von vielen.

Zwischen langhin gedehnten, sanft geschwungenen Kaimauern liegt mit kleinen, kurzen Wellchen ein See aus blauem Wasser, an dessen Rand findet der Naturgenuß statt. Am Ufer schwimmen unzählige kleine Ruderboote mit farbig gestreiften Sonnendächern und bunten Fähnchen, elegante hübsche Boote mit kleinen netten Kissen und sauber wie Operationstische. Ihre Besitzer gehen auf dem Kai auf und nieder und bieten allen Vorübergehenden unaufhörlich ihre Schiffchen zum Mieten an. Diese Männer gehen in matrosenähnlichen Anzügen mit bloßer Brust und bloßen braunen Armen, sie sprechen echtes Italienisch, sind jedoch imstande, auch in jeder anderen Sprache Auskunft zu geben, sie haben leuchtende Südländeraugen, rauchen lange, dünne Zigarren und wirken malerisch.

Längs dem Ufer schwimmen die Boote, längs dem Seerand läuft die Seepromenade, eine doppelte Straße, der seewärts gekehrte Teil unter sauber geschnittenen Bäumen ist den Fußgängern reserviert, der innere Teil ist eine blendende und heiße Verkehrsstraße, voll von Hotelomnibussen, Autos,

239

Trambahnen und Fuhrwerken. An dieser Straße steht die Fremdenstadt, welche eine Dimension weniger hat als andere Städte, sie erstreckt sich nur in die Länge und Höhe, nicht in die Tiefe. Sie besteht aus einem dichten, stolzen Gürtel von Hotelgebäuden. Hinter diesem Gürtel aber, eine nicht zu übersehende Attraktion, findet der echte Süden statt, dort nämlich steht tatsächlich ein altes italienisches Städtchen, wo auf engem, stark riechendem Markt Gemüse, Hühner und Fische verkauft werden, wo barfüßige Kinder mit Konservenbüchsen Fußball spielen und Mütter mit fliegenden Haaren und heftigen Stimmen die wohllautenden klassischen Namen ihrer Kinder ausbrüllen. Hier riecht es nach Salami, nach Wein, nach Abtritt, nach Tabak und Handwerken, hier stehen in Hemdsärmeln joviale Männer unter offenen Ladentüren, sitzen Schuhmacher auf offener Straße, das Leder klopfend, alles echt und sehr bunt und originell, es könnte auf dieser Szene jederzeit der erste Akt einer Oper beginnen. Hier sieht man die Fremden mit großer Neugierde Entdeckungen machen und hört häufig von Gebildeten verständnisvolle Äußerungen über die fremde Volksseele. Eishändler fahren mit kleinen rasselnden Karren durch die engen Gassen und brüllen ihre Näschereien aus, da und dort beginnt in einem Hofe oder auf einem Plätzchen ein Drehklavier zu spielen. Täglich bringt der Fremde in dieser kleinen, schmutzigen und interessanten Stadt eine Stunde oder zwei zu, kauft Strohflechtereien und Ansichtskarten, versucht Italienisch zu sprechen und sammelt südliche Eindrücke. Hier wird auch sehr viel photographiert.

Noch weiter entfernt, hinter dem alten Städtchen, liegt das Land, da liegen Dörfer und Wiesen, Weinberge und Wälder, die Natur ist dort noch wie sie immer war, wild und ungeschliffen, doch bekommen die Fremden davon wenig zu sehen, denn wenn sie je und je in Automobilen durch diese Natur fahren, sehen sie die Wiesen und Dörfer genau so verstaubt und feindselig am Rand der Autostraße liegen wie überall.

Bald kehrt daher der Fremde von solchen Exkursionen wieder in die Idealstadt zurück. Dort stehen die großen, vielstöckigen Hotels, von intelligenten Direktoren geleitet, mit wohlerzogenem, aufmerksamem Personal. Dort fahren niedliche Dampfer über den See und elegante Wagen auf der Straße, überall tritt der Fuß auf Asphalt und Zement, überall ist frisch gefegt und gespritzt, überall werden Galanteriewaren und Erfrischungen angeboten. Im Hotel Bristol wohnt der frühere Präsident von Frankreich und im Parkhotel der deutsche Reichskanzler, man geht in elegante Cafés und trifft da die Bekannten aus Berlin, Frankfurt und München an, man liest die heimatlichen Zeitungen und ist aus dem Operetten-Italien der Altstadt wieder in die gute, solide Luft der Heimat getreten, der Großstadt, man drückt frischgewaschene Hände, lädt einander zu Erfrischungen ein, ruft zwischenein am Telephon die heimatliche Firma an, bewegt sich nett und angeregt zwischen netten, gutgekleideten, vergnügten Menschen. Auf Hotelterrassen hinter Säulenbalustraden und Oleanderbäumen sitzen berühmte Dichter, und starren mit sinnendem Auge auf den Spiegel des Sees, zuweilen empfangen sie Vertreter der Presse, und bald erfährt man, an welchem Werk dieser und jener Meister nun arbeitet. In einem feinen, kleinen Restaurant sieht man die beliebteste Schauspielerin der heimatlichen Großstadt sitzen, sie trägt ein Kostüm, das ist wie ein Traum, und füttert einen Pekinghund mit Dessert. Auch sie ist entzückt von der Natur und oft bis zur Andacht gerührt, wenn sie abends in Nr. 178 des Palace-Hotels ihr Fenster öffnet und die endlose Reihe der schimmernden Lichter sieht, die sich dem Ufer entlang zieht und träumerisch jenseits der Bucht verliert.

Sanft und befriedigt wandelt man auf der Promenade, Müllers aus Darmstadt sind auch da, und man hört, daß morgen ein italienischer Tenor im Kursaale auftreten wird, der einzige, der sich nach Caruso wirklich hören lassen kann. Man sieht gegen Abend die Dampferchen heimkehren, mustert die Aussteigenden, trifft wieder Bekannte, bleibt eine Weile vor einem Schaufenster voll alter Möbel und Stickereien stehen, dann wird es kühl, und nun kehrt man ins Hotel zurück, hinter die Wände von Beton und Glas, wo der Speisesaal schon von Porzellan, Glas und Silber funkelt und wo nachher ein kleiner Ball stattfinden wird. Musik ist ohnehin schon da, kaum hat man Abendtoilette gemacht,

241

so wird man schon vom süßen, wiegenden Klang empfangen.

Vor dem Hotel erlischt langsam im Abend die Blumenpracht. Da stehen in Beeten, zwischen Betonmauern dicht und bunt die blühendsten Gewächse, Kamelien und Rhododendren, hohe Palmen dazwischen, alles echt, und voll dicker, kühlblauer Kugeln, die fetten Hortensien. Morgen findet eine große Gesellschaftsfahrt nach -aggio statt, auf die man sich freut. Und sollte man morgen aus Versehen statt nach -aggio an irgendeinen anderen Ort gelangen, nach -iggio oder -ino, so schadet das nichts, denn man wird dort ganz genau die gleiche Idealstadt antreffen, denselben See, denselben Kai, dieselbe malerisch-drollige Altstadt und dieselben guten Hotels mit den hohen Glaswänden, hinter welchen uns die Palmen beim Essen zuschauen, und dieselbe gute weiche Musik und all das, was so zum Leben des Städters gehört, wenn er es gut haben will.

(1925)

## BEI DEN MASSAGETEN

So sehr auch ohne Zweifel mein Vaterland, falls ich wirklich ein solches hätte, alle übrigen Länder der Erde an Annehmlichkeiten und herrlichen Einrichtungen überträfe, spürte ich vor kurzem doch wieder einmal Wanderlust und tat eine Reise in das ferne Land der Massageten, wo ich seit der Erfindung des Schießpulvers nie mehr gewesen war. Es gelüstete mich, zu sehen, inwieweit dieses so berühmte und tapfere Volk, dessen Krieger einst den großen Cyrus überwunden haben, sich inzwischen verändert und den Sitten der jetzigen Zeit möchte angepaßt haben.

Und in der Tat, ich hatte in meinen Erwartungen die wackeren Massageten keineswegs überschätzt. Gleich allen Ländern, welche zu den vorgeschrittenern zu zählen den Ehrgeiz haben, sendet auch das Land der Massageten neuerdings jedem Fremdling, der sich seiner Grenze nähert, einen Reporter entgegen – abgesehen natürlich von jenen Fällen, in denen es bedeutende, ehrwürdige und distinguierte Fremde sind, denn ihnen wird, je nach Rang, selbstverständlich weit mehr Ehre erwiesen. Sie werden, wenn sie Boxer oder Fußballmeister sind, vom Hygieneminister, wenn sie Wettschwimmer sind, vom Kultusminister, und wenn sie Inhaber eines Weltrekordes sind, vom Reichspräsidenten oder von dessen Stellvertreter empfangen. Nun, mir blieb es erspart, solche Aufmerksamkeiten auf mich gehäuft zu sehen, ich war Literat, und so kam mir denn ein einfacher Journalist an der Grenze entgegen, ein angenehmer junger Mann von hübscher Gestalt, und ersuchte mich, vor dem Betreten des Landes ihn einer kurzen Darlegung meiner Weltanschauung und speziell meiner Ansichten über die Massageten zu würdigen. Dieser hübsche Brauch war also auch hier inzwischen eingeführt worden.

»Mein Herr«, sagte ich »lassen Sie mich, der ich Ihre herrliche Sprache nur unvollkommen beherrsche, mich auf das Unerläßlichste beschränken. Meine Weltanschauung ist diejenige des Landes, in welchem ich jeweils reise, dies versteht sich ja wohl von selbst. Was nun meine Kenntnisse über Ihr hochberühmtes Land und Volk betrifft, so stammen sie aus der denkbar besten und ehrwürdigsten Quelle, nämlich aus dem Buch »Klio« des großen Herodot. Erfüllt von tiefer Bewunderung für die Tapferkeit ihres gewaltigen Heeres und für das ruhmreiche Andenken Ihrer Heldenkönigin Tomyris, habe ich schon in früheren Zeiten Ihr Land zu besuchen die Ehre gehabt, und habe diesen Besuch nun endlich erneuern wollen.«

»Sehr verbunden«, sprach etwas düster der Massagete. »Ihr Name ist uns nicht unbekannt. Unser Propagandaministerium verfolgt alle Äußerungen des Auslandes über uns mit größter Sorgfalt, und so ist uns nicht entgangen, daß Sie der Verfasser von dreißig Zeilen über massagetische Sitten und Bräuche sind, die Sie in einer Zeitung veröffentlicht haben. Es wird mir eine Ehre sein, Sie auf Ihrer diesmaligen Reise durch unser Land zu begleiten und dafür zu sorgen, daß Sie bemerken können, wie sehr manche unsrer Sitten sich seither verändert haben.«

Sein etwas finsterer Ton zeigte mir an, daß meine früheren Äußerungen über die Massageten, die ich doch so sehr liebte und bewunderte, hier im Lande keineswegs vollen Beifall gefunden hatten. Einen Augenblick dachte ich an Umkehr,

243

ich erinnerte mich an jene Königin Tomyris, die den Kopf des großen Cyrus in einen mit Blut gefüllten Schlauch gesteckt hatte, und an andere rassige Äußerungen dieses lebhaften Volksgeistes. Aber schließlich hatte ich meinen Paß und das Visum, und die Zeiten der Tomyris waren vorüber.

»Entschuldigen Sie«, sagte mein Führer nun etwas freundlicher, »wenn ich darauf bestehen muß, Sie erst im Glaubensbekenntnis zu prüfen. Nicht daß etwa das Geringste gegen Sie vorläge, obwohl Sie unser Land schon früher einmal besucht haben. Nein, nur der Formalität wegen, und weil Sie sich etwas einseitig auf Herodot berufen haben. Wie Sie wissen, gab es zur Zeit jenes gewiß hochbegabten Joniers noch keinerlei offiziellen Propaganda- und Kulturdienst, so mögen ihm seine immerhin etwas fahrlässigen Äußerungen über unser Land hingehen. Daß hingegen ein heutiger Autor sich auf Herodot berufe und gar ausschließlich auf ihn, können wir nicht zugeben. – Also bitte, Herr Kollege, sagen Sie mir in Kürze, wie Sie über die Massageten denken und was Sie für sie fühlen.«

Ich seufzte ein wenig. Nun ja, dieser junge Mann war nicht gesonnen, es mir leicht zu machen, er bestand auf den Förmlichkeiten. Hervor also mit den Förmlichkeiten! Ich begann:

»Selbstverständlich bin ich darüber genau unterrichtet, daß die Massageten nicht nur das älteste, frömmste, kultivierteste und zugleich tapferste Volk der Erde sind, daß ihre unbesieglichen Heere die zahlreichsten, ihre Flotte die größte, ihr Charakter der unbeugsamste und zugleich liebenswürdigste, ihre Frauen die schönsten, ihre Schulen und öffentlichen Einrichtungen die vorbildlichsten der Welt sind, sondern daß sie auch jene in der ganzen Welt so hochgeschätzte und manchen anderen großen Völkern so sehr mangelnde Tugend in höchstem Maße besitzen, nämlich gegen Fremde im Gefühl ihrer eigenen Überlegenheit gütig und nachsichtig zu sein und nicht von jedem armen Fremdling zu erwarten, daß er einem geringeren Lande entstammend, sich selbst auf der Höhe der massagetischen Vollkommenheit befinde. Auch hierüber werde ich nicht ermangeln, in meiner Heimat wahrheitsgetreu zu berichten.«

244

»Sehr gut«, sprach mein Begleiter gütig, »Sie haben in der Tat bei der Aufzählung unserer Tugenden den Nagel, oder vielmehr die Nägel auf den Kopf getroffen. Ich sehe, daß Sie über uns besser unterrichtet sind, als es anfangs den Anschein hatte, und heiße Sie aus treuem massagetischem Herzen aufrichtig in unserem schönen Lande willkommen. Einige Einzelheiten in Ihrer Kenntnis bedürfen ja wohl noch der Ergänzung. Namentlich ist es mir aufgefallen, daß Sie unsre hohen Leistungen auf zwei wichtigen Gebieten nicht erwähnt haben: im Sport und im Christentum. Ein Massagete, mein Herr, war es, der im internationalen Hüpfen nach rückwärts mit verbundenen Augen den Weltrekord mit 11,098 erzielt hat.«

»In der Tat«, log ich höflich, »wie konnte ich daran nicht denken! Aber Sie erwähnten auch noch das Christentum als ein Gebiet auf dem Ihr Volk Rekorde aufgestellt habe. Darf ich darüber um Belehrung bitten?«

»Nun ja«, sagte der junge Mann. »Ich wollte ja nur andeuten, daß es uns willkommen wäre, wenn Sie über diesen Punkt Ihrem Reisebericht den einen oder andern freundlichen Superlativ beifügen könnten. Wir haben zum Beispiel in einer kleinen Stadt am Araxes einen alten Priester, der in seinem Leben nicht weniger als 63 000 Messen gelesen hat, und in einer andern Stadt gibt es eine berühmte moderne Kirche, in welcher alles aus Zement ist, und zwar aus einheimischem Zement: Wände, Turm, Böden, Säulen, Altäre, Dach, Taufstein, Kanzel usw., alles bis auf den letzten Leuchter, bis auf die Opferbüchsen.«

Na, dachte ich, da habt ihr wohl auch einen zementierten Pfarrer auf der Zementkanzel stehen. Aber ich schwieg.

»Sehen Sie«, fuhr mein Führer fort, »ich will offen gegen Sie sein. Wir haben ein Interesse daran, unseren Ruf als Christen möglichst zu propagieren. Obgleich nämlich unser Land ja seit Jahrhunderten die christliche Religion angenommen hat und von den einstigen massagetischen Göttern und Kulten keine Spur mehr vorhanden ist, gibt es doch eine kleine, allzu hitzige Partei im Lande, welche darauf ausgeht, die alten Götter aus der Zeit des Perserkönigs Cvrus und der Königin Tomyris wieder einzuführen. Es ist dies lediglich die Schrulle einiger Phantasten, wissen Sie, aber natürlich hat sich die Presse der Nachbarländer dieser lächerlichen Sache bemächtigt und bringt sie mit der Reorganisation unseres Heerwesens in Verbindung. Wir werden verdächtigt, das Christentum abschaffen zu wollen, um im nächsten Krieg auch noch die paar letzten Hemmungen im Anwenden aller Vernichtungsmittel leichter fallenlassen zu können. Dies der Grund, warum eine Betonung der Christlichkeit unseres Landes uns willkommen wäre. Es liegt uns natürlich fern, Ihre objektiven Berichte im geringsten beeinflussen zu wollen, doch kann ich Ihnen immerhin unter vier Augen anvertrauen, daß Ihre Bereitschaft, etwas weniges über unsere Christlichkeit zu schreiben, eine persönliche Einladung bei unserm Reichskanzler zur Folge haben könnte. Dies nebenbei.«

»Ich will es mir überlegen«, sagte ich. »Eigentlich ist Christentum nicht mein Spezialfach. – Und nun freue ich mich sehr darauf, das herrliche Denkmal wiederzusehen, das Ihre Vorväter dem heldenhaften Spargapises errichtet haben.«

»Spargapises?« murmelte mein Kollege. »Wer soll das denn sein?«

»Nun, der große Sohn der Tomyris, der die Schmach, von Cyrus überlistet worden zu sein, nicht ertragen konnte und sich in der Gefangenschaft das Leben nahm.«

»Ach ja, natürlich«, rief mein Begleiter, »ich sehe, Sie landen immer wieder bei Herodot. Ja, dies Denkmal soll in der Tat sehr schön gewesen sein. Es ist auf sonderbare Weise vom Erdboden verschwunden. Hören Sie! Wir haben, wie Ihnen bekannt ist, ein ganz ungeheures Interesse für Wissenschaft, speziell für Altertumsforschung, und was die Zahl der zu Forschungszwecken aufgegrabenen oder unterhöhlten Quadratmeter Landes betrifft, steht unser Land in der Weltstatistik an dritter oder vierter Stelle. Diese gewaltigen Ausgrabungen, welche vorwiegend prähistorischen Funden galten, führten auch in die Nähe jenes Denkmals aus der Tomyris-Zeit, und da gerade jenes Terrain große Ausbeute, namentlich an massagetischen Mammutknochen, versprach, versuchte man in gewisser Tiefe das Denkmal zu untergraben. Und dabei ist es eingestürzt! Reste davon sollen aber im Museum Massageticum noch zu sehen sein.«

Er führte mich zum bereitstehenden Wagen, und in lebhaf-

ter Unterhaltung fuhren wir dem Innern des Landes entgegen.

(1927)

# Texte über den Steppenwolf

Er moralisierte nicht, sondern räumte auf, nicht bei Nachbarn und Feinden, sondern bei sich selbst – und eben dadurch auch in der Nachbarschaft und Fremde.                    *Oskar Loerke*

*Ein Blick auf die Bibliographie der Sekundärliteratur (S. 408 ff.) genügt, um sich zu vergegenwärtigen, welch ein verschwindender Teil, gemessen an dem, was über den ›Steppenwolf‹ geschrieben worden ist, in die nachfolgende Auswahl aufgenommen werden konnte. 45 Jahre sind seit dem Erscheinen der Erstausgabe verstrichen. Der auf diesen Zeitraum verteilten Sekundärliteratur ist fast nur noch bibliographisch beizukommen. Je weniger in unserem Querschnitt die quantitativen Relationen gezeigt werden konnten, desto größere Sorgfalt galt qualitativen Kriterien und Bezügen auf den bisherigen Kontext. Doch auch hier konnte sich unsere Dokumentation aus Umfangsgründen nur auf einen Bruchteil des Lesenswerten beschränken. Anregung und Orientierung zu detaillierterem Studium gibt die Bibliographie. Von den zeitgenössischen Reaktionen auf Steppenwolf, Krisis, bzw. auf Hesses 50. Geburtstag am 2. 7. 1927 – einem Zeitpunkt, der fast mit dem Erscheinen der ›Steppenwolf‹-Erstausgabe und der Hesse-Biographie von Hugo Ball zusammenfiel – wurden diejenigen bevorzugt, die, gemessen an dem, was wir heute über das Buch, seine Motivationen und Intentionen wissen, schon damals außergewöhnlich viel Substantielles enthielten. Sie sind nicht repräsentativ für das Gros der übrigen Besprechungen, das man in Hesses Briefen unmißverständlich charakterisiert findet. Die späteren Texte, besonders die Beiträge von Colin Wilson, Theodore Ziolkowski, Timothy Leary und Fred Haines signalisieren wichtige Etappen der neueren und der gegenwärtigen Steppenwolf-Rezeption. Unsere Auswahl beginnt mit einem zusammenfassenden Überblick der Editionsgeschichte des ›Steppenwolfs‹ aus Peter de Mendelssohns Chronik »S. Fischer und sein Verlag«.*

*Peter de Mendelssohn*
*Die unheimliche Kreuz- und Querspinne*

»Lieber Herr Hesse, warum sind Sie bei dem schönen Wetter so schlechter Laune?« heißt es arglos in einem handschriftlichen Nachsatz Fischers zu einem Geschäftsbrief vom 16. April 1926. Aber wie sollte einer wohl guter Laune sein, der zu dieser Zeit den reißenden, zähnefletschenden *Steppenwolf* schrieb? Zwei Monate darauf, am 18. Juni, sandte Hesse Fischer die *Steppenwolf-Gedichte,* die im Herbst 1926 in der ›Neuen Rundschau‹ erschienen und mit ihrer selbstzerstörerischen, bitterbösen Schwermut ahnen ließen, was im Kommen war.

Fischer dachte ans nächste Jahr, an Hesses fünfzigsten Geburtstag. Die Gesamtausgabe war bereits nahezu vollständig erschienen, der Essayband *Betrachtungen,* der Hesses wichtigste Aufsätze der Kriegs- und Nachkriegsjahre enthalten sollte, war für 1927 in Vorbereitung, und es nahte der unheimliche neue Roman. Es fehlte die Monographie. Es schien dem Verleger nachgerade unerläßlich, daß ein berufener Geist aus der verwirrenden Vielfalt dieses in seinem selbstvergessenen Auf und Ab so widerspruchsvoll erscheinenden Werkes die festen Wesenszüge herausarbeitete. Doch wer konnte dieses Buch schreiben?

Wieder wurde man sich erst sehr spät schlüssig. Erst am 2. Oktober 1926 schrieb Fischer an Hesse: »Was würden Sie zu einer Wahl Loerkes für die Hesse-Biographie sagen? L. würde die Gestalt zu geben vermögen, denn er ist ja auch ein Dichter.« Es ist fesselnd, sich eine Hesse-Monographie von Oskar Loerke vorzustellen. Loerke war ein aufrichtiger Verehrer Hesses, wenngleich mit gelegentlichen Vorbehalten; so hatte er im Frühjahr bei der Lektüre der *Nürnberger Reise* notiert: »Verdrießt mich durch seinen allzu trägen Quietismus. Etwas kindisch in der Abwehr dieser Welt, wie sie nun ist – trotzdem sie benutzt! Viel Talent zu erzählen. Trotz des Unbehagens liest man mit Entzücken.« Loerke kannte Hesse jedoch nur aus seinem Werk. Er war ihm bis dahin nie begegnet, denn Hesse weigerte sich hartnäckig, nach Berlin zu kommen, hatte nie mit ihm gesprochen, besaß keinen Einblick in sein Leben. Außerdem wäre dem gehetzten und überlasteten Mann, dem die Arbeit nicht leicht von der Hand ging, eine solche Eilarbeit wohl nicht zur Freude, sondern zur Qual geworden. Loerke erwähnt Fischers Absicht in seinem Tagebuch nicht, möglicherweise erfuhr er von ihr gar nicht. Denn Hesse hatte einen geeigneteren Mann näher zur Hand. Er schlug Fischer seinen Freund Hugo Ball vor. Hugo Ball war mit seinen wenigen Schriften damals nur einem kleinen Kreis bekannt. Er war elf Jahre jünger als Hesse und gehörte mit seiner Frau Emmy Hennings seit dem Beginn der zwanziger Jahre zu Hesses kleinem Tessiner Nachbarnkreis. Er hat die erste Begegnung mit Hesse in seinem Tagebuch *Flucht aus der Zeit* geschildert:

*Wir haben den Dichter des Demian nun auch privatim kennen gelernt. Es klingelte um die Mittagsstunde und hereintrat ein schmaler, jugendlich aussehender Mann von scharfem Gesichtsschnitt und leidendem Wesen. Er überfliegt mit einem Blick die Wände, dann schaut er uns lange in die Augen. Wir bieten einen Stuhl an, ich lege Feuer in den Kamin. So sitzen wir bald und plaudern, als seien wir gute Bekannte seit langer Zeit.*

Sie wurden bald enge Freunde, zwischen denen es nur wenige Arbeitsgeheimnisse gab. Hugo Ball, aus dem Saarland gebürtig, hatte als junger Dramaturg und Dramatiker zu den Wegbereitern des expressionistischen Theaters gehört; er hatte das erste Kriegsjahr auf dem belgischen Kriegsschauplatz erlebt und war als erbitterter Kriegsgegner 1915 in die Schweiz emigriert, wo er in Zürich das ›Cabaret Voltaire‹ mitbegründete und zu den ›Erfindern‹ des Dadaismus zählte. »Man kann das Eiserne Kreuz auch auf dem Rücken tragen«, lautet eine Eintragung in seinem Tagebuch vom Oktober 1915. Aber schon 1917 wandte er sich vom Dadaismus ab, trat zum Katholizismus über und zog sich in den Tessin zurück, wo er sein bedeutendes Buch *Byzantinisches Christentum* schrieb. Er war ein kranker, unruhiger Mann, der dennoch eine große innere Heiterkeit ausstrahlte. Hesse erklärte später, was ihn mit ihm verband: die Herkunft aus dem Religiösen und das Erlebnis des Krieges.

252

*Wir beide hatten aus Vaterhaus und Kindheit alte Tradi-
tionen, hohe Ideale, tiefe Mahnungen, hohe Auffassungen
vom Sinn des Menschseins mitgebracht, wir beide erlebten im Krieg den sichtbaren Zusammenbruch, die verzweifelte Explosion eines europäischen Geistes- und Seelen-
zustandes, und wir erlebten diesen Zusammenbruch beide
ganz ähnlich: nicht bloß als Erschüttertsein von all dem
Mord und all der Not, sondern als Aufruf an das eigene
Gewissen.*

Hugo Ball und Emmy Hennings lebten in Hesses Nähe,
in Sorengo bei Lugano, in sehr bedrängten Verhältnissen; ihre Gedichte und Zeitschriftenaufsätze brachten bit-
terlich wenig ein. Hesse wollte gewiß dem Freund durch
einen solchen Auftrag auch materiell helfen, auf seinen
Namen aufmerksam machen, ihm eine gute Verlagsver-
bindung schaffen; zugleich war es ihm willkommen, einen
Vertrauten Einblick in das entstehende neue Werk, mit
dem die Monographie abschließen mußte, geben und ihm
mit Auskünften und Unterlagen helfen zu können. Ball
fertigte ein Exposé an, Fischer war einverstanden, und
Ball versprach, das Buch bis Ende Februar 1927 zu lie-
fern. Emmy Hennings schrieb später: »Als Hugo Ball den
Auftrag erhielt, anläßlich Hermann Hesses fünfzigstem Geburtstag eine Biographie zu verfassen, war beider Freude
groß. Es schienen sich auch materielle Erleichterungen in
der Zukunft abzuzeichnen.« Am 21. Oktober 1926 konnte
Ball an Hesse berichten:

*Ich habe soeben Fischer den Vertrag unterschrieben und
hoffe, daß damit nun alles in Ordnung ist. Seien Sie viel-
mals bedankt für Ihr freundliches Einwirken zugunsten
der Reise nach Baden und der Honorargarantie. Ich stellte diese letztere Bedingung nur, um ohne beständige Ablenkung arbeiten zu können, und erhielt gestern auch die
Zustimmung... Die Briefe aus Deutschland, die Sie mir
sandten, interessieren mich sehr; denken Sie bitte auch
ferner an den Biographen, lieber Freund, wenn Ihnen irgend etwas, was Ihnen wichtig scheint, durch die Hände
geht. Ich werde alle Schrift- und Druckstücke treulich ver-
wahren... Von der Zustimmung des Verlags zum Bildteil
wissen Sie, wie ich annehme, schon durch den Verlag...*

*Den ›Kritiker‹, lieber Herr Hesse, nannte ich, in der vorläufigen Disposition für Herrn Fischer, nur, um Ihre analytischen Neigungen (Kultur- und Selbstkritik, Rezensionen, Buchausgaben, Hinweise usw.) zusammenzufassen. Ich dachte mehr an den rationalen Zug Ihres Wesens überhaupt (an das, was man Rechenschaft nennt), als an ein politisches und polemisches Eingreifen; wovon ich wohl weiß, wie Sie darüber denken. Aber dieses ›darüber denken‹ meinte ich eben. Eine eigentliche Disposition wird sich mir erst aus der Arbeit ergeben.*

*Der Steppenwolf* und Hugo Balls Biographie trabten nun während der nächsten Monate beharrlich nebeneinander her, und während dieser Zeit kamen die beiden Männer einander so nahe, daß sie, wie ihrem bruchstückhaften Briefwechsel zu entnehmen ist, irgendwann gegen Jahresende 1926 zum brüderlichen Du überwechselten. Ende Dezember war das »Unikum von Roman«, wie Ball es später in seinem Buch nannte, beendet. Am 30. Dezember schrieb Ball an Hesse: »Unseren Glückwunsch zum ausgeborenen Steppenwolf!« und fügte über die Fortschritte seiner eigenen Arbeit hinzu:

*Auch René Schickele habe ich ein wenig gefragt. Lücken (zur Biographie) empfinde ich noch bei der Basler Zeit (Entstehung des ›Lauscher‹ und des ›Camenzind‹); beim Aufenthalt am Bodensee und in Bern. Einen Fragebogen lege ich bei... Demnächst will ich nun auch hinauf nach Montagnola. Erlaubst Du mir, in aller Sorgfalt ein wenig Umschau zu halten und etwa noch einige Bücher zu entleihen? Ich möchte mich besonders nach Bildern umsehen. Das Tagebuch Deiner Mutter kenne ich bereits.*

Hesse hatte offenbar nach Abschluß des Romans überlegt, ob es nicht geraten sei, den Aufzeichnungen des Steppenwolfes Harry Haller eine besondere erzählerische Einkleidung zu geben, und hatte schließlich die Lösung eines »Vorworts des Herausgebers« gefunden – die auch Hauptmann beim *Buch der Leidenschaft* verwendete –, um sich vom allzu direkten autobiographischen Bezug zu distanzieren. Ball schrieb ihm am 16. Februar 1927:

*Dolce Maestro – ich gratuliere zur Steppenwolf-Lösung*

254

*und freue mich, daß das Buch schon bald da sein wird. Kein Mensch wird natürlich bemerken, daß das unter anderem auch der Wolf ist, der die vielen Stepps hat tanzen müssen...*

*Meine kleine Arbeit über Dich; es steht damit so: sechs Kapitel sind geschrieben, das siebente ist morgen fertig, zwei bleiben noch. In wenigen Tagen wird das Ganze beisammen sein... Unangenehm ist mir, daß ich den Termin (Ende Februar) um etwa zehn Tage überschreiten muß, aber Du weißt ja am besten, was für scheußliche Monate diese letzten gewesen sind.*

*Ich wußte, daß es nicht einfach sein würde, sich in Deinen Klingsor-Garten hineinzubegeben und mit einer Art Topographie für Nachfolger herauszukommen... Mein Versuch war, Deine Lebenslinie zu lesen und das Geschriebene darauf zu beziehen. Ich glaube, es ist mir gelungen, denn ich verneige mich tief vor Deiner Art und Herkunft. Du bist eine sehr unheimliche Kreuz- und Querspinne, caro Maestro, die ihre Fäden zu verschlingen und zu verknüpfen weiß, und Du bist außer dem Wolf auch ein feines Fuchsgetier, das seine unterirdischen Gänge hat und nicht leicht auszugraben ist.*

Inzwischen hatte Loerke den *Steppenwolf* gelesen, und Hesse, der ihn offenbar wegen der Ratsamkeit des Vorworts befragt hatte, schrieb ihm am 9. März 1927: »Sie haben mir so freundlich und klug über den ›Steppenwolf‹ geschrieben, dafür sage ich Ihnen schönen Dank, und ich bin froh über Ihr Urteil wegen des Vorwortes, das ich nun also stehen lasse...« Loerkes veröffentlichtes Tagebuch enthält über seinen Eindruck keine Aufzeichnung, lediglich unter dem gleichen 9. März den Vermerk: »Waschzettel zu Hesse, Steppenwolf.«

Hesse wohnte in den Jahren 1925–1931, bis zum Einzug in sein eigenes Haus, während der Wintermonate nicht in Montagnola, sondern in Zürich, und dorthin hatte Ball ihm sein Manuskript Kapitel um Kapitel zur Begutachtung geschickt. Ende März 1927 näherte sich die Arbeit dem Abschluß, und nun schrieb er ihm:

*Es wäre mir lieb, wenn Du die Korrekturen mitlesen und Berichtigungen vermerken wolltest... Manches wird nicht ganz stimmen; ich war doch sehr oft genötigt zu kombinieren; finde aber, es macht nichts. Nur notorische Irrtümer sollten vermieden sein... Im übrigen bin ich zufrieden, daß Dir das Buch nicht mißfällt. Wenn ich mitunter ein wenig in die Verschwiegenheit dringe, es ließ sich nicht vermeiden. Es geht jetzt gegen den Schluß; gestern ist der Demian-Abschnitt fertig geworden. Leider ist der Durchschlag nicht gut...*

Am 27. März 1927 war die Arbeit beendet, und Hugo Ball schrieb an Fischer:

*Sehr verehrter Herr Fischer – beifolgend sende ich den Schluß des Hesse-Buches, und bitte nochmals um gütige Entschuldigung, daß sich die Arbeit um fast einen Monat verzögert hat. Herr Hesse erwartete eine Biographie; ich versuchte seinem Wunsche in einer für das Publikum plausiblen Weise gerecht zu werden. Was mir selbst vorschwebte, war der Versuch, Hesses Gedicht in seinem Leben zu zeigen. Bei dem seltsam verborgenen Wesen des Dichters konnte ich meinem Vorhaben nur in einer Art ›analytischer Biographie‹ gerecht werden. Ich war dabei trotz eingehender Unterredungen hauptsächlich auf das Studium der Schriften und deren Deutung angewiesen. Ich muß gestehen, daß ich die eigentliche Melodie und Tragik dieses Werkes erst bei der intensiven Beschäftigung mit der Gesamtheit der mir erreichbaren Dokumente, und daß ich sie immer erstaunter kennen lernte. Jetzt über der Arbeit war es natürlich nicht mehr möglich, einzelne fragliche Punkte noch zu besprechen. So werden hie und da kleine Korrekturen im Gesamtbilde nötig werden. Herr Hesse wird wohl bis dahin wieder in Montagnola sein. Auch den verabredeten Rahmen von 10 Bogen mußte ich überschreiten. Was Herr Hesse gerade erwartete, eine intensive Durchleuchtung, ein Spiegel, dies war, so scheint es mir, nur möglich auf die Weise, wie ich es versuchte. Sehr dankbar würde ich vernehmen, wie Sie, sehr verehrter Herr Fischer, über die Arbeit denken, und nach welcher Richtung sich bei der Korrektur vielleicht noch zusehen ließe. Als Titel schlage ich vor: Hermann Hesse, Eine Biographie. Auch wäre ich für einen kleinen Index, der zur rascheren Orientierung die erwähnten Namen und Buchtitel enthält.*

Es ist dies das einzige erhaltene Stück aus der Arbeitskorrespondenz zwischen Ball und dem Verlag. Am 2. April schrieb Emmy Hennings an Hesse:

*Zusammen mit Ihrem Brief kam dann auch ein Schreiben vom S. Fischer Verlag, in dem der Lektor mitteilt, daß ihm die Hessebiographie recht gut gefällt. Wir waren recht froh mit diesen beiden Briefen...*

*Der Steppenwolf* und Hugo Balls Biographie erschienen gleichzeitig »zum 50. Geburtstag des Dichters« (wie der Verlagsprospekt ausdrücklich verkündete), im Juni 1927, und Hugo Ball, bereits todkrank an einem unheilbaren Leiden, hatte noch die Genugtuung, sein Buch als »Vorbild einer Lebensbeschreibung« wie Loerke sagte, allenthalben gerühmt zu sehen.

Er starb, noch nicht ganz vierzig Jahre alt, am 14. September 1927. Hesse, der ihm den Essayband *Betrachtungen* gewidmet hatte, sagte in seinem Nachruf:

*Du warst uns nicht nur ein zuverlässiger, hochherziger und nachsichtiger Freund, ein lieber und überlegener Kollege, dazu ein prachtvoller Kamerad und Gegner für Stunden und Nächte des Plauderns, des Disputierens, des dialektischen Spiels. Du warst nicht nur ein begabter, angenehmer, interessanter und geistvoller Mensch, den wir lieben und bewundern und mit dem wir plaudern und Kameradschaft halten konnten – du warst viel mehr. Du warst uns ein Vorbild.*

Fischer tat das Seine, um diesem tragischen Leben ein Denkmal zu setzen, und brachte 1929 einen von Emmy Hennings vorbildlich zusammengefügten Band *Hugo Ball. Sein Leben in Briefen und Gedichten* heraus, zu dem Hesse das Vorwort beitrug. In diesen beiden Büchern ist Hugo Ball lebendig geblieben. Seit dem Erscheinen seiner Hesse-Biographie – man hat sie richtiger eine »Seelenbiographie« genannt – hat sich, ähnlich wie bei Thomas Mann, eine schier unübersehbare Hesse-Literatur aufgetürmt; und obwohl sie mit dem *Steppenwolf* abschließt – 1933 brachte der Verlag eine von Anni Carlsson ergänzte Neuausgabe heraus –, ist sie bis heute unbestritten die einzig wirklich gültige geblieben. Sie war die letzte der Dichtermonographien, die Fischer in Auftrag gab, und ist in jedem

Bezug und nicht nur, wenn man bedenkt, in welch kurzer Zeit der todkranke Mann sie zu Papier brachte, von allen die gelungenste.

Hesse beging seinen fünfzigsten Geburtstag am 2. Juli 1927, allen Huldigungen und Feiern abhold, im stillen Freundeskreis, und am 22. Juli schrieb er an Loerke:

*Vor bald drei Wochen zu meinem Geburtstag kam Ihr lieber guter Brief, den legte ich damals gleich beiseite, um ihn vor dem Los der übrigen Papierhaufen zu retten, die jener Tag brachte. Und gestern bekam ich durch Zufall den Aufsatz zu lesen, den Sie zu meinem Geburtstag in einer Berliner Zeitung (ich weiß nicht welcher) geschrieben haben.[1] So wie Ihr Brief unter den vielen einer der wenigen erfreulichen und echten war, so war es zwischen den meist sehr üblen, oberflächlich lobenden, oberflächlich tadelnden, durchaus ahnungslosen Zeitungsartikeln der Ihre. Also haben Sie mir zweimal eine Freude gemacht. Ich bin Ihnen dankbar dafür.*

Loerkes Aufsatz war im ›Berliner Börsen-Courier‹ erschienen. Die Geburtstagshuldigung der ›Neuen Rundschau‹ hielt sich, wohl auf Hesses Wunsch, in bescheidenen Grenzen. Sie brachte von Hesse selbst zwei kurze Beiträge, den aus dem Roman entnommenen *Tractat vom Steppenwolf* und *Ein Stück Tagebuch*, sowie den Abschnitt *Hermann Hesse und der Osten* aus Balls Biographie und als einzige Würdigung eines Außenstehenden einen Aufsatz *Hermann Hesse und die Jugend* von W. E. Süskind. Er untersuchte eine interessante Frage, nämlich welches Geheimnis wohl bewirke, daß Hesse, »ein Mensch der Renaissancen«, immer wieder unter neuem Aspekt die Jugend an sich ziehe – 1905 zum erstenmal, 1919 mit dem *Demian* zum zweiten, und wie oft wohl hinfort noch? »Wie geht das zu, ist Wandlung im Spiel, Irrtum, Erneuerung...?«

*... es ergibt sich, daß einem Teil Jugend die Kraft innewohnen kann, sich zu verjüngen, die Jahresringe zu überspringen und in einer begnadeten Gleichsinnigkeit mehreren Generationen der Jugend ihr Gesicht abzulesen, wohl gar vorzuschreiben. Hesse gehört sicher zu diesen Verwan-*

1 Vgl. S. 276 ff.

258

*delten, diesen Patriarchen der Jugend – und wer an die Jugend glaubt, der wird jedem Lebendigen in etwas diese Kraft beimessen und nur die Abgelaufenen zum Alter rechnen – wir kennen sie alle.*

Vom *Steppenwolf* war in diesem Aufsatz nicht die Rede. Er war kein Buch von der Jugend und sprach die Jugend damals nicht an; oder aber sie las ihn falsch, wie Hesse selbst einige Jahre später (in einem Brief an R. B. vom 4. Mai 1931) fand:

*... wenn ich nun auf junge Leser zum Beispiel des ›Steppenwolfs‹ treffe, so finde ich sehr oft, daß sie alles in diesem Buch, was über den Irrsinn unserer Zeit gesagt ist, sehr ernst nehmen, daß sie aber das, was mir tausendmal wichtiger ist, gar nicht sehen, jedenfalls nicht daran glauben. Es ist aber damit nichts getan, daß man Krieg, Technik, Geldrausch, Nationalismus etc. als minderwertig ankreidet. Man muß an Stelle der Zeitgötzen einen Glauben setzen können. Das habe ich stets getan, im ›Steppenwolf‹ sind es Mozart und die Unsterblichen und das magische Theater, im ›Demian‹ und in ›Siddhartha‹ sind dieselben Werte mit andern Namen genannt...*

Doch ein Menschenalter später, lange nach dem Zweiten Weltkrieg, geschah es, daß die Jugend nicht nur Europas, sondern vor allem Amerikas aus Hesses ganzem Werk gerade dieses Buch für sich entdeckte und in seiner bitterbösen Zerrissenheit ein Spiegelbild ihres eigenen gequälten Antlitzes erblickte, so daß der *Steppenwolf* heute dasjenige Buch ist, das Hesses Weltgeltung bestimmt. Zu dieser Merkwürdigkeit hatte Hesse selbst vierzig Jahre zuvor, in seinem »Vorwort des Herausgebers« den Schlüssel geliefert: Hallers Aufzeichnungen seien nicht nur die »pathologischen Phantasien eines einzelnen, eines armen Gemütskranken...«, sondern »die Krankheit der Zeit selbst«.

*Diese Aufzeichnungen... sind ein Versuch, die große Zeitkrankheit nicht durch Umgehen und Beschönigen zu überwinden, sondern durch den Versuch, die Krankheit selber zum Gegenstand der Darstellung zu machen. Sie bedeuten, ganz wörtlich, einen Gang durch die Hölle, einen bald angstvollen, bald mutigen Gang durch das Chaos einer verfinsterten Seelenwelt, gegangen mit dem Willen, die Hölle zu durchqueren, dem Chaos die Stirn zu bieten, das Böse bis zu Ende zu erleiden... Haller gehört zu denen, die zwischen zwei Zeiten hineingeraten, die aus aller Geborgenheit und Unschuld herausgefallen sind, zu denen, deren Schicksal es ist, alle Fragwürdigkeit des Menschenlebens gesteigert als persönliche Qual und Hölle zu erleben.*

*Der Steppenwolf* kam bei seinem ersten Erscheinen Hesses großer Lesergemeinde nicht entgegen; er verschreckte, verdutzte, empörte. Die Verehrer erkannten, daß es, wie Ball geschrieben hatte, »neben dem Idylliker und Asketen einen robusten, veitstänzerischen, flagellantischen Hesse gibt«. Fischer muß gefürchtet haben, daß dieses Buch einen guten Teil der Hesse-Gemeinde verscheuchen werde, und druckte vorsichtshalber eine (für Hesse) bescheidene Erstauflage von 15 000 Exemplaren. Aber das Buch fesselte, es hielt fest. Noch im gleichen Jahr 1927 konnten 10 000 Exemplare nachgedruckt werden, und seine finstere »Abstoßungskraft« brachte nach und nach über vierzigtausend Exemplare unter die Leute. Thomas Mann meinte: »... ist es nötig zu sagen, daß der ›Steppenwolf‹ ein Romanwerk ist, das an experimenteller Gewagtheit dem ›Ulysses‹, den ›Faux-Monnayeurs‹ nicht nachsteht?« Hesse selbst unternahm es in einem Nachwort zu dem Roman 1941 nochmals, die Perspektive zurechtzurücken:

*Diese Leser haben ganz übersehen, daß über dem Steppenwolf und seinem problematischen Leben sich eine zweite höhere, unvergängliche Welt erlebt, und daß der ›Tractat‹ und alle jene Stellen des Buches, welche vom Geist, von der Kunst und von den ›Unsterblichen‹ handeln, der Leidenswelt des Steppenwolfes eine positive, heitere, überpersönliche und überzeitliche Glaubenswelt gegenüberstellen, daß das Buch zwar von Leiden und Nöten berichtet, aber keineswegs das Buch eines Verzweifelten ist, sondern das eines Gläubigen.*

Sollte es Bücher geben, die große Wirkung tun, weil man sie überhaupt nur mißverstehen kann?

Noch vor dem Erscheinen des Steppenwolf, im Frühjahr 1927, erhielt Fischer von Hesse ein Geschenk. Es war

260

dies, wie es scheint, ein vorläufiges, noch nicht zur Buchveröffentlichung bestimmtes Manuskript, das den Titel *Krisis. Ein Stück Tagebuch mit Gedichten* trug. Es war eine Nachwehe des Romans und umfaßte unter anderem auch die schon 1926 in der ›Neuen Rundschau‹ erschienenen *Steppenwolf-Gedichte* und das in der Geburtstagsnummer enthaltene *Tagebuch*. (Ein letzter Nachzügler, die kleine Prosaerzählung *Vom Steppenwolf*, die von einem wirklichen Wolf namens Harry handelt, erschien 1928 in der ›Neuen Rundschau‹, aber in Buchform erst 1945 in dem Band *Traumfährte*.) Fischer war von diesem Manuskript stark ergriffen. Er schrieb Hesse am 3. Mai 1927 nicht aus dem Büro, sondern aus dem Grunewald einen handschriftlichen Privatbrief:

*Vielen Dank, lieber und verehrter Freund, für die Gedichte. Erst heute kann ich Ihnen für das freundschaftliche Geschenk und dafür danken, daß Sie mich einen Blick in Ihre Bekenntnisse tun lassen, bevor sie in ihrer endgültigen Fassung den Bereich privaten Erlebnisses verlassen haben.*

*Die Unmittelbarkeit und Nähe der Vorstellung pocht wie der Ton eines mittelalterlichen Totentanzes an unser Bewußtsein. Das unentrinnbare Schicksal, dem wir alle unterworfen sind, richtet sich in Ihren Versen auf, und mit Hohn und Spott, Wollust und Bitterkeit antwortet die gepeinigte Kreatur. Das ist der erschütternde Eindruck und die Stimmung, die Ihre Bekenntnisse zurücklassen.*

*Soll aber die Sonnenseite Ihrer Natur nicht auch zu ihrem Recht kommen? Sie sind vom Schicksal zugleich begnadet, aus der Fülle Ihrer seelischen Kräfte zu schöpfen und die Menschen zu beglücken und reicher zu machen. Ich glaube, Sie unterschätzen Ihre Wirkung in dieser Hinsicht, sonst müßten doch die Tage frohen Schaffens auch in Rechnung gesetzt werden... ich habe den Eindruck, daß Ihre zwei letzten Bücher den Kreis Ihrer Freunde erweitert und vertieft haben.*

Dieses Manuskript war nicht für die große Öffentlichkeit bestimmt. Fischer brachte es zu Beginn des Jahres 1928 unter dem Titel *Krisis. Ein Stück Tagebuch* in einer einmaligen Auflage von 1 150 Exemplaren heraus; davon

261

waren tausend Exemplare numeriert und 150 nichtnumerierte Exemplare für den Autor und die Presse bestimmt. Das Buch erschien praktisch als Privatdruck, unter Ausschluß der Öffentlichkeit und ist in keinem Almanach, keinem Katalog oder Prospekt des Verlags erwähnt. Thomas Mann bekam von Hesse ein Exemplar und schrieb ihm: *Ich danke Ihnen, daß Sie auch mich durch die Übersendung dieser Verse geehrt haben, deren Atmosphäre nicht jedermanns Sache sein wird. Daß ich mich darauf verstehen würde, innerlich, obgleich mein Stoffwechsel physiologisch ist, durften Sie glauben. Die Liebenswürdigkeit Ihrer Hypochondrie und die im Grunde junge Sehnsucht nach dem ›Aufgehen‹ haben mich wie schon so oft bei Ihnen aufs innigste berührt. Man wird ja immer verdrießlich-wählerischer in Dingen der Lektüre und kommt mit dem Meisten nicht mit. Der ›Steppenwolf‹ hat mich seit langem zum erstenmal wieder gelehrt, was Lesen heißt.*

Hesse selber war bei dem Buch ein wenig verdrießlich zumute. Er schrieb an Ninon Dolbin, seine spätere Gattin:

*Für mich kommt es, wie immer, viel zu spät, und ich muß jetzt von meinen Freunden Vorwürfe und Lobsprüche anhören über Dinge, die für mich vor zwei, drei Jahren aktuell und wichtig waren und es heute längst nicht mehr sind. Und jene Freunde, die heute über das Buch böse sind, werden mir in fünf bis sechs Jahren (wo sie sich dann über Neues an mir ärgern) sagen, daß es mit mir bergab gehe, und daß ich mich doch ein wenig zusammennehmen und wieder einmal etwas so Hübsches schreiben solle, wie es damals die ›Krisis‹ gewesen ist.*

Fischers Mahnung an die »Sonnenseite Ihrer Natur« war, als er sie schrieb, schon nicht mehr nötig. Hesse war bereits seit dem Frühjahr 1927 an der Arbeit an *Narziß und Goldmund*, wohl dem ›durchsonntesten‹ aller seiner Romane, der zusammen mit dem, im Nachtgewölk verhüllten Mondlichts geisternden *Steppenwolf* gleichsam den Januskopf der Hesseschen Schöpfung bildet. *Narziß und Goldmund* erschien vom Herbst 1929 bis Frühjahr 1930 in sieben Fortsetzungen in der ›Neuen Rundschau‹ und brachte unversehens die Zeitschrift in zahllose Hände, die

262

sie bisher selten aufgeschlagen hatten. Die Hesse-Gemeinde atmete erleichtert auf, daß der *Steppenwolf*-Alptraum zu Ende war, und begrüßte entzückt diesen in der Tat mit märchenhafter Anmut erzählten Roman (den Hans Meid für die Buchausgabe überdies·in eine hinreißend beschwingte Operndekoration eingekleidet hatte – wohl der zugkräftigste Schutzumschlag des Verlags seit Jahr und Tag). »Wer mir Lobsprüche über den ›Goldmund‹ sagte«, schrieb Hesse an einen Leser im Juli 1930, »der tat es meistens nicht, ohne durchblicken zu lassen, daß niemand mir auf den so unerfreulichen und mißglückten ›Steppenwolf‹ hin ein so anständiges Werk zugetraut hätte.« Der Roman war der große Erfolg des Frühjahrs 1930 und hatte binnen kurzer Zeit das 50. Tausend erreicht.

Hesse schüttelte ein wenig den Kopf; das Entzücken der Leser beeindruckte ihn nicht sonderlich. Er fand, wie er in einem anderen Brief schrieb, der Roman sei um nichts besser als der *Steppenwolf*, der sein Thema klarer umreiße und kompositorisch strenger gebaut sei, aber

*beim Goldmund kann der gute deutsche Leser Pfeife rauchen und ans Mittelalter denken, und das Leben so schön und so wehmütig finden, und braucht nicht an sich und sein Leben, seine Geschäfte, seine Kriege, seine ›Kultur‹ und dergl. zu denken. So hat er wieder einmal ein Buch nach seinem Herzen gefunden. Nun, es ist ja einerlei, es kommt ja doch bloß auf die paar wenigen an...*

(1970)


*Oskar Loerke an Hermann Hesse*

Berlin-Halensee
7. 3. 27

*Lieber, verehrter Herr Hesse*

Auch ich habe diesmal die törichte Mode mitgemacht: Grippe mit Lungenentzündung. Als ich mich nach drei Wochen dann wieder im Verlage umtat, war Ihr Steppenwolf in der Druckerei.

263

Die Fahnen habe ich nun erst seit ein paar Tagen beisammen, der Traktat wurde in seiner Schreibmaschinenform rasch für mich herzitiert, und all dies ist mein Entschuldigungszettel, daß ich Ihnen erst heute ein Wort darüber schreibe.

Mein Eindruck ist groß, und er hat mir etwas Lösendes, weil alle Kunst in dem Buche nicht nach Ehre, sondern nach Wahrheit ausgeht. Das klingt plump, – ich meine es so: Wenn unsere Zeit kritisiert wird, geschieht es meistens zu systematisch. Abhandlungen wissen restlos Bescheid, und sie dreschen das Gedankenkorn so aus, als wären nicht viele einzelne und besondere Menschen da, die es essen sollen, sondern nur eine Menschheit. Literarische Werke dagegen, insbesondere Romane, beweisen mir zu sehr durch *Ereignisse*, deren Erlebnis ihre Helden zu dieser oder jener Weltanschauung zwingen sollen; an eine Philosophie oder Religion durch kolportagehafte Verknüpfungen aber glaube ich nicht.

Sie nun bringen in aller Klarheit die steppenwölfische Anlage als Schicksal und zeigen, ohne zu drücken und Gewalt anzuwenden, wie die menschliche und die wölfische Natur in Feindschaft miteinander hausen und wie diese Naturen sich mehr um die Welt kümmern müssen, als die Welt sich um sie kümmert. Ihre Geschichte ist so schön, ergreifend und befreiend, weil Sie sie nicht mit Geschichten überladen haben. Das Theater, welches nicht für jedermann ist, ist wahrscheinlich in der Tat wohl die einzige Lösung. Außerordentlich finde ich, wie an allen Wegbiegungen die Zeit in Harrys Seele mündet und wie er sich mit dem Ganzen auseinandersetzen muß, während er sich mit sich selbst auseinandersetzt. Dem dienen sehr die vielfach geänderten Perspektiven. Das »Vorwort des Herausgebers« muß darum meiner Ansicht nach durchaus in dem Buche bleiben. Fast bedaure ich, daß nicht auch die gesamten Steppenwolf-Gedichte darinstehen, so stark wirken die, welche Sie aufgenommen haben, an ihrem Orte.

*Mit herzlichem Dank und herzlichem Gruß*
*Ihr Oskar Loerke*

*Stefan Zweig an Hermann Hesse*

Kapuzinerberg 5,
Salzburg, 6. 11. 1926

Mein lieber Hermann Hesse, werfen Sie geruhig die paar Zeilen weg, falls sie Ihnen dumm oder zudringlich dünken. Ich will Ihnen nur sagen, daß Ihre Gedichte in der N(euen) R(undschau) mich tief berührt haben nach einem anfänglichen Widerstand – ich mag sonst die altchristlichen Gemeindebeichten nicht, aber hier hat das Lyrische gerade durch das Lockere einen so erschütternden, manchmal absichtlich blechernen oder beinernen Klang, daß michs überrieselte. Aber ich bin Ihnen in vielem Erlebnis – seltsam, ich habe es oft gefühlt – fast magisch nah, ich habe zuschauend, verstehend und auch selbst anschauend manches von Ihnen unter der eigenen Haut erlebt. Ich weiß, wie bei Ihnen – dem allzulang Allzusanften – der Teufel umgeht, ich weiß, wie Sie sich die eigene dünne, blasse Haut blutig heruntergeschunden haben, um Ihr eigenes Fleisch rot und heiß zu fühlen. Lieber Hermann Hesse, hinter dem ganzen zerlassenen Dreck der Literatur liebe ich Sie sehr, mehr als je und wollte es Ihnen nur sagen. Ich hätte das Gefühl, kämen wir einmal in ein langes Gespräch, wir würden uns verstehen. Wir haben uns seinerzeit immer verstanden, da wir noch nichts wußten[1], umso besser jetzt mit dem ersten unwillig ertragenen Grau im Haar.
Ein dummer Brief, ich weiß! Aber irgendetwas *mußte* ich Ihnen sagen, wie ich jene Gedichte las, sie hatten mich gleichsam angerufen. Die Worte sind gleichgültig. Hoffentlich fühlen Sies wie ichs meine.

*Herzlichst Ihr Stefan Zweig*

1 Stefan Zweig und Hermann Hesse korrespondierten seit dem 2. 2. 1903 miteinander. Zweig besuchte Hesse 1904 in Gaienhofen.

*Hugo Ball*
*Ein mythologisches Untier*

Die Neurose ist längst kein Einwand mehr gegen ein Werk und seinen Verfasser. Im Gegenteil, sie kann, inmitten der modernen Geneigtheit zur Mache, zum flotten und unbekümmerten Arrangement, zur Schauspielerei der Ideale und des Bekennens, als ein Beweis der Echtheit und Wahrhaftigkeit eines Werkes und eines Menschen gelten. Man kann sie allgemach als das einzig untrügliche Symptom einer künstlerischen Veranlagung betrachten. Es scheint bei der zunehmenden Brutalisierung immer weniger möglich, daß jemand ein notwendiger, ein vollstreckender Künstler sei und doch gesellschaftlich noch funktioniere. Man kann es auch wirklich nicht länger für einen Zufall nehmen, daß Geister wie Nietzsche, Strindberg, Van Gogh, Dostojewski, der eine mehr, der andere weniger, der Neurose verfielen. Man kann ihre Leiden nicht länger für »organisch« halten, wenn es auch einer bequemen Psychiatrie so beliebt. Man wird endlich einsehen müssen, daß es Leiden sind, an denen unsere religiösen und sozialen Faktoren, unser Erziehungswesen, unser Hochschulbetrieb, insbesondere die allgemeine negative Einstellung zu Wahn und Übertreibung, der Mangel an Enthusiasmus und Entgegenkommen, an Kindsköpfigkeit und Bildervergnügen, kurz unsere katastrophale Weltanschauung ein übervolles Maß der Schuld tragen.

Es ist dabei bezeichnend, daß die derart leidenden Genies besonders aus den nördlichen Ländern kommen. Bei den Romanen findet sich das Phänomen viel seltener oder gar nicht; auch das Klima mag eine Rolle spielen. Den neurotischen Künstler bezeichnet das Wort Innerlichkeit, und dieses Wort weist auf die protestantische Reform zurück. Die Introversion, das heißt eine persönliche, private, autonome Mystik, die keine Anknüpfung an die Gesellschaft ermöglicht, ja die im Gegensatze zu den traditionellen Sitten steht –, die Selbstversunkenheit ist das Signum des romantischen Künstlers, des Abseitigen und Ausgestoßenen, des Entwurzelten und Isolierten, der sich durch überwertige Leistungen, durch seinen Zauber, durch eine rebelli-

266

sche Betonung der Natur und der persönlichen Gnade, der sich durch eine Mechanik individueller Überlegenheit im Gleichgewicht erhalten muß.

Vielleicht ist Don Juan der Prototyp dieses Künstlers und Künstlergeschlechts: Don Juan als der Verführer und Bezauberer, als der Wortkünstler und Schmeichler, der die schönsten Sätze und Komplimente zu ründen weiß; als der Rhetor, der die unwiderstehlichste Skala der einlullenden Töne hat; als der Rattenfänger und selber Unverbindliche, der kein Gesetz anerkennt, der den Bürger aufbringt, der die Mänaden im Gefolge hat. Don Juan als Nachfahr der Orpheus und Klingsor, der großen Meister der Klänge und Instrumente, der Betörer von Mensch und Tier. Ist nicht die Liebe Don Juans Wort? Und ist es nicht die mit aller himmlischen Inbrunst irdisch verstandene Liebe, der er dient? Leidet er nicht an der Mutter, wenn er in jeder Frau vergeblich die eine, die einzige suchen muß, die er nicht findet?

Wie dem auch sei: die Romantik, die den widersprechenden Künstler pflegte, den Unheimlichen und Fremden, den Künstler der Maske und der Burleske, den Künstler der Leidenschaften und der Exzesse, der Übertreibung und Selbstironie; den Ideologen der Sinne, dessen Namen man nicht erfragen darf; den ewig Unfaßbaren, den Dandy und Proteus, den chevaleresken Dämon—: die ganze Romantik ist heute lebendiger als je, und in Deutschland besonders. Nach dem Zerfall der staatlichen Gewalten beginnt ein summarisches Wiedererwachen und Wiedererwägen, das noch lange nicht abgeschlossen ist. Und so ist es einstweilen noch lange nicht entschieden, wie die Romantik zu bewerten sei. Aus der französischen Spätromantik gingen Geister hervor wie Bloy, Péguy, Suarès, Claudel. In Deutschland schien der Romantik durch Nietzsche ein gewaltsames Ende bereitet. Der moderne Orientalismus aber, die Psychoanalyse mit ihrer Betonung der natürlichen Urbilder, die Bachofen-Studien und vieles andere mehr lassen die Romantik heute schon wieder in neuem Lichte erblicken.

Unter solchen Umständen könnte ein Geist, der am Erbe der Romantik nicht nur festhält, sondern dieses Erbe dar-

267

lebt–, unter solchen Umständen könnte der »letzte Romantiker« eine Mission von eminenter Wichtigkeit empfinden: die Mission nämlich, dieses Erbe bis zum letzten Blutstropfen und bis zur Psychose einer sehr anders gearteten Welt gegenüber zu verteidigen. Seine Aufgabe könnte es sein, an der Musikalität und Reinheit des Wortes, am Bilde und Urbilde, am Bunde des Dichters mit dem Bekenner, des Klingsor mit dem Siddhartha, und kurzum: einer desillusionierten Welt gegenüber an der ritterlichen Form und der Verzauberung festzuhalten. Mag es ihm mitunter sinnlos erscheinen oder sinnlos erschienen sein, in jenen Jahren besonders, wo der Zusammenbruch jeden Wert zu vernichten drohte –: heute schon ist seine Treue das Denkmal nicht nur einer großen Vergangenheit, sondern auch eines Neubeginns und einer Wiederbelebung aus keinem anderen Geiste als aus dem der Romantik.

Das Problem des tragischen Genies hat den Dichter in den letzten Jahren immer wieder beschäftigt; dies, und die Magie als eine Kunst sich zu behaupten und als eine Kunst sich aufzulösen. Schon früh empfand Hesse das Bajazzolachen, das ja ebenfalls romantisch ist; das Zerschlagen des eigenen Instrumentes, nicht weil es zu rauh klingt, sondern weil die Kunst, wo sie souverän wird, das Leben plündert und es aushöhlt. Solches Zerschlagen des eigenen Standbildes, weil es als Memnonsäule zu tönen und nur zu tönen verurteilt ist –, es eignet dem Dichter und Menschen Hesse nicht erst in der Untergangzeit der ersten Nachkriegsjahre. Es eignet ihm schon in den »Gedichten« von 1902, wenn eines der Lieder dort lautet:

Ich habe nichts mehr zu sagen,
Ich habe alles gesagt.
Nun will ich klingend zum letzten Takt
Meine gute Geige zerschlagen.

Zerschlagen – und wandern wieder
Ins Land, woher ich kam,
Wo ich in Jugendtagen vernahm
Den Traum vom Lied der Lieder.

268

Ihn träumen will ich wieder
Abseits und ganz allein –
Er muß voll tiefen Friedens sein
Der Traum vom Lied der Lieder.

In den Steppenwolf-Gedichten (Neue Rundschau 1926) ist
dieser Zug zur Selbstzerstörung für manche Freunde Hesses zu einem tiefen Schmerz geworden. Bitterkeit und
Schwermut sind in diesen Gedichten bis zum Zerspringen
des Instrumentes gediehen. Ich kenne nur eine Publikation, die mir bei der ersten Lektüre den gleichen Eindruck
machte: Nietzsches Ecce homo. Verse ziehen vorüber von
einer unvergleichlichen Intensität und Trauer, Worte von
der seltsamen Leuchtkraft eines Sterns, der sich einsam
im fauligen Brunnen spiegelt. Die alte verbergende Form
ist nach allen Seiten zersprengt, ein neuer Rhythmus
schwingt. Was er den Dichter gekostet hat, das werden
nur diejenigen beurteilen können, die Hesses Diskretion,
die seine Leidenskraft und seine Zähigkeit im Verbergen
kennen.

Sagt, seid ihr alle so scheußlich allein,
Oder muß nur ich auf der schönen
Welt so einsam und wütend und traurig sein?
. . . . . . . . . . . . . . . .
Ich kann es nicht verstehen,
Soviel Kognak ist nicht gesund,
Man kommt dabei auf den Hund.
Aber ist es nicht edler unterzugehen?

»Ein Werk auf die Katastrophe hin bauen«, dieses Nietz-
schewort liegt Hesse sehr nahe; er selbst könnte sein Werk
auf die Katastrophe hin bauen oder gebaut haben. Bei
Hölderlin wie bei Novalis sieht Hesse »das Schicksal des
außerordentlichen, genialen Menschen, dem die Anpassung
an die ›normale Welt‹ nicht gelingt; das Schicksal des
Sonntagskindes, das den Alltag nicht ertragen kann, das
Schicksal des Helden, der in der Luft des gemeinen Lebens erstickt.« Das ist die Begründung der Steppenwolf-
Gedichte und -Ausfälle. Im Nachwort zu »Novalis« so-

269

wohl wie zum »Hölderlin« stehen Sätze, die jeder Freund des Dichters als dessen eigenes Problem, als seine eigene Qual erkennt.

Von Novalis sagt er: »Ebenso wie sein kurzes, äußerlich tatenloses Leben den Eindruck seltsamster Fülle macht und jede Sinnlichkeit wie jede Geistigkeit erschöpft zu haben scheint, so zeigen die Runen dieses Werkes unter spielender, entzückend blumiger Oberfläche alle Abgründe des Geistes, der Vergöttlichung durch den Geist und der Verzweiflung am Geiste.« Auch das Schicksal des Hölderlin gibt einen Aufschluß über die mitunter befremdlichen Lebensexperimente des Steppenwolf-Dichters. Das Schicksal Hölderlins läßt ihn mahnen: »Es ist lebensgefährlich, sein Triebleben allzu einseitig unter die Herrschaft des triebfeindlichen Geistes zu stellen, denn jedes Stück unseres Trieblebens, dessen Sublimierung nicht völlig gelingt, bringt uns auf dem Wege der Verdrängung schwere Leiden. Dies war Hölderlins individuelles Problem, und er ist ihm erlegen. Er hat eine Geistigkeit in sich hochgezüchtet, welche seiner Natur Gewalt antat.«

Hesses Studium und Liebhaberei wird mit den Jahren mehr und mehr die Magie. Sie ist ihm der bildhaft betonte Geist; die von allen Kräften der Sinne und der Seele zugleich erfüllte Phantasieform. Sie ist ihm das Siegel und die ergreifende Energie der Geste, der Andeutung, des Namens. Sie ist ihm eine Schutzwehr gegen die Verkümmerung der Instinkte sowohl wie gegen ihre Verrohung. In der Magie hat alles unbewußte Triebleben eine adäquate geistige Form gefunden. Es gibt von Hesse eine Charakteristik »Goethe und Bettina« (Neue Rundschau 1924), worin der alte Herr Geheimrat kaum mehr kraxeln kann und doch die jüngsten Lebewesen noch in seinen Bann zieht. Hesse liebt das langsame Mittelpunktwerden, das den Mann von Weimar zu einer Zentralsonne am deutschen Himmel gemacht hat. Bei Mozart aber liebt er etwas anderes. Hier ist es das rosenrote Papageno-Märchen und die dunkle Glut des Teufels Don Giovanni, den ein ewig kicherndes Kinderherz in Kontrapunktik und Koloraturen so ganz und gar zu verstricken und verwickeln weiß, daß dieser Unhold, mehr als von Blitz und

270

Donner, von der genialsten Tonkunst überwunden und unschädlich gemacht wird.

Der »Steppenwolf«-Roman, dieses Unikum von Dichtung, ist Hesses jüngste und mächtigste Inkarnation. Wenn es gelänge, den Feind im eigenen Innern zu packen und aufzulösen, die treibende vitale Kraft auf eine plausible Formel zu bringen; wenn es gelänge, dies leidenschaftlich unruhige, wogende, quälende, aller Sublimierung und Zivilisierung hohnsprechende Wesen auseinanderzulegen, in zierliche Worte zu fassen, es mit aller Gnade und allem Licht zu durchdringen –: damit wäre etwas geschehen. Damit wäre diesem bisher unzugänglichen, namenlosen Wesen zu Leibe gerückt. Damit wäre für die Folge unliebsamen Überraschungen von der Instinktseite her vorgebeugt. Damit wäre die Lebenskraft selber entwurzelt und erschüttert; das Tier im Menschen wäre zutage gefördert und, wer weiß, vielleicht gebrochen. Damit wäre ein dämonisches Urbild gehoben, und einer Unsumme von Beängstigungen, von Hysterien, von schillernden Sophismen wäre der Weg verlegt. Damit wäre ein Humor ermöglicht, der mehr zu sein vermöchte als anstellige Verlegenheit und gute Miene zum bösen Spiel.

Es gibt neben dem Idylliker und Asketen einen robusten, veitstänzerischen, flagellantischen Hesse. Es gibt neben dem schwermütigen Dichter des »Demian« einen überschäumenden, girrenden, tönenden Klingsor, der über zehn Leben verfügt. Es gibt, seit dem »Steppenwolf«, einen Hesse, dem der Furor Teutonicus so gut bekannt ist wie der kleine schmachtende Pennäler. Er weiß die Harfe zu schlagen, daß sie unheimlich surrt und dröhnt, nachdem sie vergebens gesäuselt und gesungen hat. Der Wolf (auch in Wolfgang Amadeus und in Johann Wolfgang) ist ein Raubtier, das über scharfe Augen und Ohren und über ein respektables Gebiß verfügt. Rehen, Gänsen und Hasen, Eseln ebenso, ist dieses Tier sehr gefährlich. Es gibt, vor seinen geschärften Sinnen, keine intellektualistischen Kunststücke und mogelnden Flausen –: das ist der Ernst dieses Romans. Sein Spaß aber ist: daß dieses weltfremde Wesen noch mit fünfzig Jahren viele graziöse Steps hat tanzen müssen, ehe es imstande war, als ein richtiger Steppenwolf ein wenig Munterkeit in die literarische Zunft zu bringen.

Vor diesem wohlgebauten Steppenwolf verfangen keine falschen Geburtstagstiraden. Nur der heilige Franz selber könnte ihn bekehren. Daß solch ein mythologisches Untier sich mitten in unserem modernen Leben mag blicken lassen, das deutet auf eine Zeit, in der man die Kunst der Liebe und der Begütigung, die verstehende menschliche Kunst, nur noch gedruckt, nur schwarz auf weiß noch zu finden vermag. Gleichwohl: in diesem männlichen, ernsten Buche ist, mit negativem Vorzeichen, die Romantik noch einmal. Hier ist die Mystik unseres Görres und die Welt des alten Brognoli. Mag man ach und weh und vielleicht Schlimmeres rufen; gleichwohl: hier ist der Versuch, die zusammengefaßten und auf eine glückliche Formel gebrachten Dämonismen unserer Zeit abzustoßen, um Raum zu gewinnen für alle Güte und unbehinderte Höhe. Hier ist ein jugendlich tanzender Kämpe, der mit Augen, in die man aus Scheu nicht zu blicken wagt, seine Sache verteidigt und seine Liebe schützt. Als Wappen- und Totemtier tritt er an die Spitze eines Bundes von heimlich Versunkenen; von heimlich Versunkenen, deren Herz und Geist die hohen Worte blank und rein erhalten wissen will.

(1927)

*Alfred Wolfenstein*
*Wölfischer Traktat*

Wäre bei uns nicht jede Generation ein Partikularstaat, und hielte nicht jeder Arm, als bereitwilligst hölzerne Fahnenstange, die eigne Fahne hoch, so würde dieses Buch Hermann Hesses vom »Steppenwolf« den gebührenden allgemeinen Eindruck machen. So aber fällt den Zwanzigjährigen erst einmal ein, daß Hesse fünfzig Jahre alt wird, und den Ältern: daß er lieber nochmals »Schön ist die Jugend« schreiben sollte, statt einen neuen wilden Anfang zu machen; Bürger werden verächtlich feststellen, daß einer, der im Kriege nicht zum Patrioten geschaffen war,

272

sich jetzt mit Recht zum Wolf degradiere; und die Gegenpartei fragt wohl, warum er sich statt dessen nicht einfach Proletarier nenne.

Ein Mensch aus der Steppe der Gegenwart. Von drei Seiten können wir ihn sehen: Irgendwer berichtet, wie jener Mann sich als Mieter bei seiner Tante benahm; dann hört man ihn selbst; dazwischen taucht eine gelbe Broschüre als »Tractat vom Steppenwolf« auf, mit intim-objektiven Eröffnungen über diesen Mischling unsrer Zeit. Es handelt sich um einen Mann, der so männlich ist, sich nicht für eine Persönlichkeit zu halten, nämlich nicht für eine, sondern für eine ganze Masse davon. Um eine Bestie handelt es sich, die gegen die verlogene entartete Vorstellung von unsrer innern Einheit, diese wohl vom antiken Körper her aufgebaute schöne Selbsttäuschung, die Zähne bleckt. Es handelt sich um ein »ins Herdenleben und in die Städte verirrtes« Sonderlingstier; um einen Anarchisten, der voll rasender Wut auf dieses falsch dastehende Dasein Warenhäuser und Kathedralen zerschlagen und der bürgerlichen Weltordnung das Gesicht ins Genick drehen möchte. Es handelt sich um einen Revolutionär des Ichs.

Die Uneinigkeit des Ichs ist ein wichtiges Thema unsrer heutigen Dichtung. Schizophrenie und Phantasie sind im Schöpferischen schon an sich Verbündete, – und der Zeitgenosse hat auch sonst allen Grund, an der Einigkeit seines Innern zu zweifeln. Es wäre sonderbar, wenn so unruhige feindselige Zustände die Explosionen der Umwelt eine liebevoll in sich zusammenhängende Menschenseele zur Urheberin oder Zuschauerin hätten. Der Krieg stammt vom Krieg, und wir kennen uns; das ist bei alledem noch ein Vorzug, vielleicht sogar ein Unterschied gegen einst. Wir sehen, daß die Risse im heutigen Ich in jeder Kategorie ihre Folgen haben. Moralisch: wie sollen wir den Nächsten lieben, wenn wir mit uns selbst nicht einverstanden sind; psychologisch: wie sollen wir eine Figur darstellen, wenn unser Wesen ein ganzes Schachbrett miteinander streitender Figuren ist; soziologisch: wie sollen wir eine Gemeinschaft bilden, wenn wir weder runde Figuren noch richtige Liebende sind.

273

Diese Hauptfrage: ist uns Gemeinschaft möglich? wütet im Steppenwolf, einem Geschöpf mit Urinstinkten und mit Einordnungsverlangen. Dabei weiß er, diese zwei Seelen sind nicht etwa zuviel für seine Brust, sondern noch zu wenig, tausend vom Boden irdischer Energie bis zum Licht der Unsterblichkeit sausen darin, und er unterscheidet nicht einmal, was aufwärts, was abwärts saust. Dieser Steppenwolf schnobert an der Grenze hin, zwischen seinem vielfachen Ich und der vielfachen Menge der Menschen, – am Rande der Erlösung.

Denn es ist offenbar, daß die wilde Tatsache der Zerspaltung des heutigen Ich nicht von romantischer Art ist, sondern in einer bestimmten gewichtigen Beziehung zur Zerspaltung des Menschen in die Masse steht. Sie ist das verzerrte Gegenbild (man müßte es einmal in einer Komödie zeigen), die Massenlösung, die das Ich feige und krankhaft sozusagen in sich selbst sucht. Und eine große Bedeutung von Hermann Hesses Autopamphlet liegt darin, daß es dies nicht einmal mehr tragische Drückebergertum des jetzigen Bürger-Ichs entblößt. Eine Wandlung scheint hier unmöglich. Die innere Masse der zerbrochenen Seelenstücke kann nicht einfach durch Aufgehen in der äußeren Masse geheilt werden, so wenig wie der Speer die Wunde heilt. Manche behaupten ja allerdings, aus Kapitalisten Arbeiter geworden zu sein. Der Steppenwolf jedenfalls bleibt in der Mitte des Weges gefangen, »er wohnt weder in Palästen noch in Proletarierhäusern«, sondern in saubern Bürgerstuben, deren Geborgenheit er doch haßt, er haßt auch die Ausbeutung und besitzt Wertpapiere auf der Bank, er ist gegen den Krieg aufgestanden, ohne doch an die Wand gestellt werden zu können, er liebt den politischen Verbrecher als seinen Bruder, aber mit dem Diebe kann er nichts anfangen. Der Wolf in ihm ist selbst wieder in soundsoviel Wesen gespalten, und alles in allem ergibt: Halbheit. Er erkennt, daß er, der Feind des gestillten Bourgeois, am Ende dessen eigentlicher Helfer und Erhalter ist, denn »für das Bürgertum gilt der umgekehrte Grundsatz: Wer nicht wider mich ist, der ist für mich!«

So tatlos verharrt er, obwohl die Welt doch von einem energischen Menschentyp wimmelt, der sich »im nächsten

274

Krieg fabelhaft bewähren wird«. Er findet allerlei Auswege, Liebesgenuß soll die Unzufriedenheit kitten, ein Traumtheater bietet möglichste drückebergerische Abwechslung hinter Logentüren mit Aufschriften wie: »Einsiedlerspiele« – »Alle Mädchen sind dein, Einwurf eine Mark« – »Mutabor, Verwandlung in beliebige Pflanzen« – »O daß ich tausend Zungen hätte!! Nur für Herren« – »Anleitung zum Aufbau der Persönlichkeit« – »Hochjagd auf Automobile« (dies eine besonders reizvoll erzählte Groteske). Die höchste Ausflucht aber geht durch einen Maskenball in die Musik, – bis der angebetete Mozart erscheint und ihn ganz im Gegenteil auf die »verfluchte Radiomusik des Lebens« verweist, er soll das Chaos von neuem anhören lernen, er soll sich nicht selbstmörderisch vom Tode töten lassen, sondern das Leben möge ihn hinstrecken! Der Steppenwolf muß über sich selbst und über den Bürger hinweg von neuem vorwärts zu traben versuchen.

Dies Werk spricht in scharfen, erschütternden, phantastischen und klaren Worten zu uns, es hat eine wunderbare Höhe über jener einst seinen Dichter umfangenden Sentimentalität erreicht (die ihm jetzt nur wertvoller erscheint als etwa überhaupt keine Gefühle zu haben). Der Tumult der Gegenwart zeichnet sich deutlicher als an den mitschwankenden Gestalten an solchem Werk eines überragend redlichen Dichters ab. Es ist, glaubt man sagen zu dürfen, ein willkommener Vorstoß zur immer noch so schwachen Front aller Freunde einer zukunftsreichen Auflösung, aller Feinde dieser alten, in ihrem Gegeneinander wie in ihrer Ordnung gleich falschen Welt. Weniger der einzelne Lebende als diese Welt leidet an jener Schizophrenie. Und da es bei der Spaltung des heutigen Ich nicht um das Doppelgängerspiel der Romantik geht, auch nicht um die weltschmerzliche Zerissenheit des Byron-Menschen, da es vielmehr die Vorstufe zu einer wohl grandiosern Zusammenführung der Menschen ist als die Erde je eine gesehen hat: so wird auch die Dichtung, diese wesentlichste, menschlichste Äußerungsart, das starke Motiv in einer unmittelbarern Wirklichkeitsform als je behandeln, wie es im »Steppenwolf« schon geschehen ist.

275

Dann muß ein solches Werk freilich nicht mit dem wölfischen Weiterschweifen an der europäischen Mauer enden, auch nicht mit dem Ausblick in die rettende Weite des Humors, was bei so weiter chaotischer Problematik eher selbst nur ein humoristischer Einfall genannt werden kann. Sehe ich eins der letzten Bilder des Dichters und sein vom Leben durchgearbeitetes Gesicht an, so spüre ich Hermann Hesses graden, von seiner schönen Musik begleiteten Vormarsch auf jenem Wege der Kunst und des Kampfes, wo es gegen die Erbfeinde unsrer menschlichen Zukunft geht. Und wer diesen Schritt gegen sich selbst getan hat, will ihn nicht mehr zurück tun. Der Steppenwolf ist eine Dichtung des gegenbürgerlichen Mutes.

(1927)

*Oskar Loerke*
*Der fünfzigjährige Hermann Hesse*

Wer vor zehn Jahren das Werk Hermann Hesses überdachte, konnte nicht ahnen, daß sich darin der Mann verbarg, dem er heute danken würde. Wir vernahmen damals mehr die Melodie eines Dichters als den Dichter selbst; wir waren zufrieden, daß er sie spielte, und fragten nicht viel, was er spielte. Doch, wir fragten schon – aber der Klang hatte eine tiefere Magie für uns und bebte länger nach als das, was er zu uns trug. Es war wohl ein Gewissen darin, aber gleichsam ein schlafwandelndes; es hatte noch nicht die Welt gewärtig, sondern, zumal da zarte und helle Sinne ihm dienten, ihr Diesseits, ihre jeweilige Nachbarschaft, mochte diese auch einmal jenseits der Alpen oder in Indien liegen. Die romantische Sehnsucht, eine der Erscheinungsformen des schlafwandelnden Gewissens, konnte im Frieden süddeutscher Kleinstädte ihre uralten Wurzeln dehnen und sich am Geheimnis der irdischen Natur nähren, sie konnte in Handwerksburschenträumen ihre Schönheit und Einfalt erproben, sie konnte schmerzlich nach der entschwundenen Jugend rufen, während diese noch in voller Blüte stand, sie konnte sich in

276

die Abbilder von Dichtern, Malern und Musikern ergießen, mehr um der Selbstbewegung als der Selbsterkennung wegen, sie konnte eine Ehe zerstören oder gar das arielhaft beseelte Leben eines Schülers. Grausamkeit und Schmerz hatten ihre tönende Klage, Glück und Freude ihre tönende Lust. Für alle Schuld fanden sich draußen Schuldige, für alle Erhebung und Auszeichnung gepriesene und würdige Träger. Ein Schleier, gewoben aus schwermütigem Einverständnis und beendender Versöhnung, lag selbst noch über dem Widerstreben.

Früh jedoch fanden sich in Hesses Büchern scheinbar überbetonte Wertungen von Stimmungen, Entscheidungen und Erlebnissen, die mit ihrem Anlaß nicht gleiche Größe hatten, die unruhiger, eigenwilliger, unbescheidener waren als er. Dinge und Menschen ließen einen größeren inneren Horizont vermuten als den, der um ihr sichtbares Dasein gezogen war, und herrischere Gewitter, seligere Lichter stiegen an ihm auf. Sie deuteten auf die zweite, wesentliche Wirklichkeit des Lebens, die sich von der ersten, nur so genannten, welche das Leben konsumierte und verschlang, ohne es zu gewahren, in allem unterschied. Die eine schuf, um es nach der Einsicht Jean Pauls, eines der erhabensten Lehrer Hermann Hesses, auszudrücken, die Welt des Genusses und seiner satanischen Widerspiele, die andere die Welt der Freude und ihres schicksalvollen Leides. Wir lasen schon in Dichtungen aus der Jünglingszeit Hesses manches Weinlob, über welchem dumpf und unsichtbar die Verklärung persischer, die Weisheit und Verzweiflung chinesischer Dichter schwebte, manchen Wanderschaftsbericht, in dem sich die schwere Stille indischer Frömmigkeit zu verhüllen schien, und wir lasen über die fragwürdige Gnade des Dichterberufes Sätze wie diese: »Ich antwortete, daß niemand, die Natur verstehe, und daß man mit allem Suchen und Begreifenwollen nur Rätsel findet und traurig wird. Ein in der Sonne stehender Baum, ein verwitternder Stein, ein Tier, ein Berg – sie haben ein Leben, sie haben eine Geschichte, sie leben, leiden, trotzen, genießen, sterben, aber wir begreifen es nicht«. All das war so einfach gesagt, fand so sicher seine Harmonie im Wunschland, daß die Frage nach dem Maße

277

an Ernst, Mühe, Not, gefährlichem Selbstgericht, die hier im Wort Abschied nahmen, sich kaum regen mochte.

Da brach vor Krieges Beginn jenes Unwetter in Hesses Seele los, das ihn in vorher geschützten Tiefen zu sich selbst erweckte und das von seinen Werken eine durch prüfende Verantwortlichkeit, eine unerbittliche Wachsamkeit forderte, wenn sie in ihm bestehen und dauern wollten. Die Reihe vom »Demian« bis zum »Steppenwolf« ist Zeugnis davon. Überall ein anderer Urkomplex, überall ein anderes geistiges Klima, überall ein anderes Doppel-Ich im Streit seiner Welthälften! Einige Themen von diesem Ich heißen: Märchenwahrheit und märchenlose Richtigkeit; Zwergen- und Riesenperspektive im Kurgast; der Verzauberte und der Zauberer Klingsor; der Mörder Wagner und der Meister Richard Wagner in einer Person; der Mensch Harry Haller und ein namenloser Steppenwolf in einer Person; der Mensch Harry Haller und ein namenloser Steppenwolf in einer Haut und in einem Herzen! Die ungeheure Straße Siddharthas nun ist einer leuchtenden Milchstraße vergleichbar, auf Peter Camenzinds Wegen einst brauchten Schusters Rappen nicht zu verzagen. Das Klare ist nunmehr nur selten noch Spiegelung in heimatlichen Bächen, es ist oft in Meerwasser sauber geworden, schmeckt bitter und riecht nach offener Freiheit. Der Durchbruch des Dichters zu seinem Selbst ist von beständig erneuerter Erkenntnis der ihn umgebenden Gegenwart begleitet und gesteuert gewesen. Er entdeckte, daß er in ihr Echtes wie in ihr Falsches mitversponnen war, mit seinem Streben wie mit seinem Dulden. Das Falsche aber war nur angeblich Gegenwart, das Echte dagegen war weit mehr als Gegenwart. Der Kampf gegen alle Schäden und um alle Güter der Welt mußte also in ihm selbst geführt werden. In seinem »Kurzgefaßten Lebenslauf« steht es zu lesen, man könne jederzeit unschuldig werden, wenn man sein Leid und seine Schuld erkenne und zu Ende leide, statt die Schuld daran bei anderen zu suchen. Und ferner: »Ich fand allen Krieg und alle Mordlust der Welt, all ihren Leichtsinn, all ihre rohe Genußsucht, all ihre Feigheit in mir selber wieder, hatte erst die Achtung vor mir selbst, dann die Verachtung meiner

278

selbst zu verlieren, hatte nichts anderes zu tun, als den Blick ins Chaos zu Ende zu tun, mit der oft aufglühenden, oft erlöschenden Hoffnung, jenseits des Chaos wieder Natur, wieder Unschuld zu finden.« Er moralisierte nicht, sondern räumte auf, nicht bei Nachbarn und Feinden, sondern bei sich selbst – und eben dadurch auch in der Nachbarschaft und Fremde. Er wählte z. B. aus Hunderten seiner Gedichte ein paar Dutzend aus, nicht wohl, weil sie den übrigen artistisch überlegen gewesen wären, sondern weil sie seiner Natur genauer entsprachen. Er äußerte gegen seine zurückliegenden Erzählungen den harten Verdacht, daß sie, in der Zufriedenheit und Bequemlichkeit nach frühen Erfolgen geschrieben, einem bösen Blick als Unterhaltungschriftstellerei erscheinen könnten. Landschaftliche Augenerlebnisse wies er nun zu reinerem und unmittelbarem Ausdruck ihres Wunders seiner malerischen Begabung und Andacht zu. Er wurde zum Einsiedler, nicht um sich aus der Fülle des Lebendigen zu lösen, sondern um ihr näher zugekehrt zu sein. Freilich hieß ihm Leben nicht mehr Betrieb, und Rythmus bedeutete ihm nicht die mechanisch beschleunigte und rasende Bewegung des Trägen und Unbewegten. Er läßt sich von den Häufungen und Summierungen des Kleinen und Lügnerischen nicht imponieren und sträubt sich, in die großen Hauptstädte zu gehen; das Bedeutende von daher muß ja auch in seine Einsamkeit kommen. Auch er ist im Flugzeug gefahren, aber nicht im Stolze auf das Jahrhundert, das um der Propeller willen den anderen voraus sei.

Als seine Erneuerung aus dem Grunde entschieden war, legte er seinen Namen ab und nannte sich Emil Sinclair. Hugo Ball teilt uns in seiner musterhaften Biographie des Dichters mit, Hesse habe bei der Wahl des neuen Namens an den vertrauten Jugendfreund Hölderlins gedacht. Vielleicht dürfen wir es auch sinnbildlich nehmen, daß Hesse zu dem Namen seiner Geburt nach einiger Zeit zurückkehrte: als er in seinen Schriften sich als den entdeckt und erwiesen hatte, der er nach seiner Herkunft und seiner persönlichen Schicksalsführung schon immer gewesen war. Die dort waltende Weiträumigkeit, Tiefe, rauhe Pilgerschaft, zähe Entschlossenheit hatte sich seinem Wort nur vorläufig für eine Weile entzogen. Um so erstaunlicher, um so ergreifender, um so gedrungener, um so gültiger ist nun die Zeit seiner Reife geworden.

(1927)

*Heinrich Wiegand*
*Gruß an Hermann Hesse*
*zu seinem 50. Geburtstag am 2. Juli*

Der fünfzigjährige Dichter Hermann Hesse geht über alle Parteiungen hinweg nachdenkliche Menschen etwas an. Die Fuhrleute können seine Geschichten ebenso genießen wie verwöhnte Literaten. Denn er besitzt die außerordentliche Kunst, für die schwierigsten Dinge den einfachsten Ausdruck zu schreiben.

Hermann Hesse ist ein Dichter zwischen zwei feindlichen Zeiten. Er trägt in sich das Kulturerbe einer versunkenen Welt und ist von der Bereitschaft beseelt, an einer kommenden, besseren und gerechteren Zeit trotz ihrer Jazz- und Mordbrutalitäten teilzuhaben. So erleidet er alle Fragwürdigkeit des Menschenlebens, gesteigert als persönliche Qual. Darüber berichtet mit schonungsloser Offenheit sein letztes Buch »Der Steppenwolf«, zugleich ein Dokument der Zeit und eine bezaubernde Dichtung.

Hermann Hesse ist ein Mensch zwischen den Klassen. Er stammt aus dem Kleinbürgertum, von pietistischen Missionaren, er gehörte niemals zum echten Proletariat. Und wenn er auch einen Monat nach der deutschen Revolution geschrieben hat. »Diese herrliche, ungewollte, machtvolle plötzliche Bewegung ist nicht aus Klugheiten und Berechnungen geflossen, sie kam aus dem Herzen, aus Millionen Herzen«, wenn er sich auch in Liebe zu den edlen Gestalten Rosa Luxemburgs und Gustav Landauers bekannte und seine Sympathien immer bei den Nihilisten und Barrikadenmännern waren, nie gelang es dem weit über bürgerliches Maß erhöhten Individualisten, im Kollektivismus aufzugehen. Hesse ist viel zu ehrlich, um das nicht zu bekennen – und in seiner Aufrichtigkeit liegen unnennbar

280

viel Werte mehr als im Maulkollektivismus unechter Literaten.

Nichts wäre ungerechter und oberflächlicher, als diesen Hesse mit dem Etikett »Bürgerlicher Dichter« abzutun. Der Knabe schon revoltierte gegen den Schwindel der bürgerlichen Erziehung, floh von der Schule, arbeitete als Schlosser und Buchhändler, bis ihm der Riesenerfolg des »Camenzind« das Leben eines freien Schriftstellers ermöglicht. Der beginnende Krieg zeigt Hermann Hesse als den einzigen berühmten Dichter, der keine Kriegsgedichte schreibt, der seine Abneigung gegen die patriotische Besoffenheit bekennt und darüber hinaus auffordert, die geistige Verhetzung einzustellen. Das hat ihm damals und bis in die jüngste Zeit hinein plumpe Beschimpfungen genug eingetragen. Die reaktionären Studenten schickten ihm Serien von Haßbriefen. Er ging seinen Weg unbekümmert weiter, nur dem Stern in seiner Brust folgend, ging weiter einen Weg, der dem Schema deutscher Dichterentwicklung gänzlich entgegengesetzt ist. Während die übrigen in der Dichterspitzengruppe zwar stürmisch und radikal begannen, mit zunehmendem Alter aber mehr und mehr Kompromisse schlossen, riß Hesse, älter werdend, einen bürgerlichen Tempel nach dem anderen ein, pfiff auf die Trugideale eitler Pädagogen, fand das Leben zum Kotzen und sang die Musik des Untergangs. Mit 40 Jahren legte er sich einen neuen Namen zu und bekam als unbekannter Emil Sinclair, von der Jugend begeistert begrüßt, den Fontane-Preis für den »Demian«, in dem Psychoanalyse zur Dichtung wurde.

### Lärm und Stille um Hermann Hesse

Ende der Wettervoraussage. Kurze Pause. Es beginnt dann die Hermann-Hesse-Feier. Anschließend Hackebeils Sportbericht. Flotte Weisen.

Der 50jährige Dichter entgeht seinem Schicksal nicht. Am Sonnabend werden die Sender von Berlin, München, Stuttgart, Hamburg, Breslau, Leipzig, Zürich mit Hesse besprochen. Schon die Dichtungen leiden heftig, wenn sie von fälschenden Sprechern zwischen schwatzende, fressende, gähnende, schlafende Abonnenten geworfen werden, doch die größere Gefahr für den Gefeierten liegt in der Verbreitung seines unrichtigen Bildes. Ich sehe mir z. B. das Hesse-Programm des Leipziger Senders an. Es ist schlecht gewählt. Und ein Artikel in der Mirag-Zeitung tut gar, als sei Hesse vor dem Kriege verstorben, er nennt keines seiner späteren Werke, die weit über die Bezirke des »Camenzind«, der anklagenden Schülergeschichte »Unterm Rad«, der Gottfried Keller nahestehenden Kleinstadtgeschichten hinausgewachsen sind. Die dauerhafte große Schönheit ihrer Sprache und inneren Musik bleibe unangetastet, aber viel wichtiger und teurer ist uns der Hesse der letzten zehn Jahre. Er zeigt eine andere Entwicklung, als sie in der deutschen Dichterspitzengruppe üblich ist. Während die übrigen Prominenten radikal begannen, mit zunehmendem Alter aber mehr und mehr Kompromisse schlossen und das Leben immer harmonischer fanden, riß Hesse, älter werdend, einen bürgerlichen Tempel nach dem andern ein, verfluchte die bequeme Weekend-Weltanschauung, pfiff auf die Trugideale eitler Pädagogen und fand das heutige Leben zum Kotzen. Die Kostbarkeiten aus Hesses frühen Gedichten passen in jedes klassische Lesebuch, von den Steppenwolf-Gedichten und dem eben erschienenen Roman gleichen Namens wendet sich der Bürger mit Grausen. Schonungslos offenbaren sie die verzweifelte Situation des bürgerlichen Intellektualismus, bezaubernd als Kunstleistung, ungemütlich als Bekenntnis. Darum verschweigt sie der Mann beim Radio, darum werden sich die bürgerlichen Zeitungen, mit zwei oder drei Ausnahmen, an ihnen vorbeidrücken. Wäre Hesse ein Arbeiterdichter – im üblichen Sinne des Wortes –, die bürgerliche Presse, Radio und Literaten würden ihm gerechter werden. Solche Dichter sind abgestempelt, sie schreiben für jene armen, revolutionssüchtigen Leute, basta. Aber der kompromittierende Hesse stammt aus dem Bürgertum, aus einer Missionarsfamilie, ist ein glänzender Schriftsteller und nennt den ganzen Betrieb Schwindel, gibt seine eigenen kleinbürgerlichen Hemmungen zu und kränkt mit dem Zweifel an seinen Bemühungen den Stolz aller Kollegen. Während andere von ihrem Dienst am Volkstum faseln, sagt der ehrliche Hesse, etwas in ihm würde mitpfeifen, wenn er durchfiele. Schreibt gar, nur an zweierlei mitzuarbeiten habe Wert: daß Deutschland endlich seine staatlichen Schulen schließe und Europa energisch an der Verminderung seiner Geburtenziffer arbeite.

Einem solchen zuchtlosen Autor gegenüber konnte die Bürgerlichkeit nur zweierlei tun: dem wachsenden Wert seiner Schriften mit Nichtbeachtung begegnen oder ihm bekümmert raten: »Kehren Sie zurück zu den gesitteten Pfaden Ihrer Jugend! Treten Sie nicht in blindem Pessimismus mit Füßen, was wir alle verehren!« Es wurden auch andere Stimmen laut, Sozialisten schrieben diesem vielgeliebten Dichter wohlbegründete Einwände: wie er durch die eigensinnige Gebundenheit an die Bedürfnisse seines Ichs den Anschluß an die vorwärtstreibenden Kräfte versäume, daß es bedauerlich sei, wenn eine so hohe Kraft sich im Kampf mit einem übersteigerten Individualismus aufreibe, daß er doch versuchen möge, im Kollektivismus aufzugehen. Aber Hesse blieb ein Mensch zwischen den Klassen, wie er ein Dichter zwischen feindlichen Zeiten ist, einer kollektivistischen und einer individualistischen. Voll seelischer Bereitschaft, an einer kommenden gerechteren Zeit teilzuhaben, doch zurückgestoßen von Jazzamerikanismus und Motorbrutalitäten; das Geisteserbe der Vergangenheit in sich tragend, aber haßerfüllt gegen verlogenes Nachtretertum. Er schreibt in einem Briefe: »Wenn ich einigen als Autor sympathisch bin, so ist es vor allem darum, weil ich versuche, etwas weniger zu lügen, als in der Literatur sonst üblich ist. Wenn ich nun meine Gefühle von Lebensekel, Altsein usw. verschwiege oder umfrisierte, würde damit auch aller Wert in meinen Schriften verlorengehen. Ich habe seit Jahren den ästhetischen Ehrgeiz aufgegeben und schreibe keine Dichtung, sondern eben Bekenntnis.«

Solcher Wahrheitsdienst läßt sich überall in Hesses Leben und Schreiben erkennen. Der Knabe revoltierte gegen den Schwindel der bürgerlichen Erziehung, floh von der Schule, arbeitete als Schlosser und Buchhändler, bis der erste große Schriftstellererfolg kam. In der bürgerlichen Zeit danach gab er mit Thoma zusammen die Zeitschrift »März« herraus, aggressiv gegen den Imperialismus. Doch als zutiefst unpolitischer Mensch vermochte er nicht lange dabei zu bleiben, ebensowenig wie bei der 1919 mit dem Leipziger Professor Woltereck gegründeten Monatsschrift »Vivos voco«. Sie arbeitete für aktiven Pazifismus, Fürsorgewesen und Werkgemeinschaften. Hesse vertrat darin das, was er als einziger berühmter Dichter auch während des Krieges ausgesprochen hatte. »O Freunde, nicht diese Töne!« hieß ein Aufsatz, in dem er 1914, in der Neuen Zürcher Zeitung, die Verhetzung ablehnte. Damals stürzten sich an 40 große Tageszeitungen, die ihn heute anharfen, schimpfend auf ihn. Hesse hat kein einziges Kriegsgedicht geschrieben und trotz günstiger Anerbieten (von wegen Dichterreklame) nie eine Uniform angezogen. Er arbeitete jahrelang in Bern für die Versorgung der Kriegsgefangenen mit geistiger Nahrung. Auch nach dem Kriege fiel ihn die nationale Meute noch manchmal an, wenn er eine Wahrheit sagte, die von solchem Manne besonders schmerzte.

Keiner jener schon vor dem Kriege glänzenden Dichter hat den Zusammenbruch und die Wandlung so glühend in sich selber erlebt wie Hesse. Er hat herrliche Worte über jene merkwürdige deutsche Revolution geschrieben, sie innig und hoffend begrüßt, sich in Liebe zu Landauer und Rosa Luxemburg bekannt. Er meinte auch äußerlich dem Tod des alten bürgerlichen Hesse Ausdruck geben zu müssen und schrieb als ein unbekannter neuer Mann, als Emil Sinclair. Das Buch »Demian«, von der Jugend begeistert begrüßt, erschien unter diesem Namen. Es war des Dichters letzter lauter Erfolg. Er, der nie einer literarischen Kompanie angehört, nie etwas aus Opportunismus geschrieben hat, niemals nach Berlin und nach einer Mode gegangen ist, zieht sich als Einsiedler in ein Tessiner Dorf zurück, und es wird still um ihn. In Wandlung, Gegensatz und Steigerung bewegen sich nun seine Bücher. Man kann sich noch auf manche Überraschung gefaßt machen. Die Psychoanalyse ist Thema seines Werks und die Biologie des Künstlers, Süße, Bosheit, Reinheit und Qual der Jugend, der Rausch des Europäers Kling-

284

sor und die Versenkung des Asiaten Siddhartha, Freundschaft mit dem Tode, Persönlichkeitsspaltung und die Zauber der Landschaft, Kampf mit der Zeit und rettender Humor, zarte Märchen, groteske Träume und unvergeßliche Verse. Probleme der Masse, Gestaltung proletarischer Themen finden sich nicht bei Hesse, doch keiner der nichtproletarischen Dichter erscheint mir unbürgerlicher, keiner schonungsloser in der Selbstdarstellung als dieser Außenseiter. Darum halte ich alle seine späteren Bücher bedeutsam auch für die Andersgesinnten als Dokumente eines denkstarken Intellektuellen, dem der Stern des Dichterischen aus einsamer Höhe leuchtet. In all seiner reinen melodischen unnachahmlichen Prosa steht kein unklarer Satz. Bezeichnenderweise hat über ihn ein anderer Bürgerschreck ein gedankenreiches Buch geschrieben, Hugo Ball, weiland Dadaist und unerschrockener Bekämpfer deutscher Kriegsmentalität.

Ich wollte ursprünglich anders schreiben, einen Klang des Werkes zu geben versuchen, wehe zersprengte Verse zitieren, vom Vagabunden Knulp reden und vom gehetzten Beamten Klein, von Hesses letztem Symbol, dem Steppenwolf, einem der kräftigsten und schönsten Tiere des deutschen Literaturgartens, letztes Exemplar der romantischen Gattung. Daß daraus nichts wurde, daran ist der Rundfunk schuld, der mich im Anfang in den Lärm der Polemik trieb und mein Konzept verdarb. Ich versuchte, die Arbeiterhörer des Radio und Hesse selber vor dem zu erwartenden Falsifikat, der Unterschlagung seines edelsten Teiles, zu schützen.

Der jetzt durch alle Spalten gezogene Mann treibt inzwischen, abseits von allem Rummel, sein heimatloses Leben in der Sonne und Stille des Tessin weiter, malt leuchtende Aquarelle und sucht darin einen Trost gegen die Literatur. Keinem ist die Massenbespuckung mit Hesse durch das Radio peinvoller als ihm selber, denn er haßt den idiotischen Persönlichkeitskultus, wünscht sich, nicht in jener dreckigen verlogenen und erstickenden Luft der Öffentlichkeit leben zu müssen. Vor wenigen Tagen bezeugte er seine rare Gesinnung mit folgendem Satz über seinen 50. Geburtstag: Mit ihm werde ich schon seit langem je-

285

den Tag angeödet: ein Glück, daß das nicht mehr lange dauern kann.

(1927)

*Kurt Tucholsky*
*Der deutsche Mensch*

In der vorbildlich noblen und sachlichen Art, in der der Verlag S. Fischer seine Autoren fördert, hat man dort auch den fünfzigsten Geburtstag Hermann Hesses begangen. Hugo Ball hat ein Buch über das Leben und das Werk des Geburtstagskindes geschrieben.

Der Dichter hat es in den Zeitungen und Zeitschriften ja nicht schlecht zu lesen bekommen – der Trivialität solcher Gratulationen haben sich viele dadurch zu entziehen vermeint, indem sie kräftig auf die Kongratulanten schimpften; sie haben sich wohl auch zu Unrecht vor Hessen etwas geschämt, als sie mit dem Sträußchen kamen . . . Ball hat mehr getan als sie: er hat ein ganzes Buch verfaßt, in dem sehr beredte Fotografien Hesses von vielen Lebensaltern zu sehen sind.

Inzwischen scheint es zum Gemeingut des deutschen Leserpublikums geworden zu sein: daß Hesse ein unglücklicher Mensch ist, daß er ein zwiegespaltenes Herz in der Brust trage; daß er sich gewandelt habe, und alles das setzt Ball recht ausführlich auseinander.

Der Idylliker Hesse, der für meinen Geschmack fast niemals süßlich gewesen ist, verwandelt sich verhältnismäßig früh in einen zerissenen, mit sich zerfallenen, tappenden, suchenden und unzufriedenen Romantiker, der keiner sein will, der doch einer sein will, der sich einen Turban aufsetzt und darunter ganz leicht pietistisch schwäbelt . . . Die Wandlung lag früh am Tage; Hesse hat, in unbeirrbarer Reinlichkeit, niemals eine Marke ausgewalzt. Im April 1914 schrieb ich hier:

»Nun hat er sich gewandelt; er ist älter geworden, und es bereitet sich da irgend etwas vor. Wenn nicht vorn auf dem Titelblatt der Name Hesses stünde, so wüßten wir nicht, daß er es geschrieben hat. Das ist nicht unser

286

lieber, guter alter Hesse: das ist jemand anders. Eine Puppe liegt in der Larve, und was das für ein Schmetterling werden wird, vermag niemand zu sagen. Es ist schön, daß jemand im besten Mannesalter noch einmal frische Triebe ansetzt und wieder neue Blüten entfalten läßt.« Das war, als ›Roßhalde‹ erschienen war.

Dann kam diese Wandlung, und Hugo Ball bemüht sich, sie mit liebevoller Umständlichkeit zu erklären. Sehr schön, wie er diese ›bürgerliche Epoche‹ charakterisiert. »Er ist der Steppenwolf und Outsider, der Knulp und Wanderer, der Antiphilister und Leidende; auch in der Ehe. Auch im eignen Hause ist er ein Fremder, den man beherbergt; ein fahrender Geselle, den man füttert, und der sich der Hauskatze näher fühlt als all seinem schönen Besitz.« An dieser Stelle ist dann übrigens auch von einem Freund Hesses die Rede – aber jeder Vergleich Hesses mit dem ist eine Beleidigung. Es ist der Rosendoktor Ludwig Finckh. Daß der Mann schlechte Bücher geschrieben hat, besagt gar nichts gegen ihn. Aber einen Burschen sanft anzufassen, der im Kriege dieses geschrieben hat:

»Unser Eichbaum wächst – glücklich, wer ihm den Boden mit seinem Herzblut düngt« und:

»Das Glück der Schlachten« und:

»Nun schießt dem Feinde ins Gesicht, damit die Welt uns zuletzt noch unsre Liebe glaubt« – und das alles von Gaienhofen aus: ich habe für diese Sorte Mensch kein Verständnis und kann nicht begreifen, wie der blutvolle Kriegsablehner Ball sich mit so etwas überhaupt abgibt.

Hermann Hesse selbst hat sich im Kriege sehr sauber benommen, er hat für die Kriegsgefangenen in der Schweiz gearbeitet; mir ist von ihm kein gedrucktes Wort bekannt, das jemals zum Kriege aufgehetzt hätte. Die Zurückhaltung, die er während der Kriegszeit geübt hat, ist seine Sache.

Somit wäre also nur, verspätet aber nicht minder herzlich, gleichfalls zu gratulieren; wenn mir nicht das Buch Hugo Balls einige Gedanken eingäbe, die mit der modischen Überschrift, die ich diesem Aufsatz gegeben habe, in engem Einklang stehen.

Da wird uns auf zweihundersiebenunddreißig Seiten genau

287

auseinandergesetzt, was es denn mit Hesse für eine Bewandtnis habe, und inwiefern er und warum er nicht, und wo er stehe, und die Psychoanalyse wird bemüht, wobei sich übrigens der uns nicht überraschende Eindruck einstellt, daß mit fortschreitendem Gebrauch dieser Terminologie ihre Banalität wächst, und daß es bald überhaupt nichts mehr besagt, wenn einer die Neurosen seines Objekts recht herrlich präsentiert. Es ist schade: noch ein paar Jahre, und die Vulgär-Psychoanalyse wird auf die Köchin gekommen sein. »Warum ich die Vase zerbrochen habe? Gnätche Frau, ich habe Hemmungen, wenn ich Vasen sehe – –;« Und dann ist es aus, denn wenn Köchinnen sogar schon Hemmungen haben, dann sind sie nicht mehr fein.

Es erhebt sich also in dem Buch Balls ein unendlicher Trubel an Erklärungen. Da gibt es eine »Klingsor-Periode« und eine »Demian-Zeit« und noch eine Epoche und noch einen Lebensabschnitt ... und das wollen wir auch gewiß glauben.

Was ist damit ausgesagt –?

Etwas für das Lebewesen Hesse? Jedes Lebewesen hat wahrscheinlich solche Epochen, Perioden, Abschnitte, sofern es überhaupt denkt und geistig sich entwickelt. Für den Künstler –? Nichts ist für den Künstler damit ausgesagt. Es gibt nur eines:

»Speelt man god –!«

Hermann Hesse hat, fern vom Problematischen, immer gut gespielt: seine naturalistischen Schilderungen sind fast unübertroffen, kräftig im Ton, bunt in der Farbe, sauber, voll Blut und Luft und Atmosphäre ... Das Zerrissene hat er mir niemals zu recht gestalten können, und daß ein Künstler zerrissen ist, geht uns wohl wenig an. Er soll das bilden.

Aber angenommen selbst, er hätte es gebildet –: was will das besagen?

Mir scheint es ein deutscher Nationalfehler zu sein, mit ungeheurem Seelengeräusch im Resultat nicht viel mehr als andre Völker zu produzieren. Ich kann den Unterschied zwischen einem unmystischen Amerikaner, der die Schande Sacco und Vanzetti, und einem mystischen Deutschen, der

288

diese Justiz duldet, nicht als gar so groß empfinden. Und nichts nehmen einem die Herren mehr übel als diese rationalistische Frage nach dem Resultat.

Hugo Ball wittert das. Daß Hesse nicht sozial funktioniere, wird erklärt, umschrieben, begründet – also zu entschuldigen versucht. Ball muß das Postulat fühlen, die stumme Forderung, bei der da einer gepaßt hat. Er fühlt sie. Und weil es so schwer ist, in diesem Volk der Richter und Henker als geistiger Mensch nicht anzuecken, so wird nun der Spieß herumgedreht und jeder, der gesellschaftliche Fehlleistungen vollbringt, ist schon ein innenwendiger Held, ein großer Mann, ein verkannter Heiliger. Ball vermerkt die Anmerkung Thomas Manns, »daß die namhaften Franzosen meist als Musterschüler gelten können und solche gewesen sind«. Ein Primus sieht viele. Aber Ball fährt richtig fort, indem er von Frankreich sagt: »Es könnte sein, daß die jungen Leute weniger Widerstand finden; daß ihr Enthusiasmus mehr getragen, daß die Absonderlichkeit leichter eingeordnet, mit einem Wort, daß die Lehrer frischer, beschwingter, lebendiger sind. Der Beruf des Schriftstellers ist wohl mehr anerkannt; der Bezug auf die Gesellschaft ebenso. Eine Elite, die von Idealen getragen ist, scheint dort mehr vorhanden, gegenwärtiger zu sein. All dies verbrückt den Unterschied zwischen Begabung und Umwelt. Gestalten wie Rimbaud sind dort Ausnahmen; bei uns fast die Regel. Wir haben theoretisch ein Erziehungswesen, eine Reformbestrebung in Permanenz, die hinter keinem Lande zurücksteht; aber das ist ein in sich geschlossener Staat, der seine hochinteressanten Debatten eigentlich beständig für sich und um der Übung willen betreibt. Dieser Reformbestrebungsstaat scheint weit entfernt, in praxi einen erheblichen Einfluß zu gewinnen oder gar eine Änderung zu bewirken.«

Das will er auch gar nicht.

Und es ist eben um so vieles leichter, in Frankreich zu leben und als Geistiger zu leben, weil die Leute natürlicher sind: zunächst die Ungeistigen, aber die andern auch. Diese Pfauengrandezza der ›deutschen Menschen‹, diese bombastische Schwerfälligkeit, mit der jeder seinen kleinen Sparren in Szene setzt, aufpustet, ernst nimmt – das ist drüben seltner. Und wird verlacht. Wie ja denn überhaupt Beschaffenheit und Reputation der Deutschen und der Germanen im umgekehrten Verhältnis zueinander stehen: so, wie die einen in den Augen der Welt aussehen, so sind die andern. Was fehlt aber Hesse, was fehlt dem ›deutschen Menschen‹, das ihn so unleidlich macht, das seine Vorzüge aufhebt, seine Fehler verdoppelt? Was fehlt ihnen –?

Eine Geburtstagskritik, eine einzige von allen, die ich gesehen habe, nannte den Begriff, der Hesse fehlt. Das stand in der ›Stuttgarter Sonntagszeitung‹ Erich Schairers. »Es wäre denn, daß ihm die Vereinigung der beiden Seelen in einer Brust, die Bändigung des Steppenwolfs doch noch gelänge. Einen Weg dazu gäbe es, gibt es: den des Humors.« Ave.

Hesse hat keinen Humor. Der ›deutsche Mensch‹, der da, den ich meine: er hat keinen Humor. Hätte er ihn, er wäre so nicht.

Das Wort liegt in falschen Schiebkästen – ich will es schnell herausholen. ›Humor‹ hat fast gar nichts mit Witz zu tun – noch weniger mit dieser schrecklichen Kneipenseligkeit, die man als ›deutschen Humor‹ ausschenkt. Wenn ich mein Latein nicht ganz vergessen habe, hängt die Urbedeutung des Wortes mit dem Begriff ›Feuchtigkeit‹ zusammen. Sie sind trocken – trocken sind sie.

Dieser ›deutsche Mensch‹ hat den tierischen Ernst einer Kuh, eines Hundes, eines Möbelstücks. Dergleichen lacht nicht. Von Selbstironie, diesem seltenen Artikel, will ich gar nicht reden. Aber man betrachte einmal dieses Pathos von der Nähe, auf die Nähte hin – wie das klafft, wenn man dran wackelt, wie das reißt! Hesse hats gespürt, sonst wäre er heut nicht gespalten, sonst wären die Leser nicht gespalten, die ihn lieben – denn er ist wichtig als Exponent. Er ist wichtig wegen seiner Auflageziffern, hinter ihm sitzt eine Welt. Und liest.

Humor hat er nicht. Humor: zu wissen, daß es, nachdem man tapfer gewesen ist, alles nicht so schlimm ist. Humor: zu fühlen, daß es von oben reichlich unsinnig aussieht, was wir hier aufführen. Und dennoch zu seiner Sache stehen. Und abends um neun, wenn alles fertig ist, zu wissen: es lohnt sich kaum – aber man muß ran.

290

Humor ist kein Weg, liebe ›Sonntagszeitung‹.

Humor ist ein Element, das dem deutschen Menschen abhanden gekommen ist.

Dies nun bewegt sich auf einer Ebene, die Hesse bewohnt und der man sich mit dem Hut in der Hand zu nähern hat: vor der Reinlichkeit, vor der Künstlerschaft, vor der Begabung des Bewohners. Um so schärfer aber muß dies gesagt werden:

Nie zuckt der ›deutsche Mensch‹ so zusammen, wie wenn man ihn fragt, welchem Zweck denn der vielzitierte Spektakel in seiner Seele eigentlich diene. Ich habe das neulich die deutsche Jugendbewegung gefragt, zwei Mal. Der Krach war nicht schlecht, der sich da erhob. Und erst kürzlich hat mir einer in der ›Vossischen Zeitung‹ geantwortet.

»Wrobel mißt an der Literatur, am Vokabularium der Jugendbewegung die wirklichen Zustände der Gegenwart und kommt zum Schluß, daß die Jugendbewegung unwertig sei, weil ihrer Literatur so gut wie nichts an Gesellschaftsgestaltung entspricht... Wenn Wrobel es der Jugendbewegung zur Last schreibt, daß sich in unsern Schulen, auf unsern Universitäten, im Polizeiwesen nichts gewandelt hat, so wird er sich dessen offenbar nicht bewußt, welch eine enorme Meinung er von der Jugendbewegung hat.« Nein, aber die Jugendbewegung hat diese enorme Meinung von sich, und nach der habe ich gemessen und das Nullergebnis festgestellt. Das wird zugestanden. Der Mann fährt fort und beantwortet die Frage, was denn die Jugendbewegung geleistet habe.

»Sich selbst hat die Jugendbewegung geleistet.«

Da will ich nicht stören.

Dies aber ist deutsch:

Daß dieser unendliche Innenrummel Selbstzweck ist; Selbstzweck jene Wandlungen und Verkündigungen der Wandlung; Selbstzweck die Bünde und Spaltungen; Selbstzweck die Bekenntnisse und die Ableugnungen – Selbstzweck das Prunken mit Neurosen, das Verstecken von Neurosen, Selbstzweck Leidenschaften, innere Stürme, neue Romantik.

Es ist kein Zufall, daß diese Innenkünstler fast immer

reaktionär sind oder aber – und das ist der schlimmere Fall – von Reaktionären benutzt, ausgenutzt und mißbraucht werden können. (Mit Shakespeare geht das nicht. Mit Tolstoi geht das nicht. Mit dem echten Goethe geht es nicht.) Und es kann einer etwas für den, der ihn ausschlachtet.

Es ist ja nicht nur das, daß diese Idylliker nur mit der Rente vorstellbar sind; da werden doch bäurische Besitzverhältnisse, Ausbeutungsverhältnisse, Gesellschaftsverhältnisse als festbestehend vorausgesetzt, sogar als gebilligt vorausgesetzt – sonst kann kein Hermann Klaras Lockenband entwenden – sie hätte keines oder doch ein sehr schmutziges, und Hunger hätte sie und röche nicht gut. Das allein ist es nicht.

Es ist auch so, daß solche behaglichen Idyllen von Reaktionären gern gelesen werden; sie lesen sich doppelt schön; die Seele geht auf wie ein Butterkuchen, wenn man vorher einen Polizeihäftling leichtsinnig in Untersuchungshaft hat sitzen lassen. Vater kommt nach Hause, zieht den Hausrock an und ›ist ein gebildeter Mensch‹. Musik tut übrigens dieselben Dienste.

Und nicht das allein mache ich dieser Literatur, diesem Innenleben und diesem deutschen Menschen zum Vorwurf. Ihr Selbstzweck ist die Erbsünde.

Natürlich haben wir das Recht, zu fragen: Wem nützt es? Natürlich lange ich mir so einen Korb voll Jugendbewegung, hebe ihn hoch und frage: »Nun? Und was wird das, wenns fertig ist?« Daß die Jugendbewegung die Polizeistuben nicht ändern kann, weiß ich allein.

Daß sie aber nicht die Menschen hervorbringt, deren Einzug in die Ämter die Ämter wandelt –: das ist ihre Sünde! Wie die der deutschen Innenwelt.

Wenn sich der ›deutsche Mensch‹ nach diesen Schlachten des Seelenlebens, nach diesen Geißlungen, Aufblähungen, pathetischen Herzenstrillern nicht nach außen dokumentiert, dann ist sein Tun eben das, als was ich es hier schon einmal charakterisiert habe: eine tote Last und ein Gesellschaftsspiel.

Denn was anders als Gesellschaftsspiele unbeschäftigter Herren und Damen sind jene vulgären Psychoanalysen auf

292

jüdischer und jene ästhetischen Untersuchungen über »Raum und Rhythmus im Geist der Zeit« auf christlicher Seite; wobei die Kongreßteilnehmer der Ästhetik den Rekord der Substanzlosigkeit schlagen. Die unterhalten sich überhaupt über gar nichts mehr – ihre Reden, etwa zu Darmstadt und anderswo, sind fast immer völlig allein. Irgendeinen Einfluß hat das Zeug von ihnen allesamt nicht.

Dieser Aufwand –! Diese Terminologie –! »Von der Verantwortung des deutschen Nachwuchses«. – »Grundlagen und Ziele bündischer Erziehung«. – »Neudeutsche Wirtschaftsproblematik«. – »Deutsches Schicksal ... Das Führerproblem in der Jugendbewegung ... Die studentische Einheitsbewegung ... Älterenbund ...« Und? Na und? Was kommt dabei heraus –?

Dieses Deutschland. Diese Richter. Diese Reichswehr. Diese Behandlung von Proletariern. Diese Wirtschaft. Dafür der Auflauf? Dafür atavistische Züge und südlicher Zauber und Gottgefühl und einsame Wanderer und »er kommt her von ...« und »für ihn bedeutet Seele ...« und Überbetonung und Neurose und Instinktfehler und die ganze türkische Musik –?

Geschenkt.

Mir bedeuten diese jugendlichen Bündler und die deutsche Seele und die neukatholische Mystik und der deutsche Mensch einen Schmarren, wenn sich das Brodeln ihrer Seele nicht nach außen in die Tat umsetzt. In solche nämlich, die nicht das Paradies auf Erden schafft. Die aber wenigstens blutigstes Unrecht verhindert, die zerstörtes Rechtsgefühl aufbaut und das eigne Volk nicht mit Honigbroten füttert, sondern den Mut aufbringt, ihm die Wahrheit zu sagen. Wenn euer Innenleben, auf das ihr so unendlich stolz seid, ihr traditionellen Individualitäten, einen Wert haben soll: hier ist eure Insel. Hier springt an.

Hermann Hesse aber unsre verspäteten, aufgewärmten und schmackhaftesten Glückwünsche.

(1927)

293

*Felix Braun*
*Hermann Hesses neues Buch*

An seinem fünfzigsten Geburtstag läßt Hermann Hesse ein neues, dichterisches Buch erscheinen, darin die lange verborgengebliebene Gefahr seines Schicksals die zuerst in »Roßhalde« überraschte, in »Demian« offen sich aussprach, in »Siddhartha« beschwichtigt, ja, versöhnt schien, so schonungslos kundgetan, so vorbehaltlos dargelegt wird, daß es dem Leser nicht leicht fallen mag, für den geliebten Dichter noch zu hoffen. Fast auf jeder Seite fühlt man sich versucht, Striche an den Rand zu setzen, was da vom »Steppenwolf« in unserem Innern verraten wird: Erschüttert begreifen wir wieder das Bibelwort, das von den »zerschlagenen Herzen« kündet. Es bedeutet die Möglichwerdung eines solchen Buches eine Infragestellung nicht allein der Welt und der Zeit, sondern des Herzens selber, das jeder Verantwortung überhoben wird, weil es eben nicht mehr auf einem einzigen festen oder doch umgrenzten Ichbewußtsein ruht; der Psychoanalyse folgend, löst der Bekenner die Einheit des Ichs in eine Vielheit auf, so daß ein Begriff, wie der der Schuld oder der Rechtfertigung nicht mehr auf sie anwendbar bleibt. Daß ein solcherart dämonisiertes Leben nur schwer, kaum selbst durch Gnade rettbar ist, wissen diejenigen, die getroffen sind. Denn das furchtbare Buch ist Hermann Hesses jetziges Selbstbildnis nicht allein: es ist unser aller wahrhaftes Innenbildnis aus jener Zone unseres Wesens, die zu erkennen verwehrt bleibt wie der Genuß der Paradiesesfrucht oder das Antlitz der Isis.

Während im »Demian« der Geist Ahrimans noch außerhalb des Herzens empfunden wird, ist er hier als »Steppenwolf« bereits im Innersten drin und unvertreibbar, unüberwältigbar. In dem erschütternden, Wort für Wort zutreffenden »Tractat vom Steppenwolf« wird die Natur unseres verdammten Herzens so erschöpfend entlarvt, daß nun nichts zu tun übrigbleibt, als die enthüllte Vielspältigkeit unseres Wesens durch einen Entschluß, der freilich einer heroischen Tat gleichbedeutend wäre, zu der alten Einheit wieder zurückzuharmonisieren, in der allein sie verantwortet werden kann. Aber nicht dieser Weg ist hier angegeben: Es geht das Buch Hermann Hesses, trotz einer scheinbaren Linderung, die jedoch unmöglich dauern kann, nihilistisch aus. Eine ferne Hoffnung auf Erlösung wird nicht verschwiegen: Aber selbst wenn das Lachen der Unsterblichen, das als das letzte Ziel dem Dichter noch erstrebbar gilt, in seinem Herzen auch erschölle: Das reine Lachen Mozarts wäre es kaum. »Siddhartha« freilich kannte es anders.

Dieser Ausblick wohl trägt mit die Schuld daran, daß wir von Hesses Werk mit einer Empfindung scheiden, die wir nur ungern zulassen. Denn es kann eine solche Selbstentblößung, wie sie hier gewagt wird, nur gerechtfertigt werden, wenn sie Frucht trägt. Ein ungeheures Selbstgespräch ist das ganze Buch, alle seine Figuren nur Teile der Seele des Dichters, und nicht ohne einen tiefbewußten Grund erhielt die schwesterliche Gegenspielerin die weibliche Form des Namens, den Dichter und »Steppenwolf« gemeinsam tragen; nicht ohne Bedeutung kann es sein, daß jene Freundin des Dichters, in der er zum Ende sich selbst begehren und lieben lernt, eine Hetäre ist. Es erreicht aber solches selbstisches Wesen einen Grad, der notwendigerweise alles das fernhalten muß, was Liebe ist, und dieses Lieblose führt dazu, den Leser von dem Dichter, bei aller liebenden Ehrfurcht, dennoch zu trennen.

Das Schicksal, das Hermann Hesse vor aller Augen durchkämpft, bedeutet mehr als nur ein persönlich tragisches. Zum zweitenmal versucht ein Dichter Schwabens, die Wurzeln, die sein Leben sind, aus seinem Dasein zu reißen. Das Erbgut des Idyllischen soll vernichtet werden, damit das Heroische erfahren werden kann. Der »Steppenwolf«, der aus Peter Camenzinds Träumerherzen zum Vorschein kam – nein, er war damals nicht gemeint. Eingetreten jedoch ist die riesige Winternacht der Zeit, die keiner mehr übersteht; und die Wölfe wagen sich aus dem Dickicht ins Schneelicht. Hölderlin rettete der Wahnsinn vor dem Blick in den tödlichen Abgrund des Herzens. Der Dichter, verdammt, in solcher Zeit zu leben, kaum sieht er die gelben Lichter funkeln, unten, wo keine Wurzeln mehr sind, die festhalten, die nähren und bilden: so ist er verloren: der Wolf springt ihm ins Herz.

Das Außerordentliche, das Einmalige des Leidensschicksals Hermann Hesses liegt daran, daß aus dem Bereich der letzten Erkenntnis, welche die Weisheit Indiens und Chinas ihm gegönnt, ein solcher Rückfall möglich wurde. Der Versuch, aus diesem Sturz sich zu erheben, kann auf die Weise, die der Glaube lehrt, nicht wieder unternommen werden: einzig das Reich, das sonst gemieden blieb, vermag noch Leben einzuflößen. Ja, wo Versäumtes nachholbar werden darf, atmen wir doch auf. Letzte Neige Glücks trinken wir, und es erhöht die Lust, daß die Hände zittern, die den Becher halten. Die Szenen der beiden Frauen Hermine und Maria, die Episoden der Tänze, des großen Balles, die Vision des Phantasietheaters jenes Saxophon-Musikers Pablo, der wohl die beste Gestalt des Buches ist, bedeuten etwas herzergreifend Wahres – trotzdem kann es nicht sein, daß ein Konflikt, der gewissermaßen aus unserem Urgrund selber gehoben ist, so gelöst werde: denn immerhin ist diese Stufe eine niedrige. Das Lachen der Unsterblichen erschallt hier falsch, nicht bloß, weil zu viel törichtes Lachen hier die Regel ist. Und solange dieses Lachen als ein furchtbares gilt, ist der Humor nicht erreicht, und wird die Bereitschaft des Dichters, »das Spiel nochmals zu beginnen und noch oft zu durchwandern«, verhindern, daß jenes Unsterbliche, einzig Heilige, errungen oder empfangen werde.

»Eine edle Seele erträgt so wenig anhaltend moralische Dissonanzen als das Gekritzel eines Messers auf Glas«, schreibt der einundzwanzigjährige Schiller in der Vorrede zu den »Räubern«. In einem wenig späteren Brief an Reinwald – ich entnehme beide Stellen dem wunderbaren Buch »Schillers Selbstcharakteristik aus seinen Schriften«, das Hugo von Hofmannsthal im Verlag der »Bremer Presse« herausgegeben hat, und das wie ein herrliches Hochgebirge fast das gesamte literarische Tun der Zeit überragt – stehen folgende Worte: »Liebe, das große unfehlbare Land der empfindenden Schöpfung, ist zuletzt nur ein glücklicher Betrug. Erschrecken, entglühen, zerschmelzen wir für das fremde, uns ewig nie eigen werdende Geschöpf? Gewiß nicht. Wir leiden jenes alles nur für uns, nur für das Ich, dessen Spiegel jenes Geschöpf ist. Ich nehme selbst

296

Gott nicht aus. Gott, wie ich ihn mir denke, liebt den Seraph so wenig wie den Wurm, der ihn unwissend lobt. Er erblickt sich, sein großes unendliches Selbst in der unendlichen Natur umhergestreut, in der Allgemeinsumme der Kräfte berechnet er augenblicklich sich selbst; sein Bild sieht er aus der ganzen Ökonomie des Erschaffenen vollständig wie aus einem Spiegel zurückgeworfen, und liebt sich in dem Abriß, das Bezeichnete in dem Zeichen. Wiederum findet er in jedem einzelnen Geschöpf (mehr oder weniger) Trümmer seines Wesens zerstreut.« Ich zitiere diese Stelle, um zu zeigen, welche Antwort der Dichter des »Steppenwolfs« sich selbst hätte geben müssen. Denn im Grunde ist es keine andere Erfahrung, die er erleidet, wohl aber wird eine andere Geistesgegenwart gefordert. Größe der inneren Fruchtbarkeit unserer Seele gegenüber, das ist's, was mangelt. Hätte sie sich erkämpfen lassen, das Buch vom »Steppenwolf« wäre das wichtigste der Epoche geworden. So aber wurde bloß von der Verzweiflung die Frage gestellt, die Antwort aber den Unsterblichen überlassen.

Dennoch sei das Buch des großen Dichters ehrfürchtig, dankbar und bewundernd gegrüßt. Um seines Leidens willen muß es geliebt werden, denn ergreifend, erschütternd ist es, mitanzusehen, wie ein Mensch ohnmächtig einem Dämon überliefert ist, dessen er sich nur noch so zu erwehren weiß, daß er ihn anerkennt. Darin liegt, scheint mir, das überaus Bedeutende, das Vorbildliche dieses Werkes, daß zum erstenmal vielleicht ein innerer Kampf so vor sich geht, daß der Dämon selber ausgedauert und anerkannt wird. Wenn die Dissonanzen überwiegen, wenn das Gekreisch des Messers auf Glas den allzu Empfindlichen mehr als einmal stört, verdrießt, ja geradezu überreden will, von dem Buch zu lassen, so trägt gewiß nicht allein der Dichter Schuld daran, sondern die ganze, hörbar genug dissonierende Zeit. Sehnsucht nach dem Wiedergewinn der verlorenen Einheit des Herzens spricht unendlich rührend aus jedem dieser Blätter; denn was haben wir im Grunde erreicht, wenn wir wissen, daß wir aus vielem bestehen: Gefühlen, Empfindungen, Trieben, Wünschen, Ängsten; daß wir dieser Vielheit jedoch nicht mehr

297

Herr zu werden fähig sind? Aber damit unser Los leichter zu tragen und besser zu deuten sei, entblößen die Dichter ihr Herz. Vielleicht heilen sie es selbst durch eine solche Handlung, deren Mysterium der nur Zuschauende, wie ergriffen er sei, kaum je zu erfassen vermag. Kein Wunsch kann Hermann Hesse zu seinem fünfzigsten Geburtstag inniger zugedacht werden als dieser. Das schöne Dichtwerk, das nur dadurch in die Welt treten wird, weil der »Steppenwolf« ihm die Bahn gebrochen, mag wohl der oder jener seiner Freunde heute schon ahnen. Wenige unter den mit uns lebenden Dichtern haben soviel Gnade empfangen wie Hesse; längst ist er unter die Unsterblichen aufgenommen, aber er ahnt noch nicht, daß ihn von jenen heute nur eines scheidet: die Art des Lachens. Nicht wie er sie jetzt zu hören meint; vielmehr wie er, als Jüngling, den Wolken nachschauend, sie vernahm, diese ist ihre wahre Weise, und auch ihm wird sie zurückverliehen werden am Ende der Leiden.

(1927)

*Felix Braun*
*Nachwort zu einer Buchanzeige*

Über Hermann Hesses »Steppenwolf« habe ich in der »Literarischen Welt« ausführlich gesprochen, wobei mir das Bildnis des Dichters selbst, dieses sehr geliebte, hochgehaltene Antlitz, immer gegenwärtig blieb. Wenn ich nicht durchaus vermochte, mit reiner Freude von allem zu berichten, was im »Steppenwolf« dargetan wird, wenn ich mich vermaß, an solches Ungenügen einen Wunsch für den Dichter selbst anzuknüpfen, so darf das wohl einem Grad innerer Teilnahme nachgesehen werden, der diesem seltenen Geiste, wie kaum einem der Mitlebenden, erzeigt werden muß. Allein – etwas blieb im Gewissen, das mahnte. Und nun weiß ich auch um dies Mahnen, da ich Hugo Balls außerordentliche, höchsten Lobes würdige biographische Schrift: »*Hermann Hesse, sein Leben und sein Werk*« gelesen habe.

298

Messe ich meinen Wunsch, über Hesse zu schreiben, an der Darstellung Hugo Balls, dieser aus tiefsten Gründen gewonnenen Rechtfertigung eines Dichters und seines Schicksals, die zum ersten Male die Erkenntnisse der Psychoanalyse auf reine, auf seelische Weise aufbietet, so daß man sagen kann, es falle dagegen jede frühere literarische Würdigung als überlebt ab; halte ich meine Worte an diese herrliche Beschreibung und Erforschung eines Genius, die ihm gerecht wird und einzig aus Liebe und Ehrfurcht: so ergibt sich mir, daß ich viel zu wenig von Hesses Herkunft, Charakter, Verhängnis, viel zu wenig von seinem Wesen, seiner Gebundenheit, seiner Sehnsucht gewußt habe, als daß ich hätte über ein abschließendes Werk, wie den »Steppenwolf«, nur als ein Beklagender hätte reden dürfen. Gewiß habe ich nichts von dem zurückzunehmen, was ich geschrieben, ich hätte es aber da zu ergänzen gehabt, und da mangelte es mir eben an Kenntnis und Verständnis. Allerdings – wie auch hätte ich erfahren können, was der Biograph durch sein Studium und seine Versenkung sich zu eigen gemacht? Hier jedoch wird das Problem zu einem allgemeinen. Jeder, der über einen Künstler oder ein Kunstwerk sich äußert, tut es auf eine mehr oder minder impressionistische Weise: er gibt seinen »Eindruck«, seinen »Standpunkt«, seine »Ansicht«, sein »Urteil«, gar seine »Wertung«: Wer aber enthüllte sein Studium, seine Vertiefung, seine Liebe? Mich hat die Lektüre des Buches von Ball fast beschämt. Damit auch andre aus dieser Selbsterkenntnis Nutzen ziehen, schreibe ich diese Zeilen nieder. Zwar – sehr fern von mir scheint auch Hugo Ball nicht zu stehen. Erwähnt er doch den »tiefen Schmerz«, den Hesse in den letzten Jahren seinen Freunden bereite, und über den »Steppenwolf« geht er schneller hinweg als über die anderen Dichtungen. Sollte mein Einwand etwa doch so unbegründet nicht gewesen sein, ein Einwand, der eher eine Sorge; eine Befürchtung, die eher ein Wunsch der Liebe zu nennen wäre?

(1927)

*Werner Deubel*
*Hermann Hesses ›Steppenwolf‹*

Viel leidenschaftlicher und unmittelbarer spricht, singt und schreit dies an Wundern überreiche Buch in unsere Chaotik, in unsere Gegenwart als etwa Thomas Manns Roman-Ungetüm »Der Zauberberg«. Thomas Mann lebt gleichsam unser Leben nicht mit, er sieht bloß zu, er kurbelt einen 1 200 Druckseiten langen Film, einen hochgescheiten Lehrfilm, neben der Landstraße des Lebens, von erhöhtem Katheder, milde, gütig, ein bißchen wie der liebe Gott, der ja auch allen Bürgern und Halbmenschen und Hans Castorps so wohlgesinnt ist. Hesse steht auf keinem Katheder. Brennend vor Qual und Ungenügen wirft er sich ins Gedränge, wütend entlarvt er alle Halbundhalbheit, erbarmungslos geißelt er sich selber – er, ein Altersgenosse Thomas Manns, in Wahrheit: mehrere Jahrzehnte jünger, jünger auch als die Generation der heute Zwanzigjährigen, als die Generation der »Kläuse« – jünger, weil ehrlicher, reicher und reifer, weil ohne alle Eitelkeit –, ein glühender Mensch. Bezeichnend auch die Lebensweise: Thomas Mann, ein Kompromiß aus Bürger und Künstler, lebt reich als magister patriae in einer deutschen Großstadt, in deren Cafés, Kabaretts und Kinos hinwiederum die Generation der Kläuse heimisch ist. Hesse hingegen schweift fern von Deutschland in den schweizerisch-italienischen Bergen, verschollen, oft wochenlang von keiner Postsendung erreichbar, hungrig und sehnsüchtig am Rande der Zivilisation – ein Steppenwolf.
Mit dieser seelisch-zoologischen Wortprägung ist der Name für den romantischen Menschen unserer Zeit gefunden. Der romantische Mensch ist der unbedingte, der ehrliche, illusionslose, der nur die Götter über sich anerkennt und die Menschen durchschaut, der sich von keinem verlogenen Kulturideal, keinem Modernitätsrummel mehr dumm machen läßt. Und das ist das Furchtbare: diese Art Mensch gedeiht nicht mehr unter den nach 1900 Geborenen. Er gehört zu der Generation zwischen 30 und 50, die eigentlich im Kriege gefallen sein müßte, die heute »zwischen zwei Zeiten, zwischen zwei Lebensstile« hineingerät, so

daß ihr »jede Selbstverständlichkeit, jede Geborgenheit und Unschuld« verloren ging.

Vor dem Kriege gab es eine Welt der Bürger und eine Welt der Künstler. Heute hat sich die Front gegen den Künstler, den Einsamen, Eigenwilligen, den Hüter der menschlichen Seele ums Doppelte verstärkt. Denn nicht nur ist der bürgerliche Stumpfsinn nach der Entlarvung des mörderischen Angesichtes der Zivilisation doppelt verächtlich, – auf derselben Seite des Molochs wider die Seele, des Todes gegen das Leben steht der immer mehr amerikanisierte Maschinentaumel, der als modernes Tempo den letzten Rest von schöpferischer Ruhe aus dem Dasein lärmt und hetzt. »Aus einem Tanzlokal scholl mir, heiß und roh wie der Dampf von rohem Fleisch, eine heftige Jazzmusik entgegen. Untergangsmusik war es... Natürlich war sie, mit Bach und Mozart und wirklicher Musik verglichen, eine Schweinerei – aber das war all unsere Kunst, all unser Denken, all unsere Scheinkultur, sobald man sie mit wirklicher Kultur verglich. Und diese Musik hatte den Vorzug einer großen Aufrichtigkeit, einer liebenswerten unverlogenen Negerhaftigkeit... War das, was wir »Kultur«, was wir Geist, was wir Seele, was wir schön, was wir heilig nannten, war das bloß ein Gespenst, schon lange tot und nur von uns paar Narren noch für echt und lebendig gehalten?... Jetzt schaltete er den Lautsprecher ein und sagte: ›Man hört München, das Concerto grosso in F-Dur von Händel.‹ In der Tat spuckte, zu meinem unbeschreiblichen Entsetzen, der teuflische Blechtrichter nun alsbald jene Mischung von Bronchialschleim und zerkautem Gummi aus, welchen die Besitzer von Grammophonen und Abonnenten des Radio übereingekommen sind, Musik zu nennen.« Damit aber zu mörderischem Bunde verschwistert ist »diese Zufriedenheit, diese Gesundheit, Behaglichkeit, dieser gepflegte Optimismus des Bürgers, diese fette gedeihliche Zunft des Mittelmäßigen, Normalen, Durchschnittlichen... Der Bürger schätzt nichts höher als das Ich (ein nur rudimentär entwickeltes Ich allerdings). Auf Kosten der Intensität erreicht er Erhaltung und Sicherheit, statt Gottbesessenheit erntet er Gewissensruhe, statt Lust Behagen, statt Freiheit Bequemlichkeit, statt tödlicher Glut eine angenehme Temperatur. Der Bürger ist deshalb seinem Wesen nach ein Geschöpf von schwachem Lebensantrieb, ängstlich, jede Preisgabe seiner selbst fürchtend, leicht zu regieren. Er hat darum an Stelle der Macht die Majorität gesetzt, an Stelle der Gewalt das Gesetz, an Stelle der Verantwortung das Abstimmungsverfahren.« Dieser janusköpfigen Todeswelt des Spießbürgerlichen und des Modernen steht, ausgestoßen, heimatlos, der Steppenwolf, der absolute Mensch, der Ehrliche, der Sachverwalter der Seele, entgegen, »durchtränkt von der Not der Einsamen, von der Problematik des Menschseins, von der Sehnsucht nach einer neuen Sinngebung für das sinnlos gewordene Menschenleben«. Er berauscht sich nicht mehr an geschwollenen Idealen, an den Reklame-Schlagworten der Zeit, er »sieht es manchmal wie eine goldene göttliche Spur« aufglänzen. Aber »es ist schwer, diese Gottesspur zu finden inmitten dieses Lebens, das wir führen... Wie sollte ich nicht ein Steppenwolf und ruppiger Eremit sein inmitten einer Welt, von deren Zielen ich keines teile, von deren Freuden keine zu mir spricht. Ich kann weder in einem Theater noch in einem Kino lange aushalten, kann kaum eine Zeitung lesen, selten ein modernes Buch, ich kann nicht verstehen, welche Lust und Freude es ist, die die Menschen in den überfüllten Eisenbahnen und Hotels, in den überfüllten Cafés bei schwüler aufdringlicher Musik, in den Bars und Varietés der eleganten Luxusstädte suchen, in den Weltausstellungen, auf den Korsos, in den Vorträgen für Bildungsdurstige, auf den großen Sportplätzen...«

Es ist eine heilig-glühende Seele, die mit der unerbittlichen Reinheit des »Alles oder nichts!« fordernd vor die Welt tritt. Seit christlichen Zeiten glühte noch jeder Dichter vor Erbitterung gegen seine stumpfe Umwelt. Denken wir aber an all die düsteren Klagen und gellenden Anklagen, die ein Goethe, ein Hölderlin und Kleist gegen das Deutschland ihrer Zeit schleuderten, so erkennen wir, daß sie in unserer Gegenwart überhaupt nicht hätten atmen können. Wir ahnen, welch unausdenkliche Qual es sein muß, im zwanzigsten Jahrhundert ein echter Dichter zu sein. Denn waren die großen Schöpfungen unserer Blütezeit schon nur möglich gegen die Zeit, trotz der Zeit, – so verzweifelt einsam wie heute hat noch nie eine dichterische Seele in der riesigen Nacht geflackert.

Dies ist die Situation von Hermann Hesse. Herzzerreißend ist es, mitanzusehen, welche Versuche er macht, schmale Stege über den Abgrund der Verzweiflung zu schlagen. Der erste Versuch ist eben der »Steppenwolf«. Mit qualvoller Kühnheit, mit einem psychologischen Wagemut, den man nur noch mit Nietzsche und Dostojewski vergleichen könnte, wühlt er sich in sich selber hinein, versucht er eine Deutung seiner selbst. Eine Zeit, die an psychoanalytische Raffinements gewöhnt ist, dürfte für eine seelische Tieflotung wie die folgende Verständnis haben: »Wenn Harry als Mensch einen schönen Gedanken hatte, eine feine, edle Empfindung fühlte oder eine sogenannte gute Tat verrichtete, dann bleckte der Wolf in ihm die Zähne und lachte und zeigte ihm mit blutigem Hohn, wie lächerlich dies ganze edle Theater einem Steppentier zu Gesicht stehe, einem Wolf, der ja in seinem Herzen ganz genau darüber Bescheid wußte, was ihm behage, nämlich einsam durch Steppen zu traben, zu Zeiten Blut zu saufen oder eine Wölfin zu jagen, – und, vom Wolf aus gesehen, wurde dann jede menschliche Handlung schauerlich komisch und verlegen, dumm und eitel. Aber ganz ebenso war es, wenn Harry sich als Wolf fühlte und benahm, wenn er anderen die Zähne zeigte, wenn er Haß und Todfeindschaft gegen alle Menschen und ihre verlogenen und entarteten Manieren und Sitten fühlte. Dann nämlich lag der Menschenteil in ihm auf der Lauer, beobachtete den Wolf, nannte ihn Vieh und Bestie und verdarb und vergällte ihm alle Freude an seinem einfachen, gesunden und wilden Wolfswesen.«

Welcher von den hundert Schriftstellern unserer Zeit hätte beim Funde eines solchen Wolfs-Symbols nicht zärtlich und verliebt alles darangesetzt, dies Symbol als letztes bestaunenswertes Sinnbild künstlerisch auszuarbeiten. Aber Hesse ist kein Schriftsteller unserer Zeit, er ist ein Dichter mindestens in einer starken Hauptwurzel, die nun wirklich bis ins zeitlose Grundwasser des Lebens hinunterreicht. So bringt er fertig, was keiner seiner »Kollegen«, keiner

303

von all den Ruhmbeladenen und erst recht keiner von all den Gernegroßen fertig gebracht hätte: – er verläßt das Symbol, er stößt es ab, er findet es unzulänglich, er zerstört es. Lächerlich! so höhnt er sich selber, zu glauben, man könne mit so einfacher Formel »Mensch und Wolf« die unausschöpfliche Vielheit des Lebens einfangen! So »angenehm einfach« ist nicht einmal der primitivste Neger. Das »Wesen des Menschen schwingt zwischen tausenden, zwischen unzählbaren Polpaaren«. Und: »Der Mensch ist keine feste, dauernde Gestaltung«. Solche Sätze stehen nicht nur berghoch über der Dummheit aller »Moraltrompeter« und »Differential-Psychologen«, sie beschwören unwillkürlich den Namen desjenigen Weisen, in dessen Zone noch jeder »eingeweihte« Seelenkenner geriet, so Goethe wie Nietzsche, – den Namen Heraklits. Wer in der Entwicklung unserer Denkgeschichte nur einigermaßen unterrichtet ist, der weiß, daß die Bezeichnung »Herakliteer« ein Adelsprädikat erster Ordnung ist. Kein Wunder also, daß Hesses Senkblei die unterste Sohle des Seelenozeans erreicht und dieselbe dunkle Weisheit heraufholt, die zuletzt unsere romantischen Dichter fanden und die zu begreifen freilich kein »Optimist« gescheit genug wäre: »Unter den Menschen dieser Art« (wir nannten sie Herakliteer, Romantiker) »ist der gefährliche und schreckliche Gedanke entstanden, daß vielleicht das ganze Menschenleben nur ein arger Irrtum, eine heftige und mißglückte Fehlgeburt der Urmutter, ein wilder und grausam fehlgeschlagener Versuch der Natur sei. Unter ihnen ist aber auch der andere Gedanke entstanden, daß der Mensch vielleicht nicht bloß ein halbwegs vernünftiges Tier, sondern ein Götterkind sei«.
Daß solche funkelnde Tiefe einmal aufgerissen wurde von einem Dichter unserer flachen, lärmenden »Humanitäts«-Epoche, – darin erblicken wir den einsamen Rang dieses Buches. Der wird auch nicht vermindert durch gelegentlich merkliches Anklingen buddhistischer Töne; noch weniger dadurch, daß ein tiefes Wissen um die mörderischen Tendenzen unserer Zeit sich manchmal recht kleinlich und wie unter dem Zwang einer fixen Idee in immer wiederholten Invektiven gegen die politisch lautesten und darum doch harmlosesten Befürworter des Krieges richtet.

Wir sagten: der »Steppenwolf« als Symbol ist der erste Versuch dieses Buches, sich aus der Verzweiflung herauszuhelfen. Aber dem grausam ehrlichen Dichter dient er nur dazu, noch tiefer die Tragik der Seele aufzuwühlen. Wir zweifeln nicht, daß auch der zweite Versuch, der den Inhalt der zweiten Buchhälfte ausmacht, ebenfalls nur eine »Phase« für den Dichter Hesse sein wird. Denn dieser Versuch entbehrt nicht der Künstlichkeit. Er läuft auf ein grandioses Ziel hinaus: so hoch über den ganzen Erdenschwindel unserer verruchten Zeit hinauszuwachsen, daß man über die vom Jasagenden wie Neinsagenden schrecklich ernst und wichtig genommenen »Fortschritte« der Menschheit, über all das Kulturverderbende von Jazz und Radio, Saxophon und Charleston, Amerika und Modernität das Lachen der Unsterblichen lerne. Daß man nicht verächtlich fern bleibe, sondern lachend mitmache, um es um so gründlicher »leicht« zu nehmen. Das Lachen wird ein »Magisches Theater für Verrückte«. Man tobt mit, man wird mitgetobt und lächelt Mozart zu wie ein Augur. Man nimmt auch die Liebe wieder mit heidnischer Leichtigkeit und begeht nicht mehr so ernsthafte Torheiten wie einen Mord aus Eifersucht. Aber wie dies alles schon nur noch im Bilde einer filmschnellen Phantasmagorie gestaltet werden kann, so laufen dem Dichter hier Künstlichkeiten mit unter, die uns ahnen lassen, wie unsicher, wie verzweifelt er sich in etwas hineinarbeitet, was wahrscheinlich doch nur eine – Konstruktion ist. Seine Führerinnen zu diesem »Ich hab mein Sach auf nichts gestellt« sind zwei Dirnen. Dagegen ist nichts zu sagen. Die eine davon, die ihn mit all seinen Qualen einfach gütig ans Herz nimmt und Liebesspiele lehrt, ist sogar die schönste Gestalt des Buches. Die andere aber spricht. Dirnen aber sollten nur bei Dostojewski sprechen, denn dort können sie es. Spricht aber eine Dirne bei einem deutschen Dichter, so spricht sie Literatur. Eine russische Dirne spricht über Christus, und sie hat das Recht dazu. Eine deutsche Dirne aber, die den Namen Goethes ausspricht – das geht nicht. Dieser deutsche Dichter aber hat einen Traum von Goethe, der zum Souveränsten gehört, was heute geschrieben wurde. Aber einer Dirne davon sprechen, sie davon sprechen lassen, sich mit geschlossenen Augen in die tosende Schmutzwelle der Zeit werfen, – das ist nicht Humor, das ist Galgenhumor, letzte Verzweiflung, frevelnde Einsamkeit.

Wage keiner, mitbürgerlich oder mitchristlich über diesen Hermann Hesse die Nase zu rümpfen! Dieser adlige Steppenwolf ist der einzige unter Deutschlands Dichtern, dem die Flamme der Götter in der Seele brennt; der einzige, der Ernst macht mit der Einsamkeit. Welcher Pharisäer, der dem Lebenden gegenüber den traurigen Mut aufbringt, wäre schamlos genug, noch zu schmälen, wenn uns – was wir für gar nicht ausgeschlossen halten – gemeldet würde, der gequälte Dichter sei mit seiner Fackel in den Ozean gesprungen wie Empedokles in den Aetna?!

(1927)

*Heinrich Wiegand*
*Krisis*

Der Rang der Verse des Buches »Krisis« und ihr Autor, unbürgerlicher Dichter bürgerlicher Herkunft, beanspruchten unsere Teilnahme auf jeden Fall. Wir haben einen besonderen Grund dazu, weil das Buch von der bürgerlichen Presse ziemlich radikal verschwiegen worden ist. Hörte einer die Verse, er würde vielfach auf einen jungen Dichter raten, der vor nichts Ehrfurcht habe, auch nicht vorm heiligen Ich; der, unbelastet von Verpflichtung und Würde, unseren großartigen Kulturbetrieb und vornehmlich das Getue der Dichter als einen aufs Hohle gebauten Schwindel ablehne. Kühne zynische Gedichte junger Autoren werden aber wohlgefällig von der Presse behandelt. Mit Blasiertheit und Frivolität kokettiert man und ist im übrigen überzeugt, daß der absurd sich gebärdende Most einen konservativen Wein geben wird. Radikale Jugend bedeutet nicht viel, das beweist jede Art von Historie. Umstürzendes Alter ist gefährlich. Aufbegehrende Jugend: normal. Revolutionierendes Alter: verrückt. Deshalb benehmen sich die Älteren nach außen hin immer hübsch gesittet, entwickeln sich die Jungen munter von Kompromiß zu Kompromiß. Also mußten die Literaturrichter, die Berufsoptimisten und die näheren Kunstkollegen empfind-

306

lich in ihrem Wichtigkeitsgefühl gestört werden, als Hermann Hesse, gefeierter Autor geliebter Bücher, Mitglied der Akademie, Mann von 50 Jahren, im S. Fischer-Verlag Verse veröffentlichte, die ohne Rücksichtnahme peinlichen Wahrheitsdienst üben und aussprechen, daß unsere Zeit reif zur Mahd liege, morsch und verlogen sei, daß der wurzellose Dichter ohne Anteilnahme einer Masse für ein paar Gleichgesinnte schreibe. Nichts wird beschönigt und verschwiegen, was unterhalb des Nabels ungeistig regiert. Aufgedeckt der faule Zauber des Ästhetentums, der in kleinen Zirkeln so tut, als drücke er eine neue Welt aus, während die Welt von ökonomischen und sozialen Kämpfen so zerissen ist, daß dem Künstler, der nicht lügen will, jede gesellschaftliche Fundierung und Sicherung fehlt und die Kunst auf wackelnden Füßen zwischen den Klassen schwankt.

Hesses Verse in der »Krisis« umkreisen den alternden Mann, der in den bitteren und verstörenden Wendejahren Versäumtes erraffen will. Die Angst vorm Tode überwuchert alle Güte und Haltung. Die physiologische Krisis wird zur Krisis des Individualismus, der hochstehende Außenseiter ängstigt sich vor seiner Isolierung. Aber der jähe Fall, die Auflösung in den Kollektivismus ist dem unpolitischen, mit dem Erbe der Väter belasteten Dichter versagt. Die individualistische Krisis produziert eine unbestechliche, brennende Negation der mit vergnügtem Schein bluffenden Bürgerwelt, ohne in eine neue Klasse zu münden.

Wenn die aggressiven Verse von Joachim Ringelnatz wären, würden die intelligen Honoratioren zufrieden sein. Ringelnatz ist beglaubigt als Exzentrik-Autor. Aber Hesse... nein. Gut eingeführte Ideale als verkappte Luder enthüllen, eine Verzweiflung hinausschreien, die Tausenden bis zum Halse reicht: das ist nihilistisch. Die um ihr dekoratives Ansehen und den glatten Fortgang der Geschäfte besorgten Bürger würden vielleicht Hesse noch verzeihen, wenn er in seinem Stück Tagebuch wenigstens eines fremden Mannes Schicksal fingiert hätte. Aber er hat keinen Zweifel gelassen, daß er sich selber, den berühmten Autor, preisgibt.

Jenseits seines unbezweifelbaren, unsere Zeit überdauernden Dichtertums ist es gerade Hesses Tapferkeit, die wir lieben. Das gerade ist wertvoll, daß nicht irgendwer die Unhaltbarkeit heutiger Unordnung erkennt, nicht ein junger oder immer unterdrückter Schriftsteller, sondern daß ein erfolgbekrönter Dichter sagt, erst aus den Trümmern der alten könne die neue Welt erstehen.

In leidenschaftsbewegten glühenden Versen wurden die Schmerzen Hermann Hesses für uns und Nachkommende, die ihn besser würdigen werden als provozierte Zeitgenossen, zu einem Dokument über Zustand und Verfall der Zeit und die tödliche Einsamkeit des künstlerischen Individuums. Der Fünfzigjährige ist des geistigen Tuns müde geworden, weil die ganze Epoche das Animalische und seinen Betrieb obenan setzt und die tiefe Bemühung um ein gutes Weltende mit dem oberflächlichen Rummel um ein falsch lächelndes Wochenende zu verdrängen sucht. Hesse, der große Künstler des »Demian« und des »Siddhartha«, der bezwingende Dichter des »Knulp« und des »Klingsor«, sagt im kostbaren Nachwort der »Krisis«, am Urteil über die Verse sei ihm nichts gelegen, es liege ihm aber viel an der Liebe seiner Freunde, auch wenn sie seine Verse nicht billigten. Das heißt nichts anderes, als daß es ihm nicht auf Anlaß zu ästhetischem Gerede ankam, sondern auf die unverfälschte Äußerung elementarer Lebenstriebe und bitterer Erkenntnis. Die Bitte um Liebe beschließt in sich die Hoffnung, es möchten schon zu Hesses Lebzeiten etliche sein, die zum Wesenskern seiner unerschrockenen Arbeit vordringen. Dieser Kern ist das Gelöbnis der Hingabe an die Wahrhaftigkeit in einem Stande, der von Lügen groß wird, in einer Zeit, deren Glanz überm Elend von der Lüge stammt. Stünde Hesse unter den Führern deutscher Dichtung nicht so verzweifelt allein in unpathetischem Kampfe, atmeten wir längst reinere Luft in der maßlos korrumpierten Literatur, öffneten sich rascher die Wege aus der »Krisis« zur Klarheit, aus dem Taumel zur Ruhe, aus der Gefangenschaft zur Freiheit. Auch wenn in Hesses Buch nicht von Arbeitern und Arbeitssorgen gehandelt wird, muß es allen denen als außerordentliche menschliche und künstlerische Leistung

308

erscheinen, die an die fortwirkende Kraft wahrhaftiger Beispiele glauben.

(1928)

*Colin Wilson*
*Outsider und Bürger*

»Der Steppenwolf« ist eine der eindringlichsten und erschöpfendsten Studien über den Outsider, die je geschrieben wurden. Der »Steppenwolf« ist die Geschichte eines Mannes im mittleren Alter. Das ist an sich schon ein wesentlicher Fortschritt. Der Romantiker sieht sich gewöhnlich dem Pessimismus ausgeliefert, in Opposition zum Leben selbst, weil er auf der Bedeutung der Jugend besteht. Der »Steppenwolf« hat die Bedeutungslosigkeit der Jugend erkannt; es liegt eine selbstquälerische Ehrlichkeit über diesem Tagebuch eines Mannes im mittleren Alter. Allem Äußeren nach ist der »Steppenwolf« [der selbstverliehene Spitzname Harry Hallers] ein Barbusse-Outsider. Er ist vielleicht kultivierter, weniger animalisch; die wehenden Röcke der Frauen auf der Straße beunruhigen ihn nicht. Auch ist er weniger darauf aus, »für die Wahrheit einzustehen«. Er läßt seiner Phantasie freies Spiel, und sein Tagebuch ist eine Art Wunschtraum-Tagebuch. Aber wir haben hier wieder den Einzelgänger, der in seiner Behausung allein mit seinen Büchern und seinem Grammophon lebt; hier hat er noch nicht einmal nötig, zur Arbeit zu gehen, denn er hat ein kleines Privatvermögen. In seiner Jugend hat er sich selbst für einen Dichter gehalten, einen Menschen der Selbstverwirklichung. Nun ist er in mittleren Jahren, ein alternder Emil Sinclair, und die Bereitschaft zur Einsicht will nicht mehr aufkommen, – da ist nur Unzufriedenheit und Lauheit.

Das Tagebuch beginnt mit der Schilderung eines typischen Tages: er liest ein wenig, nimmt ein Bad, streicht in seinem Zimmer umher, ißt; und das Gefühl des Unerfülltseins wächst, bis er bei Anbruch der Nacht schließlich das Empfinden hat, er möchte das Haus in Brand stecken oder zum Fenster hinausspringen. Das Schlimmste daran

309

ist, daß er keine Entschuldigung für seine Apathie finden kann; als ein Meister der Kontemplation sollte er höchst zufrieden sein mit dieser Art Leben. Etwas fehlt. Aber was? Er geht in ein Wirtshaus, und beim Abendbrot sinnt er nach; das Essen und der Wein entspannen ihn, und plötzlich durchdringt ihn die Stimmung, die je zu fühlen er bereits die Hoffnung aufgegeben hatte.

»Ein erleichterndes Gelächter stieg in mir auf... wie eine kleine spiegelnde Seifenblase stieg es in mir hoch... und ging sanft wieder auseinander... Die goldene Spur war aufgeblitzt, ich war ans Ewige erinnert, an Mozart, an die Sterne. Ich konnte wieder eine Stunde atmen...«

Aber das ist am Ende eines langen Tages, und am anderen Morgen wird er aufwachen, und die Einsicht wird vergangen sein; wird ein wenig lesen, ein Bad nehmen... und so weiter.

Doch an diesem besonderen Tage geschieht etwas. Der Leser erfährt nicht genau, was. Wie Haller berichtet, erblickt er ein geheimnisvolles Portal in einer Mauer, über dem die Worte stehen: »Magisches Theater: Nicht für Jedermann«, und ein Mann mit einem Bauchladen und einer Plakatstange wie aus einem alten Kalendergeschichtenbuch gibt ihm eine Broschüre, die sich »Tractat vom Steppenwolf« nennt. Die Abhandlung ist in voller Länge auf den folgenden Seiten des Romans wiedergegeben, und sie ist augenscheinlich Hallers eigenes Werk; so ist es für den Leser schwierig, zu entscheiden, wann Haller jeweils wirkliches Geschehen berichtet und wann er nur ein Spiel der Wunscherfüllung mit sich selber treibt.

Der Traktat ist ein wichtiges Stück Selbstanalyse. Man könnte ihn durchaus »Ein Traktat über den Outsider« nennen. Als Harry ihn liest [oder schreibt] bilden sich unwillkürlich bei ihm bestimmte Meinungen heraus, über ihn selbst wie über den Outsider im allgemeinen. Der Outsider, erklärt Haller, ist ein in sich gespaltener Mensch; und so ist es sein dringlichster Wunsch, wieder mit sich eins zu werden. Er ist selbstsüchtig, wie etwa jemand es sein würde, den sein Leben lang Zahnweh plagt.

Sein Elend erklärt sich so: Haller hat sich in zwei Personen gespalten, in einen zivilisierten Menschen und eine

310

Wolfsnatur. Der zivilisierte Mensch liebt alle Dinge aus Emil Sinclairs erster Welt: Ordnung, Reinlichkeit, Dichtung und Musik [besonders Mozart]; er mietet sich stets in Häusern mit blankgeputzten Kamingeräten und gut gebohnerten Parkettböden ein. Sein anderes Ich ist ein Wilder, der die zweite Welt liebt, die Welt der Dunkelheit; er bevorzugt weite Räume und Gesetzlosigkeit; wenn er eine Frau begehrt, dann scheint ihm der geeignete Weg, sie umzubringen und ihr Gewalt anzutun. Für ihn ist bürgerliche Zivilisation mit all ihren Fadheiten nichts als ein großer Witz.

Der zivilisierte Mensch und der Wolfsmensch leben in ständiger Todfeinschaft, und es will scheinen, als ob Harry Haller gezwungen sei, in immerwährendem Zwiespalt zu leben wegen ihrer Streitereien. Manchmal aber, wie etwa im Wirtshaus, machen sie Frieden, und dann ergibt sich ein seltsamer Zustand; denn Harry findet, daß eine Vereinigung der beiden ihn den Göttern gleich macht. In solchen hellsichtigen Augenblicken ist er nicht neidisch auf den Bourgeois, der das Leben geradläufig findet, denn seine eigenen Konflikte sind auch in diesem gegenwärtig, wenngleich in viel geringerem Maße. Er, als ein Mann der Selbstverwirklichung, hat bewußt seine beiden gegensätzlichen Naturen entwickelt, bis der Konflikt ihn in zwei Wesen zu zerreißen droht, weil er weiß, daß er, wenn er das Geheimnis ihrer dauernden Versöhnung ausfindig macht, auf einer dem Bürger unbekannten Stufe hochgespannten Daseinsgefühls leben wird. Sein Leiden ist nicht ein Zeichen der Unterlegenheit, selbst wenn es ihn vielleicht weniger tauglich zum Überleben macht als den normalen Bürger; ohne jene Versöhnung ist es das Zeichen seiner inneren Größe, mit der Versöhnung aber stellt es sich als ein »reicheres Leben« dar, das dem Outsider fraglos Überlegenheit vor anderen Menschen gibt. Wenn der Outsider sich seiner Kraft bewußt wird, so ist er in sich eins und glücklich.

Haller geht sogar noch weiter: der Outsider ist die Stütze der bürgerlichen Gesellschaft. Ohne ihn könnte der Bürger nicht existieren. Die vitale Kraft der normalen Glieder der Gesellschaft ist von ihren Outsidern abhängig. Viele

311

Outsider gelangen zur inneren Einheit und verwirklichen sich selbst als Dichter oder Heilige. Andere bleiben auf tragische Weise in sich gespalten und unproduktiv, aber selbst sie versorgen die Gesellschaft mit seelischer Energie. Ihre Rastlosigkeit läutert das Denken und verhindert, daß die bürgerliche Welt an ihrer eigenen Schwerfälligkeit zugrundegeht. Sie sind die geistigen Motoren der Gesellschaft. Harry Haller ist einer von ihnen. Es bleibt indessen noch ein weiterer Schritt in der Selbstanalyse für den Steppenwolf zu tun: nämlich zu erkennen, daß er nicht wirklich in zwei einfache Elemente gespalten ist. in Mensch und Wolf, sondern, daß er buchstäblich Hunderte widerstreitender Ichs in sich hat. Jeder Gedanke und Impuls sagt »Ich«. Das Wort »Persönlichkeit« verhehlt die Unklarheit des Begriffs. Es entspricht keinem tatsächlichen Objekt, wie etwa das Wort »Körper«. Menschliche Wesen sind nicht wie die Charaktere in der Literatur festgelegt und unveränderlich gemacht von ihrem Schöpfer. Der sichtbare Teil des menschlichen Wesens ist sein toter Teil; der andere Teil, der unbedingte Wille ist es, der sein Sein konstituiert. Der Wille ist vor dem Sein. Unsere bürgerliche Zivilisation basiert auf der Persönlichkeit. Sie ist unser stärkster Wert. So hat ein Filmstar »Persönlichkeit«, und der Vertreter, der seine erste Versicherungspolice abzuschließen hofft, versucht, »Persönlichkeit« hervorzukehren.

»Lustig und vielfältig ist das Spiel der Menschheit: der Wahn, zu dessen Entlarvung Indien tausend Jahre lang sich so sehr angestrengt hat, ist derselbe, zu dessen Stützung und Stärkung der Okzident sich ebensoviel Mühe gegeben hat.«

Die Abhandlung schließt mit einer Art Glaubensbekenntnis: »Der Mensch ist ja keine feste und dauernde Gestaltung. Er ist... ein Versuch und Übergang, er ist nichts andres als die schmale, gefährliche Brücke zwischen Natur und Geist... Nach dem Geiste hin, zu Gott hin treibt ihn die innerste Bestimmung, – nach der Natur... zieht ihn die innigste Sehnsucht, ... der ›Mensch‹... ist eine bürgerliche Übereinkunft.

Daß der ›Mensch‹ nicht schon Erschaffenes sei, sondern eine Forderung des Geistes, eine ferne, ebenso ersehnte

312

wie gefürchtete Möglichkeit, und daß der Weg dahin immer nur ein kleines Stückchen weit und unter furchtbaren Qualen und Ekstasen zurückgelegt wird, eben von jenen seltenen einzelnen, denen heute das Schafott, morgen das Ehrendenkmal bereitet wird...«

Der Steppenwolf weiß recht wohl, warum er unglücklich und unstet ist, gelangweilt und müde: er ist es, weil er nicht sein Ziel erkennen und ihm mit seinem ganzen Wesen folgen will.

»Er will nicht wissen, daß das verzweifelte Hängen am Ich, das verzweifelte Nichtsterbenwollen der nächste Weg zum ewigen Tode ist.« Haller meint: selbst wenn der Outsider ein allgemein anerkanntes Genie sein sollte, so ist er es wegen »der Größe seiner Hingabe und Leidensbereitschaft, seiner Gleichgültigkeit gegen die Ideale der Bürger und dem Erdulden jener äußersten Vereinsamung, die um den Leidenden, den Menschenwerdenden alle Bürgeratmosphäre zu eisigem Weltäther verdünnt, jener Vereinsamung im Garten Gethsemane.«

»Dieser Steppenwolf... hat herausgefunden, daß... er bestenfalls nur auf dem Wege in langer Pilgerschaft zum Ideal dieser Harmonie begriffen ist... Nein, mit dem ›Zurück zur Natur!‹ geht der Mensch stets einen leidvollen und hoffnungslosen Irrweg... alles Erschaffene, auch das scheinbar einfachste, ist schon schuldig, ist schon vielspältig... Der Weg in die Unschuld, ins Unerschaffene, zu Gott führt nicht zurück, sondern vorwärts, nicht zum Wolf oder Kind, sondern immer weiter in die Schuld, immer tiefer in die Menschwerdung hinein... Statt deine Welt zu verengern, deine Seele zu vereinfachen, wirst du schließlich die ganze Welt in deine schmerzlich erweiterte Seele aufnehmen müssen, um vielleicht einmal zum Ende, zur Ruhe zu kommen.«

Das letzte Bild des Traktats erinnert an eine Idee Rilkes: den Engel aus den »Duineser Elegien«, der aus unendlicher Höhe das Leben schauen und es als ein Ganzes zu sehen vermag.

»Wäre er schon bei den Unsterblichen, wäre er schon dort, wohin sein schwerer Weg zu zielen scheint, wie würde er diesem Hin und Her, diesem wilden, unentschlossenen

313

Zickzack seiner Bahn verwundert zuschauen, wie würde er diesem Steppenwolf ermunternd, tadelnd, mitleidig, belustigt zulächeln!«

Des Outsiders »Weg der Erlösung« ist nun ohne weiteres gegeben. Die Augenblicke seiner Einsicht in Richtung und Ziel gilt es fest zu ergreifen; in solchen Momenten muß er Gesetze aufstellen, die ihn fähig machen, seinem Ziel zuzustreben, auch wenn er es aus dem Blickfeld verliert. Man braucht nicht hinzuzufügen, daß diese Gesetze nicht nur ihn angehen, sondern alle Menschen, deren Ziel das gleiche ist wie seines.

Der Traktat wirft einiges Licht auf das, worum es Hesse in »Siddhartha« geht. Wir können nun erkennen, daß Siddhartha sich gegen die religiöse Zucht auflehnte, die die »Welt verengerte und seine Seele vereinfachte«; doch indem er sein Mönchsgewand ablegte, vermochte er nicht, »die ganze Welt in seine Seele aufzunehmen« – im Gegenteil, er zwang nur seine Seele soweit herab, sich eine Geliebte und ein Haus zu nehmen. Das Bemühen, die »Seele zu erweitern«, muß von religiöser Zucht geleitet werden; und nichts ist hier zu erreichen, wenn der Wille nachläßt. All das weiß der »arme Steppenwolf« und würde es doch lieber nicht wissen.

Folgerichtig sollte der »Tractat vom Steppenwolf« den Schluß des ganzen Buches bilden; tatsächlich aber steht er schon im Bereich der ersten hundert Seiten. Harry hat lediglich seine Schwierigkeiten erkannt; er muß noch Erfahrungen durchmachen, die seine Erkenntnis in die Wirklichkeit umsetzen. Der »Bildungsroman« ist erst bis zu seinem Drittel gediehen.

Als er den Traktat gelesen hat, ist Haller auf dem Grunde der Verzweiflung angelangt; er ist erschöpft und enttäuscht, und der Traktat sagt ihm, daß dies alles so ist, wie es sein sollte. Er faßt den Entschluß, es solle das letzte Mal sein, daß er sich so tief sinken ließ; beim nächsten Mal will er Selbstmord begehen, ehe er diesen Punkt erreicht. Der Gedanke muntert ihn auf, und er legt sich zum Schlafen.

Vom Standpunkt des Lesers aus gesehen, ist der Traktat der Höhepunkt des Buches, aber Hesse hat noch eine

Aufgabe zu Ende zu führen. Er muß uns zeigen, wie der Steppenwolf lernt, das Leben wieder anzunehmen und endlich von dem Gedanken abzugehen, sich die Kehle durchzuschneiden. Dies wird bewirkt durch eine Reihe romantisch-unwahrscheinlicher Ereignisse. Der Mann mit dem Bauchladen hat den Namen eines Wirtshauses genannt, Haller geht dorthin und begegnet einem Mädchen namens Hermine. Sie nimmt sich seiner an, lehrt ihn das Tanzen und bringt ihn dazu, moderne Jazzmusik anzuhören. Sie macht ihn mit dem Saxophonbläser, dem sonnverbrannten Pablo, bekannt und der sinnlich schönen, animalischen Maria, die er einmal nachts beim Nachhausekommen in seinem Bett vorfindet. Wie Siddhartha durchläuft er eine Erziehung der Sinne. Bei Maria im Bett findet er seine eigene Vergangenheit wieder [wozu Roquentin unfähig war] und findet sie sinnvoll.

»Für Augenblicke stand das Herz mir still vor Entzücken und vor Trauer darüber, wie reich der Bildersaal meines Lebens, wie voll hoher ewiger Sterne und Sternbilder die Seele des armen Steppenwolfes gewesen sei... Mein Leben war mühsam, irrläufig und unglücklich gewesen, es führte zu Verzicht und Verneinung, es war bitter vom Schicksalssalz alles Menschentums, aber es war reich, stolz und reich gewesen, auch noch im Elend ein Königsleben. Mochte das Stückchen Weges bis zum Untergang vollends noch so kläglich vertan werden, der Kern dieses Lebens war edel, es hatte Gesicht und Rasse, es ging nicht um Pfennige, es ging um die Sterne.«

Diese Erfahrung kann man das ewig-gültige Herzstück romantischen Lebensgefühl nennen, hier sind ihr nur die Äußerlichkeiten einer theaterhaften Szenerie und die sanfte Musik genommen. Sie ist zu einer Art religiöser Gewißheit geworden. Leider ist kein Zweifel möglich hinsichtlich der Schwierigkeit, sie ganz von solcher Bühnenszenerie zu trennen bei der überhöhten Sprache der an E. T. A. Hoffmann erinnernden Atmosphäre. Nur wenige Seiten später gesteht Haller, daß ein Teil seines neues »Sinnenlebens« darin besteht, Opium zu rauchen; und Bisexualität ist auch dabei. [Pablo schlägt eine sexuelle Orgie zu dritt vor: mit ihm selbst, Harry und Maria; zwischen Ma-

315

ria und Hermine bestehen zudem lesbische Beziehungen.] Den Höhepunkt des Buches bildet die Traumphantasie von einem Maskenball, wo Harry fühlt, daß die Schranken zwischen ihm und den anderen Menschen fallen, wo das Gefühl seiner Isolierung schwindet. Er bringt Hermine um [oder träumt, daß er es tut] und findet schließlich den Weg zum Magischen Theater, wo er seine Vergangenheit im Rückblick überschaut und unschuldige Träume wieder aufleben. Nach dieser Szene hat er die Gewißheit, die er früher nicht erlangen konnte: »Ich war gewillt, seine Qualen nochmals zu kosten, vor seinem Unsinn nochmals zu schaudern, die Hölle meines Innern nochmals und noch oft zu durchwandern. Einmal würde ich das Figurenspiel besser spielen.«

»Der Steppenwolf« endet in demselben romantischen Traumnebel, wie wir ihn schon in beiden vorhergehenden Romanen beobachtet haben; aber in diesem Fall ist seine Wirkung weniger irritierend, denn der Leser hat, wie die Dinge liegen, Haller bereits Spielraum für jedwede Lüge zugestanden. Trotzdem sind es nicht eigentlich diese letzten Szenen, die sich dem Gedächtnis einprägen [wie sie wohl sollten, denn sie sind der Höhepunkt des Romans]; vielmehr sind es die Seiten, wo von der Selbstanalyse die Rede ist und es überhaupt keine Handlung gibt. Anders als sein großer Zeitgenosse Thomas Mann hat Hesse nicht die Kraft, Menschen lebendig werden zu lassen; aber dafür sind seine Ideen weit lebendiger als die von Mann, vielleicht, weil dieser stets der distanzierte Betrachter ist, während Hesse immer als ein nur leicht verkleideter Mitspieler in seinen Romanen erscheint. Die Folge davon ist, daß Hesses Ideenromane eine Vitalität besitzen, die man nur mit der von Dostoiewskij vergleichen kann; er schreibt besessen von dem Bedürfnis, seine eigenen Lebensprobleme dadurch zu lösen, daß er sie zu Papier bringt.

Im »Steppenwolf« ist er einen weiten Weg gegangen, bis er sie schließlich löste. In der Traumszene am Schluß streift sein Blick die Worte: »Tat Twam Asi – *Das bist Du*«[1], den Satz aus den Upanishaden, der besagt, daß der Mensch im Herzen des eigenen Ich die Gottheit entdeckt. Intui-

1 Chandogya Upanishad, II, 3.

316

tiv weiß Harry das. Der Weg, der vom Elend des Outsiders zu diesem ruhenden Mittelpunkt führt, ist ein Weg der Disziplin, der Askese und der völligen Loslösung ... Der »Steppenwolf« ist Hesses letzte größere Studie über den Outsider.

(1956)

*Aus dem Englischen übersetzt von*
*Liselotte und Hans Rittermann*

*Beda Allemann*
*Tractat vom Steppenwolf*

*Der Steppenwolf* (1927) stellt in mancher Hinsicht ein Unikum dar, das weder literaturgeschichtlich noch auch in den Rahmen von Hesses Gesamtwerk leicht einzuordnen ist. Das Außenseitertum der Hauptfigur Harry Haller scheint auf die Darstellung zurückzuwirken, und nur mit Zögern nennt man das Ganze einen ›Roman‹. Der *Tractat vom Steppenwolf* enthält den Kommentar zu einem Geschehen, das ohne ihn kaum in seiner eigentlichen Bedeutung aufzufassen wäre. Die geistigen Erschütterungen einer ganzen Epoche prägen die Aufzeichnungen Harry Hallers, die den Hauptteil des Werkes einnehmen, obwohl scheinbar nur sehr private und abseitige Erfahrungen eines etwas sonderbaren Zeitgenossen in ihnen wiedergegeben werden. Von der inneren Biographie Hesses her ist die Gleichung zwischen dem Steppenwolf und seinem Autor leicht aufzustellen und zu behaupten. Die Lebenskrise eines Künstlers von fünfzig Jahren wird durch das Pseudonym Harry Haller hindurch zur Darstellung gebracht, aber diese Krise ist nirgends abzugrenzen gegen die allgemeine Krise im Kulturbewußtsein der Zeit. Zwei Jahrzehnte früher ist ein Harry Haller nicht wohl denkbar, zwei Jahrzehnte später würde er bereits wieder als Anachronismus wirken. Er ist imprägniert mit den Hoffnungen und der Verzweiflung des durch den ersten Weltkrieg aufgerüttelten Bürgertums und seiner Intelligenz. Die Erschütterung hat bei

Hesse länger und heftiger nachgewirkt als bei einem andern Schriftsteller der Epoche, weil sie ihm zu einem Persönlichkeitsproblem wurde. Unter den eigentlichen Expressionisten gibt es nur bei Benn eine vergleichbare Erfahrung des Faktums, daß im Zuge der Zeitkrise vor allem auch der bürgerliche Begriff der (Künstler-)Persönlichkeit fragwürdig geworden ist, und zwar als Begriff, von innen her, nicht durch äußere Umstände. So ist es zu erklären, daß Hesse, während der expressionistische Aufbruch bereits der Vergangenheit angehörte und in der zweiten Hälfte der zwanziger Jahre in Deutschland eine konservativere Literaturgeschichte die Herrschaft zurückeroberte, seinen steppenwölfisch aus allen Bindungen gerissenen Harry Haller den Plan betreten und am Rande der Gesellschaft seine Zerrissenheit demonstrieren läßt. Es ist an sich schon ein Hinweis auf die erzählerische Unfaßbarkeit einer solchen Nicht-mehr-Persönlichkeit, daß es zu ihrer Explikation eines besonderen Tractates bedarf.

Der Roman ist aus ineinandergeschobenen Teilen aufgebaut: den Aufzeichnungen Hallers geht das Vorwort eines zufälligen Bekannten und fiktiven Herausgebers dieser Aufzeichnungen voraus, in welche dann nicht lange nach dem Beginn wiederum der *Tractat vom Steppenwolf* eingelegt ist, über dessen Herkunft wir nicht viel mehr erfahren, als daß sie im Umkreis des »magischen Theaters« liegen muß. Der Urheber des Tractats bleibt im Dunkel und tritt ebensowenig in die Erzählung selber ein wie der Autor Hermann Hesse. Er scheint über der Sache zu stehen und der Hauptfigur gelassen einen Spiegel hinzuhalten, in dem sie sich selbst erkennen kann. In einem realistischen Roman des 19. Jahrhunderts würde diese Funktion zweifellos einem vorgeschobenen Erzähler übertragen worden sein, der kommentierend und den allwissenden Autor selbst vertretend in die Handlung eingreifen darf. Aber diese Machtvollkommenheit besitzt der Tractat-Verfasser gerade nicht mehr. Zwar scheint er über Harry Haller und dessen Persönlichkeits-Struktur besser orientiert zu sein als Harry selbst. Aber in anderer Hinsicht weiß er auch wieder weniger als Harry: das gibt uns dieser im Anschluß an den Tractat ausdrücklich zu verstehen, und wir dürfen annehmen, daß diese Behauptung nicht nur der verletzten Eitelkeit des erkannten und analytisch entlarvten Steppenwolfs entspringt. Denn in Wirklichkeit ist er durch den Tractat gerade nicht entlarvt, dieser selbst gesteht ihm am Schluß »tausend Möglichkeiten« weiterer Entwicklung zu. Das heißt nichts anderes, als daß keine noch so geistreiche und objektive Darstellung im Stile des Tractats einen lebendigen Menschen zu erfassen vermag.

Von der Kenntnis gewisser charakteristischer Entwicklungen im modernen Roman her ist man versucht, im Steppenwolf-Tractat eine erste Ausprägung jener szientifisch-essayistischen Einschübe zu sehen, die uns bei Broch und Musil wieder begegnen. An solche Zusammenhänge mag Thomas Mann gedacht haben, als er den *Steppenwolf* seiner experimentellen Gewagtheit nach an die Seite des *Ulysses* von Joyce stellte. Aber es gilt zu beachten, daß die Essayistik des Tractats sich selber ausdrücklich aufhebt und ihre Aussagen im Schlußabschnitt ›aufzulösen‹ bestrebt ist, um in einen Hinweis auf das magische Theater auszumünden, das erst im Verlauf der weiteren Aufzeichnungen Harry Hallers ein Gesicht gewinnt. So erscheint der Tractat eher als eine Skizze der Ausgangslage, durch welche die spätern Erfahrungen und Erlebnisse Harrys verständlich werden, nicht als eine Analyse dieser Erfahrungen selbst. Wie um diesen Sachverhalt zu bekräftigen, zitiert Harry, gleich nachdem er den Tractat reproduziert hat, sein schon früher entstandenes Steppenwolf-Gedicht (Hesse selbst hat dieses Gedicht schon vor dem Roman veröffentlicht und dann in den mit dem *Steppenwolf* eng verwandten Gedicht-Zyklus *Krisis* aufgenommen). Er nennt es »ein Selbstbildnis in Knittelversen, traurig und angstvoll«. Aber es ist unerläßlich zur Ergänzung des anderen Bildes, das ihm aus dem Tractat entgegentritt. Beide zusammen erst bewirken, was die kühle Analyse seiner Verfassung allein nicht vermocht hatte; sie bringen ihn zum Entschluß, sich zu wandeln, seine Maske abzureißen und eine »neue Ichwerdung« zu begehen. Nur indem er die scheinbare Kühle und Objektivität des Tractats durchbricht, wird das Spiegelbild ihm fruchtbar. Welches ist aber, so betrachtet, die wahre Funktion des Tractats?

319

Der Begriff eines Tractates selbst ist nicht eindeutig. Seine innere Spannweite reicht vom Erbauungs-Schriftlein bibelforschender Sekten, das mit literarischen Kategorien gar nicht zu greifen ist, bis zur strengen und dichten wissenschaftlichen Untersuchung, von der Jahrmarkts-Flugschrift bis zu Wittgensteins logisch-philosophischer Abhandlung. Hesses Steppenwolf-Tractat läßt sich auf dieser Skala nicht präzis einordnen, weil er sie der Intention nach umfaßt. Es liegen ihm zwar die wissenschaftlichen Erkenntnisse der modernen Tiefenpsychologie zugrunde, aber er verzichtet auf die intellektuelle Brillanz, die in Thomas Manns *Zauberberg*-Gesprächen herrscht. Wie die Auseinandersetzungen zwischen Naphta und Settembrini umkreist zwar auch der Tractat das Thema der Kulturkrise, aber zugleich verleugnet er die Herkunft aus der Lade eines fliegenden Händlers nicht. Mag er literarhistorisch gesehen in den Zusammenhang der fortschreitenden Intellektualisierung des modernen Romans gehören, so fehlt ihm doch jeder streng-wissenschaftliche Anspruch oder gar der Ehrgeiz, Wissenschaft und Dichtung zur Synthese zu bringen. Zwar erkennt Harry Haller im Tractat mühelos sein eigenes Bild, aber mit den Anweisungen »Nicht für jedermann« und »Nur für Verrückte« scheint dieses Bild in seiner Gültigkeit denn auch streng auf den Außenseiter eingeschränkt zu sein. Zwar läßt der Tractat wie der Roman als Ganzes ohne weiteres den Schluß zu, daß die Schwierigkeiten des Individualisten Harry nur ein Reflex der allgemeinen Kulturkrise sind, aber zugleich gibt der Tractat sich naiver und romantischer, als es dem Katastrophenbewußtsein entspricht, von dem er zeugen soll.

Aber lassen wir uns nicht täuschen. Wohl setzt sich ein Hauptteil des Tractats mit dem schlichten Gegensatz zwischen der tierischen und der geistigen Natur des Menschen auseinander, der trotz oder wegen der Rolle, die er durch die Jahrhunderte hindurch im christlichen Denken gespiegelt hat, heute als überholt erscheinen könnte. Aber es geht dabei nicht um Fragen der Glaubensmoral, sondern der Tractat zielt auf die Erkenntnis einer spezifisch modernen Bewußtseinslage. Der konventionell wirkende Gegensatz zwischen Trieb und Geist dient nur als

320

Vorwand für den Hinweis auf eine abgründigere und kaum mehr direkt ansprechbare Zerrissenheit der Seele. In seinem letzten Drittel wendet der Tractat sich entschieden gegen die Simplifikation der Verhältnisse durch die Zwei-Seelen-Theorie, gegen die reinliche Unterscheidung in einen menschlichen und einen wölfischen Anteil an der Persönlichkeitsstruktur. Es wird die Einsicht der indischen Dramaturgie in die »Vielspältigkeit« der Person hervorgehoben, die jedem möglichen Zwiespalt schon vorausgeht. Hier enthüllt sich, soweit das von außen und oben herab überhaupt möglich ist, das eigentliche Steppenwolf-Problem. Es ist das Problem des bürgerlichen Individualisten, der durch die Steppe trabt und sich allen Bindungen zu entziehen weiß, der aber zugleich im principium individuationis den eigentlichen Grund seines Leidens erkennen muß. Das scheinbar private Existenzproblem übersteigt den psychologischen Erklärungsversuch, metaphysischer Pessimismus schlägt herein, Schopenhauer ist gemeint, wenn der »gefährliche und schreckliche Gedanke« zitiert wird, »daß vielleicht das ganze Menschenleben nur ein arger Irrtum, eine heftige und mißglückte Fehlgeburt der Urmutter, ein wilder und grausig fehlgeschlagener Versuch der Natur sei«. Romantisch ist das nur noch im extremen und nihilistischen Sinn bestimmter Visionen bei Jean Paul oder in den *Nachtwachen* des Bonaventura. Freilich muß sogleich beigefügt werden, daß damit erst eine Seite, die Nachtseite des Steppenwolf-Komplexes verdeutlicht ist. Der Tractat stellt diesem Gedanken denn auch unmittelbar die Erinnerung an die Gotteskindschaft des Menschen gegenüber. Damit ist aber auch sichtbar geworden, inwiefern der Tractat selbst nicht über die bloßen »Versuche des Verstehens«, über den Bereich der »Hilfsmittel, der Theorien, der Mythologien, der Lügen« hinauskommt, obwohl er sie abschließend aufzulösen versucht. Er ist selbst in die Denkbewegung gerissen, für die das Traben des Steppenwolfs die angemessene Metapher ist, und der »Anschein hoher Objektivität«, den ihm Haller zubilligt, kann auf die Dauer nicht darüber hinwegtäuschen, daß sich hinter seiner Kühle und Überlegenheit der Verzicht auf die schlüssige Darstellung des Falles Harry Haller verbirgt.

Stärker als die Herablassung, mit der dem Verfasser der Aufzeichnungen ein Spiegel vorgehalten wird, erweist sich das Wissen um die Unangemessenheit der Kategorien, mit welchen der Steppenwolf eingefangen werden soll.

Die Überlegenheit des Tractat-Verfassers beruht nicht darauf, daß er in einem absoluten Sinne mehr weiß als Harry selber, sondern in der Unbefangenheit, mit der er Zusammenhänge aufdeckt und das Verhängnis räsonierend angeht, um es wenigstens annäherungsweise zu benennen, anstatt wie Harry selbst vorerst bei den Ahnungen und traumhaften Einsichten stehenzubleiben. Es spricht aus dem Tractat die Stimme eines Arztes, der das Messer anzusetzen wagt, obwohl er weiß, daß der Eingriff schmerzt und ein Leben auf dem Spiel steht. An manchen Stellen kann man diesen Arzt geradezu mit einem Psychoanalytiker aus der Schule C. G. Jungs identifizieren. Der Tiefenpsychologie verpflichtet ist vor allem der Gedanke, daß von der Bewußtmachung der halbverdrängten Inhalte und von der Integration des Wölfischen ins Persönlichkeitsbild selbst schon eine heilende Wirkung ausgeht. Indes begnügt sich der Tractat mit dieser Auskunft nicht, sowenig wie mit dem Ausblick in die Weisheit der Inder, der an andere Werke Hesses, vor allem den *Siddhartha* und die spätere *Morgenlandfahrt* erinnert. Vielmehr entwickelt der *Steppenwolf* unter seiner Formel des »magischen Theaters« eine eigene Vision der Rettung und Heilung. Ohne den Rückzug auf sie ist der Tractat nicht verständlich. Sein Schluß spricht vom magischen Theater im Zusammenhang mit dem Prinzip des Humors als des großen Vermittlers aller Zwiespälte und dem Zaubertrank gegen den Pessimismus, im Zusammenhang auch mit der Möglichkeit einer radikalen Selbsterkenntnis und mit dem Glauben an die Unsterblichen, die im Roman durch Goethe und Mozart repräsentiert sind. Damit sind ebensoviele Chancen der Rettung des Steppenwolfes und der Heilung seiner Vielspältigkeit genannt, und das magische Theater nimmt sie alle in sich auf. Seine goldene Spur leuchtet im Roman zum erstenmal beim Anhören alter Musik auf. Es ist für Harry Haller der Inbegriff der blitzhaften, stets nur augenblicklichen, aber von höchster Intensität erfüllten Durch-

322

sicht in die höheren geschichtlichen Zusammenhänge des Daseins. Das magische Theater vereinigt die tausend Bilder und Facetten des steppenwölfischen Bewußtseins zu einer traumhaften Ganzheit, in der die Erinnerung an die große Kunst der Vergangenheit und ihre Meister sich leicht mit philosophischem Gedankengut verträgt oder sich mit eigenen niemals niedergeschriebenen Versen vereinigt, aber auch mit der neuen Sphäre des Jazzmusikers Pablo und seiner schönen Freundinnen. Im magischen Theater ist bereits, worauf hier nur eben hingewiesen werden kann, das Glasperlenspiel der großen Magister präfiguriert; wenn dieses dann wieder asketischen Gesetzen gehorcht, so ist doch die Befreiung in Liebesekstase und Rauschgift-Vision, die der *Steppenwolf* vollzieht, seine Voraussetzung.

Die Epochengebundenheit des *Steppenwolfs* mag uns den Zugang zum Tractat heute an einigen Punkten erschweren. So besitzt die in ihm behandelte Frage nach dem Verhältnis zwischen dem Bürger und dem Ausnahme-Menschen nicht mehr dieselbe Virulenz, oder sie hat inzwischen doch eine ganz andere Wendung erfahren, so daß die Antwort, die der Tractat gibt, trotz ihrer Differenziertheit heute nicht mehr als Lösung des Problems wirkt. Die Sprengung des bürgerlichen Kulturbewußtseins und die sie begleitende Untergangsstimmung verstehen wir beinahe nur noch historisch. Unsere Welt steht unter direkteren Bedrohungen als die Zwanzigerjahre bei aller Überwachheit und artistisch-intellektuellen Aufregung sie sich träumen ließen. Aber gerade als Zeitdokument bleibt der Tractat ein document humain von hohem Rang, das auf ein echtes Grundproblem des neuzeitlichen Daseins zielt – die Stichwörter Individuation und Integration bezeichnen es. Die Sehnsucht nach einer klassischen Mitte wird von den Grenzverfassungen der mit sich selbst zerfallenen Existenz her entfaltet. Auf dem Hintergrund der scheinbaren Kühle und Objektivität des Tractates tritt die unmenschliche Spannung, in welche der Steppenwolf gestellt ist, nur um so deutlicher hervor. Damit ist die Funktion des Tractats im Rahmen der Aufzeichnungen Harry Hallers, zugleich aber auch seine aufschließende Kraft für die

Erkenntnis des Gesamtwerkes Hermann Hesses und seiner Epoche umschrieben.

(1961)

*Peter Weiss*
*aus »Abschied von den Eltern«*

Bücher waren geheime Botschaften, Flaschenposten, ausgeworfen, um einen Gleichgesinnten zu finden. Überall, in den fernsten Städten, an öden Küsten, in der Verborgenheit von Wäldern, lebten diese Einzelnen, und viele sprachen aus einem Totenreich zu mir. Die Vorstellung dieser Zusammengehörigkeit tröstete mich.

Es war mir, als müsse der, dessen Buch ich jetzt las, von meiner Gegenwart wissen, und wenn ich mich dann selbst zum Schreiben niedersetzte, so wußte ich, daß andere auf mich lauschten, durch ein großes Rauschen hindurch, das uns alle umgab. Als ich Hallers Namen zum ersten Mal auf einem Buchrücken sah, wurde eine Erinnerung in mir geweckt an einen Gärtnermeister Haller, der in einem Buch aus meiner Kindheit vorkam. Dieser Gärtnermeister, der im südamerikanischen Urwald mit seiner Familie gelebt hatte, gab dem Namen des Dichters Haller seine erste Tiefenwirkung. Auch die Widmung, die auf dem Vorsatzblatt seines Buches stand, weckte meine Aufmerksamkeit. Sie stammte von einem Freund meiner Eltern, der nach China ausgewandert war, sich dort zum Buddhismus bekehrt und später Selbstmord begangen hatte. Meine Eltern hatten sich nur abfällig über ihn geäußert. Er hatte seine Familie verlassen, aus Andeutungen war zu schließen, daß er sogar seine Frau mit dem Revolver bedroht hatte. Er hatte sich vom Alltäglichen entfernt und war untergegangen. Die Worte, die er meinen Eltern mit seiner fahrigen, verspritzten, auf dem saugenden Papier ausfließenden Schrift anvertraut hatte, lauteten: Dieses Buch ist von einem Bruder von mir geschrieben worden. Ich entwendete Hallers Buch, Nur für Verrückte, aus der geordneten Reihe im Regal, ich befreite es aus einer verständnislosen Umgebung und ließ es in meinem Reich zur

Sprache kommen. Das Lesen von Hallers Werken war wie ein Wühlen in meinem eigenen Schmerz. Hier war meine Situation gezeichnet, die Situation des Bürgers, der zum Revolutionär werden möchte und den die Gewichte alter Normen lähmen. In vielem hielt mich diese Lektüre in einem romantischen Niemandsland fest, im Selbstmitleid und in altmeisterlichen Sehnsüchten, ich hätte eine härtere und grausamere Stimme gebraucht, eine Stimme, die mir den Schleier von den Augen gerissen und mich aufgerüttelt hätte. Doch vor einer solchen Stimme war ich noch taub. Das Ich, das ich mit mir schleppte, war verbraucht, zerstört, untauglich, es mußte untergehen. Ich mußte lernen, mit neuen Sinnen zu erleben. Doch wie sollte ich dazu kommen, wie sollte ich mich von all dem befreien, das mich niederzog, verpestete und erstickte. Woher sollte die Kraft kommen. Noch mehr und mehr mußten die Schwierigkeiten mich in die Enge drängen. Es gab keinen andern Weg als den Weg des Verwitterns und Verwesens. Unendlich langsam wachsen die Veränderungen heran, man merkt sie kaum. Manchmal empfand ich einen kurzen Stoß, und dann glaubte ich, etwas sei anders geworden, und dann schlug das Grundwasser wieder über mir zusammen und verbarg das Gewonnene im Schlamm. So taste ich mich weiter vor, bis ich wieder glaube, etwas Neuem auf der Spur zu sein, und vielleicht ist dann eines Tages etwas Neues da, vielleicht finde ich eines Tages Boden unter meinen Füßen. Als ich an Haller schrieb, war dies ein Versuch, aus meiner Unwirklichkeit herauszukommen. Und ich erhielt Antwort auf meinen Brief. Da stand mein Name auf dem Umschlag, wieder und wieder las ich ihn. Plötzlich war ich in eine unfaßbare Beziehung zur Außenwelt getreten. Jemand hatte meinen Namen auf einen Brief geschrieben, jemand glaubte an meine Existenz und richtete seine Stimme an mich. Ich las die Worte eines lebendigen Mundes. Der Sinn der Worte war mir fast gleichgültig. Die Tatsache, daß jemand zu mir sprach, genügte mir. Es waren die Worte eines gealterten, demütigen Handwerkers. Vielleicht war ich enttäuscht über die Stille und Müdigkeit, das Zurückhaltende und Leidende der Stimme. Vielleicht hatte ich ein Signal zum Aufruhr erwartet. Die

Stimme war allzu entlegen für mich in ihrer Reife. Sie sprach vom geduldigen Arbeiten, vom langsamen, gründlichen Studieren, von der Notwendigkeit irgendeines Broterwerbs und von den Gefahren des Alleinseins. Erst viel später verstand ich Hallers Worte. Ich war zu ungeduldig damals. Die Worte waren mir zu sanft, zu versöhnlich. Die Worte standen auf der Seite des Geordneten, Durchdachten. Ich sehnte mich nach dem andern Pol, dem Pol des besinnungslosen Sichauslieferns, dem Pol des Unbändigen und Triebhaften. Ich sehnte mich danach, doch ich verstand es nicht, ich tastete im Dunkeln, und alles entglitt mir.

(1961)

*Rudolf Pannwitz*
*»Der Steppenwolf«*
*der Sinn von Hermann Hesses Roman*

Es hat manchen gewundert, daß in der Folge von Hermann Hesses erzählenden Dichtungen nach »Siddhartha« noch »Der Steppenwolf« »nachkommt«, und man war darauf getröstet und beglückt über die »Rückkehr« ins Herz des Lesers mit »Narziß und Goldmund«. Hier liegt ein gründliches Mißverständis vor, das nicht nur in diesem Falle statthat. Es entspringt dem gefühlsmäßigen Widerstand gegen die eigentliche Aufgabe des Menschen: Die Selbsterkenntnis, die Zerstörung des Subjektes, den Aufbau des Individuums. Dies ist ja etwas Häßliches und Gefährliches, und wäre es noch das – aber man selber ist dabei häßlich und gefährdet, und man muß sich auch bodenlos schämen. Also versteht man solchen Seelenprozeß als ein Verfallen an die Dämonen, während er ihre Überwindung ist. Es scheint dann, daß die geistige und ideale Welt in ihr Gegenteil verkehrt wäre, der Abgrund aufgebrochen und der Teufel herausgefahren. Es kann auch der Nihilismus sein, die Schizophrenie, der Wahnsinn. So hatte man bereits Nietzsche verstanden, seit er sich von Wagner abgekehrt. Es liegt etwas ganz anderes vor, für das die analytische Psychologie erst den Begriff und die Methode gefunden hat. Bei Jung ist es die Realisation des Schattens und

326

seine Einbegreifung in das aus Bewußtem und Unbewußtem integrierte Individuum, und Jung ist nicht bei den persönlichen Prozessen stehen geblieben, sondern hat aus der Analyse der Weltlage einen entsprechenden Weltprozeß gefordert, drohend beschworen. (C. G. Jung: »Gegenwart und Zukunft«, Rascher, Zürich, 1957.)

Bei Hesse geht es um ein Gleiches, doch auf andere Weise. Er als Dichter bannt den Schatz des Erlebten und die unsäglich fruchtbaren Archetypen in ein gestaltendes Werk. Nach der gelösten Welt des »Siddhartha« aber durfte diese Aufarbeitung des Unlösbaren nicht ausbleiben, sonst wäre das »Glasperlenspiel« schwerlich das geworden, was es geworden ist, hätte es den Hintergrund eingebüßt.

Hesses »Steppenwolf« gerät nach einer romantisch idealischen Vergangenheit im späteren Mannesalter in eine schwere Krise. Man muß sie pathologisch nennen, wenn man diesen Begriff nicht zu eng nimmt. Zwar hat eine Ichspaltung statt, aber der Kontakt zwischen den Hälften und ihr klares Bewußtsein voneinander ist nicht unterbrochen. Außerdem ist es eine Fülle, ein Wirbel von Ichen, die ihr Auseinanderfallen fürchten, um ihre Einheit verzweifelt ringen. Man dürfte eher von einer Neurose sprechen, am besten aber nur von dem besonderen Phänomen. Es ist eine Revolution der Seele gegen die Welt, welche sie bis dann getragen hat. Die Überschreitung einer Altersschwelle mag der Anlaß und die Auslösung sein, wichtiger ist, daß eine Epoche und was sie fassen kann bis an den Leerlauf heran ausgelebt ist. In solchem Falle, wo also kein milder verbindender Übergang mehr möglich ist, meldet sich der Dämon: der Zerstörer. Dann kommt es darauf an, ob ihm zugelassen wird, sein Werk bis ans Ende fortzusetzen, das heißt bis an die Grenze des Nichts, und zweitens ob ein Kern von hartem Edlem und Ewigem vorhanden ist, an dem seine Waffe abprallt. Es ist bei dem Steppenwolf übersehen worden, daß es in seinem Falle allein darum geht. Der zerstörende Dämon ist hier nicht eine bisher zu kurz gekommene dunkle Teilperson, sondern der Engel der Wahrhaftigkeit. Er leitet den Prozeß ein und läßt dann die Höllengeister ihn ausführen. Daß er stärker als sie sein wird, darauf vertraut er. Es ist beinahe so wie im himm-

327

lischen Vorspiel des »Faust«. So ist auch der Ausgang, ein unentschiedener, doch Hoffnung gebender, vorweggenommen und wird der Bericht über den Verlauf des Prozesses nachgebracht.

Es geschieht die Selbsthinrichtung des außen mächtig gebliebenen, innen hohl gewordenen pseudoidealen Bürgertums. Diesem wird, nicht nur in der Leidenschaft, auch das sogenannte Leben im Geiste zugerechnet, weil es ja gar nicht von seiner genügsamen Höhe her den Kampf gegen die schlechte Wirklichkeit führt und meist sogar vor ihm schmählich versagt oder mit ihr sich gemein vermischt. Der Zusammenbruch der inneren Person mit ihrer sie umhütenden Welt bringt die Verzweiflung und mit ihr die Totengeister: den Nihilismus, den Zynismus und den bis an den Selbstmord treibenden Ekel. Es ist nun »alles gleich«, das Sein und das Tun in der vollkommenen Stockung führt zur Auflösung: zur Disgregation des Selbst. Es entsteht ein Chaos, wo alles und alles mit, neben, in und gegen einander bald tobt, bald sich entschlüpft, wo die niederen Sphären als die bequemeren und nichts fordernden obenauf kommen und mehr und mehr die Phantasien die Realität verdrängen. Dieses, der Inhalt der Dichtung ist aber zugleich der Prozeß des Aufbaues ihres Trägers: dessen unterirdische Wandlungen, die Höllenfahrt. So entsteht das Negativ von dem, was später als Positiv an den Tag tritt. »Der Zauber, der zerstückt, stellt neu zusammen.« In diesem langen Zustand und Vorgang spielt sich etwas ab, was einer Mysterienhandlung entspricht.

Deren Ziel im Altertum ist, den Menschen für eine Unsterblichkeit im Reiche der Seligen reif zu machen. Hier geht es um etwas anderes und doch Verwandtes: nicht um überirdische Wunscherfüllung, sondern um irdische Selbsterschaffung. Das Verworfene und Zerstörte ist der alte Mensch, nicht nur der persönliche und der bürgerliche, sondern bis in die tiefste Wurzel hinein der Mensch selbst. Er, der auf der höchsten Stufe das Leben zu repräsentieren meint und zwischen dessen Gott und Auswurf nicht einmal eine Mitte findet, wenn aber, dann die eines Schwindlers. Das vom Nihilismus umklammerte Negativ ins Positive umzukehren, wozu der ganze vorhandene Seelenraum

328

durchmessen werden muß, bedarf es des Helfers: des Herantretens des Anima-Wesens Hermine, welche dann die lösende Verwirklichung heraufführt und ermöglicht.

Da gilt es, die elementaren Kräfte eines neutralen Bios in der Sphäre des abgebauten Menschen zu verkörpern und, was sie von einem toten Punkt aus wieder in Bewegung setzt, anzunehmen. Damit beginnt die Dichtung ins Symbolische überzugreifen. Was immerhin wirkliches Geschehen gewesen sein mag – gewiß hat es sich um nichts so wenig gehandelt wie um eine Periode des gesunkenen Seins, die zu einem neuen Aufbau überleitet. Das Entscheidende ist, daß der Puls angestoßen wird, überhaupt wieder zu schlagen. Da die bürgerliche Gesellschaft seit langem und nicht erst in der Krise gehaßt und verachtet und der Ausbruch aus ihr vollzogen ist, bleibt nur das Freie und Ungebundene übrig, was zugleich auf niedriger Stufe die Allseele vertritt: das Heitermenschliche. Der Steppenwolf hat aber mit keiner seiner eigenen Naturen noch Überlieferungen endgültig gebrochen. Er hat sein Wildes und Bösartiges behalten und ebenso eine gefühlvolle Vorliebe für das Bourgoise. Darum wird er es vermögen, aus dem subjektiven, aber nicht objektiven Nichts einen neuen Menschen wieder aufzubauen, nicht zwar so aus den Trümmern eines alten als aus dessen präexistenter Reinheit und Anlagenfülle – von einer produktiven Resignation aus das Dämonische teils umgewandelt, teils, der Übermacht entkleidet, eingebaut.

Noch ist, das eine so bedeutende Rolle hat, das magische Spiel zu verstehen. Es gehört zum Mysterium und hat in ihm die Funktion, das Unbewußte und gemeinhin für irreal Gehaltene konkret erlebbar zu machen. Dazu bedarf es einer Dimension mehr, eben der, in welcher es selbst behaust ist und die in Träumen, Halluzinationen und künstlerischen Gebilden – wie auch dieser Erzählung – erscheint. Die ältesten Mysterien haben so die Geister gerufen zu dem einen oder andern Ziele. Die Aufführung der griechischen Tragödie ist ein Kultus, bei dem ein Fantasma in Masken erscheint, verstrickt in entsetzliche Schicksale, welche mit zu erleiden die Stadt und ihre Bürger gegen Gleiches feit, auf den Weg des Heiles lenkt. Das innere

329

Erfahren ist vorweggreifender Ersatz für das äußere. Es versetzt die Seele in einen Zustand, wo ihr das hiesige Leben nichts mehr anhaben kann, sie auf der guten Bahn bleibt. Der Mensch ist Teilnehmer eines komischen, nie aussetzenden Kampfes zwischen den Guten und Bösen. Er kann nur bei dem einen oder anderen Herrn stehen, und ist er bei dem guten Gotte, so hat er dessen Ordnung ihrem Wesen nach und auch mit ihren Verboten und Geboten innezuhalten. Die griechischen Mysterien, aus den syrischen und ägyptischen hervorgegangen, sind weithin aber nicht ausschließlich vom Amoralisch-Magischen bestimmt und vermitteln die persönliche Unsterblichkeit. Die Vorsokratiker, Sokrates, Platon, die Tragiker haben das in die Seele hinein vertieft. Der iranische Geist, radikal moralisch, hat durch die Gnosis bis nah an heute fortgewirkt. Er ist einesteils in einem Chaos von aller Art Magie aufgegangen, hat andernteils den Kampf des Menschen zwischen Gut und Böse als Abbild und Anteil eines entsprechenden Kosmischen bewahrt. Das ist bis in die späten romantischen Dichtungen übergegangen. Dem »Steppenwolf« geht es, ohne Stützung auf positive Religion, um die Rettung einer Menschenseele vor ihrem Untergang in ihrer und der allgemeinen Hölle. Der magische Apparat mit seinem Skurrilen und Orgiastischen ist selber unterweltlich, aber geistig, im Dienste einer ungreifbaren oberen Macht und mit demiurgischer Funktion. Das ganze magische Schauspiel, die Maya eines zweiten Lebenslaufes, ist kaum etwas anderes, als was in Goethes Vorspiel auf dem Theater der Theaterdirektor von dem Dichter verlangt, dieser jedoch ins Höchste hebt, so daß in beiden Fällen die Hölle nicht das letzte Ende ist, ihr aber nur der unsterbliche Teil entrinnt.

(1962)

*Hans Mayer*
*Hermann Hesse »Steppenwolf«*

Ein Buch der Lebenskrise, der Künstlerkrise, der Gesellschaftskrise. Erst wenn diese unlösliche Verbindung von dichterischer Selbstaussage und Kulturkritik erkannt wurde, sind Mißverständnisse oder Fehlurteile zu vermeiden. Nicht alles in diesem Buch hat dem Zeitablauf widerstanden; das würde am wenigsten vom Dichter abgestritten werden. Dem Schriftsteller Hermann Hesse würde es im magischen Theater und unter Mozarts strengem Blick gehen wie den Herren Johannes Brahms und Richard Wagner, deren Sühne im Jenseits darin bestand, »einen gewaltigen Zug von einigen zehntausend schwarz gekleideten Männern« anzuführen. Es waren aber »die schwarzen Tausende alle die Spieler jener Stimmen und Noten, welche nach göttlichem Urteil in ihren Partituren überflüssig gewesen wären«. Dem Verfasser des ›Steppenwolf‹ wäre es nicht anders ergangen, denn Harry Haller selbst, der Steppenwolf, muß von Mozart, der hier genauso redet, wie in seinen Briefen an die Base in Augsburg, folgendes Urteil über seine Literatur entgegennehmen:

»Gott befohlen, der Teufel wird dich holen, verhauen und versohlen für dein Schreiben und Kohlen, hast ja alles zusammengestohlen.«

Ob Mozart mit diesem Verdikt über das Schreiben Harry Hallers recht hat, kann man nicht sagen; als Urteil über Hesse würde man es nicht anerkennen dürfen, aber ein bißchen Wahres wäre, hält man sich an den Steppenwolf-Roman, schon darin. Das Pathos mancher Partien verlor an Überzeugungskraft. Die erotischen Szenen des Buches mögen ihre Bedeutung gehabt haben im Selbstbefreiungsprozeß des etwa fünfzigjährigen Künstlers und Mannes Hermann Hesse um das Jahr 1927, wirken heute aber – nicht bloß, weil der Leser moderner Romanliteratur inzwischen schärfere Kost gewohnt ist – einigermaßen pennälerhaft. Übrigens mutet die Darstellung geschlechtlicher Vorgänge merkwürdig unsinnlich an. Es ist eigentlich stilisierte Erotik. Auch die Kulturkritik – für sich genommen – wirkt an vielen Stellen sonderbar zahm. In seiner Darstellung des feuilletonistischen Zeitalters im ›Glasperlenspiel‹ hat Hesse ungefähr fünfzehn Jahre nach der Geschichte des Steppenwolfs Harry Haller die früheren Themen viel umfassender behandelt.

Jeder dieser drei Bereiche also, die krisenhafte Selbstaus-

331

sage, die Künstlerproblematik, die Kulturkritik, krankt an offenkundigen Schwächen der Gestaltung und Durchführung. Durch ihre ungewöhnliche Verknüpfung aber entstand ein nach wie vor höchst merkwürdiges Buch.

Daß die Gestalt des Steppenwolfs Harry Haller, der die Initialen seines Verfassers trägt, von Hesse viel autobiographische Substanz mitbekam, ist bekannt und wäre auch dann beim Leser spürbar, wenn man die lebensgeschichtlichen Einzelheiten nicht wüßte. Daß Hermann Hesse um das fünfzigste Lebensjahr, zur Zeit also, da der ›Steppenwolf‹ entstand, eine schwere Lebens- und Schaffenskrise durchmachte, ist heute durch die Veröffentlichung von Gedichten, Briefen, autobiographischen Aussagen genugsam bezeugt. Der Gedichtband ›Krisis‹, der als lyrische Selbstaussage in die unmittelbare Nähe des Steppenwolf-Romans gehört, wirkt nicht bloß als ein merkwürdiges lyrisches Dokument, worin die Bemühung um Zertrümmerung aller glatten und erbaulichen Lyrismen gelegentlich fast zum Dilettantismus, oft aber auch zu wahrhaft kühnen Phantasien führte, sondern gleichzeitig als ein Krankheitsjournal, das über eine Fülle körperlicher und seelischer Leiden zu berichten hat. Manche der steppenwölfischen Situationen des Romans wird man als Nacherzählung autobiographischer Vorgänge betrachten können. Daß einige erotische Partien des Buches sowohl als Nachgestaltung von Erlebtem wie als Widerspiegelung psychoanalytischer Studien zu verstehen sind, ist gleichfalls unverkennbar. An diesen Stellen erweist sich die damalige Kühnheit nicht selten als etwas komisch anmutende Mode von Gestern. Es ist alles da: Verbindung von Libido und Todestrieb, Ambivalenz der geschlechtlichen Impulse, Kindheitserotik und Verwandlung des Jugendfreundes Hermann in die ersehnte und ideale Partnerin Hermine. Wobei noch hinzukommt, daß Hermine und Hermann (Hallers Jugendfreund trägt den Vornamen Hermann) nun wieder auf den Vornamen des Dichters Hesse zurückweisen, womit Sigmund Freuds Bemerkungen über die Gestalt des griechischen Knaben Narzissus zum Romanbestandteil werden. Am Ende könnte ein versierter Psychoanalytiker die Bindung zwischen Harry Haller, der die Initialen Hermann

332

Hesses trägt, und Hermine-Hermann als ausschließlichen Vorgang der Autoerotik bezeichnen. Wodurch auch erklärt würde, warum die scheinbar so ›gewagten‹ Szenen des Geschlechtlichen so sonderbar unsinnig und vergeistigt wirken. Hier trägt das Buch sicherlich die damals modischen, heute jedoch belustigend wirkenden Kleider der zwanziger Jahre.

Aber Hermann Hesse wußte schon damals, daß es so kommen würde. Er schrieb ein Buch der seelischen Reinigung als weiteres »Bruchstück einer großen Konfession«, um Goethes Ausdruck zu gebrauchen, wozu der psychoanalytische Apparat des ›Steppenwolf‹ ebenso gehört wie vorher der gleichfalls psychoanalytische und philosophisch-gnostische Requisitenfundus des ›Demian‹; allein er ahnte gleichzeitig, daß diese für ihn so wichtigen Aktualitäten und modischen Äußerlichkeiten sehr bald als künstlerische Schwächen zutage treten würden. Am Beispiel von Brahms und Wagner wird dieser Vorgang von Mozart bei seiner Belehrung des Steppenwolfs formuliert: »Es ist der Instanzenweg. Erst wenn Sie die Schuld Ihrer Zeit abgetragen haben, wird sich zeigen, ob noch so viel Persönliches übrig ist, daß sich eine Abrechnung darüber lohnt.« Was im Falle Hesses und seines Romans aus der Krisenzeit des Jahres 1927 heißen soll: die autobiographischen Züge, die Harry Haller vom Verfasser mitbekam, und auch seine erotischen Wege und Irrwege, gehören zu dem, was Mozart an den Partituren von Brahms und Wagner als zu dicke Instrumentierung und unnötige Materialvergeudung bemängelt.

Hesse mußte diese Schwerfälligkeiten und Requisiten eines nicht mehr magischen Theaters in Kauf nehmen, um ein Romanwerk zu schaffen, das auch nach Abzug solcher modischen Details noch so viel Persönlichkeitswert behielt, »daß sich eine Abrechnung darüber lohnt«.

Sie lohnt sich nämlich im Falle des Steppenwolf-Romans. Nach wie vor. Goethe, Mozart, das magische Theater: man erkennt, daß die Klärung im Liebesleben Harry Hallers und seinem Verhalten zur Umwelt, das sich aus einer Attitüde von gleichzeitiger Unterwürfigkeit und Rüpelei zu humorvoller Gelassenheit wandelt, als Darstellung und

Lösung einer echten *Künstlerproblematik* verstanden werden muß. Gemeint ist von Hesse gar nicht so sehr der Zwiespalt zwischen dem Steppenwolf und seiner bürgerlichen Umwelt, wie das Auseinanderfallen des Kulturideals, zu dem sich Harry Haller bekennt, und der Formen des Kulturbetriebs wie der allgemeinen Politik, die er um sich her entdecken muß. Dieser Zwiespalt aber zwischen dem künstlerischen Wertempfinden des Steppenwolfs, das durch Händel und Mozart und den wirklichen, nicht den mißverstandenen Goethe bestimmt wurde, und dem Treiben seiner Zeitgenossen hat zu einer fast unerträglich schmerzhaften Entfremdung geführt. Hermine macht es ihrem Freunde und Liebesschüler Haller deutlich: »Du hattest ein Bild vom Leben in dir, einen Glauben, eine Forderung, du warst zu Taten, Leiden und Opfern bereit – und dann merktest du allmählich, daß die Welt gar keine Taten und Opfer und dergleichen von dir verlangt, daß das Leben keine heroische Dichtung ist, mit Heldenrollen und dergleichen, sondern eine bürgerliche gute Stube, wo man mit Essen und Trinken, Kaffee und Strickstrumpf, Tarockspiel und Radiomusik vollkommen zufrieden ist. Und wer das andere will und in sich hat, das Heldenhafte und Schöne, die Verehrung der großen Dichter oder die Verehrung der Heiligen, der ist ein Narr und ein Ritter Don Quichotte.« Diesen Kontrast zwischen seinem durch große Tradition bestimmten Künstlertum und der kulinarischen Ära eines kulturhaften Warenhausbetriebes hat Hesse eigentlich seit Ende des Ersten Weltkrieges immer wieder mit tiefer Sorge gestaltet. Zwei Jahre vor dem ›Steppenwolf‹ (1925) hießt es ganz ähnlich in der Vorrede zu dem Buch ›Kurgast‹:

»Ich mache mir nichts daraus, die Majorität gegen mich zu haben, ich gebe eher ihr unrecht als mir. Damit halte ich es wie mit meinem Urteil über die großen deutschen Dichter, welche ich darum nicht minder verehre, liebe und brauche, weil die große Mehrzahl der lebenden Deutschen das Gegenteil tut und die Raketen den Sternen vorzieht. Raketen sind hübsch, Raketen sind entzückend, sie sollen hochleben! Aber Sterne! aber ein Auge und Gedanke voll ihrer stillen Lichter, voll ihrer weitschwingenden Weltmusik

– o Freunde, das ist doch noch anders!« Im selben Jahr 1925 hatte Hesse übrigens auch einen ›Kurzgefaßten Lebenslauf‹ veröffentlicht, worin »nach Jean Pauls Vorbild das Wagnis einer die Zukunft vorwegnehmenden ›Konjekturalbiographie‹ versucht wurde.« Das bezaubernde Prosastück begann mit den Worten: »Ich wurde geboren gegen das Ende der Neuzeit, kurz vor der beginnenden Wiederkehr des Mittelalters.« Der konjekturale Lebenslauf aber gipfelte in dem Satz: »Ohne Magie war diese Welt nicht zu ertragen.«

Welche Welt? Die Epoche des Jahres 1927, die Hesse als äußerste Diskrepanz zu seinem gesamten Fühlen und Werten empfinden mußte. Wobei im ›Steppenwolf‹ sehr genau zwischen konservativem Vorurteil des Steppenwolfs Haller gegen seine Zeit und berechtigter Gesellschaftskritik unterschieden wird. Haller muß lernen, daß die Antithese nicht darauf hinauslaufen kann, für Mozart und gegen Jazz zu sein, für das traditionelle Kammerorchester und gegen Saxophone. Die echte Kulturkritik hat nicht die Form eines Lobes der guten alten Zeit anzunehmen. Das lernt der Steppenwolf beim Musiker Pablo. Bleiben die wirklichen Gegensätze zwischen dem Künstlerideal Hallers wie Hesses und der Gesellschaft, in der sie leben und Kunst schaffen sollen. Was gemeint ist, zeigt die grandiose Vision der ›Hochjagd auf Automobile‹, die ein Bestandteil des magischen Theaters bildet: »Auf den Straßen jagten Automobile, zum Teil gepanzerte, und machten Jagd auf die Fußgänger, überfuhren sie zu Brei, drückten sie an den Mauern der Häuser zuschanden. Ich begriff sofort: es war der Kampf zwischen Menschen und Maschinen, lang vorbereitet, lang erwartet, lang gefürchtet, nun endlich zum Ausbruch gekommen. Überall lagen Tote und Zerfetzte herum, überall auch zerschmissene, verbogene, halb verbrannte Automobile, über dem wüsten Durcheinander kreisten Flugzeuge, und auch auf sie wurde von vielen Dächern und Fenstern aus mit Büchsen und mit Maschinengewehren geschossen.« Gewiß gibt es Züge der Anarchie und des Maschinenstürmertums in dieser Vision, aber Härte der Sprache und Gewalt der Bilder, die schließlich in der Darstellung eines modernen Wolfs-

menschentums gipfeln, geben solchen Szenen eine erschrek-
kende Gültigkeit. Dies hier gehört zum Beständigen des
Romans, nicht zu den überflüssigen Noten, die später ge-
büßt werden müssen. Man ahnt übrigens vor diesen Visionen, die durchaus in die Nachbarschaft Picassos und seiner
Behandlung des Kriegs- und des Minotaurosthemas gehören, daß Hesse auch der Form nach schon damals alles
andere als ein sanfter Epigone und später Nachroman-
tiker war, sondern ein leidenschaftlicher, ebenso erbitterter
wie verzweifelter Künstler seiner Zeit.
Der ›Steppenwolf‹ ist außerdem und sogar vor allem ein
deutsches Buch. Oder eher: ein Romanwerk der *Kritik
an deutschen Zuständen*. Dem angeblich so freundlichen
und kultivierten Abendbrotgast Harry Haller erzählt der
deutsch-nationale Professor, sein Gastgeber, Haller besitze
offenbar einen recht üblen Namensvetter, einen vaterlands-
losen Gesellen: »... er habe sich über den Kaiser lustig
gemacht und sich zu der Ansicht bekannt, daß sein Vaterland am Entstehen des Krieges um nichts minder schuldig
sei als die feindlichen Länder. Was das für ein Kerl sein
müsse! Na, hier kriege der Bursche es gesagt, die Redaktion
habe diesen Schädling recht schneidig erledigt und an den
Pranger gestellt.« Er selbst aber, der geschätzte Gast, war
bedauerlicherweise identisch mit diesem unwürdigen Individuum. Das Thema klingt immer wieder auf. Einmal
zitiert Hesse auch das Rezitativ aus dem Schlußsatz der
›Neunten Symphonie‹. »O Freunde, nicht diese Töne!«
Es war die Überschrift zu seinem berühmten Aufsatz, der
am 3. November 1914 in der *Neuen Zürcher Zeitung* erschienen war: als Absage an die damaligen Ekstasen der
Nationalisten und Chauvinisten. Erbitterung über die Haß-
ausbrüche, die Hesse damals in Deutschland und von
Deutschen zu spüren bekam, ist im ›Steppenwolf‹ immer
wieder deutlich. An all diesen Stellen spricht Harry Haller
durchaus im Namen seines Autors. Nicht nur der Kultur-
kritiker, sondern der Künstler Hesse erblickt in diesem
deutschen Treiben von Nationalismus und bourgeoisem
Bildungshochmut eine eklatante Gefahr. Auch die Entwicklung der Literatur wird dadurch bedroht: »Da stand
nun wieder solch ein Angriff, schlecht geschrieben, halb

336

vom Redakteur selbst verfaßt, halb aus den vielen ähnlichen Aufsätzen der ihm nahestehenden Presse zusammengestohlen. Niemand schreibt bekanntlich so schlecht wie die Verteidiger alternder Ideologien, niemand treibt sein Handwerk mit weniger Sauberkeit und Mühewaltung.« Damit steht der ›Steppenwolf‹ gleichfalls wieder in einer Tradition, derjenigen nämlich bedeutender deutscher Selbstkritik. Auch hier ist Hesse alles andere als ein mild lächelnder Neuromantiker. Man mag über die künstlerischen Proportionen streiten, aber im geistigen Habitus stellt sich das Buch in seiner Bemühung um Kritik an unwürdigen deutschen Zuständen durchaus in die Überlieferung des ›Hyperion‹, des ›Wintermärchen‹, des ›Untertan‹. Dieser sonderbare Roman vom Jahre 1927 war nicht bloß eine Niederschrift zum Zweck der seelischen Katharsis, sondern ein Buch der Warnung. Immer wieder fällt das Wort vom neuen Krieg, der vorbereitet wird, weshalb Hermann Hesse fast zwanzig Jahre später, im Jahre 1946, in traurigem Rückblick feststellen muß, daß der ›Steppenwolf‹ doch »unter anderem ein angstvoller Warnruf vor dem morgigen Krieg war« und darum von der damaligen deutschen bürgerlichen Öffentlichkeit und Presse »entsprechend geschulmeistert und belächelt wurde«.

Sehr merkwürdig übrigens, daß Hermann Hesse im ›Steppenwolf‹, der genau zwanzig Jahre vor dem ›Doktor Faustus‹ erschien, ganz ähnliche Gedanken über das Verhältnis der Deutschen zur Musik und ihr durch Musik gestörtes Verhältnis zur Wirklichkeit äußert. Auf dem Tiefpunkt seiner schwermütigen Stimmung, da er mit der Selbstmordidee ernstlicher zu spielen scheint als gewohnt, konstatiert der Steppenwolf Haller: »Lange hatte ich auf diesem Nachtgang auch über mein merkwürdiges Verhältnis zur Musik nachgedacht und hatte, einmal wieder, dies ebenso rührende wie fatale Verhältnis zur Musik als das Schicksal der ganzen deutschen Geistigkeit erkannt. Im deutschen Geist herrscht das Mutterrecht, die Naturgebundenheit in Form einer Hegemonie der Musik, wie sie nie ein andres Volk gekannt hat. Wir Geistigen, statt uns mannhaft dagegen zu wehren und dem Geist, dem Logos, dem Wort Gehorsam zu leisten und Gehör zu verschaffen, träumen alle von einer Sprache ohne Worte, welche das Unaussprechliche sagt, das Ungestaltbare darstellt. Statt sein Instrument möglichst treu und redlich zu spielen, hat der geistige Deutsche stets gegen das Wort und gegen die Vernunft frondiert und mit der Musik geliebäugelt. Und in der Musik, in wunderbaren seligen Tongebilden, in wunderbaren holden Gefühlen und Stimmungen, welche nie zur Verwirklichung gedrängt wurden, hat der deutsche Geist sich ausgeschwelgt und die Mehrzahl seiner tatsächlichen Aufgaben versäumt.« Die viel zu allgemein gehaltene und dadurch unscharf wirkende Feststellung über ›die Deutschen‹ wurde sogleich aber modifiziert und spezifiziert. »Wir Geistigen«, schreibt Harry Haller und stellt fest, es handle sich dabei um eine Spezies, die in Deutschland ein gestörtes Verhältnis zur Wirklichkeit besitze und darum noch nie vermocht habe, die Wirklichkeit durch ihre Gedanken entscheidend zu verändern. Solche Aktion der Geistigen sei auch nicht möglich, da die Gedanken deutscher Intellektueller selbst dort, wo gar keine Partituren ausgeschrieben wurden, insgeheim musikalische Gedanken waren. Versuchte trotzdem einer, etwa wie Heinrich Mann und etwa nach einem schweren Kriege und einer großen Niederlage, die Einheit von Geist und Macht herzustellen, so kam es zu bloßer Kläglichkeit.

Der Steppenwolf Haller nennt nicht den Namen Heinrich Mann, meint aber solche Bestrebungen einer Erneuerung des deutschen Lebens nach dem Ersten Weltkrieg, und meint damit auch Bemühungen des Schriftstellers Hermann Hesse um das Jahr 1920. Das Resultat? »Es endete aber immer mit der Resignation, mit der Ergebung ins Verhängnis. Die Herren Generäle und Schwerindustriellen hatten ganz recht: es war nichts los mit uns ›Geistigen‹, wir waren eine entbehrliche, wirklichkeitsfremde, verantwortungslose Gesellschaft von geistreichen Schwätzern.« Vieles von solcher Meditation aus dem Jahre 1927 wurde im ›Doktor Faustus‹ von 1947 in einem Romanwerk gestaltet, das gleichfalls genötigt war, die komplexen Beziehungen zwischen autobiographischer Substanz, Künstlerproblematik und Gesellschaftskrise mit einer höchst eigentümlichen epischen Form zu verbinden. In seinem Tagebuch über

338

›Die Entstehung des Doktor Faustus‹ hatte Thomas Mann gleich zu Beginn seiner Arbeit notiert, es sei ein Fehler Goethes gewesen, den Doktor Faust als Professor und Mann der Wissenschaft zu präsentieren, nicht aber als Musiker. Er selbst suchte den angeblichen Fehler zu korrigieren. Im Untertitel bereits war vom »deutschen Musiker« die Rede, was für Thomas Mann eine Art Tautologie darstellte, denn im Wort Deutsch war die Musik schon mitenthalten. Im ›Steppenwolf‹ geht es nicht viel anders zu. Auch hier wird die Musikalität der deutschen Geistigkeit als gestörtes Verhältnis zur Realität dargestellt.

Um so erstaunlicher freilich, daß die scheinbare Lösung der Lebens- und Geisteskrise Harry Hallers trotzdem gerade in einer noch folgerichtigeren Trennung von Geist und Wirklichkeit erblickt werden soll. Die Hilfe der Unsterblichen im Daseinskonflikt des Steppenwolf, die von Goethe und Mozart vermittelte Lehre führt offensichtlich dahin, von nun an magisches Theater der Kunst und trübes Daseinstreiben streng voneinander zu trennen. Die schwerste Anklage, die der Staatsanwalt in Mozarts Gegenwart gegen Haller zu erheben hat, lautet: »Meine Herren, vor Ihnen steht Harry Haller, angeklagt und schuldig befunden des mutwilligen Mißbrauchs unsres magischen Theaters. Haller hat nicht nur die hohe Kunst beleidigt, indem er unsern schönen Bildersaal mit der sogenannten Wirklichkeit verwechselte und ein gespiegeltes Mädchen mit einem gespiegelten Messer totgestochen hat, er hat sich außerdem unseres Theaters humorloserweise als einer Selbstmordmechanik zu bedienen die Absicht gezeigt.« Wer so gehandelt hat, muß sich das schreckliche Gelächter der Unsterblichen gefallen lassen.

Freilich scheinen diese Unsterblichen, und ausgerechnet Mozart an ihrer Spitze, überzeugte Schopenhauerianer zu sein, denen im Erlebnis großer Kunst die Trübnis des Weltwillens für Momente verlorengeht. Daß Hermann Hesse immer wieder den Kontrast zwischen den ebenso raren wie beglückenden Gültigkeitserlebnissen durch Kunst und der Alltäglichkeit des Daseins gestaltet hat, ist unverkennbar. Schon in der kurzen Einleitungserzählung des Herausgebers von Harry Hallers zurückgelassenen Schriften wird ein Augenblick der Beglückung dargestellt, den der Steppenwolf im Konzert beim Anhören von Barockmusik erlebt. Haller selbst berichtet den gleichen Vorgang später noch einmal. Das magische Theater soll schließlich dahin belehren, Wirklichkeit und Spiel der unsterblichen Magie sorgsam voneinander zu trennen. Daß Hesse selbst die Lösung nicht als endgültig empfand, vielleicht gar nicht einmal als seine eigene Deutung und Lösung des Falles Harry Haller angesehen wissen wollte, bewies er fünf Jahre nach dem ›Steppenwolf‹ in dem Buch ›Die Morgenland-fahrt‹ (1932), das abermals von der Grenzverwischung zwischen Wirklichkeit und Imagination handelte. Hier traten als Morgenlandfahrer die erfundenen Gestalten der Dichter neben Menschen des 20. Jahrhunderts. Kein Zweifel: die Lehren Pablos und Mozarts waren nicht als Rezept gegen Daseinsnöte zu betrachten. Ein so genauer Kenner der deutschen Romantik wie Hermann Hesse besaß in dieser Hinsicht – wie immer Schopenhauer darüber denken mochte – keine Illusionen, denn bereits im ›Golde-nen Topf‹ von E. T. A. Hoffmann war gezeigt worden, daß das Leben in Atlantis, also in der Welt unsterblicher Poesie, alle Misere eines Alltags in Dresden nur für Augen-blicke auszulöschen vermag. Der Steppenwolf Harry Haller konnte sich also kein anderes Schicksal erhoffen als der Student Anselmus und der Kapellmeister Kreisler. Im Ge-genteil: in der Welt des 20. Jahrhunderts und im Zwischen-bereich zwischen dem soeben zu Ende gegangenen und dem von gewissen Kreisen gerade vorbereiteten Weltkrieg mußte die Trennung von Wirklichkeit und magischem Theater nur zur Verschärfung der Krise beitragen. Hielt sich Harry Haller wirklich an die Lehren Mozarts und Pa-blos, so half er mit, neue und noch schwerere Krisen für künftige Steppenwölfe vorzubereiten.

Daß Hermann Hesse seinen Roman durchaus in dieser offenen Form angelegt hat, man sich folglich hüten soll, die Schlußseiten des Buches als dessen ›Lösung‹ zu be-trachten, zeigt der ›Tractat vom Steppenwolf‹. In der Erst-ausgabe des Buches war dieses ungewöhnliche und kühne Prosastück nicht bloß durch besondere Drucktypen kenntlich gemacht worden, sondern fand sich durch hellgelbe Titel-

340

und Schlußblätter als richtiges kleines Groschenheftchen ins Buch verpflanzt. Der unsinnige Gegensatz der Drucktypen bei den Worten Tractat und Steppenwolf ließ ebenso wie die albernen Arabesken den Eindruck des Jahrmarkts, der Moritat, des Traktätchens aufkommen. Um so verblüffender freilich mußte der Gegensatz zwischen der äußeren Jahrmarktsform und der kühlen, wissenschaftlich höchst versierten Steppenwolf-Analyse anmuten. Ganz freilich war der Traktätchengeist nicht aus dem Text der Analyse verbannt worden. Das ahnte man schon bei den ersten Worten des ›Tractats vom Steppenwolf‹, denn sie eröffneten zwar eine psychologische und soziologische Untersuchung, worin Leben und Krise und Tod zur bloßen wissenschaftlichen Thematik zusammenschrumpften, hatten sich aber sonderbarerweise die Formel des herkömmlichen *Märchenbeginns* dafür ausgesucht. »Es war einmal einer namens Harry, genannt der Steppenwolf.« Es war einmal. Märchenbeginn und wissenschaftliche Interpretation. Abermals – wie so häufig bei Hesse – die Gleichzeitigkeit von Wissenschaft und Spiel mit der Wissenschaft. Traktat im Sinne Spinozas und Traktat im Sinne der Traktätchen.

Auch bei der Lektüre des ›Tractats vom Steppenwolf‹ ist Vorsicht geboten. Nicht bloß, weil er »Nur für Verrückte« gedacht sein soll, was man im Sinne von ver-rückt verstehen sollte. Wichtiger ist die Erkenntnis, daß man die Lösung des Falles Harry Haller weder einseitig im Traktat noch in der Schlußszene des magischen Theaters erblicken darf. Beide stehen zueinander im Widerspruch und sollen das auch. Übrigens steht auch der Traktat im Widerspruch zu Hallers eigenen Aufzeichnungen und nicht zuletzt zu seinem Gedicht vom Steppenwolf. Beide verhalten sich durchaus nicht zueinander wie die subjektive zur objektiven Seite des Falles. Der Traktat scheint sich zwar auf die Objektivität seiner Analyse viel einzubilden, gibt aber kaum eine Deutung der Angelegenheit, die es, nach Lektüre des Traktats, dem Leser erlauben würde, den Fall Harry Haller nun zu klassifizieren. Wem soll man glauben? Den Unsterblichen, die im Sinne Schopenhauers und der Gnostik die Trennung von Wirklichkeit und magischem Theater betont hatten – oder dem Traktat, der diese gleichen Gedanken bloß als paradoxe Dokumente der Geistesgeschichte ansieht? Harry Haller besitzt stark romantische Züge in seinem Streben zur Rückkehr ›nach Hause‹, in die Kindheit, in frühere Formen seines Daseins. Durch das magische Theater wird er sogar noch darin bestärkt. Der ›Tractat vom Steppenwolf‹ dagegen spricht von den Steppenwölfen als Typen, wodurch er ihnen gerade die Einzigartigkeit abspricht, auf welche sie so stolz sind. Er versteht diese Typen als »die vom Schuldgefühl der Individuation Betroffenen, als jene Seelen, welchen nicht mehr die Vollendung und Ausgestaltung ihrer selbst als Lebensziel erscheint, sondern ihre Auflösung, zurück zur Mutter, zurück zu Gott, zurück ins All«.

Diese romantische Regression aber ist nicht mehr möglich. Auch hierin ist Hesse kein Romantiker. Der Steppenwolf Harry Haller wird als Produkt der modernen bürgerlichen Gesellschaft verstanden. Schlimmer noch: mit seiner Sehnsucht nach Bürgerlichkeit wird er, allen wölfischen Zügen zum Trotz, sogar zur Festigung dieser Bürgerwelt benutzt »Auf diese Weise anerkannte und bejahte er stets mit der einen Hälfte seines Wesens und Tuns das, was er mit der andern bekämpfte und verneinte.«

Wenn daher das auch im Traktat als kulturell unproduktiv bezeichnete Bürgertum trotzdem weiter gedeihen konnte, so gibt der Traktat dafür eine Erkärung ab: »Die Antwort lautet: wegen der Steppenwölfe.« Das ist abermals, wie ein Vierteljahrhundert vorher im ›Tonio Kröger‹, der Gegensatz zwischen Bürger und Künstler. Hesses Antwort aber entspringt den Einsichten in die Weltkriegs- und Nachkriegszeit. Der Typ der Steppenwölfe hat mitgeholfen, die Bürgerwelt zu konsolidieren, und zwar gerade durch den Dualismus ihrer tierisch-menschlichen Natur. Hier ist die Parallele zwischen den Gedankengängen des Traktats und den Visionen des magischen Theaters von der wölfischen Natur der bürgerlichen Zivilisation. Auch die Bürgerwelt erweist sich als steppenwölfisch.

Der Traktat geht noch weiter: er macht sich sogar über die Formel vom Steppenwolf ausdrücklich lustig, weil er sie als Ausdruck veralteter Anthropologie betrachtet: »Daß ein so unterrichteter und kluger Mensch wie Harry sich

342

für einen ›Steppenwolf‹ halten kann, daß er das reiche und komplizierte Gebilde seines Lebens in einer so schlichten, so brutalen, so primitiven Formel glaubt unterbringen zu können, darf uns nicht in Verwunderung setzen.« Es gehe gar nicht um den Gegensatz von tierischer und menschlicher Natur, sei auch gar nicht wahr, daß Haller – wie Faust – seine zwei Seelen in der Brust habe. »Harry besteht nicht aus zwei Wesen, sondern aus hundert, aus tausenden.« Damit entspreche er dem Pluralismus einer Gesellschaft, die den Einzelnen immer wieder dem eigenen Selbst entfremdet und in einen bloßen Träger von Funktionen verwandelt. In der bürgerlichen Welt, die im Roman geschildert wird, kann Harry Haller gar nicht zur Persönlichkeit, zur ›Individuation‹, gelangen, wie der Traktat das einmal ausdrückt. Der Steppenwolf möchte seine Eigenart gegenüber der Gesellschaft und ihren Entfremdungstendenzen behaupten. Das möchten zahlreiche Steppenwölfe, die eben dadurch diesen allgemeinen Entfremdungsprozeß der Entpersönlichung sogar noch fördern. Das Ergebnis? Magisches Theater bei fortschreitendem Verlust der Individuation. Soll man noch weiter gehen als der Traktat und hinzufügen: Entpersönlichung als Folge allzu häufigen Spielens mit magischem Theater?

Der Traktat geht so weit nicht. Er behauptet: »Zurück führt überhaupt kein Weg, nicht zum Wolf, noch zum Kinde. Am Anfang der Dinge ist nicht Unschuld und Einfalt; alles Erschaffene, auch das scheinbar Einfachste, ist schon schuldig, ist schon vielspältig, ist in den schmutzigen Strom des Werdens geworfen und kann nie mehr, nie mehr stromaufwärts schwimmen. Der Weg in die Unschuld, ins Unerschaffene, zu Gott führt nicht zurück, sondern vorwärts, nicht zum Wolf oder Kind, sondern immer weiter in die Schuld, immer tiefer in die Menschwerdung hinein.« Keine romantische Regression, sondern ein Weg nach vorwärts. Der Traktat hält die Individuation für möglich, aber in der Form eines zukünftigen Prozesses. Wobei die künftige Menschwerdung freilich als ›Schuld‹ verstanden wird. An dieser Stelle aber, wo die wichtigste These des Traktats verkündet wird, ist gleichzeitig der Widerspruch zu Hallers eigenen Aufzeichnungen besonders schneidend. Alles bleibt

343

offen in diesem ungewöhnlichen Buch. Im ›Steppenwolf‹ präsentierte Hesse die Gegensätze noch weitaus schärfer und schroffer als später im ›Glasperlenspiel‹. In beiden Fällen aber bloß die Analyse, die Warnung, keine Lösung. Lösung ist weder Kastalien noch das magische Theater. Ein Buch der Warnung, bestimmt für die deutschen ›Geistigen‹, die nicht darauf hörten. Ein Buch der Lebenskrise, der Künstlerkrise, der Gesellschaftskrise.

(1964)

### Timothy Leary
### Meisterführer zum psychedelischen Erlebnis

*Steppenwolf* – ein Roman um Krise, Leid, Konflikt, Qual –, zumindest an der Oberfläche. Hesse schreibt in einem Brief, wäre sein Leben kein gefährlich schmerzliches Experiment, bewegte er sich nicht ständig am Rande des Abgrunds und fühlte das Bodenlose unter seinen Füßen, so wäre sein Leben ohne Sinn und er hätte nie etwas schreiben können. Die meisten im psychischen Kräftespiel erfahrenen Leser erkennen das dargestellte Drama – den Konflikt zwischen Ich und Es, zwischen Geist und materieller Zivilisation, die wölfischen, satanischen Instinkte in unserem zivilisierten Selbst. Hesse schreibt, diese Leser hätten völlig übersehen, daß es über dem Steppenwolf und seinem problematischen Leben eine zweite, höhere, zeitlose Welt gibt, die dem Leiden des Steppenwolfs eine transpersönliche und transtemporäre Welt des Glaubens gegenüberstellt, daß das Buch gewiß von Schmerz und Leiden erzählt, daß es aber die Geschichte eines Gläubigen ist und nicht ein Buch der Verzweiflung.

Wie in *Siddhartha* verwickelt Hesse den Leser in seine phantastische Geschichte, seine Ideen, seine geistige Akrobatik – nur um am Schluß zu zeigen, daß die ganze Struktur ein illusionäres Verstandesspiel ist. Unter dem leichtgläubigen psychodynamischen Leser wird plötzlich der geistige Teppich weggezogen. Dieser Zen-Trick zeigt sich auf mindestens zwei Ebenen im *Steppenwolf*. Zunächst in dem kleinen »Tractat«, einem glänzenden Porträt von Harry,

344

dem Mann mit zwei Seelen: der Mann – kultiviert, klug und interessant; und der Wolf – wild, unzähmbar, gefährlich und stark. Der Traktat beschreibt seine Stimmungswechsel, seine schöpferischen Ausbrüche, sein ambivalentes Verhältnis zum Bürgerlichen, seine Faszination am Selbstmord, seine Unfähigkeit, die beiden miteinander im Streite liegenden Selbste zu versöhnen. Eine atemberaubend scharfsinnige psychologische Analyse. Dann der Taschenspielerstreich:

»Zum Schluß... bleibt noch... eine grundsätzliche Täuschung aufzulösen. Alle ›Erklärungen‹, alle Psychologie, alle Versuche des Verstehens bedürfen ja der Hilfsmittel, der Theorien, der Mythologien, der Lügen; und ein anständiger Autor sollte es nicht unterlassen..., diese Lügen nach Möglichkeit aufzulösen... Harry besteht nicht aus zwei Wesen, sondern aus hundert, aus tausenden. Sein Leben schwingt (wie jedes Menschen Leben) nicht bloß zwischen zwei Polen, etwa dem Trieb und dem Geist, oder dem Heiligen und dem Wüstling, sondern es schwingt zwischen tausenden...

Der Mensch ist eine aus hundert Schalen bestehende Zwiebel, ein aus vielen Fäden bestehendes Gewebe. Erkannt und genau gewußt haben dies die alten Asiaten, und im buddhistischen Joga ist eine genaue Technik dafür erfunden, den Wahn der Persönlichkeit zu entlarven. Lustig und vielfältig ist das Spiel der Menschheit: der Wahn, zu dessen Entlarvung Indien tausend Jahre lang sich so sehr angestrengt hat, ist derselbe, zu dessen Stützung und Stärkung der Okzident sich ebenso viele Mühe gegeben hat.«

Das dualistische Selbstbildnis wird beschrieben – die faszinierende Freudsche Metapher – und dann als Täuschung, als begrenzte, erbärmliche Perspektive, als Verstandesspiel entlarvt. Das zweite Beispiel für diesen Zaubertrick ist am Ende des Buches zu finden. Wir sind Hesse bei seiner Beschreibung Harrys gefolgt, der eine Reihe vergeblicher Anstrengungen unternimmt, seiner Verzweiflung Herr zu werden – durch Alkohol, durch Sex, durch Musik, durch die Freundschaft mit dem fremdländischen Musiker Pablo; schließlich betritt er das Magische Theater. »Eintritt kostet den Verstand.« In anderen Worten: ein sinnloses Erlebnis. »Aus einer Wandnische nahm (Pablo) drei Gläschen und eine kleine drollige Flasche..., schenkte aus der Flasche die drei Gläschen voll, nahm aus der Schachtel drei dünne, lange, gelbe Zigaretten, zog aus der seidenen Jacke ein Feuerzeug und bot uns Feuer an. Jeder von uns... trank in kleinen langsamen Schlucken die ... Flüssigkeit, die in der Tat unendlich belebend und beglückend wirkte, als werde man mit Gas gefüllt und verliere seine Schwere.« Pablo sagt:

»Sie strebten fort von hier, nicht wahr? Sie sehnen sich danach, diese Zeit, diese Welt, diese Wirklichkeit zu verlassen und in eine andere, Ihnen gemäßere Wirklichkeit einzugehen, in eine Welt ohne Zeit... Sie wissen ja, wo diese andere Welt verborgen liegt, daß es die Welt Ihrer eigenen Seele ist, die Sie suchen. Nur in Ihrem eigenen Innern lebt jene andere Wirklichkeit, nach der Sie sich sehnen... Ich kann Ihnen nichts geben, nur die Gelegenheit, den Anstoß, den Schlüssel. Ich helfe Ihnen, Ihre eigene Welt sichtbar zu machen... Mein Theaterchen hat so viele Logentürchen, als ihr wollt, zehn oder hundert oder tausend, und hinter jeder Tür erwartet euch das, was ihr gerade sucht... Ohne Zweifel haben Sie ja längst erraten, daß die Überwindung der Zeit, die Erlösung von der Wirklichkeit, und was immer für Namen Sie Ihrer Sehnsucht geben mögen, nichts andres bedeuten als den Wunsch, Ihrer sogenannten Persönlichkeit ledig zu werden. Sie ist das Gefängnis, in dem Sie sitzen. Und wenn Sie so, wie Sie sind, in das Theater träten, so sähen Sie alles mit den Augen Harrys, alles durch die alte Brille des Steppenwolfes. Sie werden darum eingeladen, sich dieser Brille zu entledigen und diese sehr geehrte Persönlichkeit freundlichst hier in der Garderobe abzugeben, wo sie auf Wunsch jederzeit wieder zu Ihrer Verfügung steht. Der hübsche Tanzabend, den Sie hinter sich haben, der Traktat vom Steppenwolf, schließlich noch das kleine Anregungsmittel, das wir eben zu uns genommen haben, dürfte Sie genügend vorbereitet haben.«

Es scheint klar, daß Hesse ein psychedelisches Erlebnis beschreibt, einen durch Drogen herbeigeführten Verlust des

346

Selbst, eine Reise in die innere Welt. Jede Tür im Magischen Theater trägt eine Aufschrift, die auf endlose Möglichkeiten des Erlebnisses hinweist. Eine Inschrift »Auf zum fröhlichen Jagen! Hochjagd auf Automobile« führt zu einer phantastischen Orgie mechanischer Zerstörung, in der Harry zum wollüstigen Mörder wird. Eine weitere Inschrift lautet: »Anleitung zum Aufbau der Persönlichkeit. Erfolg garantiert« und bezeichnet eine Art Schachspiel, in dem die Figuren Teile der Persönlichkeit sind. Kosmische Psychotherapie. »Wir zeigen demjenigen, der das Auseinanderfallen seines Ichs erlebt hat, daß er die Stücke jederzeit in beliebiger Ordnung neu zusammenstellen und daß er damit eine unendliche Mannigfaltigkeit des Lebensspieles erzielen kann.« Eine andere Inschrift besagt »Alle Mädchen sind dein« und führt Harry in unerschöpfliche sexuelle Phantasien. Die Krise des Steppenwolfes, seine inneren Konflikte, seine Verzweiflung, seine Krankhaftigkeit und unbefriedigte Sehnsucht werden in einem wirbelnden Kaleidoskop der Halluzinationen gelöst. »Ich... wußte alle hunderttausend Figuren des Lebensspiels in meiner Tasche, ahnte erschüttert den Sinn, war gewillt, das Spiel nochmals zu beginnen, seine Qualen nochmals zu kosten, vor seinem Unsinn nochmals zu schaudern, die Hölle meines Innern nochmals und noch oft zu durchwandern. Einmal würde ich das Figurenspiel besser spielen. Einmal würde ich das Lachen lernen. Pablo wartete auf mich. Mozart wartete auf mich.«
So erlebte Harry Haller, der Steppenwolf, seine psychedelische Sitzung und entdeckte statt einer Realität unendliche Realitäten in seinem Gehirn. Er wird aufgenommen in die auserwählte Gruppe derer, die den verbalen Vorhang durchdrungen haben und vorgestoßen sind zu anderen Erscheinungsformen des Bewußtseins. Er ist der elitären Brüderschaft der Illuminati beigetreten.
Und was dann? Wie geht es von da aus weiter? Wie kann die heilige Empfindung der Einheit und Offenbarung erhalten werden? Versinkt man wieder in der schlafwandlerischen Welt mechanischer Leidenschaft, automatischer Handlung, Egoismus? Der schmerzliche Schrei des ehemaligen Bundesmitgliedes H. H.: »Daß fast alle von uns

– und auch ich, auch ich! – uns wieder in die klanglosen Öden der abgestempelten Wirklichkeit verirren würden, so wie Beamte und Ladendiener nach einem Gelage oder Sonntagsausflug sich ernüchtert wieder in den Alltag der Geschäfte ducken!« Diesen Fragen sieht sich jeder gegenüber, der in ein tiefes trans-ego Erlebnis eingegangen ist. Wie können wir die Frische erhalten, wie jede Sekunde des folgenden Lebens erleuchten? Wie können wir die ekstatische Einheit mit anderen erhalten?

Zu allen Zeiten haben sich mystische Gruppen gebildet, um für die soziale Struktur und die Unterstützung der Transzendenz zu sorgen. Der magische Kreis. Diese Kulte, oft geheim, immer von der schlafwandlerischen Mehrheit verfolgt, bewegen sich leise in den hintergründigen Schatten der Geschichte. Das Problem besteht natürlich darin, wieviel Struktur den mystischen Funken umgibt. Ist es zu viel, zu bald, entsteht priesterschaftliches Ritual. Und die Flamme ist verloschen. Ist es zu wenig, geht die erzieherische Funktion verloren; die zwischenmenschliche Einheit löst sich in gasförmige Anarchie auf. Die Bohemiens. Die Rocker. Die einsamen Hochmütigen.

Frei von der Bindung an das Selbst, an soziale Spiele, an anthropomorphen Humanismus, sogar an das Leben selbst kann die erleuchtete Seele die erhöhte Anforderung ertragen, die durch transzendente Erlebnisse freigesetzte Energie stellt. Doch solche Menschen sind in jedem Jahrhundert selten. Wir anderen scheinen Unterstützung auf unserem Weg zu brauchen. Menschen, die dem Pfad psychedelischer Drogen allein folgen wollen, unterschätzen die Macht und die Reichweite des Nervensystems. Vielfältige LSD-Unfälle entstehen daraus: Zusammenbruch, Verwirrung, Größenwahn, Primadonna-Individualismus, unkoordinierte Exzentrität, offene Schurkerei und Rückzug in die Konformität. Solche Zwischenfälle der Droge zuzuschreiben, wäre ebenso sinnlos, als wolle man den nuklearen Vorgang für die Bombe verantwortlich machen. Wäre es nicht richtiger, unsere primitiven Stammestriebe nach persönlicher Macht, Erfolg, Individualismus zu beklagen? Huston Smith hat einmal gesagt, daß von Buddhas achtfachem Pfad der neunte und größte die richtige Gesellschaft ist. Die transpersönliche Gruppe. Die Gemeinschaft der Bewußtseinserweiterung. Umgib dich nach der psychedelischen Sitzung mit Freunden, die dein Ziel teilen, die dich durch ihr Beispiel oder durch vereinigende Liebe emporheben können, die helfen können, die Erleuchtung wieder hervorzurufen.

Die Soziologie der Transzendenz. Hesse behandelt das Problem der transpersönlichen Gemeinschaft am Beispiel vom Bund der Morgenlandfahrer.

»Zu jener Zeit... war unser Volk... manchen Hirngespinsten, aber auch manchen echten Erhebungen der Seele zugänglich, es gab bacchantische Tanzgemeinden und wiedertäuferische Kampfgruppen, es gab dies und jenes, was nach dem Jenseits und nach dem Wunder hinzuweisen schien.«

Es gab auch Gruppen von Wissenschaftlern und Künstlern, die sich mit der Erforschung bewußtseinserweiternder Drogen befaßten. Kurt Beringers Monographie *Der Meskalinrausch* beschreibt einige wissenschaftliche Experimente und ihre schöpferischen Anwendungen. René Daumals Roman *Le Mont Analogue* ist der symbolische Bericht einer ähnlichen Bundesreise in Frankreich. Die Teilnehmer experimentierten großzügig mit Drogen wie Haschisch, Meskalin und Kohlentetrachlorid.

Hesse nennt in seinen Schriften niemals ausdrücklich irgendwelche Drogen, doch die zuvor zitierten Passagen aus dem *Steppenwolf* sprechen ziemlich eindeutig davon, daß eine Chemikalie eine Rolle spielte und daß sie in einem recht direkten Zusammenhang mit dem folgenden Erlebnis stand. Jetzt, nach seiner ersten Erleuchtung, erzählt H. H. in der *Morgenlandfahrt* von weiteren Besuchen im Magischen Theater.

»Wir wanderten ja nicht nur durch Räume, sondern ganz ebenso durch Zeiten. Wir zogen nach Morgenland, wir zogen aber auch ins Mittelalter oder ins goldene Zeitalter, wir streiften Italien oder die Schweiz, wir nächtigten aber auch zuweilen im zehnten Jahrhundert und wohnten bei den Patriarchen oder bei Feen. In den Zeiten meines Alleinbleibens fand ich häufig Gegenden und Menschen meiner eigenen Vergangenheit wieder, wanderte mit meiner gewesenen Braut an den Waldufern des oberen Rheins, zechte mit Jugendfreunden in Tübingen, in Basel oder Florenz, oder war ein Knabe und zog mit den Kameraden meiner Schulzeit aus, um Schmetterlinge zu fangen oder einen Fischotter zu belauschen, oder meine Gesellschaft bestand aus den Lieblingsfiguren meiner Bücher...; denn unser Ziel war ja nicht nur das Morgenland, oder vielmehr: unser Morgenland war ja nicht nur ein Land und etwas Geographisches, sondern es war die Heimat und Jugend der Seele, es war das Überall und Nirgends, war das Einswerden aller Zeiten.«

Später wird die Verbindung zwischen der Befreiung des Steppenwolfs durch die Droge und den Bund deutlicher: »Wenn etwas Köstliches und Unwiederbringliches dahin ist, dann haben wir wohl das Gefühl, aus einem Traum erwacht zu sein. In meinem Falle ist dies Gefühl unheimlich richtig. Denn mein Glück bestand tatsächlich aus dem gleichen Geheimnis wie das Glück der Träume, es bestand aus der Freiheit, alles Erdenkliche gleichzeitig zu erleben, Außen und Innen spielend zu vertauschen, Zeit und Raum wie Kulissen zu verschieben.«

Stets bleibt Hesse der Esoteriker, doch scheint wenig Zweifel daran zu bestehen, daß unter der Oberfläche seiner östlichen Allegorie die Geschichte einer psychedelischen Brüderschaft aus dem wirklichen Leben schwelt. Die visionären Erlebnisse, die er in der *Morgenlandfahrt* beschreibt, werden durch Örtlichkeiten und Namen der Teilnehmer identifiziert.

»Und immer wieder, in Schwaben, am Bodensee, in der Schweiz und überall, begegneten uns Menschen, die uns verstanden oder die uns doch auf irgendeine Weise dafür dankbar waren, daß es uns und unsern Bund und unsre Morgenlandfahrt gab. Wir haben, mitten zwischen den Trambahnen und Bankhäusern von Zürich, die Arche Noah angetroffen, bewacht von mehreren alten Hunden, welche alle den gleichen Rufnamen hatten, und tapfer durch die Untiefen einer nüchternen Zeit gesteuert von Hans C., dem Nachkommen der Noachide, dem Freund der Künste.«

Hans C. Bodmer ist Hesses Freund, dem das Buch ge-

350

widmet ist und der später für Hesse das Haus in Montagnola baute. Zu jener Zeit lebte er in Zürich in einem Haus, das die Arche genannt wurde.

Die Namen der Künstler und Schriftsteller, die in der *Morgenlandfahrt* vorkommen, sind alle entweder die richtigen Namen wirklicher historischer Persönlichkeiten oder unmittelbar von ihnen abgeleitet. Lauscher, Klingsor, Paul Klee, Ninon (Hesses Frau), Hugo Wolf, Brentano, Lindhorst usw. In anderen Worten: Es erscheint wahrscheinlich, daß die beschriebenen Szenen auf den wirklichen Erlebnissen einer engen Freundesgruppe beruhen, die sich in ihren Wohnungen in Süddeutschland und der Schweiz trafen und gemeinsam zu dem reisten, was »nicht nur ein Land und etwas Geographisches war, sondern die Heimat und Jugend der Seele, es war das Überall und Nirgends, war das Einswerden aller Zeiten«.

So liegen die Indizien nahe, daß in einem Augenblick der »historischen Wirklichkeit« ein Schriftsteller namens Hermann Hesse und seine Freunde gemeinsam durch die grenzenlosen Schauspiele des erweiterten Bewußtseins wanderten, hinunter in die evolutionären Archive. Dann verliert H. H. offenbar die Verbindung, schlüpft zurück in seinen Verstand und seine egozentrische Perspektive. Er ist aus dem Lebensstrom in die automatische Rationalität gestolpert. H. H. will ein Autor werden, will die Geschichte seines Lebens in Worte umbilden. »Die Geschichte dieses Bundes hatte ich Einfältiger schreiben wollen, ich, der ich von diesen Millionen Schriften, Büchern, Bildern, Zeichen des Archivs kein Tausendstel zu entziffern oder gar zu begreifen vermochte!« Archive? Die kortikale Bibliothek? Was also war, ist der Bund? Ist er die esoterische Gesellschaft mit einem in Gold gekleideten Präsidenten, Leo, dem Bereiter von Salben und Kräutertränken, und einem Sprecher, einem hohen Thron und einer ausgedehnten Ratshalle? Das alles ist nichts als exoterisches Beiwerk. Ist der Bund nicht vielmehr der »Zug der Gläubigen und sich Hingebenden nach dem Osten, nach der Heimat des Lichts, unaufhörlich und ewig...?« Der ewige Strom des Lebens, der sich immerzu ausbreitet? Die Einheit des evolutionären Prozesses, die zu leicht durch Illusionen der

Individualität zerteilt und eingefroren wird? »Ein sehr langsamens, sanftes, aber ununterbrochenes Fließen oder Schmelzen... Mit der Zeit, so schien es, würden alle Substanzen aus dem einen Bilde in das andre hinüberrinnen und nur ein einziges übrigbleiben...«

Viele, die durch ein psychedelisches oder spontanes mystisches Erlebnis in direkte Berührung mit dem Lebensprozeß gekommen sind, ertappen sich bei der Sehnsucht nach einer sozialen Struktur. Irgendeine äußerliche Form, die den transzendenten Erlebnissen gerecht wird.

Wieder versorgt uns Hermann Hesse mit esoterischen Unterweisungen. Schau nach innen. Der Bund ist innen. Genau wie das zwei Billionen Jahre alte historische Archiv, dein Gehirn. Spiele es aus bei denen, die mit dir tanzen, aber denke daran: Die äußerlichen, differenzierenden Formen sind illusionär. Die Vereinigung ist innerlich. Der Bund ist zu allen Zeiten in dir und um dich...

Die Kritiker erzählen uns, Hesse sei ein meisterhafter Romancier. Nun, vielleicht. Doch der Roman ist ein soziales Modell, und das Soziale in Hesse ist exoterisch. Auf einer anderen Ebene ist Hesse der Meisterführer zum psychedelischen Erlebnis und seiner Anwendung. Vor deiner LSD-Sitzung solltest du *Siddhartha* und *Steppenwolf* lesen. Der letzte Teil des *Steppenwolfs* ist ein unschätzbares Lehrbuch.

Dann, wenn du vor dem Problem stehst, deine Visionen mit der Plastikpuppen-Routine deines Lebens in Einklang zu bringen, solltest du die *Morgenlandfahrt* studieren. Suche dir einen magischen Zirkel. Bundesmitglieder warten überall auf dich. Bei größerer psychedelischer Erfahrung wirst du dich mit dem Problem der Sprache und Kommunikation auseinandersetzen, und deine Gedanken und Taten werden sich in ihrer schöpferischen Verflechtung vervielfachen, wenn du mit den interfakultativen Symbolen, den vielstufigen Metaphern zu spielen lernst. *Das Glasperlenspiel.*

Doch stets, so mahnt Hesse, sollst du nah am inneren Kern bleiben. Die mystischen Formeln, der Bund, das verblüffend reichhaltige intellektuelle Potential sind tödliche Fußangeln, wenn die innere Flamme nicht weiterbrennt. Die Flamme ist natürlich immer da, innen und außen, sie umgibt uns und hält uns am Leben. Unsere einzige Aufgabe ist es, auf sie eingestimmt zu sein.

*Gebrauchte Hesse bewußtseinsverändernde Drogen?*
Obgleich die Argumentation des vorausgegangenen Kommentars nicht von der Antwort auf diese Frage abhängt, gibt es in Hesses Schriften genügend Hinweise, um die Angelegenheit historisch und literarisch interessant zu machen. Zu jener Zeit, in der Hesse schrieb, wurden in Deutschland beachtliche Meskalin-Untersuchungen unternommen. In seinem Buch *Der Meskalinrausch* berichtet Kurt Beringer darüber. Beachtliches Material wurde auch in Heinrich Klüvers Monographie *Mescal* analysiert, dem ersten in Englisch veröffentlichten Buch über Meskalin.
In Beantwortung unserer Anfrage schrieb Professor Klüver, der heute an der Universität von Chicago lehrt:
»Nach meinem Wissen nahm Hermann Hesse nie Meskalin (ich habe diese Frage einmal in der Schweiz ins Gespräch gebracht). Ich weiß nicht, ob er überhaupt über die Meskalin-Experimente unter der Leitung von Beringer in Heidelberg unterrichtet war. Sicher wissen Sie, daß Hesse (und seine Familie) mit der Welt und den Gedanken Indiens innig vertraut war. Das hat zweifellos viele Episoden in seinen Büchern gefärbt.«

(1963)

*Aus dem Amerikanischen übersetzt von Irmela Brender*


*Theodore Ziolkowski*
*Hermann Hesses »Steppenwolf«*
*Eine Sonate in Prosa*


Als Hesses »Steppenwolf« im Jahre 1927 erschien, wurde er sowohl von den Kritikern als auch vom allgemeinen Leserpublikum derart angefeindet, daß der Autor sich gezwungen sah, sein Buch viele Male in Briefen an Freunde und Leser zu verteidigen. Immer wieder betonte er, daß der Roman keineswegs eine Absage an die positiven Werte darstelle, die er in Leben und Schreiben immer vertreten hatte, und wiederholt wies er darauf hin, daß das Buch eine Perfektion im Aufbau vorweise, die durchaus derjenigen seiner anderen Werke gleichkomme, wenn nicht diese sogar noch übertreffe.

Die neuere Forschung hat Hesses Anspruch, der Roman passe sich organisch seiner ganzen Haltung an und stelle in keiner Hinsicht eine Abkehr von seinem früheren Anliegen dar, als richtig bewiesen. Aber wenig oder so gut wie nichts wurde unternommen, um aufzuzeigen, daß sein Beharren auf der formalen Qualität des Buches berechtigt ist.

Unter den vielen Äußerungen, in welchen Hesse gegen die Kritik der Formlosigkeit in seinem Roman angeht, ist die nachfolgende eine der interessantesten: »Rein künstlerisch ist der ›Steppenwolf‹ mindestens so gut wie ›Goldmund‹, er ist um das Intermezzo des Traktats herum so streng und straff gebaut wie eine Sonate und greift sein Thema reinlich an.«[1]

Die gegenwärtige Strukturanalyse des Romans kann mit Hesses eigener Vorstellung der Analogie zur Sonate beginnen, im Augenblick aber ist es wohl angebracht, diese Analogie ganz allgemein einfach als Gleichnis einer fest umrissenen Form anzusehen. Es wird unsere Aufgabe sein, herauszufinden, ob überhaupt, und wenn, in welcher Hinsicht Hesse berechtigt war, seinen Roman mit einer Form zu vergleichen, die der höchsten musikalischen Struktur entspricht.

Verwirrend ist beim ersten Lesen des »Steppenwolf« der offensichtliche Mangel an äußerem Aufbau: zum Beispiel das Fehlen der üblichen Einteilung in Abschnitte und Kapitel. Statt dessen werden wir mit der kontinuierlichen Anhäufung einer Phantasmagorie von Ereignissen konfrontiert, die durch ein scheinbar unpassendes Dokument unterbrochen wird, genannt »Tractat vom Steppenwolf«, und eingeleitet ist durch die Beobachtungen einer Nebenperson, die in der Geschichte wieder erscheint. Aber wenn wir nach dem inneren Aufbau suchen, so erkennen wir, daß das Buch wie selbstverständlich in drei Hauptabschnitte zerfällt: Einleitungsteil, eigentliche Handlung und das sogenannte »Magische Theater«.

1 Hermann Hesse, Briefe (Berlin, 1951), S. 34.

354

Der Einleitungsteil wiederum hat drei Unterteilungen: Einführung, Anfang des eigentlichen Buches und der »Tractat«. Diese drei Unterteilungen sind nicht unmittelbar mit der Handlung oder dem Fortgang des Romanes verknüpft. Sie haben alle einleitenden Charakter. Diese Tatsache unterscheidet sie vom zweiten und längsten Teil des Buches, der die Geschichte erzählt und der als einziger der drei Hauptabschnitte eine Form, analog zur Struktur des konventionellen Romans, aufweist. Hier wird die Handlung, die sich, grob gerechnet, in etwa einem Monat abspielt, erzählt, und im wesentlichen als geradlinige Erzählung. Der dritte Hauptabschnitt schließlich steht aufgrund seiner phantastischen Komponenten abgesondert vom überwiegenden Teil des Romans: er gehört, genau genommen, zur Handlung des Romans, da er eine Situation schildert, die sich in den frühen Morgenstunden nach der Schlußszene der Erzählung abspielt, und dafür gibt es keinerlei technische Kategorie. Aber die bewußte Absage an jede Art von Realität trennt diesen Abschnitt von der wirklichkeitsnahen Erzählung des zweiten Teils.

Wenn wir von diesen groben Umrissen ausgehen, können wir eine Ordnung in das Werk bringen. Die Einleitung ist von einem jungen Mann geschrieben, den wir als typischen Bourgeois erkennen, sowohl aufgrund seiner eigenen Bemerkungen, als auch durch den kurzen Hinweis, den das Buch selbst über ihn gibt. Die Funktion dieser Einführung ist eine zweifache: Erklärung der Umstände, die zur Publikation des Buches geführt haben, und Beschreibung der Hauptperson aus dem Blickfeld eines typischen »Bürgers«. Der junge Mann ist der Neffe jener Frau, bei welcher ein gewisser Harry Haller nach seiner Ankunft in der (ungenannten) Stadt ein Zimmer und eine Schlafkammer mietet. Der Zeitpunkt von Hallers Einzug in das Haus wird als mehrere Jahre vor der Niederschrift der Einführung angegeben, und es wird erwähnt, daß Haller neun oder zehn Monate dort wohnte. Fast ständig hielt sich der seltsame Mieter ruhig in seinen Räumen auf, umgeben von Büchern, leeren Weinflaschen und überfüllten Aschenbechern. Jedoch ging gegen Ende des Aufenthaltes eine tiefe Veränderung in Auftreten und äußerer Erscheinung in ihm vor, auf welche

355

dann eine Zeitspanne äußerster Depression folgte. Kurz darauf reiste er ab, ohne sich zu verabschieden, und hinterließ nichts als ein Manuskript; der junge Mann beschließt, dieses als »ein Dokument der Zeit« zu veröffentlichen, denn im nachhinein erkennt er, daß Hallers Leiden symptomatisch für die Zeit war und nicht einfach die Krankheit eines einzelnen.

Aber wichtiger noch als diese Information über die äußeren Umstände ist die Charakterisierung von Haller, die wir aus der Sicht eines jungen Mitgliedes der Bourgeoisie erhalten, noch bevor wir ihm selbst in seinen eigenen Aufzeichnungen begegnen. Der Herausgeber ist, wie er selbst eingesteht, »ein bürgerlicher, regelmäßig lebender Mensch, an Arbeit und genaue Zeiteinteilung gewohnt«; er trinkt nichts Stärkeres als Mineralwasser und verabscheut Tabak; Konfrontation mit Krankheit, sei diese nun physisch oder geistig, ist ihm unbehaglich; und er neigt dazu, alles verdächtig zu finden, was sich nicht mit den Gegebenheiten einer durchschnittlichen Existenz, wie er sie kennt, in Zusammenhang bringen läßt. Haller verletzt all diese wunden Punkte und noch viele andere. Der Herausgeber gibt unumwunden zu, daß Haller in keinerlei Hinsicht ein Mensch war, der in seine Vorstellungen hineinpaßte: »Ich ... fühle mich durch ihn, durch die bloße Existenz eines solchen Wesens, im Grunde gestört und beunruhigt, obwohl er mir geradezu lieb geworden ist.«

Aber trotz seiner bürgerlichen Begrenztheit wird der junge Mann als intelligenter und zuverlässiger Beobachter dargestellt. Seine Zuneigung und Anteilnahme ermöglichen es ihm, den Konflikt, durch den Haller aufgerieben wird, zu erkennen:

»In dieser Periode kam mir mehr und mehr zum Bewußtsein, daß die Krankheit dieses Leidenden nicht auf irgendwelchen Mängeln seiner Natur beruhe, sondern im Gegenteil nur auf dem nicht zur Harmonie gelangten großen Reichtum seiner Gaben und Kräfte«.

Er erwähnt zum ersten Mal im Verlauf der Handlung die entscheidende Zweiteilung in Steppenwolf und Bürger, die Haller selbst als die beiden Pole seiner Person bezeichnet. Die Einleitung gibt also die beiden in Konflikt miteinander

356

stehenden Themen an und beschreibt Haller unter beiden Aspekten, ohne jedoch ihre volle Tragweite zu verstehen. Der junge Mann erzählt die Fakten aus Hallers Leben, ohne ihnen die Bedeutung zuzuschreiben, die sie in Hallers Innerem annehmen.

Die Anfangsseiten des eigentlichen Manuskripts beschreiben eingehend einen typischen Abend im Leben des 48jährigen Literaten Harry Haller. In wehleidigen Worten umreißt er seine Anschauungen, seinen Glauben und seine Ziele, seine verfehlte Existenz bis zum gegenwärtigen Zeitpunkt. Er stellt praktisch parallel zur Einleitung die Kommentare, und in vielen Fällen sind die genannten Ereignisse beider Abschnitte identisch. Aber Hallers Bemerkungen liegen auf einer anderen Ebene: während die Einleitung ihn äußerlich, vom bürgerlichen Standpunkt aus, angeht, begegnen wir ihm nun von der psychologischen Seite her im Nachdenken über sich selbst und spüren die ganze Auswirkung seiner ambivalenten Haltung gegenüber der Bourgeoisie. Er weiß genau, daß er außerhalb der normalen Gesellschaft steht und das Leben eines einsamen Wolfes führt, immer an der Grenze des Menschseins. Aber dennoch ist er von einem beständigen Verlangen nach allem, was er aufgegeben hat, besessen:

»Ich weiß nicht, wie das zugeht, aber ich, der heimatlose Steppenwolf und einsame Hasser der kleinbürgerlichen Welt, ich wohne immerzu in richtigen Bürgerhäusern, das ist eine alte Sentimentalität von mir. Ich wohne weder in Palästen noch in Proletarierhäusern, sondern ausgerechnet stets in diesen hochanständigen, hochlangweiligen, tadellos gehaltenen Kleinbürgernestern ... Ich liebe diese Atmosphäre ohne Zweifel aus meinen Kinderzeiten her, und meine heimliche Sehnsucht nach so etwas wie Heimat führt mich, hoffnungslos, immer wieder diese alten dumme Wege.«

Während eines Abendspazierganges, bei dem Haller über sein Leben und dessen Wert nachdenkt, wird dieser Konflikt an vielen Beispielen erhellt.

Seine Grübeleien erfahren eine Unterbrechung durch den Einschub des »Tractats«, einer Broschüre, die Haller auf seinem Spaziergang erhält und die er zum Lesen mit nach

357

Hause nimmt. Da dem »Tractat« innerhalb des Romans eine zentrale Bedeutung zukommt, ist es notwendig, uns kurz zu vergegenwärtigen, wie er in Hallers Hände gelangt. Als er an diesem Abend eine ihm wohlbekannte Straße entlanggeht, bemerkt er einen Torweg an einer Mauer, der ihm bis dahin nie aufgefallen war. Über der Tür ist ein Plakat angebracht, auf welchem er die tanzenden, kaum leserlichen Worte

Magisches Theater
Eintritt nicht für jedermann
– nicht für jedermann

mit Mühe entziffert.
Beim Nähertreten lösen sich die beweglichen Worte ganz auf, aber flüchtig erkennt er noch ein paar Buchstaben, die über den nassen Asphalt zu hüpfen scheinen »Nur-für-Verrückte!« Nach einer Weile geht Haller dann weiter zu seinem Wirtshaus, immer noch nachsinnend über die Bedeutung der wunderlichen Buchstaben, die er gesehen oder sich vorgestellt hatte. Die Neugierde treibt ihn später in der Nacht den gleichen Weg zurück, und er findet sowohl das Tor als auch die Schrift nicht mehr wieder. Dann aber taucht aus einer der Seitenstraßen ein Mann auf, der sich müde dahinschleppt und ein Plakat trägt. Haller ruft ihn an und bittet ihn, das Plakat zu zeigen. Wieder unterscheidet er »tanzende, taumelnde Buchstaben«:

Anarchistische Abendunterhaltung
Magisches Theater
Eintritt nicht für jed . . .

Aber als er auf den Mann zugeht und weitere Information erhalten will, murmelt der etwas Unverständliches, überreicht ihm ein kleines Büchlein und verschwindet im Torweg. Bei seiner Ankunft zu Hause sieht Haller, daß das Pamphlet den Titel »Tractat vom Steppenwolf« trägt. An dieser Stelle folgt dann der entsprechende Text.
Dieser »Tractat« gibt, wie Haller zu seinem Erstaunen liest, noch eine dritte Beschreibung von Harry Haller, dem Steppenwolf. Während die erste die objektiven aber oberfläch-

358

lichen Eindrücke eines typischen Bürgers wiedergab und die zweite die subjektiven Interpretationen des Betroffenen selber, ist diese dritte Schilderung die Beobachtung von einer höheren Intelligenzstufe aus, die ermöglicht, Haller »sub specie aeternitatis« zu sehen.

Der »Tractat« unterscheidet im wesentlichen drei verschiedene Menschentypen, die jeweils nach dem Grad ihrer Individuation differenziert sind. Die außerordentliche Kosmologie, die hier entwickelt wird, kann man sich vorstellen durch die Analogie von einer Kugel auf einer Achse, deren Pole die beiden entgegengesetzten Begriffe von Natur und Geist repräsentieren. Der Mittelpunkt der Kugel als die Stelle, die von allen Extremen am weitesten entfernt ist, entspricht dem bürgerlichen Ich; die kosmischen Bereiche außerhalb der Kugel werden von den »tragischen Naturen« oder »Unsterblichen« bewohnt, die den engen bürgerlichen Begriff der Ichbezogenheit überwunden haben und durch ihren Glauben an die grundsätzliche Einheit allen Lebens in das All ausbrechen konnten. Sie sind sich der Tatsache bewußt, daß die höchste Stufe der Existenz im Erkennen und Bejahen aller Erscheinungsformen des Lebens besteht, und diese Haltung fordert ein Hinausgehen über das eigene Ich im bürgerlichen Sinn. Um dieses »Ich« aufrechterhalten zu können, muß der Bürger jedem Impuls, sich in Extreme zu verlieren, widerstehen: er darf nach keinem der beiden Pole hin tendieren; weder Schurke noch Heiliger sein. Zudem nimmt der Bürger einen ganz fest umrissenen Standpunkt gegenüber der Welt ein, um seine Position der Mitte aufrechtzuerhalten, und auf diesen bezogen, müssen gewisse polare Gegenüberstellungen als böse verurteilt werden.

Daher muß der Bürger, dessen spezifische Art zu leben äußerster Weltgeordnetheit bedarf, das entgegengesetzte Extrem von Ungeordnetheit oder Chaos verdammen. Die Unsterblichen dagegen anerkennen das Chaos als natürlichen Zustand des Lebens, denn sie bewegen sich in einem Bereich, wo alle Polarität aufgehört hat und jede Manifestation des Lebens als notwendig und gut angenommen wird. In ihren Augen existiert die Polarität von Natur und Geist gar nicht, denn ihre Sicht der Welt ist umfassend genug, all die scheinbar entgegengesetzten Extreme des begrenzten bürgerlichen Blickfeldes zu vereinbaren.[1]

Verkörpern die Unsterblichen und der Bürger die beiden äußersten Pole von Hesses Skala der Individuation, so steht der Steppenwolf auf einer besonders ausgeprägten und ungewöhnlichen Stufe dazwischen:

»Prüfen wir daraufhin die Seele des Steppenwolfes, so stellt er sich dar als ein Mensch, den schon sein hoher Grad von Individuation zum Nichtbürger bestimmt – denn alle hochgetriebene Individuation kehrt sich gegen das Ich und neigt wieder zu dessen Zerstörung.«

Aber nicht jeder Mensch mit einer derartigen Veranlagung ist stark genug, über das »principium individuationis« ganz hinauszugelangen: viele sind dazu bestimmt, in der Welt des Bürgers auszuhalten, trotz ihrer Sehnsucht nach dem Kosmischen. Wenn wir diese Gegebenheit auf das Bild der Kugel übertragen, dann müssen wir uns den Steppenwolf auf einem Planeten innerhalb der Kugel vorstellen, ständig nahe an der Oberfläche, aber unfähig, länger als für einen flüchtigen, quälenden Augenblick in das All durchzustoßen. Die Tatsache, daß er keinem Bereich voll und ganz zugehört, erklärt die Unzufriedenheit des Steppenwolf mit seinem Leben und zeigt an, warum Haller, um es kurz zu formulieren, keine ihm gemäße Lösung seines Dilemmas finden kann und oft an den Selbstmord denkt. Der »Tractat« wird fortgeführt mit dem Hinweis, daß allein der Humor[2] dem Steppenwolf ermöglichen könne, in einer Welt, deren Werte er verachtet, ausgeglichen zu leben:

»In der Welt zu leben, als sei es nicht die Welt, das Gesetz zu achten und doch über ihm zu stehen, zu besitzen, ›als besäße man nicht‹, zu verzichten, als sei es kein Verzicht – alle diese beliebten und oft formulierten Forderungen einer hohen Weisheit ist einzig der Humor zu verwirklichen fähig.«

1 Dieser Begriff von Chaos wird ausführlicher abgehandelt in Hesses Aufsätzen unter dem Titel »Blick ins Chaos« (1920).
2 Es ist auf den ersten Blick klar, daß die Haltung, die Hesse hier als »Humor« bezeichnet, identisch ist mit der »Romantischen Ironie«. Besonders interessant ist, daß auch Novalis schon den Ausdruck »Humor« gebraucht hat; »Blütenstaub«, S. 29.

Aber Humor in diesem Sinne ist nur möglich, wenn das Individuum die Konflikte in seinem Inneren gelöst hat, und diese Lösung ist ein Ergebnis von Selbsterkenntnis. Das Ziel zu erreichen, erwähnt der »Tractat« drei Möglichkeiten für Haller:

»Möglich, daß er eines Tages sich erkennen lernt, sei es, daß er einen unsrer kleinen Spiegel in die Hand bekomme, sei es, daß er den Unsterblichen begegne oder vielleicht in einem unsrer magischen Theater dasjenige finde, wessen er zur Befreiung seiner verwahrlosesten Seele bedarf.«

Hier schlägt der »Tractat« eine Aussöhnung der im Widerstreit liegenden Themen vor, die wir besprochen haben. Wenn Harry Haller zu wirklicher Einsicht in das Chaos seines Inneren gelangen kann mit Hilfe einer der vorgeschlagenen Möglichkeiten, dann wird er fähig sein, glücklich innerhalb der Welt zu leben oder sogar »den Sprung ins Weltall« zu wagen – um zu den Unsterblichen zu zählen. Der letzte Abschnitt des »Tractat« jedoch erklärt, daß dies eine viel schwierigere Aufgabe sei, als Harry sich vorgestellt hatte, denn ein Mensch wie er besteht nicht nur aus den beiden in Konflikt liegenden Polen, die er genannt hatte, sondern sicher aus Tausenden von divergierenden Anlagen, die erkannt werden müssen.

Es wird klar, daß der »Tractat« wahrscheinlich von den Unsterblichen verfaßt worden ist, denn niemand außer ihnen könnte diese überschauende und umfassende Weltbetrachtung haben. Wenn wir an dieser Stelle innehalten, um die Einleitung des Romans zu beachten, scheint sich eine Struktur abzuzeichnen. Die drei Abschnitte (Einführung, Anfangsseiten des Manuskripts und »Tractat«) zeigen drei Perspektiven der Konflikte in Hallers Innerem, jeweils verarbeitet aus den drei Gesichtspunkten des theoretischen Gerüsts Bürger–Steppenwolf–Unsterbliche. Die Einführung behandelt die beiden Themen theoretisch; der zweite Abschnitt bringt die Verarbeitung, in welcher die Signifikanz der Themen für Hallers Leben interpretiert wird; und der »Tractat« greift die Themen ebenfalls theoretisch wieder auf und weist auf eine Lösung des Konflikts hin. Dieses Schema aber, Exposition-Durchführung-Reprise, kann man in jedem musiktheoretischen Buch unter der Überschrift »Sona-

361

tenform« oder »Sonatensatz« finden, denn es entspricht dem klassischen Aufbau des ersten Satzes der Sonate. Die Fachausdrücke »Sonate« und »Sonatenform« sind zwei der verwirrendsten Bezeichnungen in der Musiktheorie, denn die letztere bezieht sich nicht auf die Form der ersteren. Sonate ist die Gattungsbezeichnung für jede größere Komposition mit einem bis zu vier Sätzen, von denen wiederum einer (gewöhnlich der erste) in »Sonatenform« sein muß. Wenn die Komposition für Klavier geschrieben ist, handelt es sich um eine Klaviersonate; wenn für Orchester, dann nennt man sie Symphonie; und so weiter. Der Begriff, der uns hier interessiert, nämlich der der »Sonatenform«, bezieht sich nur auf den Aufbau des ersten Satzes. Die Exposition stellt zwei Themen auf, eins in der Tonika, das andere in der Dominante; danach folgt die Durchführung, in welcher die Möglichkeiten dieser Themen ausgearbeitet werden; und die Reprise nimmt die Themen der Exposition wieder auf, diesmal aber beide in der Tonika; der Konflikt ist gelöst.

Im Roman liegen die unterschiedlichen Tonarten annähernd in den konstrastierenden Verhaltensweisen Harry Hallers als Steppenwolf einerseits und als Bürger andererseits: die erste steht sozusagen für die Tonika, die zweite für die Dominante. Der A-B-A-Aufbau der Sonate, der gewöhnlich durch die Wiederholung der Exposition in der Reprise erreicht wird, ist von Hesse insofern nachvollzogen, als daß Exposition und Reprise Betrachtungen über Haller sind, die von außen angestellt werden und weitgehend theoretisch bleiben; das verleiht ihnen den Charakter der Zusammengehörigkeit. Die Durchführung jedoch unterscheidet sich von ihnen in Ton und Stil, da sie von Haller selbst geschrieben ist und die praktische Bedeutung beider Themen in seinem eigenen Leben betont. Die Auflösung von Tonika und Dominante in der Reprise ist eine eindeutige Parallele zur vorgeschlagenen Aussöhnung von Steppenwolf und Bürger in Harry Haller. In Anbetracht dieser ziemlich genauen Entsprechung von der musikalischen Form und dem ersten Teil des »Steppenwolf« kann man nahezu ohne Bedenken behaupten, daß der einleitende Teil des Romans die Form eines »Sonatensatzes« aufweist. Und da Hesse

362

diese Analogie selbst gewählt hat, ist es sicher nicht unangebracht, den Aufbau als einen ganz bewußten zu bezeichnen.

## II

Den zweiten und längsten Teil des »Steppenwolf« könnte man Harry Hallers »Lehrjahre« nennen, und es ist interessant zu verfolgen, daß die Verben »lernen« und »lehren« tatsächlich ständig in diesem Abschnitt des Buches auftauchen. Hier lernt Haller, viele Facetten des Lebens anzuerkennen, die er bestimmter Hemmungen wegen vorher von sich gewiesen hatte; zu seinem Erstaunen entdeckt er, daß die Pole in ihm nicht so unvereinbar sind, wie er sich vorgestellt hatte. Diese Phase in Hallers Erziehung ist ziemlich elementar: sie ist auf der Stufe des Alltagslebens eine Vorbereitung und bewußte Vorwegnahme des mehr metaphysischen Bereiches im Magischen Theater.

Das Motiv von »Zufall« und »Schicksal«, wie es in »Wilhelm Meisters Lehrjahre« vorkommt, verleiht den Anfangsereignissen der Entwirrung eine Atmosphäre von Vorherbestimmung, und dies ist offensichtlich eine Folge doppelter Wahrnehmungsfähigkeit. Eines Tages sieht Haller zufällig einen Mann, der dem Plakat-Träger seines kürzlichen Erlebnisses ähnelt. Mit einem verschwörerischen Zwinkern fragt Haller ihn, ob heute keine Abendunterhaltung sei: »›Abendunterhaltung‹, brummte der Mann und sah mir fremd ins Gesicht. ›Gehen Sie in den Schwarzen Adler, Mensch, wenn Sie Bedürfnisse haben!‹.« Der wiederholte Gebrauch des Wortes »schien« in Verbindung mit solchen Vorfällen zeigt klar, daß Haller nicht mit demselben Mann wie vorher zu tun hat. Außerdem ist es reiner Zufall, daß der sture Bürger entrüstet auf die falsch verstandene Frage antwortet und Haller dazu rät, in eine offensichtlich bekannte Prostituiertenkneipe zu gehen, wenn er seine Bedürfnisse befriedigen wolle. Es ist gleichfalls ein Zufall (oder Vorherbestimmung?), was Haller an diesem Abend gerade jenes Nachtlokal finden läßt, in welchem er Hermine begegnet, seiner zukünftigen Lehrmeisterin während dieser »Lehrjahre«.

Der ganze erste Tag der Handlung führt eine Anhäufung unmöglicher Situationen auf, die Haller an den Punkt des

363

Selbstmordes bringen. Ein Vorfall nach dem anderen überzeugt ihn davon, daß sein Leben unerträglich geworden ist.
Der Themenkonflikt, der im Vorhergegangenen gezeigt
wurde, steigert sich im Lauf des ersten Tages zu einer unerträglichen Misere. Spät in der Nacht zieht Haller müde von
Bar zu Bar, fest entschlossen, seinem verfahrenen Dasein ein
Ende zu machen, aber dennoch zögernd, nach Hause zu
gehen und es auch wirklich zu tun. Dann plötzlich steht er
vor dem Wirtshaus »Zum schwarzen Adler«, und da er
sich an den Namen vom vergangenen Morgen erinnert, geht
er hinein.

Im Zusammenhang des Buches wird deutlich, daß Hermine eine high-class Prostituierte oder Call-Girl ist; sie
spricht den umherirrenden Haller in vertraulichem, herz-
lichen Ton an, der keinerlei tiefe metaphysische Tragweite
hat (wie einige Germanisten annehmen), sondern einfach in ihrem Beruf üblich ist. Sie erkennt sofort, daß er
müde, niedergeschlagen und betrunken ist; wie jede Frau
mit ein wenig Einfühlungsvermögen es tun würde, rät sie
ihm, sich erst einmal auszuschlafen. Haller, betrunken wie
er ist und froh darüber, den Selbstmord noch hinausschie-
ben zu können, so lange es eben möglich ist, gehorcht ihr
gerne. Er glaubt, ihr sofortiges Verstehen seiner Lage sei
etwas Außergewöhnliches. Tatsächlich jedoch, das wird jedem Leser auffallen, kann man die meisten von Hermines
Äußerungen, wie die des Orakels von Delphi, auf zweierlei
Art interpretieren. In dem angegebenen Fall sagt Hermine
genau das, was man von einer Prostituierten, die langjäh-
rige Erfahrung im Umgang mit Betrunkenen und im Bemut-
tern von Selbstmördern hat, erwarten würde. Nur Hallers
einsame und verzweifelte Lage bedingt, daß er ihren gelegentlichen Bemerkungen irgendeine höhere Bedeutung zuschreibt.

Hermine, die sich aufrichtig für Haller zu interessieren beginnt, macht auf den naiven Intellektuellen einen ungeheuren Eindruck. In seinen Augen vertritt sie eine vollkommen neue Möglichkeit für sein Leben – eine, welcher er
bis dahin nur mit Mißtrauen begegnet war. Seine Erfahrungen mit ihr muß man ständig von zwei verschiedenen
Wahrnehmungsstufen aus betrachten. Auf der einen Seite

364

wird die ganze Episode bereits im »Tractat« vorweggenommen, wo, als Beispiel für Hallers Doppelnatur und seine bürgerliche Begrenztheit, seine Haltung Prostituierten gegenüber zitiert wird:

»Außerdem war er in kleinbürgerlicher Erziehung aufgewachsen und hatte von dorther eine Menge von Begriffen und Schablonen beibehalten. Er hatte theoretisch nicht das mindeste gegen das Dirnentum, wäre aber unfähig gewesen, persönlich eine Dirne ernst zu nehmen und wirklich als seinesgleichen zu betrachten.«

Doch wenn er diese bürgerlichen Hemmungen überwinden will, muß er seine Seele so erweitern, daß sie alle Lebensbereiche wieder zu umfassen vermag. Hermine stellt dazu die erste Prüfung dar: auf einer höheren Interpretationsstufe ist Hallers Jasagen zu ihr und ihrer Welt – Tanz und Jazz, den Liebesorgien von Pablo und Maria, Rauschmittel und elementare Lebenslust – nur symbolisch für seine Absage an die ganze bornierte Welt des Bürgers und seine neu erworbenen Dimensionen als Anwärter auf das Reich der Unsterblichen.

Von und durch Hermine lernt Haller viel. Sie lehrt ihn, sich in vielen neuen Lebensbereichen wohl zu fühlen und diese anzuerkennen, und ihre Freunde, Pablo und Maria, unterstützen sie in Hallers Erziehung. Für Haller wird sie geradezu Symbol; er nennt sie »eine Tür ... durch die das Leben zu mir hereinkam!«. Am Rande des Selbstmordes aus Verzweiflung hat er jemanden gefunden, der ihm ins Leben zurückhelfen kann.

»Sie war die Erlösung, der Weg ins Freie. Sie mußte mich leben lehren oder sterben lehren, sie mit ihrer festen und hübschen Hand mußte mein erstarrtes Herz antasten, damit es unter der Berührung des Lebens entweder aufblühe oder in Asche zerfalle.«

Auch Hermine weiß genau, warum er sie braucht: »Du brauchst mich, um tanzen zu lernen, lachen zu lernen, leben zu lernen.« Und anfänglich glaubt sie, diese Aufgabe sei fast nicht zu bewerkstelligen: »Ich glaube, du mußt alles erst lernen, was sich bei anderen Menschen von selber versteht, sogar die Freude am Essen.« Die Kunst zu leben ist es, in welcher Hermine Hallers Lehrmeisterin ist:

365

»Wofür ich aber zu sorgen habe, das ist, daß du die kleinen leichten Künste und Spiele im Leben etwas besser erlernst, auf diesem Gebiet bin ich deine Lehrerin und werde dir eine bessere Lehrerin sein, als deine ideale Geliebte es war, darauf verlasse dich! ... Ideal und tragisch lieben, o Freund, das kannst du gewiß vortrefflich, ich zweifle nicht daran, alle Achtung davor! Du wirst nun lernen, auch ein wenig gewöhnlich und menschlich zu lieben.«

Allerdings ist alles, was Haller auf dieser Ebene weltlicher Realität von Hermine lernt, nur stellvertretend für eine völlig neue Erfahrungswelt: »Wie das Grammaphon die Luft von asketischer Geistigkeit in meinem Studierzimmer verdarb ... so drang von allen Seiten Neues, Gefürchtetes, Auflösendes in mein bisher so scharf umrissenes und so streng abgeschlossenes Leben.«

Jedoch sind Hermine und Pablo, der Jazzmusiker, dem sie Haller vorstellt, auf einer höheren Wirklichkeitsstufe gleich wichtig: als Reflektionen seiner eigenen Gedanken! Denn gelegentlich haben diese beiden Vertreter der sinnlichen Welt tiefgründige und bedeutende Ansichten, die nicht recht zu dem sonst so naturalistischen Bild passen, das wir von ihnen erhalten. Hermine zum Beispiel spricht ganz deutlich das Grundmotiv des Romans aus, das Haller selbst nicht artikulieren kann; sie stärkt seinen beginnenden Glauben an das zeitlose geistige Reich der Unsterblichen. Sie erklärt ihm, wofür Menschen ihrer Art, die Steppenwolfnaturen, überhaupt leben.

»Der Ruhm ist es nicht, o nein! Aber das, was ich Ewigkeit nenne. Die Frommen nennen es Reich Gottes. Ich denke mir: wir Menschen alle, wir Anspruchsvolleren, wir mit der Sehnsucht, mit der Dimension zuviel, könnten gar nicht leben, wenn es nicht außer der Luft dieser Welt auch noch eine andere Luft zu atmen gäbe, wenn nicht außer der Zeit auch noch die Ewigkeit bestünde, und die ist das Reich des Echten.«

Genauso wie Haller seine eigenen Grübeleien über den Steppenwolf in irgendein unwesentliches Pamphlet hineingelesen hat, überträgt er nun seine eigenen Gedanken auf die Worte einer klugen Kurtisane. Dieser Sachverhalt wird betont: »Dies alles waren, so schien mir, vielleicht nicht ihre

366

eigenen Gedanken, sondern die meinigen, die die Hellsichtige gelesen und eingeatmet hatte und die sie mir wiedergab, so daß sie nun Gestalt hatten und neu vor mir standen.« Dasselbe wird auch gegen Ende des Buches wieder deutlich gemacht.

Bezüglich Pablos, der beständig als einsilbiger, sinnlicher Mensch dargestellt wird, ist das noch auffallender. Zu Beginn des magischen Theaters, als Pablo so scharfsinnig über das Wesen der Persönlichkeit spricht, überlegt Haller: »War nicht vielleicht ich es, der ihn sprechen machte, der aus ihm sprach? Blickte nicht auch aus seinen schwarzen Augen nur meine eigene Seele mich an .. wie aus den grauen Augen Herminens? ... Er, den ich nie zusammenhängend hatte reden hören, den kein Disput, keine Formulierung interessierte, dem ich kaum ein Denken zugetraut hatte, er sprach nun, er redete mit seiner guten, warmen Stimme fließend und fehlerlos.«

Somit existieren Hermine, Pablo, Maria und die gesamte Demimonde des »Steppenwolf«, gleichbleibend durch das ganze Buch hindurch, auf einer realistischen Ebene. Nur Hallers Fähigkeit eines doppelten Wahrnehmungsvermögens verleiht ihnen die zusätzliche Dimension, durch die sie eine symbolische Bedeutung erlangen. Im »Tractat« sagt er sich selbst, daß er seine Seele erweitern müsse, um die gesamte Welt zu umfassen; Zufall und eine Spur von Vorherbestimmung bringen ihn in eine Lage, in der er seine Selbstanklagen austragen kann, und seine Begegnung mit dieser anderen Welt belebt er durch eigene Gedanken, die er dem Verstand seiner neuen Bekanntschaften zuschreibt. Diese ganze Folge einer Entwicklung, auf beiden Ebenen der Realität, findet ihren Höhepunkt im Erlebnis des magischen Theaters, das nicht ganz vier Wochen nach der ersten Begegnung mit Hermine stattfindet.

Der Anlaß, den Haller, auf einer höheren Wirklichkeitsstufe, als das »magische Theater« bezeichnet, ist nichts anderes als die Nachwirkung eines großen Balles – nach der Jahreszeit zu urteilen, wahrscheinlich ein Faschingsball. Haller ist auf beiden Bewußtseinsebenen dafür vorbereitet: er hat tanzen und lieben gelernt; zugleich hat er damit auch alle Erscheinungsformen des Lebens in sich aufgenommen und

367

bejaht. Als Sinnbild seiner Bejahung des Kosmos, einschließlich der tiefsten Abgründe, steht die Forderung, daß Haller, um Hermine zu treffen, in eine Keller-Bar hinuntersteigen muß, die bezeichnenderweise »Die Hölle« heißt. Von hier aus gehen beide stufenweise nach oben in einen kleinen Raum, worin Haller später das magische Theater erlebt. Dieses Hinaufgehen wird unterbrochen von einem symbolischen Hochzeitstanz, den Haller mit Hermine aufführt und der die bevorstehende Vereinigung seiner beiden Lebenspole versinnbildlicht: des intellektuellen oder geistigen mit dem sinnlichen oder triebhaften. In diesem Abschnitt ist Hermine nicht mehr nur »eine Frau«, sie verkörpert »alle Frauen«: »Alle Frauen dieser fiebernden Nacht ... waren zusammengeschmolzen und eine einzige geworden, die in meine Armen blühte.« Im Verlauf des symbolischen Aufstieges, auf beiden Bewußtseinsebenen, verliert Haller die letzten Überreste seines bürgerlichen Begriffes von Individualität. Hier wird das Prinzip des Fließenden angedeutet, das in anderen Werken Hesses eine so wichtige Rolle spielt (z. B. Siddhartha): »Ich war nicht mehr ich, meine Persönlichkeit war aufgelöst im Festrausch wie Salz im Wasser.« Diese Riten sind die letzte Etappe in Hallers Vorbereitung zum äußersten Erlebnis. Erst jetzt kann er Pablos Einladung in das magische Theater annehmen, für das folgende Bedingung gesetzt ist: »Eintritt nur für Verrückte, kostet den Verstand.«

Die Worte »nur für Verrückte«, die als eine Art Leitmotiv an mehreren entscheidenden Stellen des Buches auftauchen, umfassen auch noch ein anderes wichtiges Motiv des Romans: nämlich den Begriff des magischen Denkens. Diese Idee wird in dem Aufsatz »Gedanken zu Dostojewskis ›Idiot‹« (1919)[1] genau umrissen, wo Hesse erklärt, daß die »Verrückten« jene seltenen Einzelgänger sind, wie Myschkin in Dostojewskis Roman, die die ganze Relativität von Gut und Böse erkannt haben; sie sind zwar Bewohner dieser Welt, haben aber gelernt, das Leben aus dem Blickfeld der Unsterblichen zu betrachten. Sie leben für eine höhere Wirklichkeit, in der sich Gegensätze nicht mehr feindlich gegenüberstehen, wo jeder Lebensbereich bejaht wird, wo

1 »Blick ins Chaos« (Bern 1922). Vgl. S. 217 ff.

es keine Zweiteilung in »fas« und »nefas« mehr gibt. Sie denken »magisch«, weil sie über die scheinbare »Wirklichkeit« der bürgerlichen Welt der Erscheinungen hinaussehen in die eigentliche Wirklichkeit der kosmischen Harmonie.

Nach seinem bildlichen Abstieg in die Hölle und dem Hochzeitstanz mit seinem Gegenpart und seiner gleichzeitigen Ergänzung, Hermine, ist Haller befähigt, magisch zu denken und kann jetzt Pablos Aufforderung annehmen, sogar unter der Voraussetzung, daß er »verrückt« wird. Diese Bereitschaft schließt Hallers »Lehrjahre« ab: der zweite Teil des Romans hat den ganzen Ablauf seiner Entwicklung gezeigt von einem schizophrenen Intellektuellen, der an Selbstmord denkt wegen eines nur eingebildeten Konfliktes zwischen zwei Polen seines Wesens, bis hin zu einem Mann von gesundem Bewußtsein und Verständnis für die Welt um ihn herum. Um die Analogie fortzusetzen: er hat nun die Voraussetzung, seine »Wanderjahre« zu beginnen, sich den äußersten Möglichkeiten seines Lebens hinzugeben. Das magische Theater ist das Mittel, durch welches er bildlich zum vollen Ausmaß seines Wesens in all dessen Manifestationen geführt wird, und der Vollzug seiner bildlichen Hochzeit mit Hermine steht für das vollkommene Ineinanderübergehen aller seiner Veranlagungen.

Es wäre erfreulich, wenn wir beweisen könnten, daß dieser zweite Teil genau der Form des zweiten Satzes einer Sonate entspräche, aber das wäre eine Überdehnung des tatsächlich Vorhandenen. Der zweite Satz läßt dem Komponisten verschiedene Möglichkeiten offen, aber da zwischen dem Roman und den musikalischen Formen keine ganz genaue Entsprechung besteht, ist es das Beste, diesen Aspekt nicht weiter zu verfolgen. Beiläufig aber darf erwähnt werden, daß der Aufbau vieler moderner Sonaten viel weniger streng ist als der der klassischen Sonate, und wir haben gesehen, daß Hallers »Lehrjahre« ihrem Charakter nach sehr musikalisch sind durch den Einfall einer zweifachen Handlungsebene oder Kontrapunktion. Mit dieser Einschränkung also entspricht der zweite Teil dem zweiten Satz.

## III

Das »Magische Theater« kann man wie jedes andere Geschehnis des Romans auf zwei Stufen interpretieren. Auf der realistischen Stufe ist es nichts weiter als eine Opiumphantasie, der sich Haller mit Hermine und Pablo nach dem Ball hingibt. Von der allerersten Begegnung Hallers mit Pablo an wird betont, daß der Jazzmusiker mit jeglichen exotischen Verfeinerungen von Rauschmitteln vertraut ist. Gleich am Anfang bietet Pablo Haller ein Pulver an, das ihm zu besserer Stimmung verhelfen soll:

»In der Tat wurde ich in kurzem frischer und munterer, wahrscheinlich war etwas Kokain in dem Pulver gewesen. Hermine erzählte mir, daß Pablo viele solche Mittel habe, die er auf geheimen Wegen erhalte, die er zuweilen Freunden vorsetzte und in deren Mischung und Dosierung er ein Meister sei: Mittel ... zur Erzeugung schöner Träume ...«

Später bekennt Haller: »Nicht selten nahm ich etwas von seinen Mitteln an.« Am letzten Abend bietet Pablo Haller wieder eines seiner Stimulantia an:

»Jeder von uns rauchte nun ... langsam seine Zigarette, deren Rauch dick wie Weihrauch war, und trank in langsamen Schlucken die herbsüße ... Flüssigkeit, die in der Tat unendlich belebend und beglückend wirkte, als werde man mit Gas gefüllt und verliere seine Schwere.«

Alles, was Haller später im magischen Theater sehen wird, ist eine Spiegelung seines eigenen Inneren und Ergebnis seines eidetischen Erkennungsvermögens unter dem Einfluß der Rauschmittel. Pablo gibt dazu eine Erklärung:

»Sie wissen ja, wo diese andere Welt verborgen liegt, daß es die Welt ihrer eigenen Seele ist, die Sie suchen. Nur in Ihrem eigenen Inneren lebt jene andre Wirklichkeit, nach der Sie sich sehnen. Ich kann Ihnen nichts geben, was nicht in Ihnen selbst schon existiert ... Ich helfe Ihnen Ihre eigene Welt sichtbar machen, das ist alles.«

Der »Tractat vom Steppenwolf«, wir erinnern uns, erwähnt, daß die Unsterblichen diejenigen sind, die das »principium individuationis« überschritten haben. Pablo nimmt dieses Thema nun wieder auf:

»Ohne Zweifel haben Sie ja längst erraten, daß die Überwindung der Zeit, die Erlösung von der Wirklichkeit, und was immer für Namen Sie Ihrer Sehnsucht geben mögen, nichts andres bedeuten, als den Wunsch, Ihrer sogenannten Persönlichkeit ledig zu werden.«

Genau dazu hat Haller im magischen Theater die Möglichkeit. Während er in Pablos magischen Spiegel blickt, erkennt Haller gleichzeitig tausend Gesichter seiner selbst: er sieht sich als Kind, als jungen Mann, als Erwachsenen, als alten Mann; als ernsthaften Gelehrten und komischen Possenreißer; kahl und mit langem Haar; jeder potentielle Lebenabschnitt und Ausdruck ist in diesem Spiegelbild.[1] Als er bereit ist, alle diese Harrys als Teile seiner selbst anzuerkennen, hat er die Voraussetzung erfüllt zum Eintritt in das magische Theater und zur Freude an den verschiedenartigen Aufführungen, die dort angeboten werden.

Der Aufbau des Theaters, wie er es in seiner Vorstellung sieht, entspricht einem hufeisenförmigen Gang mit Tausenden von Einzellogen, in die er nur einzutreten braucht, um eine neue Erfahrung zu machen. Hesse zählt fünfzehn solcher Logendarbietungen namentlich auf, und Haller besucht nur vier davon. Aber es wird klar, daß diese wenigen Eindrücke stellvertretend sind für den Erfahrungsradius, der sich ihm öffnet.

Im einzelnen rekonstruiert jede Vorführung ein Motiv, das im Verlauf des Romans entwickelt worden ist, und jede einzelne kann getrennt von den anderen analysiert werden, um zu beweisen, wie genau Hesse sein Buch aufgebaut hat. Wir wollen die erste als typisches Beispiel überprüfen. Während Haller in Pablos magischen Spiegel blickt, springen zwei Gestalten der gespiegelten Person aus dem Spiegel heraus: eine, ein eleganter junger Mann, umarmt Pablo und läuft mit ihm davon; die andere, ein hübscher Junge von sechzehn oder siebzehn Jahren, eilt den Korridor entlang bis zu einer Tür mit der Aufschrift »Alle Mädchen sind dein!« Im zweiten Teil des Romans ist bereits angedeutet, daß Pablo, abgesehen von seiner Meisterschaft in heterosexueller Liebe, auch zur Homosexualität neigt; bei

1 Dieser Effekt, der viele Parallelen zu Chagalls Gemälde »Ich und das Dorf« aufweist, ist ein Lieblingsmotiv Hesses und taucht auch in »Klingsors letzter Sommer« (1919) auf sowie in »Siddhartha« (1922).

zwei bestimmten Anlässen macht er Haller einen Antrag, der beide aber unwillig zurückweist. Jetzt erkennt Haller, daß ein Teil seiner selbst nicht nur bereit ist, sondern sogar begierig, diesen besonderen Lebensbereich kennenzulernen. Doch gleichzeitig geht ein anderer Teil von ihm in eine Loge, wo ihm (wie wir später erfahren, als Haller schließlich selbst in dieselbe Loge zurückkommt) seine Liebe zu allen Frauen, die Haller je gekannt oder nur gesehen und begehrt hat, in Erfüllung geht. Die gänzliche Auflösung jeglicher Polarität im Bereich physischer Liebe ergibt sich hieraus ganz eindeutig.

Die folgenden Darbietungen greifen verschiedene andere Motive aus dem Roman auf: bei der zweiten erfährt Haller, daß er, der überzeugte Pazifist, dazu fähig ist, an Krieg und Töten seine Freude zu haben. Die Motive von Verwandlung, Selbstmord, Untergang der westlichen Zivilisation, Wesen der Musik, Humor, Struktur des Individuums – sie alle werden aufgeführt, und jedes einzelne, ob Haller nun die Loge betritt oder nicht, beschwört ein ganz konkretes Bild herauf, denn es bringt das Motiv, das andeutungsweise vorher durch das ganze Buch hindurch auftaucht, zu seinem Höhepunkt.[1]

Die letzte Szene allerdings muß detaillierter betrachtet werden, weil hier die beiden Wirklichkeitsebenen so ineinander übergehen, daß sie kaum noch unterscheidbar sind. Als die Wirkung des Opiums allmählich nachläßt, hat Haller sein sublimstes Erlebnis: unmittelbaren Kontakt mit den Unsterblichen in der Person Mozarts (ähnlich einer früheren Traumbegegnung mit Goethe). Aber diese Gegenüberstellung ist zu viel für seine überanspruchten Nerven: er spürt verzweifelt, daß er niemals den Unsterblichen gleich werden könne, was er einen Augenblick lang fast erreicht zu haben glaubt. In diesem Zustand der Verzweiflung wird er plötzlich gewahr, daß Pablo und Hermine, weit davon entfernt, ihre Zeit mit müßigen Träumereien zuzubringen, in leidenschaftlicher Umarmung verschlungen, auf einem Teppich am Boden liegen. Auf der Ebene des Traumes scheint Haller

1 Es ist beinahe überflüssig zu erwähnen, daß alle diese Motive eine wichtige Rolle in den meisten Werken Hesses spielen und nicht nur im »Steppenwolf« aufgegriffen werden.

ein Messer zu nehmen und Hermine zu töten Aber der tatsächliche Vorfall führt wahrscheinlich nur zu einem Ausbruch von Eifersucht und Angewidertsein, als er erkennen muß, daß die Frau, welche er zu überwirklicher Bedeutung erhoben hatte, nicht die ätherische Personifizierung seines Ideals ist, sondern in Wirklichkeit ganz aus Fleisch und Blut besteht. Es handelt sich, das muß klar werden, auf seiner Wirklichkeitsebene dennoch um einen Mord, denn er zerstört dadurch das idealisierte Bild von Hermine, das ihn besessen hatte. Während er ihren (nur eingebildeten) Leichnam betrachtet, denkt er: »Nun war ihr Wunsch erfüllt. Noch eh sie ganz mein geworden war, hatte ich meine Geliebte getötet.«

Die Ausübung dieser Tat bringt den Roman auf seinen Höhepunkt, denn der ganze Aufbau ist daraufhin angelegt, Haller und Hermine als ein Paar zusammenzuführen und die Bejahung all dessen zu erreichen, was sie für ihn bedeutet: nämlich Gegensatz all seiner persönlichen Veranlagungen. Er scheitert daran, weil er nicht verhindern kann, daß ein Rest bürgerlicher Realität sich in die Bilderwelt des magischen Theaters einschleicht; er gestattet der bürgerlichen Eifersucht, das Bild Hermines, die Ergänzung seiner selbst, zu zerstören. Pablos Worte lassen erkennen, daß Hermine, in ihrer letztlichen Bedeutung, nur ein Teil von Hallers Person ist, mit dem er noch nicht in Einklang steht: »Mit dieser Figur hast du leider nicht umzugehen verstanden – ich glaubte, du habest das Spiel besser gelernt. Nun, es läßt sich korrigieren.«

Nach der Tat fällt Haller in seinen Stuhl zurück, und als Pablo eine Decke holt, um Hermine vor der kühlen Morgenluft zu schützen (auf der Ebene der Alltagsrealität), hält Haller es für ein Abdecken der Stichwunde (auf der Traumebene). Als Pablo einen Radioapparat hereinbringt (erste Ebene), glaubt Haller, Mozart komme zurück (zweite Ebene), und die darauffolgende Unterhaltung geschieht wieder auf der Ebene des Traumes oder einer höheren Wirklichkeit. Mozart-Pablo vertritt eine Wiederholung des Gedankens, den Haller schon vorher einmal aus Hermines Worten herausgehört hatte. Mozart experimentiert an dem Radiogerät herum und findet schließlich eine Münchner Sendung, in

373

welcher die Töne eines Händel-Concertos wegen entsetzlicher Störgeräusche und Tonüberschneidungen des Instruments kaum noch erkennbar sind. Als Haller sich dagegen sträubt, antwortet ihm Mozart:

»Sie hören und sehen, Wertester, zugleich ein vortreffliches Gleichnis allen Lebens. Wenn Sie dem Radio zuhören, so hören und sehen Sie den Urkampf zwischen Idee und Erscheinung, zwischen Ewigkeit und Zeit, zwischen Göttlichem und Menschlichem.«

Haller muß lernen, die ewige Idee hinter der täuschenden Erscheinungswelt der äußeren Realitäten wahrzunehmen; er muß lernen, nur die Dinge ernst zu nehmen, die es verdienen: das Wesentliche, nicht die Erscheinung. Mozart fährt fort, Haller wegen seines Mordes an Hermines Bild zu tadeln, und hier wird deutlich, daß die Erstechung nur auf der Traumebene stattgefunden hat. Vor der Jury der Unsterblichen klagt er Haller an:

»Haller hat ... die hohe Kunst beleidigt, indem er unsern schönen Bildersaal mit der sogenannten Wirklichkeit verwechselte und ein gespiegeltes Mädchen mit einem gespiegelten Messer totgestochen hat.« Für dieses Verbrechen gegen die höhere Wirklichkeit der Unsterbliche wird Haller durch »Ausgelachtwerden« bestraft.[1] Die einzige Buße, die ihm auferlegt wird, ist die folgende:

»Sie sollen leben, und Sie sollen das Lachen lernen. Sie sollen die verfluchte Radiomusik des Lebens anhören lernen, sollen den Geist hinter ihr verehren, sollen über den Klimbim in ihr lachen lernen. Fertig, mehr wird von Ihnen nicht verlangt.«

An diesem Punkt beginnt Haller zu erkennen, daß die Gestalt, die er für Mozart gehalten hatte, tatsächlich niemand anderer als Pablo ist, der ihm seinen vorangegangenen Ausbruch gegen Hermine vorwirft. Er sieht ein, daß er zu schwach gewesen war, die verfeinerte Stratosphäre der Unsterblichen zu ertragen; er hatte die beiden Wirklichkeitsebenen durcheinandergebracht und die Prostituierte Her-

---

1 H. H. in Hesses »Morgenlandfahrt« (1932) erhält eine mildere Strafe für ein ähnliches Vergehen gegen die ewige Idee, er wird von den versammelten Unsterblichen belächelt. Im gleichen Buch erscheint zudem Mozart, als Pablo verkleidet.

mine der ersten Ebene ernst genommen, während er sich nur über sie hätte freuen sollen. Indem er sie ernst genommen und ihr Vorwürfe gemacht hatte, hatte er zugleich das Bild Hermines als einer symbolischen Frau zerstört, das er sich peinlich genau während der vier Wochen ihrer Bekanntschaft konstruiert hatte.

Dennoch schließt der Roman mit einem optimistischen Hinweis, denn Haller begreift seine Situation und seine Versäumnisse: »Einmal würde ich das Figurenspiel besser spielen. Einmal würde ich das Lachen lernen. Pablo wartete auf mich. Mozart wartete auf mich.« Haller weiß jetzt, daß Mozart und Pablo nur zwei Erscheinungsformen der gleichen Person sind (genau wie Narziß und Goldmund in Hesses nächstem Roman): sie stehen für die vollkommene Einheit der beiden Pole Geist und Natur. Hallers letzte Worte, mit ihrem stillschweigenden Verstehen und Bejahen dieser metaphysischen Einheit, zeigen, daß auch er hoffen darf, das magische Denken zu erlernen und in den Kreis der Unsterblichen aufgenommen zu werden. Er hat es bereits einmal kurz erlebt, aber er muß über sich selbst hinauswachsen, um diese neue Sicht des Lebens konstant aufrechterhalten zu können.

Hier endet der Roman. Rückblickend kann der Aufbau des magischen Theaters als ein Thema mit Variationen bezeichnet werden. Das Thema, das dem »Tractat« entliehen ist, ist der Gedanke, daß Hallers Person aus einer Vielzahl entgegengesetzter Elemente besteht; aber als er diese Gegensätze aus der im magischen Theater neu erworbenen Sicht betrachtet, aus der Sicht der Unsterblichen, erkennt er, daß sie sich nicht gegenseitig ausschließen. Solange das magische Theater andauert – bis zum Mord an Hermines Bild – beobachtet er das Leben von einem Standpunkt außerhalb des polaren Gesichtskreises eines Bürgers und ist fähig, all seine Erscheinungsformen zu bejahen. Jede Loge des magischen Theaters stellt eine Variation dieses Themas dar: in jeder einzelnen sieht er ein besonderes Beispiel seiner entgegengesetzten Neigungen, und doch bejaht er sie alle.

Das »Harvard Dictionary of Music« definiert das Thema mit Variationen als »eine musikalische Form, die auf dem

Prinzip beruht, eine musikalische Idee (Thema) in beliebig vielen Abänderungen (4 bis 30 oder noch mehr) darzustellen, von denen jede einzelne eine ›Variation‹ ist.« Es erwähnt außerdem, daß die Variation manchmal als Finale in der Sonate oder Symphonie verwandt wird. Calvin S. Brown bemerkt, daß die offensichtliche Gefahr formaler Wiederholung und Variation im literarischen Metier die der Langeweile ist[1], und auf konventionelle Literaturwerke trifft diese Kritik zu. Doch durch Anwendung einer Traumfolge versteht Hesse es, ein konstantes Thema aufrechtzuerhalten und in jedem Fall eine andere Kulisse und neue Einzelheiten zu zeigen. Die Kulissen und Einzelheiten wiederum gründen sich auf Motive, die in den vorangehenden Abschnitten des Romans auftauchen. Das Ende verknüpft auf diese Weise das Buch zu einem festgefügten Ganzen.

Der »Steppenwolf« kann mit einer Sonate in drei Sätzen verglichen werden. Der erste Satz weist unmißverständlich die Form des Sonatensatzes auf oder die sogenannte »Sonatenform«; der zweite Satz, obwohl er nicht die typische Form eines Adagio der Sonate erkennen läßt, verwendet durchgehend den höchst musikalischen Einfall von zweifachem Wahrnehmungsvermögen oder Kontrapunktik; der dritte Satz schließlich ist auffallend ähnlich nach dem Muster eines Finale in Variationen aufgebaut. Wie in der modernen Symphonie sind die Themen nicht auf einen einzigen Satz beschränkt, sondern erscheinen in allen Teilen, um auf diese Weise den Eindruck einer strukturellen Einheit des Ganzen zu vermitteln: der zweite und dritte Satz gehen vom entsprechenden ersten und zweiten Punkt des »Tractats« aus. Obwohl das Werk von sogenannten »musikalischen« Einfällen wimmelt, wie Leitmotiv und Kontrast, arbeitet es, um diesen musikalischen Effekt zu erzielen, nicht mit verschwommenen Begriffen. Im Gegenteil, es enthüllt eine Struktur, die, bewußt oder unbewußt von Hesses Seite, allgemein einer musikalischen Form entspricht und sich an bestimmten Stellen streng dem anerkannten Modell musikalischer Komposition anpaßt. Bis

1 Calvin S. Brown »Music and Literature: A Comparison of the Arts« (Athen, Georgia, 1948), S. 111 und 134.

zu diesem Ausmaß mag es zulässig sein, Hesses »Steppenwolf« als eine Sonate in Prosa zu bezeichnen.

(1958)

*Aus dem Amerikanischen übersetzt*
*von Ursula Michels-Wenz*

*Anni Carlsson*
*Zur Geschichte des Steppenwolfsymbols*

»Die Dichtung... lebt und wirkt nur da, wo sie Symbole
schafft«, schreibt Hermann Hesse 1931 an F. Abel. Wird das
Symbol Allgemeingut, bildet es einen neuen Begriff. Zwei
Symbole Hermann Hesses sind in diesem Sinne Begriff
geworden: der Steppenwolf und das Glasperlenspiel.
Die erste Fassung des Steppenwolfthemas ist der »Kurgast«
(1924). Dieser »Einzelgänger aus der Familie der Schizophrenen« gewinnt der jederzeit lauernden Persönlichkeitsspaltung das Bewußtsein innerer Differenzierung ab.
Während der Ischiatiker Hesse Schritt für Schritt von der
Kurwelt absorbiert wird und sich – frei nach Thomas Mann –
zum »Zivilisations-Kurgast« entwickelt, nimmt der Eremit
und Sonderling Hesse an solcher Entwicklung nicht teil.
H. geht ins Kino, er sitzt im Kursaal und besucht das Kur-
konzert, doch »in vereinzelten Augenblicken zuckt meine
Seele erschreckt und widerstrebend auf wie ein Steppentier,
das plötzlich gefangen im Stall erwacht, nickt aber bald
wieder ein und schläft und träumt weiter«.
Einmal stößt das »Steppentier« auf Verwandte. Nach
freudlosem Studium der zum Verkauf ausgestellten Ansichtskarten, die genauso fade und verlogen sind wie die
ganze Kurwelt, besucht H. die jungen Marder, die in einem
entlegenen Hotelwinkel ihren Drahtkäfig haben. Hier findet er eine andere Welt: »In diese klaren Tieraugen zu
blicken... ihren scharfen wilden Raubtiergeruch zu riechen, das genügte, um mich vom unversehrten Vorhandensein... aller Palmenwälder und Urwaldflüsse... zu
überzeugen... Solang es noch Marder gab, noch Duft der

Urwelt, noch Instinkt und Natur, solang war für einen Dichter die Welt noch möglich«.

Diese beiden Züge: die Seele als »Steppentier« und die zivilisationsfremde Urwelt des Raubtiers sind in das Symbol des »in die Städte und ins Herdenleben verirrten Steppenwolfes« eingegangen, dessen Schizophrenie darauf besteht, zwei Naturen zu haben, eine menschliche und eine wölfische.

Hinter dem Steppenwolf steht Nietzsches Gegensatz der niederen und höheren Spezies, des Herdentiers und des differenzierten Einzelnen, des Genies. Der »Tractat vom Steppenwolf« erläutert: »Er fühlte sich durchaus als Einzelnen, als Sonderling bald und krankhaften Einsiedler, bald auch als übernormal, als ein geniemäßig veranlagtes, über die kleinen Normen des Durchschnittslebens erhabenes Individuum... Die allermeisten Intellektuellen, der größte Teil der Künstlermenschen gehört demselben Typus an.« Auf Nietzsche kommen denn auch »Kurgast« und »Steppenwolf« verschiedentlich zurück. Der Kurgast erklärt, daß seine Theorie des Neurotikers (d. h. in diesem Falle: der Persönlichkeitsspaltung) auf Nietzsche und Hamsun fuße. Der Steppenwolf wird »ein Genie des Leidens« genannt »im Sinne mancher Aussprüche Nietzsches«. Nietzsche wiederum wird zum Vorläufer der Steppenwölfe. Harry Haller stellt fest: »Eine Natur wie Nietzsche hat das heutige Elend um mehr als eine Generation voraus erleiden müssen – was er einsam und unverstanden auszukosten hatte, das erleiden heute Tausende.« Doch die Beziehung zu Nietzsche ist noch enger. Wie »Der Zauberberg« Thomas Manns stammt auch der »Steppenwolf« von einem Symbol Nietzsches ab; das erstere findet sich in der »Geburt der Tragödie«, also beim jungen Nietzsche, das letztere ist ein Symbol der Dionysosdithyramben des späten Nietzsche. Diese Dithyramben revolutionieren die überlieferte Vorstellung von Lyrik. Ihr Thema ist das Drama der Persönlichkeitsspaltung, die Todfeindschaft von »Jäger« und »Beute« in Kampf und Verstrickung der Selbstanalyse. Dem »Freier der Wahrheit« steht innen einer gegenüber: »Nur Narr! Nur Dichter!« – (»Nur für Verrückte« wird es beim Steppenwolf heißen). Eine Stimme höhnt:

»Der *Wahrheit* Freier – du?...
nein! nur ein Dichter!
ein Tier, ein listiges, raubendes, schleichendes...
nach Beute lüstern,
bunt verlarvt,
sich selbst zur Larve,
sich selbst zur Beute...
voll Katzen-Mutwillens...
jedem Urwald zuschnüffelnd,
daß du in Urwäldern
unter buntzottigen Raubtieren
sündlich gesund und schön und bunt liefest,
mit lüsternen Lefzen,
selig-höhnisch, selig-höllisch, selig-blutgierig...liefest...«

Denn: »pantherhaft sind des Dichters Sehnsüchte...«

Das Steppenwolflied ist eine düstere Variante dieser Melodie:

»Ich Steppenwolf trabe und trabe...«

Auch hier »lüsterne Lefzen«:

»In die Rehe bin ich so verliebt,
wenn ich doch eins fände!...
Ich wäre der Holden so von Herzen gut,
fräße mich tief in ihre zärtlichen Keulen...«

Nicht »selig«, aber »höllisch« ist auch dieses Traben:

»tränke mit Schnee meine brennende Kehle,
trage dem Teufel zu meine arme Seele.«

Nietzsches Panther zeigt dasselbe »Mischwesen«, wie später
der Steppenwolf. Als Verbindung von »Mythos und Psychologie« (Thomas Mann) ist er ein Geschöpf des 19.
Jahrhunderts, Stellvertreter zivilisationsfremder Urnatur in
der Nachfolge Rousseaus und gleichzeitig ein Symbol der
Seele, von fern mit Ibsens Wildente und Tschechows Möwe verwandt und auch wieder nicht mehr, denn dieser
Panther ist kein romantisches Symbol verlorener Natur,
sondern zeigt eine ganz neue sprungbereite Vielfältigkeit

und Vielspältigkeit: die Raubtierphysiognomie des Intellektuellen.

Der analytische Impuls des Dichters Hesse, der den eigenen Typus im Steppenwolf porträtierte, war dem analytischen Impulse der Dionysosdithyramben verwandt. »Welchen Sinn hätte das Schreiben, wenn nicht der Wille zur Wahrheit dahinter stünde?« fragt der Kurgast und das Nachwort zu den Steppenwolfgedichten der »Krisis« (1928) bekennt: »Mit zunehmenden Jahren... da das Schreiben hübscher Dinge an sich mir keine Freude mehr macht und nur eine gewisse spät erwachte, leidenschaftliche Liebe zur Selbsterkenntnis und Aufrichtigkeit mich noch zum Schreiben treibt ...« Das Bewußtsein der Verwandtschaft bestimmt noch die Anschauung, Hesse war sich darüber durchaus klar. Eine kleine Skizze aus der Steppenwolfzeit »Vom Steppenwolf« erzählt, daß ein Menageriebesitzer den Steppenwolf Harry engagierte. Weiter heißt es: »Einen kleinen Käfig, den vormals ein leider früh verstorbener Panther bewohnt hatte, hatte der Unternehmer nach Möglichkeit dem Anlaß entsprechend ausgestattet« (!).

Doch aus dem Steppenwolf Harry blickt nicht nur der Panther. Wenn die Fiktion seiner Zwiespältigkeit unterwandert und gesprengt wird von einer schier unendlichen Gestaltenfülle, die in ihm auf Selbstbegegnung, Selbstbewußtsein und damit Selbstbefreiung wartet, steht die Analyse schon bei Freud. Rousseau, Nietzsche und Freud sind die geistigen Väter des Steppenwolfsymbols. Der Steppenwolf ist ein komplexeres Symbol als der Panther, weil er auch den geistigen Raum des Intellektuellen, die Atmosphäre der »Steppe« sinnlich mit greifbar macht. Er ist der »wurzellose Literat«, für den es kein »Vaterland« und keine Herdenideale mehr gibt, ein Feind der Zeit, der im Aufblick zu den »Unsterblichen« diese Zeit nicht ernst zu nehmen sucht. (Auch Nietzsche maß die Zeit an der Unsterblichkeit). Schon der Kurgast kurierte sein Leiden an der Zeit durch Lachen,[1] doch erst im »Steppenwolf« setzt die Anschauung die Entwicklung in Sym-

1 Vgl. Nietzsches Dithyrambus: »den Gott *zerreißen* im Menschen wie das Schaf im Menschen und zerreißend *lachen – Das, das ist deine Seligkeit,* eines Panthers ... eines Dichters und Narren Seligkeit!«

bolik um. Schauplatz der Selbstbegegnung, des inneren Zusammenstoßes von Zeit und Ewigkeit wird das Magische Theater. Sein Personenregister verändert sich ständig, wächst ständig, es umfaßt alle Spielfiguren der Phantasie vom Wolf bis zu Goethe und Mozart zu immer neuer Verbindung und Verwandlung. Die Typologie des Steppenwolfs beginnt mit der Analyse des Tractats und schließt mit der Anleitung des Magischen Theaters zur Synthese. Inzwischen hat der Begriff eine weitere Entwicklung genommen. Auf Panther und Steppenwolf folgt, asketisch skelettiert, Arno Schmidts Kennzeichnung des Genies als »Gehirntier«. Den genialen Schriftsteller zählt Schmidt zur »Klasse der Gehirntiere, die mit Worten arbeitet«.

(1972)

*Horst Dieter Kreidler*
*Pablo und die Unsterblichen.*

In Pablo tritt Harry Haller, dem ver-rückten Steppenwolf, ein Vertreter des unmittelbaren Lebensbezugs gegenüber, eine ungebrochene Natur. Mit seiner Jazzband macht Pablo wilde Musik, gierig bläst er sein Saxophon. Er zeigt dem Outsider, dem abgelösten, zerrissenen Künstler Haller, das harmonisch Einfache des unmittelbaren Lebens. Das ergriffene, nicht das begriffene Leben soll gelten, Tätigsein, nicht Reflexion. Dieser ganz dem Augenblick zugewandte Mensch »kennt keine Probleme, keine Gedanken«, sondern allein das Hier und Jetzt seines ekstatischen Spiels. Darum beneidet ihn der Steppenwolf, der bezugslos gewordene, nirgendwo den Dingen verhaftete Outsider, inmitten seiner ausgedörrten eigenen Situation.
Wenn Harry ebenso wie Pablo Banjo spielen könnte, dann wäre er kein Fremdling, hätte irgendwo in den »Wonnen der Gewöhnlichkeit« Heimat gefunden, wäre nicht mehr zum Draußenstehen verdammt und mit sich selbst zerfallen. Die sprachliche Zweiteilung des »Krisis«-Gedichtes »Neid«[1], das die Beziehung Haller-Pablo akzentuiert, spiegelt die

1 Vgl. S. 171 f.

381

Zerrissenheit wieder, vor allem jedoch die Haßliebe des Outsiders in seinem freiwillig-unfreiwilligen Ausgesperrtsein.

Hesse hatte jenes »Der Steppenwolf. Ein Stück Tagebuch in Versen«, dieses lyrische Pendant zum »Prosa-Steppenwolf« schon 1926 in der »Neuen Rundschau« veröffentlicht. Viele Episoden der »Prosa-Steppenwolf«-Aufzeichnungen sind dort in Versform vorweggenommen, mit der bezeichnenden Ausnahme freilich, daß das Gedicht »Die Unsterblichen« noch fehlt, da es Hesse zum Zeitpunkt der Niederschrift noch nicht in Sichtweite war. Das »Stück Tagebuch in Versen« muß demnach als die lyrische Erstfassung des Steppenwolfstoffes betrachtet werden, dem dann die objektivierende Romanfassung folgte. Die verschiedenen Darstellungstechniken (Vorwort des Herausgebers – Aufzeichnungen – Tractat) zeugen in ihrer vielfältigen Spiegelungstechnik von den Distanzierungs- und Objektivierungsversuchen Hermann Hesses. In der Gestaltung neutralisiert er seine Konflikte, um ein Wort Hugo von Hofmannsthals abzuwandeln. Wegen seiner Unmittelbarkeit zum Leben, zur Welt der Sinnenfreude wird Pablo als Musiker dargestellt, denn bereits bei Schopenhauer, dem Hesse sich immer wieder verbunden weiß, wird Musik als »unmittelbare Objektivation« gekennzeichnet. Auch Kierkegaard hatte in seiner Studie über Mozarts »Don Giovanni« die Affinität zwischen Musik und Eros dargestellt, und wohl nicht zufällig wird Harry Haller durch die »schöne und schreckliche Musik aus dem Don Juan« ins Magische Theater eingeführt.

Der Outsider Haller beschreibt den besessen sein Saxophon spielenden Pablo als einen »dunklen schönen jungen Menschen von spanischer oder südamerikanischer Herkunft«, als einen leidenschaftlichen Musikanten, dessen wilde Augen dem müd-verdrossenen Geistesmenschen und Künstler eine Welt verkörpern, nach der sich Harry Haller sehnt. Pablo ist ganz Natur. In »den frohen Augen, die eigentlich Tieraugen waren« erblickt der Steppenwolf eine verlorengegangene, ersehnte instinktive Sicherheit, eine Harmonie, wenn auch auf einer wenig differenzierten Stufe. Pablo ist ein Typus. Nicht grundlos wird seinem südländischen Vornamen kein individualisierender Geschlechtsname beigefügt, ebenso wie bei Maria und Hermine, die wie er ungebrochene Naturen sind.

In Pablos Jazzrhythmen glaubt Haller die groteske Abschiedsmusik des zum Untergang bestimmten Europa zu vernehmen. Sie signalisieren ihm ein Ende, das er in seinen eigenen Konflikten vorweggenommen sieht. Ist Harry Haller also ein Nachfahr Tonio Krögers, ein früher Verwandter Adrian Leverkühns, dessen persönlicher Fall sich ausweitet zur Repräsentanz einer Spätepoche? Im rauschhaften Tanz hatte Tonio Kröger die Urbilder des Lebens erblickt; von dem Knaben Hermes hatte sich Gustav Aschenbach in das Reich der Schatten führen lassen, nachdem ihn ein dionysisch entfesselter Traum ins Wilde des ursprünglichen Lebens, ins »Leben selber« gerissen hatte. Adrian Leverkühn hatte sich angemaßt, »Herr des Überblicks« zu werden. Seine Problematik ist der Durchbruch. »Wem also der Durchbruch gelänge, aus einer geistigen Kälte in eine Wagniswelt neuen Gefühls, ihn sollte man wohl den Erlöser der Kunst nennen.«[1] Kunst als Lebensersatz – Nietzsches, Thomas Manns eigentliches Problem. War es auch das Problem Hesses, des neidisch dem selbstvergessenen Spiel Pablos lauschenden Harry Haller? Nicht primär geht es Hesse um Überschau, sondern einzig um Innenschau, um Selbstfindung, Eigensinn, Individualität und Wahrhaftigkeit sich selbst und seinem Schaffen gegenüber (was ihm unabdingbare Voraussetzung zur ›Überschau‹ ist). Ihm geht es nicht wie Thomas Mann um Repräsentanz einer Epoche: »Es gibt keinen anderen Weg« schreibt Hesse, »der Entfaltung und der Erfüllung als den der möglichst vollkommenen Darstellung des eigenen Wesens ... daß dieser Weg durch viele moralische und andere Hindernisse erschwert wird, daß die Welt uns lieber angepaßt und schwach sieht als eigensinnig, daraus entsteht für jeden mehr als durchschnittlich individualisierten Menschen der Lebeskampf. Da muß jeder für sich allein, nach seinen eigenen Kräften und Bedürfnissen entscheiden, wie weit er sich der Konvention unterwerfen oder ihr trotzen will. Wo er die Konvention, die Forde-

1 Vgl. Max Rychner, Gestalten und Bezüge in den Romanen Thomas Manns. Die Neue Rundschau, 3, 1955.

rungen von Familie, Staat, Gemeinschaft in den Wind schlägt, muß er es tun mit dem Wissen darum, daß es auf seine eigene Gefahr geschieht. Wieviel Gefahr einer auf sich zu nehmen fähig ist, dafür gibt es keinen objektiven Maßstab. Man muß jedes Zuviel, jedes Überschreiten des eigenen Maßes büßen, man darf ungestraft weder im Eigensinn noch im Anpassen zu weit gehen.«

Immer wieder sucht die »problematische Natur« Harry Haller mit Pablo, dem »vergnügten Kind«, in musiktheoretische Erörterungen zu kommen. Pablo jedoch hält nichts vom Theoretisieren, denn selbst wenn einer »sämtliche Werke von Bach und Haydn im Kopf hat und die gescheitesten Dinge darüber sagen kann, so ist damit noch keinem Menschen gedient«, weil es einzig darauf ankommt, daß die Musik »in die Beine und ins Blut fährt: das ist es, wofür man musiziert«. Auf der Suche nach dem Begreifen der Zusammenhänge verliert Harry die Möglichkeit des Ergreifens ihrer Wirkungen. Doch Harry, der zerrissene Outsider, will beides. Kausalitäten erkennen und zugleich die in ihm selbst schlummernden Möglichkeiten erfahren. Daher läßt er sich von Pablo ins Spiegelkabinett (der verhinderten eigenen Möglichkeiten) des »Magischen Theaters« führen. Der raffinierte Meister in der Mischung von Stimulantien, der Musiker Pablo, eröffnet dem Steppenwolf eine neue Dimension und Freiheit: das Jagdabenteuer auf das eigene Selbst, die Aufforderung, »die sehr geehrte Persönlichkeit in der Garderobe abzugeben«, das »Wunder der Steppenwolfdressur«, den wirklichen »Aufbau der Persönlichkeit« und dann endlich den Zutritt in das ersehnte Spiegelkabinett mit der Aufschrift »Alle Mädchen sind dein«.

Das »Magische Theater« lädt Harry Haller ein, die ganze Fülle der durch die Dressur der Zivilisation verlorengegangenen Potenzen seines Selbst wahrzunehmen und die gelöste Heiterkeit zu erlangen, die Pablo in der Larve Mozarts erreicht hat. Mozart bedeutet für Harry Haller die differenziertere, ihm selbst entsprechendere Inkarnation dessen, was er an Pablo beneidet. So ist Pablo nicht nur das ungebrochene naive Naturkind, sondern zugleich auch Vorstufe Mozarts, des »geliebtesten und höchsten Bildes seines inneren Lebens«, der ihm »jenseits von Gelitten-

384

haben, ohne Zopf, modern gekleidet« spöttisch lächelnd entgegentritt.

Wenn dem Steppenwolf die Verkörperung eines jener Unsterblichen in der Gestalt Mozarts begegnet, und er am Ende feststellt, daß Mozart mit Pablo dasselbe Wesen bildet, ist durch die Verbindung der beiden Personen die ersehnte Synthese vorgeführt, auf die alle Bemühungen Harrys um Rückgewinnung der Harmonie und somit der eigenen Identität ausgerichtet waren: als Erlebnis der Einheit, symbolisiert durch »die Untersterblichen« (später nennt er sie die »Morgenlandfahrer«), Sinnbilder der möglichen, aber immer wieder verstellten Einheit von Geist und Leben, von Idee und Wirklichkeit.

Eine allzu vordergründige und eindimensionale Interpretation des »Magischen Theaters« hat in den letzten Jahren zu einem denkwürdigen, Millionenauflagen bewirkenden Mißverständnis geführt. Eine alle Errungenschaften unseres technisch perfektionierten Zeitalters verachtende, weil im selben Ausmaß (und kausal damit verknüpft) um ihre individuelle Freiheit betrogene, aufbegehrende junge Generation bekennt sich zu Hesse als dem »antimaterialistischen Ferment.« Es ist nicht zufällig, daß sich gerade die Jugend der USA und Japans, der beiden höchstindustrialisierten Staaten, die uns in der Erfahrung der Zivilisations- und Umweltschäden um eine deprimierende Länge voraus sind, in der Zivilisationskritik Hermann Hesses wiedererkennt.

Doch pervertiert sich die Identifikation in Timothy Learys Aufforderung, den letzten Teil des Steppenwolf, das »Magische Theater«, als »unschätzbares Lehrbuch, als Leitfaden« imaginärer Erkenntnisse durch Drogenkonsum zu lesen. Die Krise des Steppenwolfs, seine unbefriedigte Sehnsucht nach der Harmonie Pablos, wurde eben nicht »in einem wirbelnden Kaleidoskop der Halluzinationen« gelöst. Hesse ermuntert weder zur Umgehung und Verdrängung der Konflikte (und schon gar nicht durch Stimulantien und Surrogate), noch zu ihrer Lösung in Form von ideologischer Agitation gegen andere (es sei denn gegen die Statussymbole pausbäckiger Fortschrittlichkeit: »Auf zum fröhlichen Jagen! Hochjagd auf Automobile«), sondern, wie es Volker

Michels in seiner Hesse-Studie[1] formuliert hat, um »Erwei-
terung der Wahrnehmung durch Leistung, durch Austragen
der Spannung, nicht Bewußtseinserweiterung durch äußere
medikamentös-physiologisch ausgelöste Illusionen (die ja
nichts ›erweitern‹, sondern allenfalls das, was ohnehin schon
da ist, variieren können): das ist der Weg der Figuren Hesses von Hans Giebenrath bis hin zu Josef Knecht«. Der
zerrissene Steppenwolf kann die Synthese der Bipolarität
des Lebens nur im »Magischen Theater« in der Doppel-
gestalt Pablo–Mozart schauen. Die ›Stufe‹ eines »Unster-
lichen« ist für ihn noch unerreichbar. Der unbewußte Pablo
ist ihm kein gleichwertiger Gegenspieler. Man würde die
Bedeutung der Beziehungen zwischen den beiden über-
schätzen, wollte man ihr den Rang polarer Anziehung und
Ergänzung zuerkennen, wie sie in Giebenrath–Heilner,
Demian–Sinclair, Siddhartha–Govinda und – unmittelbar
nach Abschluß des Steppenwolf-Manuskripts – in Narziß
und Goldmund oder zuletzt in Josef Knecht–Plinio Desi-
gnori dargestellt wurden. Jene »Doppelmelodie« ist Hesse in
den zwanziger Jahren zur schrillen Dissonanz geworden.
Haller hat keinen Gegenspieler. Nicht umsonst kann ihn der
Saxophonspieler Pablo nur eine kurze Strecke des Weges
zu sich selbst begleiten.
Das »Magische Theater« ist kein LSD-Fahrplan und alles
andere als ein Ansporn zu selbstgenügsamer Innerlichkeit.
»Immer wieder klammert man sich an das Liebgewonnene«,
schreibt Hesse, »und meint es sei Treue, es ist aber bloß
Trägheit«, und im Steppenwolf heißt es: »mit dem Zurück
zur Natur geht der Mensch stets einen leidvollen und hoffnungslosen Irrweg«. In seinem nächsten Buch läßt Hesse den
Narziß zu Goldmund sagen: »Es gibt einen Frieden, gewiß,
aber nicht einen, der dauernd in uns wohnt und uns nicht
mehr verläßt, es gibt nur einen Frieden, der immer und immer wieder mit unablässigen Kämpfen erstritten wird und
von Tag zu Tag neu erstritten werden muß.« Mögliche Antworten Hermann Hesses auf Timothy Learys folgenschwere
Fehlinterpretation ließen sich beliebig fortsetzen. Mit einem

1 Hermann Hesse, Der distanzierte Deutsche, Nachwort zu ›Der
Steppenwolf und unbekannte Texte aus dem Umkreis des Steppenwolf‹, Büchergilde Gutenberg, Frankfurt/Main, Wien, Zürich, 1972.

letzten Zitat aus seinen Briefen wollen wir es bewenden lassen: »Der einzige Weg aus der Welt der Schmerzen führt mitten durch den Schmerz hindurch.«

Wie der Autor, so leidet auch sein fiktives Selbstportrait Harry Haller unter dem saturierten und reaktionären Quietismus einer Bürgerlichkeit, die aus dem eben verlorenen Krieg nichts gelernt hatte und sich mit ›Dolchstoßlegenden‹ um die Mitverantwortlichkeit am Vergangenen vorbeidrückte. Doch unerträglich wird für Haller die Lage dadurch, daß er sich selbst ja als Bürger erkennen muß. Wie sie verhält auch er sich nach außen hin passiv. Denn nach seinen Erfahrungen der Kriegs- und Nachkriegsjahre (Hesses publizistisch-politische Reaktionen aus den Jahren 1915 bis 1923 sind bis heute noch nicht repräsentativ in Buchform dokumentiert) kann er sich keine Veränderungen der Umwelt durch tagespolitische Initiativen mehr zugestehen, sondern glaubt einzig an die Veränderbarkeit des Individuums, an die »Mittel der Qualität, nicht die der Quantität«: »Ich verstehe es und billige es, wenn ein Mensch viel von sich selbst verlangt, wenn er aber diese Forderung auf andere ausdehnt und sein Leben zum »Kampf« für das Gute macht, so muß ich mich des Urteils darüber enthalten, denn ich . . . glaube zu wissen, daß jeder Wille zur Änderung der Welt zu Krieg und Gewalt führt und kann darum mich keiner Opposition anschließen, denn ich billige die letzten Konsequenzen nicht . . . Was wir ändern können und sollen, das sind wir selber: unsere Ungeduld, unseren Egoismus (auch den geistigen), unser Beleidigtsein, unseren Mangel an Liebe und Nachsicht. Jede andere Änderung der Welt, auch wenn sie von den besten Absichten ausgeht, halte ich für nutzlos.«

Eine solche Haltung separiert ihn nicht nur von der bürgerlichen Umgebung, die ihm ohnehin verhaßt ist, sondern auch von jenen, weniger Erfahrenen, deren ›guter‹ Zweck noch die Mittel heiligt. Aber hier gibt es für Hesse seit 1917 keine Illusionen und Konzessionen mehr, kein Arrangement mehr mit dem »kleineren Übel«. Auch das kleinere Übel bleibt für ihn ein Übel. Deshalb kann er sich nicht zugestehen, andere zu verändern, sondern einzig sich selbst. Früher und präziser als die meisten diagnostiziert Harry Haller dieses Übel: bereits 1926 spricht er vom

387

nächsten Weltkrieg, doch drängt ihn sein Unvermögen zu spektakulärer Agitation in eine unfreiwillige Gemeinsamkeit mit der Sphäre des Bourgeois, die ihn peinigt. Denn ein Revolutionär, der sich nicht zugesteht, andere zu verändern, sondern der seine Ansprüche in erster Linie an sich selbst stellt, bleibt in der Sphäre des Bürgerlichen, und auch dort isoliert; für ihn finden sich weder Genossen noch Protektion, er findet Gleichgesinnte nur bei den »Unsterblichen«, die eben dadurch unvergessen und unsterblich sind, weil auch sie ihre eigene Veranlagung gelebt und »das in ihnen wohnende Gesetz erfüllt haben«.

(1957/1972)

### Fred Haines
### Hermann Hesse und die amerikanische Subkultur

Oft denke ich darüber nach, was Hesse selbst zu dem erstaunlichen »Hesse-Phänomen« gesagt hätte, das gegenwärtig eine so einschneidende Trennungslinie in der Generation der jungen Amerikaner hervorruft. Wäre dieser scheue und zurückgezogene Künstler, der sein ganzes Leben als »einen heißen Don Quichote-Ritt gegen die Materie und ihre Priester« betrachtete, überhaupt in der Lage gewesen, sich die ungewöhnliche Leidenschaft, mit welcher die Jugend einer Überflußgesellschaft nun seine Bücher verschlingt, zu erklären? Sicherlich hat er sie nicht vorhergesehen. Tief verwurzelt in der europäischen Tradition, schien er die meisten amerikanischen wie auch russischen Vorgänge dieser Art mit der nachdenklichen Resignation des letzten Römers zu beurteilen, der dem Lärm der herankommenden Vandalen zuhört. Allerdings hätte auch für ihn das Rätsel nicht größer sein können, als es den meisten Amerikanern selbst ist.
Warum lesen sie Hesse? Eine unmögliche Frage von vornherein; wie immer, so gibt es auch hier genauso viele Gründe, ein Buch zu lesen, wie es Leser gibt. Und vieles, was zu diesem Thema gesagt worden ist, beschränkte sich eher auf Gründe, warum Hesse *nicht* gelesen werden sollte; denn eine derart mächtige, materialistische Kultur produziert, selbstverständlich, auch materialistische Barbaren, die der

Macht dienen und dazu neigen, das, was von der Gegenkultur eine Wende zum Irrationalismus genannt worden ist, als äußerst zerstörerische Strömung im amerikanischen Kulturleben anzusehen. Andere wiederum meinen, unsere jungen Leser würden Hesse mehr oder weniger mißverstehen, weil sie wenig oder nichts wissen über die Tradition, der er angehört, die Einflüsse, die sein Werk geformt haben, die Gedanken, in welchen er lebte, oder seine Stellung innerhalb der europäischen Geistes- und Kulturgeschichte. Auf Grund ihres nur geringen Verständnisses für seine Dichtung berufen sie sich dabei auf oberflächliche Argumente, wie seinen Widerstand gegen die Politik des Krieges und der Gewalt, Harry Hallers Gebrauch von Drogen, seinen Orientalismus, seine Abkehr von städtischer Lebensweise. Bis zu einem gewissen Grad sind diese Gründe richtig, aber sie erklären noch nicht, warum man gerade Hesse liest. Denn schließlich waren ja auch andere Schriftsteller Pazifisten oder Orientalisten oder suchten Zusammenhänge auf halluzinatorischem Weg, einige in größerem Ausmaß als Hesse. All dieses ängstliche Hin und Her hat mit Hesse selbst kaum etwas zu tun; die wirkliche Quelle der Angst liegt vielmehr in der Tatsache, daß nahezu die ganze junge Generation der Amerikaner zutreffend als »Gegenkultur« bezeichnet werden kann und daß sie ganz von sich aus diesen, ihren deutschen Lieblingsdichter entdeckt hat, ohne erst abzuwarten, bis das Establishment ihn als ›demokratiesicher‹ freigegeben hatte. Wenn auch ihr Begriff erst neueren Datums ist, so ist doch die Gegenkultur selbst keineswegs etwas Neues; das beängstigend Neue daran für die Außenstehenden ist nur, daß sich heute eine ganze Generation zu ihr bekennt, und daß die Strömung dadurch mächtig genug wird, eigene Zeitungen in jeder größeren und vielen kleinen Städten zu drucken, eigene Rundfunkstationen zu betreiben, rentable kommerzielle Unternehmen zu organisieren, Alternativinstitutionen einzurichten, wie z. B. viele freie Krankenhäuser und Universitäten, oder sogar Alternativ-Gemeinden zu gründen. Und inzwischen haben auch die Begriffsstutzigsten eingesehen, daß hier mehr als die übliche stilistische Revolution vor sich geht, daß nämlich mit der Gegenkultur auch eine grundsätzliche Überprüfung der

Werte begonnen hat. Zur Bestürzung der älteren marschieren die jungen Amerikaner, um einen Ausdruck von Thoreau zu gebrauchen, im Takt eines anderen Trommlers. Die zunehmende Hesse-Welle in Amerika läuft parallel zum Anwachsen der Gegenkultur, denn schon von Anfang an wurde Hesse in der Underground-Bewegung gelesen. Mein persönliches Interesse für ihn[1] geht zurück auf den zwar nur kurzen, aber erfreulichen Wiederausbruch des amerikanischen Transzendentalismus in den späten fünfziger Jahren, dessen Anhänger unter dem Modenamen »Beat Generation« bekannt wurden. Später dann, als wir von der Abart des McCarthyismus, der Silent Generation, beunruhigt waren, erschien Jack Kerouacs lebendig geschriebener Roman »On the Road«, der uns bestätigte, daß ein Underground, eine Bohème, tatsächlich diese dumpfen, trübseligen Jahre überlebt hatte, und daß diese Bohème, wie es dem amerikanischen Temperament entspricht, rastlos und ständig auf Wanderschaft war, zusammengewürfelt aus namenlosen Außenseitern, die den ganzen Kontinent hin und zurück durchstreift hatten, unsichtbar, bei Nacht, immer in Bewegung.

Kerouac war der Überzeugung, daß er einer Generation nachtrauerte, die bereits überholt war, und niemand konnte mehr überrascht sein als er selber, daß nun die Beatniks, wie sie bald tituliert wurden, allmählich auftauchten und aus all den staubigen, kleinen Ogallalas, Wichitas, Tucsons und Albuquerques des amerikanischen Landesinneren nach San Francisco strömten. Sie rauchten Gras, schliefen zusammen, ignorierten Rassenunterschiede, verdienten sich ihr bißchen Taschengeld, indem sie Bücher weiterverkauften, die ihnen übereifrige Buchclubs geschickt hatten, erhoben den Jazz, die Musik für Außenseiter, zum Kult, brachten Polizei und Grundbesitzer zur Raserei und begannen eine Wiederbelebung der Dichtung in ihrer eigentlichen Funktion, als mündliche Mitteilung, nicht als geschriebene. Sie waren Geschlagene – das heißt: müde, ausgeprügelt, verloren, alles, was das Wort im normalen Sprachgebrauch bedeutet –, aber

1 Fred Haines ist Drehbuchautor des Ulysses- und des Steppenwolf-Filmes.

390

zudem wollten sie auch Geschlagene sein, in der besonderen Bedeutung, die Kerouac entwickelt hatte – selig, beseligend –, und ihre Anhaltspunkte suchten sie im amerikanischen Transzendentalismus; sie wandten sich wieder zu Walt Whitman und Henry Miller, entdeckten östliche Gedanken, das Zen, wie es von Alan Watts und D. T. Suzuki interpretiert wird, – und sie entdeckten Hermann Hesse.

Zweifellos trug Colin Wilsons erstes Buch »The Outsider«, das kurz vor »On the Road« erschienen war, zu diesem Ergebnis bei. Wilson hatte versucht, die Entwicklung des Existentialismus anhand einer Folge von Schriftstellerporträts darzulegen, die mit Barbusse und Hesse begann, über T. E. Laurence und ein paar bekannte Existentialisten weiterführte und mit Ouspensky und Gurdjieff abschloß. Beispiel eines unternehmungslustigen Verlegers, der eine schnell ansprechende Neuerscheinung zum Bestseller hochschraubte, indem er mit der ungewöhnlichen Persönlichkeit des Autors Publicity trieb: Wilson, noch sehr jung, in zotteliger Wolljacke und Duffelcoat, mit Schlafsack unter freiem Himmel, seiner resoluten und unbeaufsichtigten Selbsterziehung in den Leseräumen des Britischen Museums, wurde in Amerika als erster, vielleicht sogar einziger, englischer Beatnik angesehen. Weder die Anerkennung beim Publikum noch seine exzentrische Theorie überdauerten den ersten, sprunghaften Erfolg der Werbung, aber dieser Bestseller erweckte eine starke Leserneugier für Hesse. Anfangs der sechziger Jahre hatte nahezu jeder, den ich kannte, den »Steppenwolf« oder »Siddhartha« gelesen, die beide in erschwinglichen Taschenbuchausgaben erhältlich waren, und einige sogar »Die Morgenlandfahrt« und »Das Glasperlenspiel«. In Berkeley gab es eine Bar mit Namen »Steppenwolf«, wo wir unser Bier tranken und Schach spielten. Ich glaube, wir waren alle ziemlich überrascht, als wir nach Jahren entdeckten, daß Hermann Hesse in seinem Geburtsland keineswegs als Underground-Schriftsteller gilt.

Die Beat Generation war nur von kurzer Dauer. Fast alle, die wir sie mitgelebt hatten, bekamen den Eindruck, als ob die wirklichen Beatniks andere wären und als ob die wirkliche Bewegung irgendwo anders stattfände. Eine Art maskierter Revolution ging vor, denn nahezu alle von uns be-

391

lächelten oder ignorierten vorerst die Parallelentwicklung, die noch weitreichende Auswirkungen haben sollte: die Anfänge der Teenager-Subkultur.

Die Bezeichnung »Teenager« gab es zwar auch in meiner Jugend, aber sie besagte nicht viel; sie bezeichnete eher ein gewisses Alter als einen Status. Wenn man zu dieser Altersgruppe gehörte, war man entweder noch in der Schule – dann galt man als Kind – oder man ging ab und bekam einen Job, bis man schließlich zum Kriegsdienst in Korea eingezogen wurde – dann galt man als Erwachsener. Ein Mittelding gab es nicht. Wie es einer meiner Altersgenossen kürzlich ausdrückte, sind wir in einer Zeit aufgewachsen, in der ein Teenager zu sein so gut wie nichts bedeutete.

Dieser Zustand hätte unbegrenzt fortdauern können, wenn auch weiter neue Arbeitsplätze zur Verfügung gestanden hätten, die Voraussetzungen also, durch die man vom Kind zum Mann gemacht werden sollte; aber dank der Automatisierung, einer Begleiterscheinung der Überflußgesellschaft, gab es immer weniger Arbeitsplätze. Die offenen Stellen wurden von Dienstälteren überwacht oder waren von Gewerkschaften beschlagnahmt, so daß mehr und mehr eine gesellschaftliche Notwendigkeit bestand, die Kindheit auf irgendeine Weise zu verlängern, d. h. jene Altersstufe zu ignorieren, in der ein junger Mann vom Standpunkt der Vernunft aus erwarten darf, nicht nur die Vorrechte, sondern auch die Pflichten und die Verantwortung eines Erwachsenen zu übernehmen. In dieser Zwischenzeit also war man Teenager. Und der müßige Teenager, mit seinem großzügigen Taschengeld von den arbeitenden Eltern, hatte eine ungewöhnlich hohe Kaufkraft, da die anwachsende Arbeitslosigkeit erstmalig nicht den geringsten Mangel am allgemeinen Lebensstandard aufkommen ließ. Das amerikanische Kaufmannsgenie tat ein Übriges. Ohne Zweifel begann dieser Abschnitt mit Elvis Presley, dem ersten Sänger, der etwas, was bis dahin als »Rassen-Musik« beargwöhnt wurde, an Weiße verkaufen konnte; Werbeagenturen und Schallplattenindustrie tauften es prompt um in »Rock and Roll« und verkauften es an die neue Zielgruppe. Der »Teenager-Markt« war erschlossen. Heute erscheint es wie Ironie, daß niemand sich so sehr bemühte, die antimaterialistische

392

Gegenkultur zu erfinden und zu verewigen, wie gerade die amerikanische Geschäftswelt.

Wenn sich anfangs Beatnik und Teenager gegenseitig ignorierten, so führte der Vietnam-Krieg sie später zusammen, während er gleichzeitig die Kluft beider Gruppen zu der älteren Generation unüberbrückbar vergrößerte. Die älteren Leute, die Arbeit hatten und von dem ungeheuren Rüstungsaufwand profitierten, waren einstimmig für den Krieg; die jüngeren, die nichts davon abbekamen – außer dem eigenen Tod –, hatten keinerlei Veranlassung dazu. Dieser grundsätzliche Interessenkonflikt bewirkte eine neue, aber nur flüchtige Teilnahme für einen Bereich, dem bis dahin Beatnik und Teenager gleichermaßen indifferent gegenübergestanden hatten – die Politik. Das politische Moment gab ihnen ein neues Selbstbewußtsein: die Gegenkultur war entstanden.

Natürlich waren dazu einige Kompromisse notwendig. Die Beats mußten etwas weniger passiv werden, die Teenager etwas weniger frivol. Auf Strandparties wurden Filme gedreht, 16 mm-Filme, selbst hergestellt von jungen Regisseuren, die niemals in das Hollywood der Filmgesellschaften gelangt wären. Das Aufkommen der Beatles – mit ihrer Intelligenz und ihrem unermüdlichen Einfallsreichtum – erleichterte es den Beats, ihren geliebten Jazz schnell zu vergessen. Die Teenager andererseits verzichteten auf ihre Bierbäuche und begannen mit Marihuana-Experimenten, was ihnen aus verschiedenen Gründen mehr zusagte: es war eher friedlich als aggressiv, es reizte die Älteren zur Weißglut, und es war unheimlich viel billiger. Und mit verstärkter Nachfrage für diese noch leichte Droge wurde auch das Angebot, das vorher im besten Fall dürftig war, größer als unbedingt erforderlich. Mitte der sechziger Jahre war aus dem kleinen Tropfen von Mexiko ein reißender Strom geworden, und stärkere Rauschmittel, gewöhnlich aus der Eigenproduktion der Gegenkultur, kamen in immer größerem Ausmaß auf den Markt. Die Verschmelzung der beiden Außengruppen war zu dem Zeitpunkt, als eine Pop-Gruppe namens »Steppenwolf« auf der Szenerie erschien, mehr oder weniger vollständig erreicht.

Der Krieg ging weiter, entgegen allen optimistischen Voraussagen der Militärbefehlshaber. »Ebbe und Flut« wechselten in Vietnam derart häufig, daß wir den Verdacht hegten, sie wiederholten sich jeden Tag zweimal, wie sonst auch; aber der Vorrat an Kanonenfutter ließ nach. Als die Verarmten und rassisch Unterdrückten nicht mehr ausreichend Soldaten hergaben, begann man auch die Mittelklasse einzuziehen, bis hinein in die Universitäten, wodurch immer intelligentere und fähigere junge Leute zur Gegenkultur übertraten, und Stürme von Protestreaktionen sich über die Hochschulen entluden.

Das Establishment erkannte, daß es hier keine Annäherungspunkte mehr gab, und verfiel in den klassischen Irrtum, die Auswirkungen für Ursachen zu halten – zur Bekämpfung von Drogen und Andersdenkenden setzte man jetzt die Polizei ein. Das Ergebnis war ebenfalls klassisch – völlig Unbeteiligte, erschreckt durch die Polizeigewalt, wurden zu Untersuchungshaft gezwungen, und Marihuana-Raucher wie Nonkonformisten entwickelten sich zu Kriminellen und, unausweichlich, zu Revolutionären.

Ein kurzer Stillstand kam mit McCarthys Kampagne für die Präsidentschaft der Vereinigten Staaten im Wahljahr 1968. Es wäre absurd, behaupten zu wollen, daß Senator Eugene J. McCarthy der Kandidat der Gegenkultur war, denn das war er ganz eindeutig nicht. Aber er beschwor die jungen Leute, für ihre so heiß erwarteten Veränderungen der Gesellschaft »innerhalb der Systemgrenzen vorzugehen«, und eine ungeheuer große Anzahl entschloß sich zu diesem Versuch. Sie schnitten ihre Haare kurz, rasierten ihre Bärte ab, nahmen die Anzug- und-Krawatten-Uniform des Establishments an und zogen scharenweise zu Tausenden in die Staaten, in denen McCarthy für die ersten Wahlgänge kandidierte. Wenige nur dachten ernstlich daran, diesen sanft redenden und manchmal flunkernden Senator wirklich zum Präsidenten zu machen, trotz des erstaunlichen »Kinder-Kreuzzuges«, wie es die Presse spöttelnd formuliert hatte; aber was sie wollten, das war eine Antwort vom Establishment: wenn wir wirklich »innerhalb der Systemgrenzen vorgehen«, was für einen Nutzen haben wir davon? Auch diejenigen, die zu zynisch oder realistisch waren, um sich zu engagieren, warteten auf dieselbe Antwort. – Die Demo-

394

kratische Partei antwortete ihnen in Chicago mit einer rücksichtslosen Orgie von Polizeigewalt. Heute ruft die Phrase »vorgehen innerhalb der Systemgrenzen« bei der Gegenkultur nur noch ein oder zwei bittere Gelächter hervor, nicht viel mehr. Im Herbst 1968 verfiel die Bewegung einem unsicheren politischen Quietismus, mit der bemerkenswerten Ausnahme einiger kleiner Gruppen, die zum offenen Terrorismus übergingen.

Es war gleichfalls im Herbst 1968, als der Hesse-Boom wirklich hochschnellte, zweifellos unterstützt durch das Erscheinen einer preiswerten Taschenbuchausgabe, die man von da an nicht nur in den Universitätsbuchhandlungen kaufen konnte, sondern auch in den Supermarkets, Drug Stores, an Bushaltestellen und Zeitungskiosken. Die Zeit war reif für einen Autor, der Politik immer für Betrug gehalten und sich geweigert hatte, sein Leben von irgendeinem Glaubensbekenntnis, einer Bewegung oder Sache abhängig zu machen. Ralph Freedman von der Princeton University, der zur Zeit an einer detaillierten Hesse-Biographie arbeitet, war Mentor bei meinen Hesse-Studien und später mein Mitarbeiter am Drehbuch zu einem Dokumentarfilm über Hesse. Er war es, der mich darauf aufmerksam machte, daß Hesse in Deutschland unmittelbar nach den beiden Weltkriegen Wellen unvergleichbarer Popularität erlebte. »Demian«, geschrieben 1917, wandte sich an die Nöte und Erwartungen einer Generation junger Deutscher, die als Erben des Zusammenbruchs kaum etwas über ihre eigene politische Zukunft zu bestimmen hatten. Ein Vierteljahrhundert später sollte das »Glasperlenspiel« eine ähnliche Funktion erfüllen für eine neue Generation, die im Ausgeglichensein Hesses eine Zuflucht aus dem Chaos ihres besiegten Landes suchte. Professor Freedman bemerkte außerdem, daß Hesse immer die junge Generation ansprach, nicht nur durch seine Flugschrift »Zarathustras Wiederkehr«, sondern ebenso mit seinen ungezählten Antworten auf ihre Briefe. Auch hier führt seine rigorose Ablehnung jeder Systematisierung und einseitiger Ideologie ihn immer wieder dazu, seinen Briefpartnern eindringlich zu raten, nur ihren eigenen Weg zu gehen und nicht den seinen nachzuahmen.

Dieser Weg aber sollte ein ganz persönlicher sein, die Verwirklichung des Individuellen.

Viele junge Leute, die angefangen hatten, mit bewußtseinserweiternden Drogen zu experimentieren, sahen darin solch einen Weg. Angeregt durch Aldous Huxley, der mit Meskalin eine Art experimenteller mystischer Erfahrung zu machen hoffte (ähnlich, wie frühe medizinische Forscher mit LSD eine experimentelle Psychose bewirken wollten, um wissenschaftliche Studien daran zu ermöglichen), war in uns die Erwartung auf eine Art transzendentalen Erlebnisses entstanden. Fast alle hatten wir Ehrfurcht und Scheu vor dem Trip. Wir neigten dazu, Huxleys unbehaglich genau formulierte Warnung zu ignorieren, daß nämlich Drogen nicht nur eine Tür zum Himmel, sondern auch zur Hölle sein können. Nach Huxleys Tod ging die Vorrangstellung eines Führers beim Trip an Dr. Timothy Leary über, dessen Interpretation zwar nicht direkt derjenigen Huxleys widersprach, der aber durch seine Psychologiestudien viele neue, selbständige Einblicke erhalten hatte. Als ich 1962 oder 1963 Dr. Leary um ein Interview für eine Radiosendung der Gegenkultur bat, betonte er besonders die psychologischen Aspekte des LSD: seine günstigen Heilwirkungen bei Alkoholismus und die Verringerung der Rückfälligkeitsquote bei Kriminellen; die Wahrscheinlichkeit, daß Theologiestudenten ihre LSD-Erlebnisse als mystisch bezeichnen; die Möglichkeit, unter dem Einfluß der Droge Jene »Spielregeln« zu durchschauen und zu entwirren, aus denen ein Großteil der menschlichen Existenz besteht.

Dr. Leary befürwortete niemals den wahl- oder zwecklosen Gebrauch von LSD, aber er sah keinen Grund, warum er geistig und physisch gesunden Menschen, die entsprechend vorbereitet waren und die möglichen Risiken in Kauf nehmen wollten, verboten sein sollte. Er hatte die Wunschvorstellung von einem Korps wohltrainierter und ganz bewußter Astronauten für den inneren Kosmos. Seine Suche nach schöpferischen Anhaltspunkten, die den potentiellen »Voyager« auf dieses Erlebnis vorbereiten konnten, das ja nicht nur unvorstellbar, sondern auch unerklärlich ist, führte ihn zur Literatur, zu den Dichtern, den ewigen Pionieren der psychischen Welt. Daraus resultieren auch seine ungewöhnliche Bearbeitung des tibetanischen Buches der Toten in ein psychedelisches Handbuch und sein verstärkter Nachdruck auf den spirituellen – nicht so sehr psychologischen – Erlebnisgehalt.

Später entdeckte Dr. Leary in den Schriften Hermann Hesses einen noch besseren Wegweiser zu den heiligen und heilenden Möglichkeiten der psychedelischen Welt, sogar »den wichtigsten Wegweiser«. In ihrem Artikel »Hermann Hesse: Poet of the Interior Journey« empfehlen Leary und sein Mitarbeiter Ralph Metzner dem Leser eindringlich »Vor deiner LSD-Sitzung solltest du Siddhartha und Steppenwolf lesen. Der letzte Teil des Steppenwolf ist ein unschätzbares Lehrbuch.« Die Mischung aus Spiritualität und entlarvender Psychologie, die Thomas Mann an Hesse so bewundert hatte, mußte Dr. Leary besonders faszinieren. Bahnbrechend für die moderne Interpretation transzendentaler Erfahrung war der große amerikanische Psychologe William James mit seinem Buch »Varieties of Religious Experience«. Denn er bestand darauf, daß eine Beschreibung dieses spirituellen Erlebnisses mit Hilfe psychologischer Begriffe keineswegs als eine Verirrung der Psychologie abgetan werden könne – oder als »pure Psychologie« –, sondern im Gegenteil den berechtigten Wirklichkeitsanspruch nur noch bekräftigen helfe. Auf ziemlich der gleichen Grundlage hatte C. G. Jung in Europa den Gnostizismus für das zwanzigste Jahrhundert erneuert und wiederbelebt, und C. G. Jung übte natürlich, direkt wie auch indirekt, einen großen Einfluß auf Hesse aus.

Niemand kann Learys und Metzners Behauptung anfechten, daß »nur wenige Schriftsteller die innere Weiterentwicklung der verschiedenen Lebensstadien mit solch objektiver Klarheit und furchtloser Ehrlichkeit beschrieben haben«. Aber die beiden Verfasser tun sowohl sich selbst als auch Hesse unrecht, wenn sie ihre Vermutung, Hesse habe tatsächlich mit Drogen experimentiert, zum Amokläufer und zur Voraussetzung ihrer Diskussion werden lassen. Immerhin taucht in ihrem Nachtrag die Frage auf: »hat Hesse wirklich bewußtseinsändernde Drogen genommen?«. Aber diese Frage ist nicht besonders geistreich, wenn zuvor im Hauptteil des Artikels Passagen erscheinen wie: »es scheint klar, daß Hesse ein psychedelisches Erlebnis beschreibt, einen durch Drogen herbeigeführten Verlust des Selbst . . .« Wenn auch die Annahme völlig falsch ist, so ist doch die Fragestellung nicht im geringsten absurd. Jeder, der ein gründliches Erlebnis mit Drogen durchgemacht hat, kann nicht umhin, sich über die Entsprechungen mit dem Magischen Theater z. B. zu wundern, und Hesse selbst bestärkt ja auch diesen Verdacht mit den drei Gläschen des geheimnisvollen Likörs und den schmalen, gelben Zigaretten, die Pablo, Hermine und Harry zusammen rauchen, bevor das Magische Theater beginnt. Gewiß, LSD war damals noch nicht entdeckt, aber Leary und Metzner weisen darauf hin, daß bereits um diese Zeit Versuche mit Meskalin begonnen hatten, und zudem gab es auch viele pflanzliche Substanzen, die seit Menschengedenken für solche Zwecke in Gebrauch waren. Wenn allerdings Hesse wirklich Drogenerfahrung hatte, so existiert nicht der geringste Hinweis darauf, obwohl er in seiner umfangreichen Korrespondenz wie auch seinem literarischen Werk beständig autobiographisch blieb. Sogar seine Träume wurden in ein Heft notiert, das er neben seinem Bett aufbewahrte. Und trotz seines mozartischen Geschmacks und Feingefühls zeigte er keinen übermäßigen Hang zur Verschwiegenheit. Niemals versuchte er z. B. seine zeitweise zerstörerische Trinksucht zu verheimlichen. Aber über den Gebrauch von Drogen hat bis jetzt noch niemand, der den gesamten literarischen Nachlaß durchgearbeitet hat, auch nur einen einzigen Hinweis entdecken können. Sicher, er war darauf angewiesen und brauchte zuweilen Opium oder Opiate, um die mehr oder weniger konstanten physischen Schmerzen zu bekämpfen, unter denen er ständig litt, aber die halluzinatorischen Wirkungen des Rauschmittels scheinen von ihm weder geschätzt noch überhaupt bemerkt worden zu sein. Er sah es nie als Mittel zur Bewußtseinsveränderung, wie das andere berühmte literarische Opiumbenutzer getan haben: de Quincey, Coleridge oder Rimbaud. Wenn er jemals Haschisch-Erfahrungen gemacht hat, so waren sie ihm jedenfalls nicht wichtig genug, um in seinen Tagebüchern oder Briefen erwähnt zu werden. Viel eindeutigere Beweise gibt es für seinen Gebrauch, oder besser Mißbrauch, von Alkohol, dieser Droge des Establishments, die – wie jeder Anhänger der Gegenkultur weiß – das Bewußtsein eher abstumpft als erweitert. Andererseits aber war Hesse auch interessiert am Yoga, besonders den Atemübungen, obwohl er eine eigene Meditationsmethode befolgte, da er Yoga grundsätzlich als ungeeignet, oder strenggenommen sogar unerlernbar, für den westlichen Menschen ansah.

Die Annahme, Hesses differenziertes Wahrnehmungsvermögen und seine Einblicke in die Zusammenhänge beruhten auf Drogenerfahrung, ist eine ernstliche Unterschätzung seiner Originalität und der Eigenarten und Wucht all jener Einflüsse, die sein Leben und seine Arbeit geformt haben, seien es nun erlebnishafte, politische oder literarische. Ebenso falsch ist das Mißverständnis, das von seiner Warnung »Nur für Verrückte« ausgeht und annimmt, seine treffsicheren Metaphern seien nicht mehr als eine Wiedergabe von Wahnsinnsanfällen. Wie schwankend auch immer seine geistige Verfassung gewesen sein mag, als geistesgestört hätte er niemals bezeichnet werden können, ganz sicher nicht heutzutage, wo Nervenzusammenbrüche dieser Art relativ häufig vorkommen bei sensiblen Intellektuellen, die sich selbst überfordern. Gewiß hatte er aus den Zeiten äußerster geistiger Bedrängung bestimmte Erkenntnisse gewonnen, aber er war Künstler und Intellektueller, Erfinder des Magischen Theaters, der Morgenlandfahrt und des Glasperlenspiels – kein Geisteskranker.

So irreführend Learys und Metzners Theorie vom literarischen Verständnis her auch gewesen sein mag, ihre gesellschaftliche Auswirkung war von ungeheurer Bedeutung, da sie Hesse als den Dichter in den Vordergrund rückte, der Ziele und Ideale der amerikanischen Gegenkultur am genauesten artikulierte. Natürlich nahmen nicht alle Anhänger der Gegenkultur Rauschmittel, noch hatten sie alle Leary gelesen, aber beide Faktoren zusammen genügten, um Hesse in nahezu absurdem Ausmaß zum Repräsentanten ihres neuen spirituellen Erlebnisses werden zu lassen.

Wird Hesse diesen Kult überdauern, ober wird die Modewelle bald wieder abflauen, wie z. B. das Interesse für Ayn Rand, dem äußerst wenig nachgetrauert wird? Ja und nein. Das sogenannte Hesse-Phänomen wird ganz sicher nachlassen und schließlich zu einem Ende kommen, der rasende Absatz wird wieder auf einen durchschnittlichen Stand gelangen. Aber das Interesse für diesen Autor ist Bestandteil einer derart überwältigenden gesellschaftlichen Neuorientierung in Amerika, daß es länger anhalten wird, als irgend jemand wahrscheinlich vorhersagen könnte, und es wird auch tiefere und dauerhaftere Spuren in der amerikanischen Mentalität hinterlassen, als die Zyniker es für möglich halten. Schriftsteller vom Format Hesses können die lächerlichsten Mißdeutungen und Mißverständnisse überleben, vorausgesetzt, daß sie gelesen werden. So bizarr es auch Europäern, und besonders den Deutschen, erscheinen mag, daß die anhänglichsten und eifrigsten Leser Hesses gerade inmitten der von Macht bedrohtesten und materialistischsten Kultur der Weltgeschichte auftauchen, so können sie sich vielleicht bei dem Gedanken beruhigen, daß Hesse viel eher Amerika vernichten wird, als Amerika Hesse vernichten kann. Wir sollten auch nicht vergessen, daß es die Amerikaner waren, die William Blake und Franz Kafka entdeckt haben.

*Aus dem Amerikanischen übersetzt*
*von Ursula Michels-Wenz*

*Kurzgefaßter Lebenslauf:* Erstdruck: Die Neue Rundschau 36, 1925. 1945 aufgenommen in die Sammlung ›Traumfährte‹, Erzählungen und Märchen. Enthalten in WA 6, S. 391 ff.

*Die Entstehungsjahre des Steppenwolf. Eine biographische Chronik:* Originalbeitrag des Herausgebers in Zusammenarbeit mit Heiner Hesse.

*Der Steppenwolf in Briefen, Selbstzeugnissen und Dokumenten:* Ein Mosaik aus größtenteils unveröffentlichten Briefen, Feuilletons und Rezensionen.

*Nachweise der Feuilletons, bzw. Sammelrezensionen und Gedichte:*

S. 50 ›Ausflug in die Stadt‹. Erstdruck: Frankfurter Zeitung vom 17. 1. 1926.

S. 58 ›Gedanken über Lektüre‹. Erstdruck: Berliner Tageblatt vom 6. 2. 1926.

S. 70 ›Verbummelter Tag‹. Erstdruck: Frankfurter Zeitung vom 31. 3. 1926.

S. 96 ›Herbst. Natur und Literatur‹. Erstdruck: Frankfurter Zeitung vom 17. 10. 1926.

S. 99 ›Ballade vom Klassiker‹. Erstdruck: Simplicissimus, 31. 1926/27, S. 615.

S. 100 ›Kofferpacken‹. Erstdruck: Berliner Tageblatt vom 14. 11. 1926.

S. 108 ›März in der Stadt‹. Erstdruck: Berliner Tageblatt vom 6. 3. 1927.

S. 111 ›Morgen-Erlebnis‹. Erstdruck: Neue Zürcher Zeitung vom 19. 5. 1929.

S. 113 ›Brief von einer Redaktion‹. Erstdruck: innerhalb der ›Verse im Krankenbett‹. In ›Die Gedichte‹ 1942.

S. 124 ›Herbstgedanken‹. Erstdruck: Kölnische Zeitung vom 23. 10. 1928.

S. 126 ›Über allerlei neue Bücher‹. Erstdruck in ›Bücherbote von 1928‹. W. Braumüller, Wien.

S. 128 ›Rückkehr aufs Land‹. Erstdruck: Kölnische Zeitung vom 1. 5. 1928.

S. 132 ›Hochsommertag im Süden‹. Erstdruck: Berliner Tageblatt vom 9. 7. 1928.

S. 136 ›Mozarts Opern‹. Erstdruck im Programm des Zürcher Stadttheaters 1932.

S. 139 ›Lektüre im Bett‹, geschrieben 1929. Erstdruck: Nationalzeitung Basel vom 1. 4. 1947.

Heinrich Wiegand, ›Ein Tag mit Hermann Hesse; aus dem Tagebuch von Heinrich Wiegand‹, hier erstmals gedruckt mit freundlicher Genehmigung von Frau Eleonore Schorr-Wiegand.

*Nachwort zum Steppenwolf:* Erstdruck in der Lizenzausgabe
der Büchergilde Gutenberg, 1942.

*Krisis. Ein Stück Tagebuch:* In einmaliger Auflage von 1 150
numerierten Exemplaren erschienen im S. Fischer Verlag, Berlin 1928.

*Aus dem Tagebuch eines Entgleisten:* Erstdruck: Simplizissimus
27, 1922.

*Jenseits der Mauer:* Undatiertes Fragment aus dem Nachlaß.
Hier erstmals veröffentlicht.

*Vom Steppenwolf:* Erstdruck: Die Neue Rundschau 39, 1928.
1945 aufgenommen in die Sammlung ›Traumfährte‹. Enthalten
in WA 6, S. 445 ff.

*Gedanken zu Dostojewskis ›Idiot‹:* Erstdruck ›Vivos voco‹ 1,
1919/20. Enthalten in WA 12, S. 307 ff.

*Haßbriefe:* Erstdruck: ›Vivos voco‹ 2, 1921/22.

*Gespräch:* Erstdruck: Berliner Tageblatt vom 28. 7. 1925.

*Die Fremdenstadt im Süden:* Erstdruck: Berliner Tageblatt vom
21. 5. 1925.

*Die Idee:* Einführung zu einer Holzschnittfolge von Frans Masereel. Erstdruck in ›Die Idee‹, 83 Holzschnitte von Frans Masereel, Kurt Wolff, München 1927.

*Bei den Massageten:* Erstdruck: Berliner Tageblatt vom 25. 9.
1927.

*Texte über den ›Steppenwolf‹:*

Peter de Mendelssohn, Die unheimliche Kreuz- und Querspinne: aus ›S. Fischer und sein Verlag‹, 1971, mit freundlicher Genehmigung des S. Fischer Verlags, Frankfurt/Main.

Oskar Loerke an Hermann Hesse: hier erstmals mit freundlicher Genehmigung von Dr. Hans Loerke, Kettwig, abgedruckt.

Stefan Zweig an Hermann Hesse: hier erstmals mit freundlicher Genehmigung des S. Fischer Verlags, Frankfurt/Main, abgedruckt.

Hugo Ball, Ein mythologisches Untier: aus ›Hermann Hesse. Sein Leben und sein Werk‹, Suhrkamp Verlag, Frankfurt/Main.

Alfred Wolfenstein, Wölfischer Traktat: Erstdruck in ›Die Weltbühne‹ 23. 2. 1927. Berlin. Mit freundlicher Genehmigung von Frau Margarete Frankenschwerth, London, und der Akademie der Wissenschaften und der Literatur, Mainz.

Oskar Loerke, Der fünfzigjährige Hermann Hesse: aus ›Berliner Börsen-Courier‹, Nr. 303, 1927, mit freundlicher Genehmigung von Dr. Hans Loerke, Kettwig.

Heinrich Wiegand, Gruß an Hermann Hesse: aus ›Leipziger Volkszeitung‹ 2. 7. 1927. Mit freundlicher Genehmigung von Frau Eleonore Schorr-Wiegand.

Kurt Tucholsky, Der deutsche Mensch: aus Kurt Tucholsky, ›Gesammelte Werke‹, Band II, 1960. Mit freundlicher Genehmigung des Rowohlt Verlags, Reinbek.

Felix Braun, Hermann Hesses neues Buch: aus ›Die literarische Welt‹ 3, 1927, Berlin. Mit freundlicher Genehmigunng des Autors.

Felix Braun, Nachwort zu einer Buchanzeige: aus ›Die literarische Welt‹ 3, Nr. 34 vom 26. 8. 1927, mit freundlicher Genehmigung des Autors.

Werner Deubel, Hermann Hesses Steppenwolf: aus ›Frankfurter Nachrichten‹ 105, 49, 1927. Beilage ›Didaskalia‹.

Heinrich Wiegand, Krisis: aus ›Kulturwille‹, Leipzig 1928 o. D. Mit freundlicher Genehmigung von Frau Eleonore Schorr-Wiegand.

Colin Wilson, Outsider und Bürger: aus ›Der Outsider‹. Mit freundlicher Genehmigung des Goverts Krüger Stahlberg Verlags, Frankfurt/Main.

Beda Allemann, Tractat vom Steppenwolf: Nachwort zu Hermann Hesse, ›Tractat vom Steppenwolf‹, suhrkamp texte 7, 1961, bzw. edition suhrkamp Band 84. Suhrkamp Verlag, Frankfurt/Main.

Peter Weiss, Aus ›Abschied von den Eltern‹: entnommen ›Abschied von den Eltern‹, 1961, Suhrkamp Verlag, Frankfurt/Main. Mit freundlicher Genehmigung des Autors.

Rudolf Pannwitz, ›Der Steppenwolf‹. Der Sinn von Hermann Hesses Roman: aus ›Neue Zürcher Zeitung‹ Nr. 2 616 vom 2. 7. 1962. Mit freundlicher Genehmigung der Erben.

Hans Mayer, Hermann Hesses ›Steppenwolf‹: aus ›Zur deutschen Literatur der Zeit‹, 1967. Mit freundlicher Genehmigung des Rowohlt Verlags, Reinbek.

Timothy Leary, Meisterführer zum psychedelischen Erlebnis: aus ›Politik der Ekstase‹, 1970. Mit freundlicher Genehmigung des Christian Wegner Verlags, Reinbek.

Theodore Ziolkowski, Hermann Hesses ›Steppenwolf‹. Eine Sonate in Prosa: aus ›The Novels of Hermann Hesse: a Study Theme and Structure‹, 1965, Princeton. Mit freundlicher Genehmigung des Autors und der Princeton University Press.

Anni Carlsson, Zur Geschichte des Steppenwolfsymbols: Originalbeitrag für diesen Band.

Horst Dieter Kreidler, Pablo und die Unsterblichen: Originalbeitrag für diesen Band.

Fred Haines, Hermann Hesse und die amerikanische Subkultur: Originalbeitrag für diesen Band.

*Krisis.* Ein Stück Tagebuch. Berlin: Fischer (1928).

Tdr.[1] 1: Der Steppenwolf. Ein Stück Tagebuch in Versen. In: Die Neue Rundschau. Berlin. 37, 1926, S. 509–521; Gesammelte Werke in zwölf Bänden. 11. Band. (Frankfurt a. M.:) Suhrkamp (1970).

Tdr. 2: Aus einem lyrischen Tagebuch. In: Neue Schweizer Rundschau. Zürich. 20, 1927, S. 625–627.

Tdr.: 3: Aus dem Buch »Krisis«. In: Trost der Nacht. Berlin: Fischer (1929; Neuauflagen 1936, 1942); Die Gedichte. Zürich: Fretz & Wasmuth (1942; Neuauflagen 1942, 1948, 1952); Die Gedichte. Berlin: Suhrkamp (1947; Neuauflagen 1949, 1953, 1957); Gesammelte Dichtungen. 5. Band. (Berlin und Frankfurt a. M.:) Suhrkamp 1952; Gesammelte Schriften. 5. Band. (Frankfurt a. M.:) Suhrkamp 1957 (Neuauflagen 1958, 1968).

Tdr. 4: Aus dem Buch »Krisis«. In: Stufen. (Frankfurt a. M.:) Suhrkamp 1961 (Neuauflage 1966); Gesammelte Werke in zwölf Bänden. 1. Band. (Frankfurt a. M.:) Suhrkamp (1970).

Tdr. 5: In: Gesammelte Werke in zwölf Bänden. 11. Band. (Frankfurt a. M.:) Suhrkamp (1970).

Tdr. 6: Der Steppenwolf und unbekannte Texte aus dem Umkreis der Steppenwolf. (Frankfurt a. Main, Wien, Zürich: Büchergilde Gutenberg (1972).

*Der Steppenwolf.* Berlin: Fischer (1927; Neuauflagen 1928, 1930, 1940), (Berlin:) Suhrkamp 1949 (Neuauflagen 1952, 1956, 1959).

Neudr. 1: Zürich: Büchergilde Gutenberg (1942). (Mit »Nachwort des Verfassers«.)

Neudr. 2: (Zürich): Manesse-Verlag (1946). (Manesse-Bibliothek der Weltliteratur.)

Neudr. 3: Tenafly, N. J.: Kraus 1946.

1 Teildruck.

405

Neudr. 4: Zürich: Fretz & Wasmuth (1949).

Neudr. 5: (Berlin und) Frankfurt a. M.: Suhrkamp 1961. (Suhrkamp Hausbuch 1961.) (Mit »Nachwort des Verfassers«.)

Neudr. 6: In: Gesammelte Dichtungen. 4. Band. (Berlin und
Frankfurt a. M.:) Suhrkamp 1952; Gesammelte Schriften. 4.
Band. (Berlin und Frankfurt a. M.:) Suhrkamp 1957 (Neuauf-
lagen 1958, 1968). (»Nachwort des Verfassers« in: Gesammelte
Schriften. 7. Band.)

Neudr. 7: Berlin: Aufbau-Verlag 1963. (Mit »Nachwort des
Verfassers«.)

Neudr. 8: (München:) Deutscher Taschenbuch Verlag (1963).
(dtv. 147.) (Mit »Nachwort des Verfassers«.)

Neudr. 9: (Frankfurt a. M.:) Suhrkamp (1969; Neuauflagen
1970, 1971). (Bibliothek Suhrkamp. 226.)

Neudr. 10: Gesammelte Werke in zwölf Bänden. 7. Band.
(Frankfurt a. M.:) Suhrkamp (1970). (»Nachwort des Verfassers« im 11. Band.)

Neudr. 11: Zürich, (1972) Buchclub Ex Libris

Neudr. 12: (Frankfurt a. Main, Wien, Zürich:) Büchergilde Gutenberg 1972, mit Anhang: Gedichte und Prosa aus dem Umkreis des Steppenwolf und einem Essay ›Hermann Hesse, der
distanzierte Deutsche‹ von Volker Michels.

Tdr. 1: *Tractat vom Steppenwolf.* In: Die Neue Rundschau.
Berlin. 38, 1927, S. 456–477.

Tdr. 2: *Tractat vom Steppenwolf.* Nachwort von Beda Allemann. (Frankfurt a. M.:) Suhrkamp (1961). (suhrkamp texte. 7.)

Tdr. 3: *Tractat vom Steppenwolf.* Nachwort von Beda Allemann. (Frankfurt a. M.:) Suhrkamp (1964; Neuauflagen 1968,
1970, 1971). (edition suhrkamp 84.)

*Vom Steppenwolf.* In: Die Neue Rundschau. Berlin. 39, 1928,
S. 409–415; Der Schwabenspiegel. Stuttgart. 22, 1928, S. 170 f.;
Traumfährte. Zürich: Fretz & Wasmuth (1945), (Frankfurt

a. M.:) Suhrkamp 1959; Gesammelte Dichtungen. 6. Band. (Berlin und Frankfurt a. M.:) Suhrkamp 1952; Gesammelte Schriften. 6. Band. (Berlin und Frankfurt a. M.:) Suhrkamp 1957 (Neuauflagen 1958, 1968); Gesammelte Werke in zwölf Bänden. 6. Band. (Frankfurt a. M.:) Suhrkamp (1970); Der Steppenwolf [und Traumfährte], Buchclub Ex Libris, Zürich (1972); Der Steppenwolf und unbekannte Texte aus dem Umkreis des Steppenwolf. (Frankfurt a. Main, Wien, Zürich: Büchergilde Gutenberg (1972).

›Steppenwolf‹-Übersetzungen

| Sprache | Erscheinungsjahr | Übersetzer |
|---|---|---|
| dänisch | 1946, 1964 | Karen Hildebrandt |
| englisch | 1929, 1947, 1957 | Basil Creighton |
| | 1963, 1966, 1969, 1970 | Basil Creighton, rev. by Joseph Mileck and Horst Frenz |
| | 1965, 1967, 1969, 1970, 1971 | Basil Creighton, rev. by Walter Sorrell |
| finnisch | 1952 | Eeva-Liisa Manner |
| französisch | 1931, 1947, 1971 | Juliette Pary |
| hebräisch | 1971 | – |
| italienisch | 1946, 1947, 1961, 1971 | Ervino Pocar |
| japanisch | 1951, 1956 | Mayumi Haga |
| | 1953 | Morio Sagara |
| | 1954, 1955, 1957 | Tomio Tezuka |
| | 1958 | Kenji Takahashi |
| niederländisch | 1930 | Maurits Dekker |
| | 1964 | – |
| norwegisch | 1971 | Peter Magnus |
| polnisch | 1929, 1957 | Jósef Wittlin |
| schwedisch | 1932, 1946, 1951, 1960 | Anders Österling |
| serbokroatisch | 1960 | Sonja Perovic |
| | 1969 | Janez Gradisnik |
| spanisch | 1931, 1943, 1948, 1951, 1962, 1967 | Manuel Manzanares |
| | 1963 | Miguel Chamorro |
| tschechisch | 1931 | Jiřina Fischerova |
| | 1966 | Miroslav Kállay |

*Krisis*
Griese, Walter Hans: François (Villon) hat einen Bruder bekommen. In: Der Kreis. Hamburg. 5, 1928, 9, S. 541–542.

Holzinger, Bernhart: Der ›neue‹ Hermann Hesse. In: Fränkischer Kurier, Nürnberg, 16. 5. 1928.

K(orrodi), E(duard): Gedichte einer Krisis. In: Neue Zürcher Zeitung. Nr. 991 v. 31. 5. 1928, Tdr. in: Die Literatur. Stuttgart. 30, 1927/28, S. 656.

Lang, Martin: Literatur. In: Süddeutsche Zeitung. Stuttgart. 21. 5. 1928

Schlack, A.: H. H.: Krisis. In: Der Schwabenspiegel. Stuttgart. 22, 1928, S. 308–309.

Wiegand, Heinrich: Krisis. In: Kulturwille, Leipzig. 1928 o. D.

Böhm, Hans: In: Der Kunstwart. München. 44, 1930/31, S. 803–804.


*Der Steppenwolf*
Ackerknecht, Erwin: H. H.: Der Steppenwolf. In: Bücherei und Bildungspflege. Leipzig. 7, 1927, S. 357–358.

Ball, Hugo: Kurgast und Steppenwolf. In: H. Ball: H. H. Sein Leben und sein Werk. Berlin: Fischer (1927). S. 213–237; veränd. und erw. Ausg. 1933; (Berlin und Frankfurt a. M.:) Suhrkamp 1947; Zürich: Fretz & Wasmuth (1947); Berlin und Frankfurt a. M.: Suhrkamp (1956; Neuauflagen 1957, 1967). (Bibliothek Suhrkamp. 34.)

Braun, Felix: H. H.s neues Buch. In: Die literarische Welt. Berlin. 3, 1927, 27, S. 5–6.

Deubel, Werner: H. H.s Steppenwolf. In: Didaskalia. Beil. z. Frankf. Nachr. 105, 1927, 49, S. 221–222.

Dürr, Erich, H. H.s Ich-Problem. In: Die Literatur. Stuttgart und Berlin. 30, 1927, 3, S. 135–136.

Elster, Hanns Martin: Bücherschau. In: Die Horen. Berlin. 4, 1927, 1, S. 86–92.

Gutmann, Paul. In: Vorwärts. Berlin. 1927, 132.

Hirsch, Leo: Der Steppenwolf. In: Berliner Tageblatt. Nr. 308 v. 2. 7. 1927.

K(orrodi), E(duard): H. H.s Steppenwolf. In: Neue Zürcher Zeitung. Nr. 944 v. 5. 6. 1927 u. Nr. 978 v. 10. 6. 1927; Tdr. in: Die Literatur. Stuttgart. 29, 1926/27, S. 654.

M.: Der Steppenwolf. Das Bekenntnis des 50jährigen. In: Der kleine Bund. Bern. Nr. 27 v. 7. 8. 1927, S. 209–210.

Rang, Bernhard: H. H.: Steppenwolf. In: Der Kunstwart. München. 41, 1928, S. 52–55.

R(ockenbach), M(artin): Der Steppenwolf. In: Orplid. Augsburg. 4, 1927, 5/6, S. 54–56.

Saager, Adolf: H. H.s »Steppenwolf«. Eine Deutung. In: Basilisk. 8, 1927, 27.

Schulenburg, Werner von der: H. In: Der Bücherwurm. Dachau und Berlin. 12, 1927, 9, S. 264–265.

Strecker, Karl: In: Velhagen und Klasings Monatshefte. Braunschweig. 42, 1927/28, S. 109–110.

Tornette, Wilhelm-Ernst: H. H., Der Steppenwolf. In: Die Bücherschale. Berlin. 1927, 1, S. 9–16.

Walter, Fritz: H. H.s Steppenwolf. In: Berliner Börsen-Courier. 1927, 281

Wiegler, Paul. In: Die Neue Rundschau. Berlin. 38, 1927, 8, S. 196–198.

Wolfenstein, Alfred: Wölfischer Traktat. In: Die Weltbühne. Berlin. 23, 1927, 2, S. 107–109.

Über Wasser, Walter: Das Steppenwolf-Buch. In: Beilage zu den Basler Nachrichten Nr. 291, 2. 7. 1927.

(anonym:) H. als Philosoph des Radioapparates. In: Die Propyläen. München. 24, 1926/27, S. 316–317.

Grolman: Adolf von: H. H.: Der Steppenwolf. In: Die schöne Literatur. Leipzig. 29, 1928, S. 24–25.

Wiegler, Paul: Der Steppenwolf von H. H. In: Weltstimmen. Stuttgart. 1, 1928, 10, S. 361–365.

Chino, Shoshu: Einige Gedanken über H. H.s »Steppenwolf«. In: Doitsu-Bungaku. Tokio. 1929, 1. (Japanisch).

Hartley, L. P.: Steppenwolf. In: Saturday Review of Literatur. New York. 1. 6. 1929, S. 746.

Irvine, L. L.: Steppenwolf. In: The Nation and Athenaeum. London. 11. 5. 1929, S. 208.

Bin Gorion, Emanuel: Der Steppenwolf. In: E. Bin Gorion: Ceterum Recenseo. Kritische Aufsätze und Reden. Tübingen: Fischer 1929. S. 100–107.

Lingelbach, Helene: Über das Geheimnis dichterischer Sendung im lyrischen Bekenntnis. In: Die Horen. Berlin. 5, 1928/29, S. 1056–1079, bes. S. 1068–1069.

Porterfield, W. A.: Mozart still lives. Steppenwolf. In: New York Herald Tribune. Books. 8. 9. 1929, S. 4.

Smith, B.: Steppenwolf. In: New York World. 27. 10. 1929, S. 11.

Taylor, R. A.: Steppenwolf. In: Spectator. London. 18. 5. 1929, S. 790–793.

(anonym:) The Wolf Man. In: New York Times Book Review. 29. 9. 1929, S. 7.

(anonym:) »Steppenwolf«. In: Bookman. New York. Okt. 1929, S. 22.

Bornstein: Tagebuch der Zeit. In: Das Tagebuch. Berlin. 11, 1930, 48, S. 1897-1903, bes. S. 1902–1903.

Dehorn, W.: Psychoanalyse und neuere Dichtung. In: The Germanic Review. New York. 7, 1932, S. 245–262, 330–358 (bes. S. 339–345).

Carlsson (geb. Rebenwurzel), Anni: Vom Steppenwolf zur Morgenlandfahrt. In: H. Ball: H. H. Sein Leben und sein Werk. Veränd. u. erw. Ausg. Berlin: Fischer 1933. S. 237–258; Zürich: Fretz & Wasmuth (1947); (Berlin:) Suhrkamp 1947.

Berger, Berta: Der moderne deutsche Bildungsroman. Bern, Leipzig: Haupt 1942. (Sprache und Dichtung. Forschungen zur Sprach- und Literaturwissenschaft. 69.) Bes. S. 47–53. (Zugleich Diss. Bern 1942.)

Widmer, Thomas: Zu Hermann Hesses Steppenwolf. Zürich 1942. Vorankündigung der Steppenwolf-Lizenzausgabe.

Matzig, Richard Blasius: Der Dichter und die Zeitstimmung. Betrachtungen über H. H.s Steppenwolf. St. Gallen: Fehr 1944. 51 S. (Veröffentlichungen der Handels-Hochschule St. Gallen. B 8.); Teilvorabdr. in: Schweizer Monatshefte. Zürich. 23, 1943/44, S. 256–265; veränd. Fassung in: R. B. Matzig: H. H. in Montagnola. Studien zu Werk und Innenwelt des Dichters. Basel: Amerbach (1947), Stuttgart: Reclam (1949) (ohne den Zusatz »in Montagnola«).

Hafner, Gotthilf: Siddhartha und Steppenwolf. In: G. Hafner: H. H. Werk und Leben. Umrisse eines Dichterbildes. Reinbek bei Hamburg: Parus (1947). 87 S., S. 49–53; 2. erw. Aufl. (Nürnberg:) Carl (1954). 176 S., S. 65–68; 3., erg. Aufl. (1970). 199 S., S. 77–81.

Hill, Claude: H. H. and the modern neurosis. Steppenwolf. In: New York Times. Book Review. 16. 3. 1947, S. 5.

Hirsch, Felix E.: Nobel Prize Novel. (Steppenwolf.) In: Library Journal. New York. 15. 3. 1947, S. 468.

Redman, Ben Ray: Steppenwolf: In: Saturday Review of Literature. New York. 29. 3. 1947, S. 30.

Schmid, Max: Der Steppenwolf. In: M. Schmid: H. H. Weg und Wandlung. Mit einem bibliographischen Anhang von Armin Lemp. Zürich: Fretz & Wasmuth (1947); u. d. T.: Konfliktwandel in H. H.s neueren Werken. Zürich: Fretz 1947. 240 S. Diss. Zürich. (Ohne Bibliogr.) S. 73–96.

Shuster, George N.: Die Seele eines Künstlers. (Aus dem Englischen übertragen von Ivan Heilbut.) In: New York Herald Tribune. Weekly Book Review. 16. 3. 1947, S. 1; auch in: Ivan Heilbut, Anna Jacobson, George N. Shuster: Die Sendung H. H.s. (New York 1947.) S. 22–24.

Szczesny, Gerhard: Hans Castrop, Harry Haller und die Folgen. In: Die Umschau. Mainz. 2, 1947, 5, S. 601–611.

Böttcher, Margot: Aufbau und Form von H. H.s »Steppenwolf«, »Morgenlandfahrt« und »Glasperlenspiel«. Diss. Berlin (Humboldt-Universität) 1948. 57 Bl. (Später u. d. T.: Erschließung von H. H.s Spätwerk – insbes. des magischen Gehalts – durch Formanalyse.)

Pasinetti, P. M.: Novels from three languages. In: Sewanee Review. 56, 1948, S. 171–174.

Larson, R. C.: The dream as a literary device in five novels by H.: »Unterm Rad«, »Rosshalde«, »Demian«, »Steppenwolf«, »Narziss und Goldmund«. New Haven, Yale Univ. Senior Essay 1949. 122 Bl.

Rousseaux, André: H. H., le loup et l'homme. In: Le Figaro Littéraire. Paris. 5. 3. 1949, S. 2; Tdr. in: Neuphilologische Zeitschrift. Berlin. 1, 1949, 3, S. 67–68; Nachdr. in: A. Rousseaux: Littérature du vingtième siècle. Tom 4. Paris: Michel (1953). S. 134–142.

Bartsch, Ursula: Die Bedeutung des Traumes für Inhalt und Aufbau von H. H.s »Steppenwolf«. Staatsexamensarbeit. Berlin 1950. 47 Bl.

Sagave, P. P.: Le déclin de la bourgeoisie allemande d'après le roman (1890–1933). Diss. Paris 1950. 531 Bl. Bes. S. 472–478.

Angelloz, F. J.: Das Mütterliche und das Männliche im Werke H. H.s. Saarbrücken: Saarländische Kulturgesellschaft (1951). (Schriftenreihe der Saarländischen Kulturgesellschaft. 2.); Tdr. in: Freude an Büchern. Wien. 3, 1952, 7, S. 155–156.

412

Liepelt-Unterberg, Maria: Das Polaritätsgesetz in der Dichtung. Am Beispiel von H. H.s »Steppenwolf«. Diss. Bonn 1951. 70 Bl.

Baumer, Franz: Das magische Denken in der Dichtung H.H.s Versuch einer Wesensschau seiner Epik. Diss. München 1961. 175 Bl.

Colleville, Maurice: Le problème religieux dans la vie et dans l'oeuvre de H. H. In: Etudes Germaniques. Lyon, Paris. 7, 1952, 2/3, S. 123–148.

Debruge, Suzanne: L'oenvre de H. H. et la psychoanalyse. In: Etudes Germaniques. Lyon, Paris. 7, 1952, S. 252–261.

Opitz, Fritz: Der Dichter lebt in den Gestalten seiner Werke. H. H. im Steppenwolf. In: Berliner Lehrerzeitung. 6, 1952, S. 413–414, 437–438, 462–463.

Pfeifer, Martin: Der Steppenwolf. In: M. Pfeifer: H. H.s Kritik am Bürgertum. Diss. Jena 1952. 133 Bl. S. 62–71.

Unseld, Siegfried: Die Dichtung als Ausdrucksversuch seelischer Vorgänge (Steppenwolf). In: H. H.s Anschauung vom Beruf des Dichters. Diss. Tübingen 1952. S. 114–127.

Weibel, Kurt: Der Steppenwolf. In: K. Weibel: H. H. und die deutsche Romantik. Diss. Bern 1952; dasselbe: Winterthur: Keller 1954. 146 S., S. 77–94.

Seelig, Carl: Ein Vierteljahrhundert »Steppenwolf«. In: Büchergilde. Zürich. 1953, 9, S. 206.

Wagner, Marianne: Zeitmorphologischer Vergleich von H. H.s »Demian«, »Siddhartha«, »Der Steppenwolf« und »Narziß und Goldmund« zur Aufweisung typischer Gestaltzüge. Diss. Bonn 1953. 193 Bl.

Waßner, Hermann: Über die Bedeutung der Musik in den Dichtungen von H. H. Diss. Heidelberg 1953. 146 Bl.

Flaxman, Seymor L.: »Der Steppenwolf«. H.s portrait of the intellectual. In: Modern Language Quarterly. Seattle. 15, 1954, S. 349–358.

Hilty, Hans Rudolf: Der Schluß von H. H.s »Steppenwolf« ... In: Neue Zürcher Zeitung. Nr. 1879 v. 1. 8. 1954.

413

Middleton, J. C.: H. H. as humanist. Diss. Oxford/Engl. 1954. 465 Bl.

Baumer, Franz: Der Steppenwolf. In: F. Baumer: H. H. Der Dichter und sein Lebenswerk. Murnau: Lux (1955). 32 S., S. 25–28. (Lux-Lesebogen. 193.)

(Böttcher, Margot:) Der Steppenwolf. In: H. H. Hilfsmaterial für den Literaturunterricht. (Hrg. von Martin Pfeifer u. a.) Berlin: Volk und Wissen 1956. 148 S., S. 63–69. (Schriftsteller der Gegenwart.)

Matthias, Klaus: Die Musik bei Thomas Mann und H. H. Eine Studie über die Auffassung der Musik in der modernen Literatur. Diss. Kiel 1956. 352 Bl.

Schoolfield, G. C.: Steppenwolf. In: G. C. Schoolfield: The figure of the musician in german literature. Chapel Hill: The University of North Carolina Press (1956). XV, 204 S., S. 156–161. (University of North Carolina studies in the germanic languages and literatures. 19.)

Seifert, Waltraut: Der »Steppenwolf« als verzweifeltes Ringen um eine geistige Existenzmöglichkeit. In: W. Seifert: Künstler und Gesellschaft im Prosawerk H. H.s Diss. Leipzig 1956. 230 Bl. S. 105–119.

Wilson, Colin: The Outsider. Boston: Houghton Mifflin; London: Gollancz 1956. Deutsch u. d. T.: Der Outsider. Eine Diagnose des Menschen unserer Zeit. Stuttgart: Scherz & Goverts (1957). 336 S., S. 74–81.

Horst, Karl August: Das Abenteuer des Narziß. In: K. A. Horst: Die deutsche Literatur der Gegenwart. (München:) Nymphenburger Verlagshandlung (1957). 280 S., S. 47–49.

Kreidler, Horst-Dieter: H. H.s »Steppenwolf«. Versuch einer Interpretation. Diss. Freiburg 1957. 365 Bl.

Lochner, Irmfried: Das Weltbild im modernen Roman. III: H. H.s »Steppenwolf«. In: Manu-Scriptum. Lüneburg. 1958, 5, S. 13–15.

414

Watanabe, Nobuo: Gedanken über H. H.s »Steppenwolf«. In: Yamaguchi-Universität Bungakukaishi. Yamaguchi. 9, 1958, 2. (Japanisch.)

Ziolkowski, Theodore: H. H.s Steppenwolf. A sonata in prose. In: Modern Language Quarterly. Seattle. 19, 1958, 2, S. 115–133; Th. Ziolkowski: The novels of H. H. A study in theme and structure. Princeton, N. J.: Princeton University Press 1965. XII, 375 S., S. 178–228.

Mazzucchetti, Lavinia: Il lupo della steppa. In: L. Mazzucchetti: Novecento in Germania. (Milano:) Mondadori (1959). XXII, 322 S., S. 173–178.

Puppe, Heinz Werner: Die soziologische und psychologische Symbolik im Prosawerk H. H.s Diss. Innsbruck 1959. 225 Bl.

Helmich, Wilhelm: Wege zur Prosadichtung des 20. Jahrhunderts. Eine didaktische Untersuchung. Braunschweig: Westermann 1960. 269 S., S. 32–33.

Pelz, Franz: Bildungsmächte und Bildungsprinzipien im Werke H. H.s Diss. Freiburg/Br. 1960. 325 Bl.

Mileck, Joseph: Names and the creative process. A study of the names in H. H.s »Lauscher«, »Demian«, »Steppenwolf« and »Glasperlenspiel«. In: Monatshefte. Madison/Wisc. 53, 1961, 4, S. 167–180.

Schwarz Egon: Zur Erklärung von H.s »Steppenwolf«. In: Monatshefte. Madison/Wisc. 53, 1961, 4, S. 191–198.

Takahashi, Kenji: H.-Studien. Weltbild und Menschenbild. 4. Aufl. Tokio: Shinchôsha 1961. 296 S. (Band 14 der Werkausgabe in japanischer Sprache.)

Leinfellner-Rupertsberger, Elisabeth: Polarität und Einheit im Werke H. H.s Diss. Wien 1962. 408 Bl.

Mittenzwei, Johannes: Das Musikalische in der Literatur. Hake (Saale): VEB Verlag Sprache und Literatur 1962. S. 378–384.

Pannwitz, Rudolf: »Der Steppenwolf«. Der Sinn von H. H.s Roman. In: Neue Zürcher Zeitung. Nr. 2616 v. 2. 7. 1962.

Leary, Timothy und Ralph Metzner: H. H.: Poet of the interior journey. In: Psychedelic Review. Cambridge, Mass. 1, 1963, 2, S. 167 ff.; T. Leary: Politik und Ekstase. Hamburg: Wegner (1970). S. 164–179 (bes. S. 174–178).

Mayer, Hans: H.s »Steppenwolf« nach fünfunddreißig Jahren. In: H. H.: Der Steppenwolf. Berlin: Aufbau-Verlag 1963. S. 263–278; Studi Germanici. Rom. 1964, 2, S. 76–89; Notizen. Tübingen. 10, 1966, 70, S. 17–19 u. d. T.: H. H.s »Steppenwolf«: eine Wiederbegegnung; H. Mayer: Zur deutsche Literatur der Zeit. Zusammenhänge, Schriftsteller, Bücher, Reinbeck: Rowohlt 1967. S. 26–36.

Ogasawara, Shigesuke: Die Stellung des »Steppenwolf« in den Werken H. H.s In: Doitsu-Bungaku. Tokio. 33, S. 36–44. (Japanisch mit deutscher Zusammenfassung.)

Köhler, Lotte: H. H. In: Deutsche Dichter der Moderne. Hrg. von Benno von Wiese. Berlin, Bielefeld, München: Schmidt 1965. S. 112–131, bes. S. 120–126. (Neuauflage 1969.)

Rose, Ernst: Faith from the abyss. H. H.s way from romanticism to modernity. New York University Press 1965; London: Owen (1966). X, 175 S., bes. S. 87–97.

Joyce, Robert E.: Toward the resolution of polarities in H. H.s »Steppenwolf«. In: American Benedictine Review. 17, 1966, S. 336–341.

Stelzmann, Rainulf A.: Kafka's »Trial« and H.s »Steppenwolf«: Two views of reality and transcendence. In: Xavier University Studies. 2, 1966, S. 165–172.

Ziolkowski, Theodore: H. H. New York, London: Columbia University Press 1966. 48 S., S. 31–35. (Colombia essays on modern writers. 22.)

Zukoshi, Ryohei: H. H.s ›Steppenwolf‹. Über die Zeitumstände und die Not des Individuums. In: Jinbum Kenkyu. Osaka-Shiritsu-Universität. 17, 1966, 8, S. 94–119. (Japanisch.)

Boulby, Mark: The Steppenwolf. In: M. Boulby: H. H., his mind and art. Ithaca, New York: Cornell University Press (1967). XIV, 338 S., S. 159–205.

416

Brunner, John W.: The Natur-Geist Polarity in H. H. In: Helen Adolf Festschrift. New York: Ungar (1968). S. 268–284.

Cohn, Dorrit: Narration of consciousness in »Der Steppenwolf«. In: The Germanic Review. New York, N.Y. 44, 1969, 2, S. 121–131.

Hatfield, Henry: Accepting the universe: H. H.s »Steppenwolf«. In: H. Hatfield: Crisis and continuity in modern german fiction. Ithaca, London 1969. S. 63–77.

Hughes, Kenneth: H.s use of »Gilgamesh«-motifs in the humanization of Siddhartha and Harry Haller. In: Seminar. Toronto, 5, 1969, S. 129–140.

Field, George Wallis: Der Steppenwolf: Crisis and Recovery. In: G. W. Field: H. H. New York: Twayne (1970). 198 S., S. 86–108. (Twayne's World Authors Series. 93.) (Neuauflage 1971.)

Lange, Marga: »Daseinsproblematik« in H. H.s »Steppenwolf«; an existential interpretation. (Brisbane:) University of Queensland (1970). V, 85 S. (Queensland studies in German language and literature. 1.)

Lüthi, Hans Jürg: H. H. Natur und Geist. Stuttgart: Kohlhammer (1970). 158 S. (Sprache und Literatur. 61.)

Völker, Ludwig: Die Gestalt der Hermine in H.s »Steppenwolf«. In: Etudes Germaniques. Paris. 25, 1970, 1, S. 41–52.

Artiss, David: Key symbols in H.s »Steppenwolf«. In: Seminar. Toronto. 7, 1971, 2, S. 85–101..

Beaujon, Edmond: La métier d'homme et son image mythique chez H. H. (Genève: Editions du) Mont-Blanc (1971). 240 S.

Butler, Colin: Literary malpractice in some works of H. H. In: University of Toronto Quarterly. Toronto. 40, 1971, 2, S. 168–182.

Maierhöfer, Fränzi: Auf der Suche nach Entpersönlichung. Zur Entdeckung H. H.s in Amerika. In: Hochland. München, Kempten. 63, 1971, 5, S. 483–491.

417

Stolte, Heinz: Der Steppenwolf oder die große Provokation. In: H. Stolte: H. H. Weltscheu und Lebensliebe. Hamburg: Hansa (1971). 287 S., S. 195–205.

Michels, Volker: Der Steppenwolf in den USA. In: Hermann Hesse, der distanzierte Deutsche. In: Der Steppenwolf und unbekannte Texte aus dem Umkreis des Steppenwolf, Frankfurt a. M., Wien, Zürich; Büchergilde Gutenberg (1972). 340 S., S. 332–339.

*Zusammengestellt von Martin Pfeifer*

# Zeittafel

1877 geboren am 2. Juli in Calw/Württemberg
1892 Flucht aus dem evgl.-theol. Seminar in Maulbronn
1899 »Romantische Lieder«, »Hermann Lauscher«
1904 »Peter Camenzind«, Ehe mit Maria Bernoulli
1906 »Unterm Rad«, Mitherausgeber der antiwilhelminischen Zeitschrift »März«
1907 »Diesseits«, Erzählungen
1908 »Nachbarn«, Erzählungen
1910 »Gertrud«
1911 Indienreise
1912 »Umwege«, Erzählungen, Hesse verläßt Deutschland und übersiedelt nach Bern
1913 »Aus Indien«, Aufzeichnungen von einer indischen Reise
1914 »Roßhalde«, bis 1919 im Dienst der »Deutschen Kriegsgefangenenfürsorge, Bern«
     Herausgeber der »Deutschen Interniertenzeitung«, der »Bücher für deutsche Kriegsgefangene« und des »Sonntagsboten für deutsche Kriegsgefangene«
1915 »Knulp«
1919 »Demian«, »Märchen«, »Zarathustras Wiederkehr«
1920 »Klingsors letzter Sommer«, »Wanderung«
1922 »Siddhartha«
1924 Hesse wird Schweizer Staatsbürger
1924 Ehe mit Ruth Wenger
1925 »Kurgast«
1926 »Bilderbuch«
1927 »Die Nürnberger Reise«, »Der Steppenwolf«
1928 »Betrachtungen«
1929 »Eine Bibliothek der Weltliteratur«
1930 »Narziß und Goldmund«
     Austritt aus der »Preußischen Akademie der Künste«, Sektion Sprache und Dichtung
1931 Ehe mit Ninon Dolbin geb. Ausländer
1932 »Die Morgenlandfahrt«
1937 »Gedenkblätter«
1942 »Die Gedichte«
1943 »Das Glasperlenspiel«
1945 »Traumfährte«, Erzählungen und Märchen
1946 Nobelpreis
1951 »Späte Prosa«, »Briefe«

1952 »Gesammelte Dichtungen«, 6 Bde.
1957 »Gesammelte Schriften«, 7 Bde.
1962 9. August: Tod Hermann Hesses in Montagnola
1966 »Prosa aus dem Nachlaß«, »Kindheit und Jugend vor 1900, Briefe und Lebenszeugnisse«
1968 »Hermann Hesse – Thomas Mann«, Briefwechsel
1969 »Hermann Hesse – Peter Suhrkamp«, Briefwechsel
1970 »Politische Betrachtungen«, »Hermann Hesse-Werkausgabe« in 12 Bänden, dort: »Eine Literaturgeschichte in Rezensionen und Aufsätzen«
1971 »Hermann Hesse – Sprechplatte«, »Mein Glaube«, eine Dokumentation. »Lektüre für Minuten«
1972 Materialien zu Hermann Hesses »Der Steppenwolf«
1973 »Gesammelte Briefe, Band 1, 1895–1921«, »Die Kunst des Müßiggangs«, Materialien zu Hermann Hesses »Das Glasperlenspiel« Bd. 1.

*Hermann Hesse*
*Werkausgabe edition suhrkamp*

3. Auflage 1973

Gesammelte Werke in zwölf Bänden
6100 S., leinenkaschiert, DM 84,–

Band  1: Stufen und späte Gedichte / Eine Stunde hinter Mitternacht / H. Lauscher / Peter Camenzind
Band  2: Unterm Rad / Diesseits
Band  3: Gertrud / Kleine Welt
Band  4: Roßhalde / Fabulierbuch / Knulp
Band  5: Demian / Kinderseele / Klein und Wagner / Klingsors letzter Sommer / Siddhartha
Band  6: Märchen / Wanderung / Bilderbuch / Traumfährte
Band  7: Kurgast / Die Nürnberger Reise / Der Steppenwolf
Band  8: Narziß und Goldmund / Die Morgenlandfahrt / Späte Prosa
Band  9: Das Glasperlenspiel
Band 10: Betrachtungen / Aus den Gedenkblättern / Rundbriefe / Politische Betrachtungen

Erstmals gesammelt:
Band 11: Schriften zur Literatur I: Über das eigene Werk / Aufsätze / Eine Bibliothek der Weltliteratur
Band 12: Schriften zur Literatur II: Eine Literaturgeschichte in Rezensionen und Aufsätzen

»Die Hesse-Ausgabe ist großartig.« *Hans Mayer*

»Hermann Hesse: ›Schriften zur Literatur‹. Hier sind die Schlüsselworte für Hesses heutige Renaissance zu finden – brisante, soziologisch brisante –, hier kann wirkliches Verständnis für das literarische Werk gefunden werden, hier ist Zeitgeschichte anzutreffen, die auch der Stand der Politologen sich zu Gemüte führen sollte.«
*Die Presse, Wien*

## Gesammelte Schriften in Einzelausgaben

Beschwörungen; Bilderbuch; Briefe; Das Glasperlenspiel; Der Steppenwolf; Diesseits; Erzählungen; Kleine Welt; Fabulierbuch; Frühe Prosa; Gedenkblätter; Gertrud; Knulp; Krieg und Frieden; Kurgast; Die Nürnberger Reise; Märchen; Narziß und Goldmund; Peter Camenzind; Prosa aus dem Nachlaß; Roßhalde; Schriften zur Literatur; Siddhartha; Traumfährte; Unterm Rad.

### Briefe

Kindheit und Jugend vor Neunzehnhundert. Hermann Hesse in Briefen und Lebenszeugnissen 1877–1894; herausgegeben von Ninon Hesse
Hermann Hesse, Gesammelte Briefe, 1895–1921. Unter Mitwirkung von Heiner Hesse; herausgegeben von Ursula und Volker Michels
Briefe. 2. erweiterte Ausgabe
Hermann Hesse – Thomas Mann. Briefwechsel; herausgegeben von Anni Carlsson
Hermann Hesse – Peter Suhrkamp. Briefwechsel 1945–1959; herausgegeben von Siegfried Unseld

### Über Hermann Hesse

Dank an Hermann Hesse. Reden und Aufsätze
Hermann Hesse – Eine Chronik in Bildern; herausgegeben von Bernhard Zeller
Hugo Ball: Hermann Hesse. Sein Leben und sein Werk
Emmy Ball-Hennings: Briefe an Hermann Hesse
Adrian Hsia: Hermann Hesse und China
Hermann Hesse, Eine Werkgeschichte von Siegfried Unseld

### Sonderausgaben

Hermann Hesse, Die Erzählungen
Hermann Hesse, Weg nach Innen

# Hermann Hesse
## Die Erzählungen

*Sonderausgabe in zwei Bänden. Herausgegeben von
Volker Michels. 1020 Seiten
Erstmals sämtlich gesammelt und um 12 unbekannte
Erzählungen aus dem Nachlaß ergänzt.*

Die Erzählungen Hermann Hesses, hier erstmals zusammengefaßt und in chronologischer Folge geordnet, bekräftigen sinnfällig die Feststellung Thomas Manns: »Deutscheres gibt es nicht als diesen Dichter und das Werk seines Lebens – nichts, das deutscher wäre im alten, frohen, freien und geistigen Sinn, dem der deutsche Name seinen besten Ruhm, dem er die Sympathie der Menschheit verdankt.« Zwar waren Hesses große Erzählungen, *Knulp, Der Steppenwolf, Narziß und Goldmund, Die Morgenlandfahrt,* von jeher bekannt und beachtet, doch die zahlreichen, nicht als Einzelausgaben erschienenen kürzeren Erzählungen sind unbekannter geblieben. In Sammelbänden verstreut, waren sie schwerer zugänglich und nicht als Gesamtheit überschaubar. Die ersten dieser in fünf Jahrzehnten entstandenen Erzählungen stammen aus dem Jahre 1903, die letzte wurde 1953 geschrieben. Sie zeigen den Weg und die Entwicklungen eines Epikers, dem es kaum um die Fabel und schon gar nicht um Spannung oder Pointen zu tun ist, sondern dessen wohltuend unheldische Helden vor alltäglich-unscheinbarem Hintergrund in immer neuen Brechungen die ganze Vielfalt menschlicher Psyche und Verhaltensweisen spiegeln. Nicht unerhörte Begebenheiten, sondern das Unerhörte der alltäglichen Begebenheiten kommt hier zu Wort. Denn so vertraut die Schauplätze anmuten, die Konflikte, die dort ausgetragen und beobachtet werden, wachsen weit über das Lokale hinaus. Der Mikrokosmos des scheinbar Provinziellen und des Individuellen verweist vom Detail auf das Ganze. »Er kann«, schrieb Kurt Tucholsky über Hesse, »was nur wenige können. Er kann einen Sommerabend und ein erfrischendes Schwimmbad und die schlaffe Müdigkeit nach körperlicher Anstrengung nicht nur schildern – das wäre nicht schwer. Aber er kann machen, daß uns heiß und kühl und müde *ums Herz* ist.«

st 131 Ödön von Horváth, Der ewige Spießer. Roman
144 Seiten
Horváth selbst hat diesen seinen ersten 1930 erschienenen
Roman einen »Beitrag zur Biologie des werdenden Spie-
ßers« genannt. Der ewige Spießer hat so viele Gesichter
wie die Gesellschaft Hintertüren bereithält. An diesen
Hintertüren hat sich Horváth zur Beobachtung aufgestellt
und belauscht seinen Helden in dem Moment, in dem
er sich am sichersten fühlt.

st 132 Werner Koch, See-Leben I
128 Seiten
*See-Leben I* ist der Versuch, ein utopisches Leben so
darzustellen, als sei es die alltäglichste Realität. Der
Mann, der *See-Leben I* erzählt, ist angestellt bei einer
Kölner Firma. Nach seinem Urlaub weigert er sich, in
die Firma zurückzukehren; er stellt sein Büro am See
auf. Funktioniert das? Man wird sehen. »Dieses schlanke
Buch von Werner Koch ist listig, tückisch, scheinbar mit
der sogenannten leichten Hand geschrieben und hat doch
einen merkwürdigen melancholischen Tief- und Schwer-
gang.« *Heinrich Böll*

st 133 Hans Erich Nossack, Der jüngere Bruder. Roman
Erweiterte Ausgabe. Mit einem Nachwort von Christof
Schmid
336 Seiten
Der Ingenieur Stefan Schneider kehrt nach einem lang-

jährigen Exil in unwegsamen Gegenden Brasiliens nach Hamburg zurück. Er findet ein Deutschland vor, das zwar noch die Spuren der Zerstörung des Zweiten Weltkriegs trägt, im übrigen aber weiterlebt, als sei nichts geschehen. Schneiders Frau war während des Krieges auf merkwürdige Weise gestorben. Bei der Aufklärung ihres Todes stößt Schneider auf das Geheimnis eines jungen Mannes, der auf alle, die ihm begegneten, eine ungewöhnliche Wirkung ausübte. – Die Taschenbuchausgabe dieses großen Romans ist um die Kapitel *Der Gast, Im Atelier, Der Brief* erweitert. Christof Schmid geht in seinem Nachwort auf die Entstehungsgeschichte des Romans und seine Stellung im Gesamtwerk Nossacks ein.

st 134 Theodor W. Adorno, Zur Dialektik des Engagements
Aufsätze zur Literatur des 20. Jahrhunderts II
208 Seiten
Während der erste Band der *Aufsätze zur Literatur des 20. Jahrhunderts* (st 72) Adornos Auseinandersetzungen mit dem sogenannten Absurdismus dokumentierte, so sammelt der zweite Band Aufsätze zu politischen Aspekten der heutigen Literatur. Auf die programmatische Auseinandersetzung mit Sartre und seiner Konzeption einer engagierten Literatur folgt die Beschäftigung mit Valéry, gewissermaßen dem Gegenbild des »engagierten« Schriftstellers, mit der ästhetizistischen Utopie von Stefan George und Hugo von Hofmannsthal, mit der Lyrik von Rudolf Borchardt, mit dem Werk von Thomas Mann, mit dem Utopisten Aldous Huxley. Der Band schließt mit dem berühmten offenen Brief an Rolf Hochhuth.

st 135 Wer ist das eigentlich – Gott?
Essays
Herausgegeben von Hans Jürgen Schultz
304 Seiten
Die Frage »Wer ist das eigentlich – Gott?« stammt von Kurt Tucholsky. Nicht ironisch oder polemisch wird sie heute formuliert, sondern neugierig und interessiert. Die Beiträge dieses Buches wollen von verschiedenen Gesichtspunkten aus und unter Beteiligung zahlreicher namhafter Autoren eine Antwort geben.

st 137 Zivilmacht Europa – Supermacht oder Partner?
Herausgegeben von Max Kohnstamm und Wolfgang Hager. Deutsch von Ruprecht Paqué
384 Seiten
Das Brüsseler Institut der Europäischen Gemeinschaft für Hochschulstudien versucht, mit diesem Band einen Überblick über die wichtigsten außenpolitischen Probleme zu geben, denen sich die jetzt neun Mitglieder der Europäischen Gemeinschaft gegenübersehen.

st 139 Hannes Alfvén, Atome, Mensch und Universum
Aus dem Amerikanischen von Jens Peter Kaufmann
128 Seiten
Der Leser, gerade jener Leser mit wenigen oder gar keinen Kenntnissen in den Naturwissenschaften, findet hier eine ausgezeichnete und fundierte erste Einführung in Entwicklung, Probleme und Argumentation naturwissenschaftlichen Denkens.

st 142 Magda Szabó, I. Moses 22. Roman
Aus dem Ungarischen von Henriette Schade und Géza Engl
224 Seiten
Magda Szabó hat dem Verhältnis zwischen den Generationen in ihrem Buch die Unmittelbarkeit der gelebten Wirklichkeit gegeben: in Ungarn, im Budapest des Jahres 1966. Die Gáls, Apothekenbesitzer, nach dem Krieg enteignet, gehören jetzt zu den »Gezeichneten«. Die Bartos, ehemals biedere Handwerker, haben jetzt ein Dienstauto, sie sind Stützen der Gesellschaft geworden. Für die Kinder beider macht das keinen Unterschied. Über die Köpfe der Eltern hinweg sind sie Freunde geworden; sie haben dasselbe Problem: gegängelt und doch sich selbst überlassen neben den Eltern zu leben. Die Welt der Eltern ist ihnen gleichgültig geworden, eine Scheinwelt, die sie nicht mehr betrifft, ja, mit der auseinanderzusetzen sich kaum lohnt.

st 150 Zur Aktualität Walter Benjamins
Aus Anlaß des 80. Geburtstags von Walter Benjamin herausgegeben von Siegfried Unseld
288 Seiten
Der vorliegende Band »Zur Aktualität Walter Benjamins« nimmt wichtige, hier erstmals publizierte Ab-

handlungen auf, die aus diesem Anlaß geschrieben worden sind, und Texte von Walter Benjamin, seine »Lehre
vom Ähnlichen«, eine umfangreiche Variante der Arbeit
»Über das mimetische Vermögen«, den autobiographisch
bedeutenden Text »Agesilaus Santander«, den Briefwechsel
mit Bertolt Brecht und drei Lebensläufe, deren letzter
kurz vor seinem Tod geschrieben wurde.

st 151 Hermann Broch
Barbara und andere Novellen
384 Seiten
Dieser Band legt eine Sammlung von 13 Novellen vor,
die besten aus Brochs Gesamtwerk. Die früheste, *Eine
methodologische Novelle,* wurde 1917 geschrieben, die
späteste, *Die Erzählung der Magd Zerline,* 1949. Die
Besonderheit dieser Sammlung besteht in der erstmaligen
Präsentation aller vorhandenen Tierkreisnovellen in ihrer
Ursprungsfassung.

## Alphabetisches Gesamtverzeichnis der suhrkamp taschenbücher

Achternbusch, Alexanderschlacht 61
Adorno, Erziehung zur Mündigkeit 11
– Studien zum autoritären Charakter 107
– Versuch, das ›Endspiel‹ zu verstehen 72
– Zur Dialektik des Engagements 134
Aitmatow, Der weiße Dampfer 51
Alfvén, M 70 – Die Menschheit der siebziger Jahre 34
Allerleirauh 19
Alsheimer, Vietnamesische Lehrjahre 73
Artmann, Grünverschlossene Botschaft 82
Artmannsens Märchen 26
Baeyer, Baeyer–Katte, Angst 118
Bahlow, Deutsches Namenlexikon 65
Becker, Eine Zeit ohne Wörter 20
Beckett, Warten auf Godot (dreisprachig) 1
– Watt 46
Materialien zu Becketts »Godot« 104
Benjamin, Über Haschisch 21
– Ursprung des deutschen Trauerspiels 69
Bernhard, Frost 47
– Gehen 5
– Das Kalkwerk 128
Bilz, Neue Verhaltensforschung: Aggression 68
Blackwood, Das leere Haus 30
Bloch, Naturrecht und menschliche Würde 49
– Vorlesungen zur Philosophie der Renaissance 75
– Subjekt–Objekt 12
Brecht, Geschichten vom Herrn Keuner 16
Bertolt Brechts Dreigroschenbuch 87
Broch, Barbara 151
Broszat, 200 Jahre deutsche Polenpolitik 74
Buono, Zur Prosa Brechts. Aufsätze 88
Butor, Paris–Rom oder Die Modifikation 89
Chomsky, Indochina und die amerikanische Krise 32
– Kambodscha Laos Nordvietnam 103
– Über Erkenntnis und Freiheit 91
Der andere Hölderlin. Materialien zu Weiss »Hölderlin« 42
Döring, Perspektiven einer Architektur 109
Duddington, Baupläne der Pflanzen 45
Duras, Hiroshima mon amour 112
Eich, Fünfzehn Hörspiele 120
Enzensberger, Gedichte 1955–1970 4
Ewald, Innere Medizin in Stichworten I 97
– Innere Medizin in Stichworten II 98
Fallada/Dorst, Kleiner Mann – was nun? 127

Freisprüche. Revolutionäre vor Gericht 111
Frisch, Stiller 105
– Stücke 1 70
– Stücke 2 81
– Wilhelm Tell für die Schule 2
Fromm/Suzuki/de Martino, Zen–Buddhismus und
    Psychoanalyse 37
Fuchs, Todesbilder in der modernen Gesellschaft 102
Geschichten? Ein Lesebuch 110
Grossmann, Ossietzky. Ein deutscher Patriot 83
Habermas, Theorie und Praxis 9
Hammel, Unsere Zukunft – die Stadt 59
Handke, Chronik der laufenden Ereignisse 3
– Die Angst des Tormanns beim Elfmeter 27
– Ich bin ein Bewohner des Elfenbeinturms 56
– Stücke 1 43
– Stücke 2 101
Henle, Der neue Nahe Osten 24
Hesse, Glasperlenspiel 79
– Kunst des Müßiggangs 100
– Lektüre für Minuten 7
– Unterm Rad 52
– Klein und Wagner 116
Materialien zu Hesses »Glasperlenspiel« 80
Materialien zu Hesses »Steppenwolf« 53
Hobsbawm, Die Banditen 66
Horváth, Ein Kind unserer Zeit 99
– Jugend ohne Gott 17
– Leben und Werk in Dokumenten und Bildern 67
– Der ewige Spießer 131
Hudelot, Der Lange Marsch 54
Kästner, Offener Brief an die Königin von Griechenland.
    Beschreibungen, Bewunderungen 106
Kaschnitz, Steht noch dahin 57
Katharina II. in ihren Memoiren 25
Koeppen, Das Treibhaus 78
– Romanisches Café 71
– Nach Rußland und anderswohin 115
Kracauer, Die Angestellten 13
Krolow, Ein Gedicht entsteht 95
Kühn, N 93
Lagercrantz, China-Report 8
Lehn, Chinas neue Außenpolitik 96
Lepenies, Melancholie und Gesellschaft 63
Lévi-Strauss, Strukturale Anthropologie 15
– Rasse und Geschichte 62
Lovecraft, Cthulhu 29
Malson, Die wilden Kinder 55
Mayer, Georg Büchner und seine Zeit 58
McHale, Der ökologische Kontext 90

Minder, Dichter in der Gesellschaft 33
Mitscherlich, Thesen zur Stadt der Zukunft 10
– Massenpsychologie ohne Ressentiment 76
Myrdal, Politisches Manifest 40
Norén, Die Bienenväter 117
Nossack, Spirale 50
Nossal, Antikörper und Immunität 44
Olvedi, LSD-Report 38
Portmann, Biologie und Geist 124
Reiwald, Die Gesellschaft und ihre Verbrecher 130
Riesman, Wohlstand wofür? 113
– Wohlstand für wen? 114
Russell, Autobiographie I 22
– Autobiographie II 84
Shaw, Die Aussichten des Christentums 18
Simpson, Biologie und Mensch 36
Sperr, Bayrische Trilogie 28
Steiner, In Blaubarts Burg 77
– Sprache und Schweigen 123
Terkel, Der Große Krach 23
Unterbrochene Schulstunde. Schriftsteller und Schule 48
Walser, Gesammelte Stücke 6
– Halbzeit 94
Wie, warum und zu welchem Ende wurde ich
   Literaturhistoriker? 60
Weiss, Das Duell 41
– Rekonvaleszenz 31
Materialien zu Weiss' »Hölderlin« 42
Wer ist das eigentlich – Gott? 135
Werner, Wortelemente lat.-griech. Fachausdrücke in den
   biologischen Wissenschaften 64
Werner, Vom Waisenhaus ins Zuchthaus 35
Wittgenstein, Philosophische Untersuchungen 14
Wolf, Punkt ist Punkt 122
Zivilmacht Europa 137
Zur Aktualität Walter Benjamins 150